Y0-BQN-795

Zum Buch:

Ein grausames Geiseldrama hält die Kleinstadt Heartsdale in Georgia in Atem: Die Kinderärztin und Gerichtsmedizinerin Sara Linton will auf der Polizeiwache mit ihrem Ex-Mann, Chief Jeffrey Tolliver, sprechen, doch bewaffnete Männer stürmen das Gebäude. Chief Tolliver wird schwer verletzt und zusammen mit Sara als Geisel gehalten – genau wie eine Gruppe Schulkinder. Während das FBI sie zu befreien versucht, setzt Sara alles daran, ihren Ex-Mann am Leben zu halten, seine Identität den Geiselnehmern gegenüber zu verschleiern und die Kinder zu beruhigen. Währenddessen versucht Detective Lena Adams fieberhaft, Identität und Motiv der Täter aufzudecken. Obwohl sie keinerlei Forderungen stellen, scheinen die Täter nicht willkürlich zu handeln …

Zur Autorin:

Karin Slaughter ist eine der weltweit berühmtesten Autorinnen und Schöpferin von über 20 New-York-Times-Bestseller-Romanen. Dazu zählen *Cop Town*, der für den Edgar Allan Poe Award nominiert war, sowie die Thriller *Die gute Tochter* und *Pretty Girls*. Ihre Bücher erscheinen in 120 Ländern und haben sich über 40 Millionen Mal verkauft. Ihr internationaler Bestseller *Ein Teil von ihr* ist 2022 als Serie mit Toni Collette auf Platz 1 bei Netflix erschienen. Eine Adaption ihrer Bestseller-Serie um den Ermittler *Will Trent* ist derzeit eine erfolgreiche Fernsehserie, weitere filmische Projekte werden entwickelt. Slaughter setzt sich als Gründerin der Non-Profit-Organisation »Save the Libraries« für den Erhalt und die Förderung von Bibliotheken ein. Die Autorin stammt aus Georgia und lebt in Atlanta.

KARIN SLAUGHTER

SCHATTEN-BLUME

THRILLER

Aus dem amerikanischen Englisch von
Sophie Zeitz

HarperCollins

Die Originalausgabe erschien 2004 unter dem Titel *Indelible*
bei HarperCollins, New York

1. Auflage 2024

Ungekürzte Ausgabe im HarperCollins Taschenbuch
by HarperCollins in der
Verlagsgruppe HarperCollins Deutschland GmbH, Hamburg

Published by arrangement with William Morrow,
an imprint of HarperCollins Publishers, US
Gesetzt aus der Stempel Garamond
von GGP Media GmbH, Pößneck
Druck und Bindung von ScandBook
Umschlaggestaltung von Hafen Werbeagentur, Hamburg
Umschlagabbildung unter Verwendung von Midjourney
Printed in Lithuania
ISBN 978-3-365-00839-3
www.harpercollins.de

Für D. A.
River deep, mountain high

EINS

8.55 Uhr

»Wen haben wir denn da!«, rief Marla Simms und sah Sara über den Rand ihrer Brille prüfend an. Die Sekretärin der Polizeiwache hielt eine Zeitschrift in den arthritischen Händen, die sie jetzt sinken ließ, um Sara wissen zu lassen, dass sie reichlich Zeit für einen Plausch hatte.

Sara versuchte fröhlich zu klingen, obwohl sie ihren Besuch extra auf Marlas Pause gelegt hatte. »Morgen, Marla.«

Marla sah sie durchdringend an und zog die Mundwinkel noch weiter runter als sonst. Sara versuchte, sich ihre Verlegenheit nicht anmerken zu lassen. Marla Simms hatte die Kinder in der Sonntagsschule unterrichtet, seit die Baptistenkirche ihre Pforten geöffnet hatte, und sie schaffte es immer noch, jedem Kind der Stadt, das nach 1952 geboren war, mit einem einzigen Blick Gottesfurcht einzuflößen.

Sie musterte Sara unerbittlich. »Dich habe ich ja lange nicht mehr hier gesehen.«

»Hm.« Sara versuchte, über Marlas Kopf hinweg in Jeffreys Büro zu spähen. Die Tür stand offen, doch er saß nicht an seinem Schreibtisch. Der Mannschaftsraum war leer, wahrscheinlich war Jeffrey hinten. Im Grunde konnte sie einfach am Anmeldungstresen vorbeimarschieren und selbst nach ihm suchen – wie sie es schon Hunderte Male zuvor getan hatte –, doch irgendetwas hielt Sara davon ab, die unsichtbare Grenze zu passieren, ohne den Wegezoll zu entrichten.

Marla verschränkte die Arme und lehnte sich zurück. »Schöner Tag heute«, sagte sie.

Sara blickte hinaus auf die Main Street, wo der Asphalt in der Hitze flimmerte. Die Luft war so feucht, dass ihr der Schweiß aus allen Poren drang. »Ja, wirklich schön.«

»Du hast dich aber hübsch gemacht«, fuhr Marla mit einem Blick auf das Leinenkleid fort, das Sara ausgesucht hatte, nachdem sie all ihre Kleider aus dem Schrank gerissen hatte. »Gibt es einen Anlass?«

»Ach, nichts Besonderes«, log Sara. Unwillkürlich nestelte sie an ihrer Tasche herum und wippte auf den Füßen, als wäre sie vier und nicht fast vierzig.

Die ältere Frau sah sie triumphierend an. Sie ließ Sara noch ein bisschen zappeln, bevor sie fragte: »Wie geht's deiner Mutter?«

»Gut«, antwortete Sara und versuchte, leutselig zu klingen. Sie war nicht so naiv zu glauben, ihr Privatleben ginge niemanden etwas an – in einem Nest wie Heartsdale konnte man kaum niesen, ohne dass ein Nachbar anrief und freundlich »Gesundheit« wünschte. Doch Sara würde Marla auch nicht alles auf die Nase binden.

»Und deiner Schwester?«

Bevor Sara antworten konnte, kam ihr Brad Stephens zu Hilfe, der über die Schwelle der Eingangstür stolperte. Der junge Streifenpolizist konnte gerade noch verhindern, dass er der Länge nach zu Boden fiel, doch der Schwung riss ihm die Mütze vom Kopf. Sie segelte Sara vor die Füße. Brads Holster und Gummiknüppel baumelten rechts und links an seiner Hüfte wie ein Paar zusätzliche Gliedmaßen. Hinter ihm prustete eine Schar vorpubertärer Kinder beim Anblick seines uneleganten Auftritts.

»Hoppla«, sagte Brad und blickte von Sara zu den Kindern und wieder zurück. Dann hob er seine Mütze auf und klopfte sie mit übertriebener Sorgfalt ab. Sara fragte sich, vor wem er sich mehr schämte: vor der Handvoll Zehnjähriger, die über seine Tollpatschigkeit lachten, oder vor seiner ehemaligen Kinderärztin, die offensichtlich ihr Grinsen unterdrücken musste.

Anscheinend war das Letztere schlimmer. Er wandte sich wieder an seine Gruppe und versuchte, sich mit sonorer Stimme Respekt zu verschaffen. »Wir befinden uns hier auf der Polizeiwache, wo wir unsere Arbeit machen. Also, die Polizeiarbeit. Und, äh, das hier ist die Eingangshalle.« Er sah Sara an. Den Vorraum, in dem sie sich befanden, als Eingangshalle zu bezeichnen, war ein wenig übertrieben. Er war keine zehn Quadratmeter groß mit einer Betonwand direkt gegenüber der gläsernen Eingangstür. An der Wand rechts von Sara hingen die Fotos aller Einheiten der Grant County Police. Den Ehrenplatz nahm ein großes Porträt von Mac Anders ein, dem einzigen Polizeibeamten, der je im Einsatz getötet worden war.

Gegenüber der Fotogalerie wachte Marla hinter einem hohen hellbraunen Resopaltresen, der den Besucherbereich vom Mannschaftsraum trennte. Sie war keine kleine Frau, doch mit dem Alter hatte sich ihr Körper zu einem Fragezeichen gekrümmt. Die Brille hing ihr auf der Nasenspitze, sodass es Sara, die selbst eine Lesebrille brauchte, immer reizte, sie ihr wieder nach oben zu schieben. Nicht dass Sara den Mut dazu gehabt hätte. Denn so gut wie Marla über alle und alles Bescheid wusste, so wenig ließ sie die Leute an sich heran. Sie war verwitwet und hatte keine Kinder. Ihr Mann war im Zweiten Weltkrieg gefallen. Sie wohnte auf der Hemlock, zwei Straßen von Saras Elternhaus entfernt. Sie strickte, unterrichtete in der Sonntagsschule und arbeitete Vollzeit auf dem Revier, wo sie sich ums Telefon und den Papierkram kümmerte. All das sagte allerdings nicht viel über Marla Simms aus. Und doch hatte Sara das Gefühl, dass es noch mehr gab im Leben dieser Frau von achtzig Jahren, auch wenn

Marla die meiste Zeit davon in dem Haus verbracht hatte, in dem sie zur Welt gekommen war.

Brad setzte seine Führung durch die Wache fort und zeigte auf den großen offenen Raum hinter Marla. »Dahinten erledigen die Kriminalbeamten und die Streifenpolizisten ihre Arbeit ... Telefonanrufe und so weiter. Zeugen befragen, Berichte schreiben, Sachen in den Computer eingeben und, äh ...« Er brach ab, als er merkte, dass ihm keiner zuhörte. Die meisten Kinder konnten kaum über den Tresen sehen. Und selbst wenn – dreißig leere Schreibtische in Fünferreihen, dazwischen verschieden große Aktenschränke, waren nicht unbedingt ein fesselnder Anblick. Sara schätzte, die Kinder bereuten bereits, dass sie nicht in der Schule geblieben waren.

Doch Brad versuchte es weiter. »Ich zeige euch gleich die Gefängniszellen, wo wir die Verbrecher festnehmen ... ich meine, nicht wo wir sie festnehmen«, er blickte nervös zu Sara. »Also, hier stecken wir sie rein, nachdem wir sie festgenommen haben. Also, nicht hier, sondern ins Gefängnis.«

Schlagartig wurde es still, dann begann plötzlich jemand hinten in der Gruppe zu kichern. Sara, die die meisten der Kinder aus der Kinderklinik kannte, schaffte es, ein paar von ihnen mit einem strengen Blick zum Schweigen zu bringen. Um die restlichen kümmerte sich Marla. Ihr Drehstuhl ächzte erleichtert, als sie sich aufrichtete und sich über den Tresen beugte. Wie auf Knopfdruck brach das Kichern ab.

Maggie Burgess, ein Mädchen, das von seinen Eltern ernster genommen wurde, als ihm guttat, meldete sich mit Piepsstimme zu Wort: »Hallo, Frau Dr. Linton.«

Sara nickte ihr zu. »Hallo, Maggie.«

»Ähm«, begann Brad wieder. Sein sonst milchweißes Gesicht war tiefrot angelaufen. Sara entging nicht, dass sein Blick ein wenig zu lang an ihren nackten Beinen klebte. »Ihr ... äh ... ihr kennt ja alle Dr. Linton.«

Maggie verdrehte die Augen. »Natüüürlich«, sagte sie, und ihr respektloser Ton brachte wieder ein paar Kinder zum Lachen.

Doch Brad fuhr unbeirrt fort. »Dr. Linton ist auch die Gerichtsmedizinerin bei uns in der Stadt, neben ihrer Arbeit als Kinderärztin.« Er schlug einen pädagogischen Ton an, obwohl mit Sicherheit alle Kinder von Saras zweitem Standbein wussten. Das Thema wurde an den Wänden der Schultoiletten ausführlich abgehandelt. »Ich nehme an, Sie sind dienstlich hier, Dr. Linton?«

»Ja«, antwortete Sara. Sie versuchte, wie eine Kollegin zu klingen, nicht wie die Ärztin, die sich noch gut daran erinnerte, wie Brad früher in Tränen ausgebrochen war, wenn er nur das Wort Spritze gehört hatte. »Ich bin hier, um mit dem Polizeichef über einen Fall zu sprechen, an dem wir arbeiten.«

Maggie sperrte wieder den Mund auf, wahrscheinlich um zu wiederholen, was ihre Mutter über Saras und Jeffreys Beziehung gesagt hatte, doch Marla quietschte mit dem Stuhl, und das Mädchen blieb still. Sara schwor sich, am nächsten Sonntag in die Kirche zu gehen und für Marla eine Kerze anzuzünden.

Doch Marla klang kaum respektvoller als Maggie, als sie zu Sara sagte: »Ich werde mal nachsehen, ob Chief Tolliver Zeit hat.«

»Danke«, antwortete Sara und strich den Plan mit der Kirche.

»Schön, dann …«, begann Brad und wischte noch einmal über seine Mütze. »Dann lasst uns mal nach hinten gehen.« Er hielt die Schwingtür auf, um die Kinder durchzulassen, und sagte zu Sara: »Ma'am«, und nickte höflich, bevor er seinen Schützlingen folgte.

Sara ging hinüber zu den Fotos an der Wand und betrachtete die vertrauten Gesichter. Bis auf die Zeit am College und am Grady Hospital in Atlanta hatte Sara immer in Grant

County gelebt. Die meisten Männer hier an der Wand hatten das ein oder andere Mal mit ihrem Vater gepokert. Von den restlichen war einer Diakon in der Kirche gewesen, als Sara klein war, ein anderer hatte immer bei den Footballspielen aufgepasst, als sie ein Teenager war und hoffnungslos verliebt in Steve Mann, den Leiter des Schachklubs. Bevor Sara nach Atlanta zog, hatte Mac Anders Sara und Steve auf dem Parkplatz hinter dem Hotdog-Laden beim Knutschen erwischt. Ein paar Wochen später hatte sich sein Streifenwagen bei einer Verfolgungsjagd sechsmal überschlagen und Mac Anders war tot.

Sara fröstelte, eine abergläubische Furcht jagte ihr einen Schauer über den Rücken. Sie wandte sich dem nächsten Foto zu, auf dem die Truppe zu der Zeit zu sehen war, als Jeffrey den Posten des Polizeichefs übernommen hatte. Er war von Birmingham nach Grant County gekommen, und alle hatten den Fremden mit Skepsis beäugt, vor allem nachdem er Lena Adams einstellte, die erste weibliche Polizistin des Bezirks. Sara sah sich Lena auf dem Gruppenbild genauer an. Sie hatte trotzig das Kinn gereckt und ihre Augen strahlten. Heute waren mehr als ein Dutzend Frauen im Streifendienst, doch damals war Lena wohl eine Art Pionier. Der Druck musste enorm gewesen sein. Allerdings würde Sara in Lena wohl nie ein Vorbild sehen. Dafür hatte sie einfach zu viel an Lenas Charakter auszusetzen.

»Er sagt, du kannst zu ihm nach hinten kommen.« Marla stand an der Schwingtür. »Traurig, nicht wahr?«, sagte sie mit einem Blick auf das Foto von Mac Anders.

»Ich war in der Schule, als es passierte.«

»Ich sage lieber nicht, was sie mit dem Schwein angestellt haben, das ihn von der Straße gejagt hat.« Marla war die Genugtuung anzuhören. Sara wusste, der Verdächtige war in der Zelle so heftig verprügelt worden, dass er ein Auge verloren hatte. Ben Walker, der damalige Polizeichef, hatte ein anderes Regiment geführt als Jeffrey.

Marla hielt ihr die Tür auf. »Er ist im Verhörraum und schreibt Berichte.«

»Danke«, sagte Sara und warf noch einen letzten Blick auf Mac Anders, bevor sie nach hinten ging.

Die Polizeiwache von Grant County war in den Dreißigerjahren gebaut worden, als die Gemeinden Heartsdale, Madison und Avondale ihre Polizeidienststellen und Feuerwachen zusammenlegten. Das alte Haus hatte vorher einen Futtermittelhandel beherbergt, und als die letzten der örtlichen Farmer Bankrott machten, konnte es die Stadt billig kaufen. Mit der Renovierung ging dem Gebäude allerdings jeglicher Charme verloren, und auch in den folgenden Jahrzehnten wurde nie etwas zu seiner Verschönerung getan. Der Mannschaftsraum war ein schmuckloses Großraumbüro, auf einer Seite befand sich Jeffreys Büro, auf der anderen der Waschraum. Die Wandverkleidung aus dunklem Holzimitat dünstete jetzt noch das Nikotin aus den Zeiten vor den Nichtrauchergesetzen aus. Die abgehängte Decke sah schmuddelig aus, ganz gleich, wie oft die Rigipsplatten erneuert wurden. Der Boden war mit Asbestfliesen ausgelegt, und Sara hielt stets die Luft an, wenn sie über das kaputte Stück vor dem Waschraum lief. Und dass der Großteil der Polizisten in Grant County Männer waren, wurde nirgendwo deutlicher als im Gemeinschaftswaschraum.

Sara stemmte sich gegen die schwere Brandschutztür, die den Mannschaftsraum vom Rest des Gebäudes trennte. Vor fünfzehn Jahren war ein Anbau an die Rückseite der Wache gepappt worden, als der Bürgermeister herausfand, dass sich Geld damit verdienen ließ, wenn man aus überlasteten Nachbarbezirken Gefangene übernahm. Der Klotz mit den dreißig Zellen, dem Konferenzzimmer und dem Verhörraum war damals luxuriös gewesen, doch die Zeit hatte ihre Spuren hinterlassen, und trotz der relativ frischen Farbe wirkten die neueren Räumlichkeiten genauso heruntergekommen wie die alten.

Saras Absätze klackten, als sie den langen Flur hinunterging. Vor dem Verhörraum blieb sie stehen und strich sich das Kleid glatt, um Zeit zu schinden. Seit Ewigkeiten hatte Jeffrey sie nicht mehr so nervös gemacht, und sie hoffte, er sah es ihr nicht an.

Jeffrey saß an einem langen Tisch, vor sich mehrere Stapel Papier, und schrieb in ein Notizheft. Er hatte das Jackett ausgezogen und die Ärmel hochgekrempelt. Als sie eintrat, blickte er nicht auf, doch er musste sie aus den Augenwinkeln gesehen haben, denn als sie die Tür hinter sich schließen wollte, sagte er: »Nicht.«

Sie stellte ihre Tasche auf den Tisch und wartete, dass er sie ansah. Doch er tat es nicht, und sie war hin- und hergerissen, ob sie ihm die Tasche an den Kopf oder sich ihm zu Füßen werfen sollte. Die fünfzehn Jahre, die sie sich kannten, waren ein Wechselbad der Gefühle gewesen, doch für gewöhnlich war es Jeffrey, der bettelte, nicht sie. Vier Jahre nach ihrer Scheidung hatten sie wieder eine Beziehung angefangen. Vor drei Monaten hatte er sie dann gebeten, ihn noch einmal zu heiraten, und sein Ego hatte ihre Zurückweisung nicht verkraftet, egal, wie oft sie ihm ihre Gründe zu erklären versuchte. Seitdem hatten sie sich nicht mehr privat getroffen, und langsam gingen Sara die Ideen aus.

Sie unterdrückte einen Seufzer. »Jeffrey?«

»Leg den Bericht einfach hin«, sagte er, ohne aufzusehen, und zeigte auf eine leere Ecke des Tisches.

»Ich dachte, du würdest ihn dir vielleicht ansehen wollen.«

»Irgendwas Ungewöhnliches?«, fragte er und ging weiter seinen Papierstapel durch.

»Ich habe was in ihrem Dickdarm gefunden, das aussieht wie eine Schatzkarte.«

Doch er ließ sich nicht ködern. »Hast du es in deinem Bericht vermerkt?«

»Natürlich nicht«, sagte sie spöttisch. »Ich will den Schatz doch nicht mit der Bezirksverwaltung teilen.«

Jetzt sah Jeffrey sie mit einem Blick an, der klarstellte, dass er ihren Witz für unangebracht hielt. »Wo bleibt dein Respekt vor den Toten?«

Sara wurde rot.

»Und zu welchem Ergebnis bist du gekommen?«

»Sie ist eines natürlichen Todes gestorben«, erklärte Sara. »Blut und Urin waren sauber. Während der Untersuchung sind keine Besonderheiten zutage getreten. Sie war neunundachtzig Jahre alt. Sie ist friedlich eingeschlafen.«

»Gut.«

Sara sah ihm beim Schreiben zu, bis er merkte, dass sie nicht einfach gehen würde. Seine Handschrift war schön, fließend, ungewöhnlich für einen ehemaligen Footballspieler und erst recht für einen Cop.

Sie trat von einem Fuß auf den anderen.

»Setz dich«, lenkte er schließlich ein und streckte die Hand nach dem Bericht aus. Sara setzte sich und reichte ihm die dünne Akte.

Er überflog ihre Notizen. »Klare Sache.«

»Ich habe schon mit den Kindern gesprochen«, sagte Sara, auch wenn »Kinder« irreführend war. Das jüngste Kind der Verstorbenen war fast dreißig Jahre älter als Sara. »Es war ihnen klar, dass sie sich an einen Strohhalm geklammert haben.«

»Schön«, sagte Jeffrey und unterschrieb auf der letzten Seite. Dann warf er den Bericht auf die Ecke des Tischs und steckte die Kappe auf seinen Stift. »Ist das alles?«

»Meine Mutter lässt dich grüßen.«

Etwas widerwillig fragte er: »Wie geht es Tess?«

Sara zuckte die Achseln, sie wusste nicht, was sie antworten sollte. Die Beziehung zu ihrer Schwester schien genauso den Bach runterzugehen wie die mit Jeffrey. Stattdessen fragte sie: »Wie lange willst du noch so weitermachen?«

Bemüht, sie misszuverstehen, zeigte er auf die Papiere und

erklärte: »Ich muss das durcharbeiten, bevor wir nächsten Monat vor Gericht erscheinen.«

»Das meine ich nicht, und das weißt du genau.«

»Ich glaube nicht, dass du das Recht hast, in diesem Ton mit mir zu sprechen.« Er lehnte sich in seinem Stuhl zurück. Sie spürte, dass er müde war, und sein vertrautes charmantes Lächeln war nirgends in Sicht.

Sie fragte: »Bekommst du genug Schlaf?«

»Es ist ein komplizierter Fall«, sagte er, doch sie fragte sich, ob es wirklich nur der Fall war, der ihm nachts den Schlaf raubte. »Was willst du?«

»Können wir nicht einfach miteinander reden?«

»Worüber?« Er wippte mit dem Stuhl. Als sie nicht antwortete, fragte er: »Was?«

»Ich will doch nur ...«

»Was?«, unterbrach er sie drohend. »Wir haben das Ganze hundertmal durchgekaut. Es gibt nichts mehr dazu zu sagen.«

»Ich will dich sehen.«

»Ich habe dir gesagt, dass ich bis zum Hals in diesem Fall stecke.«

»Und danach?«

»Sara!«

»Jeffrey!«, gab sie zurück. »Wenn du mich nicht mehr sehen willst, sag es einfach. Versteck dich nicht hinter einem Fall. Es gab Zeiten, da hat uns der Job viel mehr geschlaucht, und wir haben es trotzdem geschafft, Zeit miteinander zu verbringen. Soweit ich mich erinnere, war es das, was diesen Mist«, sie zeigte auf die Berge von Papieren, »erträglich gemacht hat.«

Er stellte den Stuhl mit einem Knall auf die Beine. »Ich weiß nicht, was das bringen soll.«

Sie versuchte es noch einmal mit einem Scherz. »Sex, zum Beispiel?«

»Den kann ich auch woanders haben.«

Sie zog eine Braue hoch, doch sie verbiss sich den Kommentar, der sich aufdrängte. Die Tatsache, dass Jeffrey Sex woanders gehabt hatte, war der Grund für ihre Scheidung gewesen.

Er wollte weiterschreiben, doch Sara riss ihm den Stift aus der Hand. Sie bemühte sich, nicht verzweifelt zu klingen: »Warum müssen wir erst wieder heiraten, damit es funktioniert?«

Er blickte zur Seite, offensichtlich genervt.

»Wir waren schon einmal verheiratet, und es hat uns fast zugrunde gerichtet«, fügte sie an.

»Ja«, sagte er. »Ich erinnere mich.«

Jetzt zog sie ihren Trumpf hervor. »Du könntest deine Wohnung an jemanden vom College vermieten.«

Er zögerte eine Sekunde, bevor er antwortete. »Warum sollte ich so etwas tun?«

»Du könntest bei mir einziehen.«

»In Sünde leben?«

Sie lachte. »Seit wann bist du religiös?«

»Seit dein Vater mich bekehrt hat«, schoss er zurück. Seine Stimme war vollkommen humorlos. »Ich will eine Ehefrau, Sara. Keinen Betthasen.«

Die Schärfe seiner Worte tat ihr weh. »Dafür hältst du mich also?«

»Ich weiß es nicht«, eine Spur von Reue schwang in seinem Ton mit. »Ich habe einfach deine Launen satt, wenn du dich mal wieder einsam fühlst.«

Sie öffnete den Mund, doch sie konnte nicht sprechen.

Jeffrey schüttelte entschuldigend den Kopf. »So habe ich es nicht gemeint.«

»Du denkst, ich stehe hier und mache mich zum Narren, weil ich einsam bin?«

»Im Moment denke ich gar nichts, außer dass ich eine Menge Arbeit habe.« Er streckte die Hand aus. »Kann ich jetzt meinen Stift wiederhaben?«

»Ich will bei dir sein.«

»Du bist hier«, sagte er und versuchte, ihr den Stift abzunehmen.

Sie hielt seine Hand fest. »Ich vermisse dich«, sagte sie. »Ich vermisse es, mit dir zusammen zu sein.«

Er zuckte halbherzig die Achseln, doch er zog die Hand nicht weg.

Sie nahm seine Hand und drückte sie an ihre Lippen. Sie roch Tinte und die Aprikosenhandcreme, die er benutzte, wenn es keiner sah. »Ich vermisse deine Hände.« Sie küsste seinen Daumen. »Vermisst du mich überhaupt nicht?«

Jeffrey legte den Kopf schief und zuckte wieder die Achseln.

»Ich will bei dir sein. Ich will ...« Sara sah sich um, um sicherzugehen, dass keiner in der Nähe war. Dann senkte sie die Stimme zu einem Flüstern und versprach ihm etwas, wofür jede Prostituierte mit ein bisschen Selbstachtung ihr Honorar verdoppelte.

Schockiert klappte Jeffrey der Unterkiefer weg. Er presste ihre Hand. »Damit hast du aufgehört, als wir geheiratet haben.«

»Na ja ...« Sie lächelte. »Jetzt sind wir ja nicht mehr verheiratet.«

Er schien darüber nachzudenken, als laut an die offene Tür geklopft wurde. Jeffrey zuckte zusammen, als wäre ein Schuss gefallen. Ruckartig zog er die Hand zurück und stand auf.

Frank Wallace, Jeffreys Stellvertreter, sagte: »Entschuldigung.«

Jeffrey war sichtlich verärgert, doch Sara wusste nicht, ob wegen Frank oder ihretwegen. »Was ist?«

Frank warf einen Blick auf das Telefon an der Wand: »Dein Hörer ist nicht aufgelegt.«

Jeffrey wartete.

»Marla sagt, da ist ein Kerl vorn, der nach dir fragt.« Er wischte sich mit dem Taschentuch über die Stirn. »Hallo, Sara.«

Als Sara ihn ansah, stutzte sie. Er sah aus wie eine lebende Leiche. »Geht es dir nicht gut?«

Frank rieb sich den Bauch und machte ein unglückliches Gesicht. »Falsch gegessen. Chinesisch.«

Sie legte ihm die Hand auf die Stirn. Seine Haut war feucht. »Du bist wahrscheinlich dehydriert«, sagte sie und griff nach seinem Handgelenk, um ihm den Puls zu fühlen. »Trinkst du genug?«

Er zuckte die Achseln.

Sie folgte dem Sekundenzeiger ihrer Uhr. »Hast du dich übergeben? Durchfall?«

Bei der letzten Frage wand er sich unbehaglich. »Wird schon wieder«, sagte er, auch wenn er nicht danach aussah. »Du siehst dafür toll aus heute.«

»Schön, dass es wenigstens einer bemerkt«, sagte Sara und warf Jeffrey einen Blick von der Seite zu.

Jeffrey klopfte nervös mit den Fingern auf den Tisch. »Geh nach Hause, Frank. Du siehst beschissen aus.«

Frank war offensichtlich erleichtert.

Sara rief ihm nach: »Wenn es dir morgen nicht besser geht, ruf mich an.«

Er nickte. »Vergiss den Kerl am Tresen nicht.«

»Wer ist es denn?«

»Irgendein Smith. Ich hab's nicht genau verstanden …« Er hielt sich den Bauch und machte ein würgendes Geräusch. Dann brachte er noch ein genuscheltes »'tschuldigung« heraus und war verschwunden.

Jeffrey wartete, bis Frank außer Hörweite war, dann sagte er: »Anscheinend bleibt wieder alles an mir hängen.«

»Es geht ihm wirklich schlecht.«

»Heute fängt Lena wieder an.« Lena war Franks Expartnerin. »Sie soll um zehn hier sein.«

»Und?«

»Hast du Matt schon gesehen? Er wollte sich auch krankmelden, aber ich habe ihm gesagt, er soll seinen Arsch gefälligst hierherbewegen.«

»Glaubst du etwa, deine beiden ältesten Beamten haben sich freiwillig eine Lebensmittelvergiftung zugezogen, um Lena aus dem Weg zu gehen?«

Jeffrey stand auf und hängte den Hörer des Telefons ein. »Ich bin seit über fünfzehn Jahren hier, und in der ganzen Zeit ist Matt Hogan noch nie chinesisch essen gewesen.«

Irgendwie hatte er recht, doch im Zweifel war Sara für den Angeklagten. Egal was Frank sagte, Lena lag ihm noch am Herzen. Sie hatten fast zehn Jahre zusammengearbeitet. Sara wusste aus eigener Erfahrung, dass man nicht so viel Zeit mit einem Menschen verbringt und ihm dann einfach den Rücken zukehrt.

Jeffrey wählte eine Durchwahl. »Marla?«

Es klickte in der Leitung, dann nahm sie den Hörer ab. »Ja, Sir?«

»Ist Matt schon da?«

»Noch nicht. Ich mache mir Sorgen, wo er doch krank ist.«

»Wenn er kommt, sagen Sie ihm, dass ich ihn sprechen will«, ordnete Jeffrey an. »Und da ist jemand, der auf mich wartet?«

Sie senkte die Stimme. »Ja. Und er ist ziemlich ungeduldig.«

»Ich bin in einer Sekunde da.« Er legte auf und murmelte: »Für so was habe ich wirklich keine Zeit.«

»Jeff …«

»Ich muss nachsehen, wer das ist«, sagte er und verließ den Raum.

Sara folgte ihm auf den Flur, fast musste sie rennen, um mitzuhalten. »Wenn ich mir auf diesen Absätzen die Knöchel breche …«

Er warf einen Blick auf ihre Schuhe. »Hast du etwa gedacht, du kreuzt hier einfach wie die letzte Schlampe auf, und ich würde dich auf Knien anflehen zurückzukommen?«

Die Verlegenheit machte sie erst recht wütend. »Ach, wenn ich mich freiwillig so anziehe, bin ich eine Schlampe, und wenn du mich drum gebeten hast, dann war es sexy?«

Er blieb stehen, die Hand auf der Türklinke. »Das ist nicht fair.«

»Das siehst du also ein, Dr. Freud?«

»Ich spiele hier keine Spielchen, Sara.«

»Glaubst du, ich spiele welche?«

»Ich weiß nicht, was du tust«, sagte er, und in seinem Blick war eine Kälte, die Sara erschauern ließ. »Aber ich kann so nicht weiterleben.«

Sie legte ihm die Hand auf den Arm. »Warte.« Dann zwang sie sich zu sagen: »Ich liebe dich.«

Flapsig gab er zurück: »Danke.«

»Bitte«, flüsterte sie. »Wir brauchen doch kein Stück Papier, das uns sagt, was wir fühlen.«

»Ich schon«, sagte er und riss die Tür auf, »auch wenn du das nicht zu begreifen scheinst.«

Sie wollte ihm durch den Mannschaftsraum hinterherlaufen, doch auch sie hatte ihren Stolz. Eine Handvoll Streifenpolizisten und Kriminalbeamte hatten gerade ihren Dienst begonnen, sie saßen an ihren Schreibtischen, schrieben Berichte und telefonierten. Brad und seine Kinderchen hatten sich um die Kaffeemaschine versammelt, wo er ihnen wahrscheinlich gerade erklärte, welche Filtersorte sie hier benutzten und wie viel Löffel Kaffee man für eine Kanne brauchte.

An der Anmeldung standen zwei junge Männer, der eine an die Wand gelehnt, der andere hatte sich vor Marla aufgebaut. Sara nahm an, dass dies Jeffreys Besucher war. Smith war jung, vielleicht in Brads Alter, und er trug eine schwarze Steppjacke, deren Reißverschluss trotz der Augusthitze bis oben zugezogen war. Sein Kopf war kahl geschoren, und was sie unter der schweren Jacke von seinem Körper sehen konnte, schien durchtrainiert und muskulös. Er sah sich unruhig im Raum um und ließ den gereizten Blick nie länger auf einer Person ruhen. Alle paar Sekunden drehte er sich nach der Eingangstür um und sah auf die Straße. Seine Haltung hatte etwas Soldatisches, und aus irgendeinem Grund machte er Sara nervös.

Sie blickte sich um, um zu sehen, was er sah. Jeffrey war an einem der Tische stehen geblieben, um einem Polizisten zu helfen. Er schob das Holster zurück, als er sich auf die Tischkante setzte, und tippte etwas in den Computer. Brad stand immer noch bei der Kaffeemaschine, seine Hand ruhte auf dem Pfefferspray in seinem Gürtel. Sara zählte fünf weitere Cops, die mit Berichten und dem Eingeben von Daten beschäftigt waren. Ein Gefühl von Gefahr durchfuhr sie wie ein Stromstoß. Alles, was sie sah, war viel zu scharf umrissen.

Die Eingangstür machte ein schmatzendes Geräusch, als sie sich öffnete und Matt Hogan hereinkam. Marla sagte: »Da sind Sie ja. Wir haben schon auf Sie gewartet.«

Der junge Mann am Tresen griff in seine Jacke und Sara schrie: »Jeffrey!«

Alle drehten sich nach ihr um, doch Sara starrte Smith an. In einer fließenden Bewegung zog er eine abgesägte Schrotflinte heraus, zielte auf Matts Kopf und drückte beide Abzüge.

Blut und Gehirn spritzten gegen die Eingangstür. Matt fiel rückwärts gegen das Glas, Risse durchzogen die Scheibe, aber sie zersprang nicht, von Matts Gesicht war nichts mehr übrig. Die Kinder kreischten, und Brad warf sich auf die ganze Gruppe und riss sie zu Boden. Eine wilde Schießerei war ausgebrochen, und einer der Streifenpolizisten brach vor Sara zusammen, ein großes Loch in der Brust. Seine Pistole ging los, als sie auf den Boden fiel, und schlitterte quer über den Fußboden. Glassplitter flogen durch die Luft, als Familienfotos, Tassen, Gläser von den Schreibtischen gefegt wurden. Computer explodierten, es roch nach verbranntem Plastik. Papier schneite durcheinander, und der Lärm der feuernden Waffen war so laut, dass Sara das Gefühl hatte, ihre Ohren bluteten.

»Raus hier!«, schrie Jeffrey, im gleichen Moment spürte Sara ein scharfes Brennen im Gesicht. Sie berührte ihre Wange, wo ein Querschläger sie gestreift hatte. Plötzlich kniete sie auf dem Boden, doch sie erinnerte sich nicht, wie sie dort hingekommen war. Sie rutschte hinter einen Aktenschrank, ihre Kehle fühlte sich an, als hätte sie Säure verschluckt.

»Geh!« Jeffrey kauerte hinter einem Schreibtisch, die Mündung seiner Pistole loderte immer wieder weiß auf, während er versuchte, ihr Deckung zu geben. Ein lauter Knall erschütterte den vorderen Teil des Gebäudes, dann knallte es noch einmal.

Hinter der Tür schrie Frank: »Hier lang!« Er streckte die Pistole um den Pfosten herum und schoss blind in Richtung Anmeldung. Ein Streifenpolizist riss die Tür auf und setzte Frank dem Feuer aus, während er um sein Leben rannte. Am anderen Ende des Raums wurde ein Polizist niedergeschossen, als er versuchte, die Kinder zu erreichen, mit schmerzverzerrtem Gesicht krachte er gegen einen Aktenschrank. Rauch und der Geruch von Schießpulver erfüllten die Luft, und immer noch wurde von der Anmeldung geschossen. Todesangst ergriff Sara, als sie das Trommelfeuer eines Automatikgewehrs erkannte. Die Killer hatten sich auf eine längere Schießerei vorbereitet.

»Dr. Linton!«, schrie jemand. Sekunden später wurde Sara von zwei kleinen Händen umklammert. Maggie Burgess hatte es geschafft, sich von der Gruppe zu lösen, und instinktiv deckte Sara das Mädchen mit ihrem Körper. Als Jeffrey sie sah, griff er nach seinem Wadenholster und gab ihr ein Zeichen loszurennen, sobald er zu schießen anfing. Sie glitt aus den Stöckelschuhen und wartete eine halbe Ewigkeit, bis Jeffrey den Kopf über den Tisch hob, hinter dem er sich versteckte, und mit beiden Waffen zu schießen begann. Sara rannte auf die Brandschutztür zu und warf Frank das Mädchen zu. Fliesen splitterten und barsten vor ihren Füßen, während die Kugeln flogen, und dann kroch sie auf Händen und Füßen rückwärts, bis sie wieder sicher hinter ihrem Aktenschrank war.

Zittrig suchte Sara ihren Körper nach Wunden ab.

Überall war Blut, doch es war nicht ihr eigenes. Frank öffnete die Tür wieder einen Spalt. Die Kugeln prallten an der dicken Stahltür ab, und er schoss zurück, indem er die Waffe durch den Spalt schob.

»Raus hier!«, wiederholte Jeffrey und wollte ihr wieder Deckung geben, doch Sara sah eins der Kinder hinter einer Reihe von umgefallenen Stühlen kauern. Ron Carver war zu Tode verängstigt, und Sara versuchte, ihm klarzumachen, dass er sich nicht bewegen durfte, bevor Jeffrey das Zeichen gab. Doch der Junge rannte ohne Vorwarnung los, das Kinn gegen die Brust gedrückt, mit um sich schlagenden Armen, während die Luft um ihn herum explodierte. Jeffrey ging auf Schnellfeuer, um den Schützen abzulenken, doch ein Querschläger sauste durch die Luft und zerfetzte dem Kind den Fuß. Aber Ron wurde nicht langsamer, sondern rannte auf dem blutigen Stumpf weiter.

In Saras Armen brach er zusammen. Als sie ihm das T-Shirt herunterzerrte, fühlte sie das kleine Herz in seiner Brust schlagen wie die Flügel eines Vogels. Sie riss den Baumwollstoff in Streifen und benutzte den Ärmel, um die Wunde abzubinden. Mit der anderen Hälfte des T-Shirts band sie die Überreste seines Fußes fest. Sie hoffte, er könnte noch gerettet werden.

»Schicken Sie mich nicht da raus«, winselte das Kind. »Dr. Linton, bitte schicken Sie mich nicht da raus.«

Sara schlug einen ernsten Ton an. »Ronny. Wir müssen gehen.«

»Bitte nicht!«, heulte er.

Jeffrey schrie: »Sara!«

Sara drückte den Jungen an sich und wartete auf Jeffreys Zeichen. Als es so weit war, hielt sie Ron fest an sich gedrückt und rannte gebückt in Richtung Tür.

Auf halbem Weg begann der Junge in Panik zu strampeln und zu treten, er kreischte: »Nein! Nicht!«, so laut er konnte.

Sie hielt ihm den Mund zu und zwang sich weiterzulaufen, ignorierte den Schmerz, als er ihr in die Hand biss. Frank streckte die Arme aus, packte Ron am Hosenbund und riss ihn an sich. Als Nächstes wollte er auch Sara holen, doch sie war schon wieder hinter dem Aktenschrank und suchte nach weiteren Kindern. Wieder flog eine Kugel an ihrem Ohr vorbei. Ohne nachzudenken, robbte sie vorwärts.

Zweimal versuchte sie zu zählen, wie viele Kinder Brad bei sich hatte, doch der Kugelhagel und das Chaos um sie herum brachten sie jedes Mal durcheinander. Verzweifelt suchte sie nach Jeffrey. Er war ungefähr fünf Meter entfernt und lud gerade seine Pistole nach. Ihre Blicke trafen sich, als er plötzlich zurück gegen die Tische geschleudert wurde, als hätte er einen Schlag gegen die Schulter bekommen. Eine Pflanze fiel zu Boden, der Blumentopf zerbarst in tausend Scherben. Jeffreys Körper krümmte sich, die Beine zuckten heftig, dann war er ruhig. Als Jeffrey am Boden lag, schien alles andere stillzustehen. Sara duckte sich unter dem nächsten Tisch, es klingelte in ihren Ohren. Im Raum war es plötzlich ganz ruhig bis auf Marlas Heulen, ihre Stimme hob und senkte sich wie eine Sirene.

»O Gott«, flüsterte Sara und sah verzweifelt unter den Tisch. Vorne am Tresen stand Smith mit einer Waffe in jeder Hand und suchte den Raum ab. Der zweite junge Mann stand neben ihm und zielte mit einem Sturmgewehr auf die Eingangstür. Smith trug eine kugelsichere Weste unter der Jacke, und Sara sah, dass er noch zwei weitere Waffen im Holster hatte. Die Schrotflinte lag auf dem Tresen. Beide Schützen standen ohne Deckung da, doch niemand feuerte auf sie. Sara versuchte sich zu erinnern, wer sonst noch da war, aber sie schaffte es nicht zu zählen.

Etwas regte sich zu ihrer Linken. Wieder fiel ein Schuss, ein Querschläger klirrte und dann stöhnte jemand. Der Schrei eines Kindes wurde erstickt. Sara legte sich flach auf den Boden und versuchte, unter die anderen Tische zu sehen. In der gegenüberliegenden Ecke hatte Brad die Arme ausgebreitet und hielt die Kinder auf dem Boden fest. Schluchzend drängten sie sich aneinander.

Der Polizist, der gegen den Aktenschrank gefallen war, versuchte stöhnend die Waffe hochzuheben. Sara erkannte ihn, es war Barry Fordham, ein Streifenpolizist, mit dem sie auf dem letzten Polizeiball getanzt hatte.

»Waffe weg!«, schrie Smith. »Waffe weg!«

Barry versuchte zu ziehen, doch die Hand gehorchte ihm nicht mehr. Die Pistole zuckte unkontrolliert herum. Der Mann mit dem Sturmgewehr drehte sich langsam um und schoss Barry Fordham mit grauenvoller Präzision in den Kopf. Sein Hinterkopf schlug gegen den Metallschrank und blieb so liegen. Als Sara sich nach dem zweiten Schützen umsah, hatte der sich wieder der Eingangstür zugewandt, als wäre nichts gewesen.

»Wer noch?«, verlangte Smith. »Zeigt euch!«

Sara hörte hinter sich ein Geräusch. Sie sah nur ein verschwommenes Bild, als einer der Detectives in Jeffreys Büro rannte. Ein Kugelhagel folgte ihm. Ein paar Sekunden später wurde ein Fenster eingeschlagen.

»Alle bleiben, wo sie sind!«, befahl Smith. »Alle bleiben, wo sie sind!«

Jetzt schrie ein Kind in Jeffreys Büro, wieder zerbrach eine Scheibe. Erstaunlicherweise war das Fenster zwischen dem Büro und dem Mannschaftsraum nicht zu Bruch gegangen. Jetzt ließ es Smith mit einem gezielten Schuss zerbersten.

Sara duckte sich, als große Glasscherben herunterregneten.

»Wer ist noch hier?«, verlangte Smith. Sie hörte, wie er die Schrotflinte lud. »Zeigt euch, oder ich knall die Alte ab!«

Marlas Schrei wurde mit einem Schlag zum Schweigen gebracht.

Endlich entdeckte Sara Jeffrey in der Mitte des Raums. Sie konnte nur seine rechte Schulter und seinen Arm sehen. Er lag auf dem Rücken und regte sich nicht. Blut sammelte sich in einer Lache, er hielt noch die Pistole, doch seine Hand war entspannt. Er lag fünf Tische von ihr entfernt, doch selbst von hier konnte sie seinen Collegering am Finger erkennen.

Von rechts hörte sie ein geflüstertes: »Sara.« Frank kauerte mit gezogener Waffe hinter der Brandschutztür. Er bedeutete ihr, zu ihm herüberzukommen, doch sie schüttelte den Kopf. Er klang wütend, als er noch einmal zischte: »Sara.«

Wieder sah sie Jeffrey an. Sie wünschte, er würde sich bewegen, ein Lebenszeichen von sich geben. Die übrig gebliebenen Kinder drängten sich immer noch an Brad, ihr Schluchzen wurde nach und nach von der Angst erstickt. Sara konnte sie nicht einfach hier zurücklassen, und das machte sie Frank mit einem entschlossenen Kopfschütteln klar. Sein wütendes Schnauben ignorierte sie.

»Wer ist noch da?«, bellte Smith. »Zeig dich, oder ich erschieße die Alte!« Marla schrie, doch Smith schrie noch lauter. »Wer ist dahinten, verdammt noch mal?«

Ohne weiter nachzudenken, rannte Sara gebückt zum nächsten Tisch, in der Hoffnung, Smith konzentrierte sich auf Brad. Sie hielt den Atem an, wartete auf Schüsse.

»Wo sind die Kinder?«, rief Smith.

Brads Stimme war erstaunlich ruhig. »Wir sind hier. Nicht schießen. Da bin nur noch ich und drei kleine Mädchen. Wir werden nichts unternehmen.«

»Aufstehen.«

»Ich kann nicht, Mann. Ich muss mich um die Kleinen hier kümmern.«

Marla schrie: »Bitte nicht …« Doch wieder wurde sie mit einem Schlag zum Schweigen gebracht.

Sara schloss eine Sekunde die Augen und dachte an ihre Familie und an alles, was zwischen ihnen ungesagt geblieben war. Dann verscheuchte sie diese Gedanken und dachte an die Kinder hier im Raum. Sie starrte auf die Pistole in Jeffreys Hand, setzte ihre ganze Hoffnung auf diese Waffe. Wenn sie Jeffreys Pistole in die Finger bekäme, hätten sie vielleicht eine Chance. Noch vier Tische. Jeffrey war nur noch vier Tische entfernt. Wieder sah sie ihn an. Er rührte sich nicht, seine Hand lag regungslos da.

Smith war weiter mit Brad beschäftigt. »Wo ist deine Kanone?«

»Hier«, sagte Brad, und Sara warf sich unter den nächsten Tisch. Sie hatte zu viel Schwung, doch sie schaffte es gerade noch, hinter einem Aktenschrank abzubremsen. »Ich habe hier drei kleine Mädchen, Mann. Ich werde nicht schießen. Ich habe meine Waffe nicht angerührt.«

»Wirf sie hier rüber.«

Sara hielt die Luft an und wartete, bis sie Brads Waffe über den Boden rutschen hörte, dann rannte sie zum nächsten Tisch.

»Nicht bewegen!«, schrie Smith, als Sara unter den nächsten Tisch schlitterte. Ihre Füße waren feucht, und sie sah die blutigen Fußspuren, die ihren Weg markierten. Sie konnte sich gerade noch halten, bevor sie ins Freie rutschte.

Marla heulte: »Bitte!«

Dann erschallte das laute Klatschen von Fleisch auf Fleisch. Marlas Stuhl knirschte herzerweichend, als wäre er entzweigebrochen. Sara sah von unter dem Tisch, wie Marla auf dem Boden landete. Speichel rann ihr aus dem Mund, und ihr Gebiss schlitterte über die Fliesen.

»Ich hab gesagt, nicht bewegen!«, wiederholte Smith und gab Marlas Stuhl einen Tritt, der ihn quer durch die Anmeldung katapultierte.

Sara versuchte, ruhig zu atmen, als sie sich näher an Jeffrey anpirschte. Nur noch ein Tisch trennte sie von ihm, doch der stand falsch herum und blockierte ihr den Weg. Wenn sie losrannte, wäre sie in Smiths Schusslinie. Sie befand sich genau auf der Höhe der Kinder, drei Tische entfernt. Sie könnte die Pistole nehmen und … Saras Herz setzte aus. Was würde sie damit tun? Wie sollte sie schaffen, was zehn Cops nicht geschafft hatten?

Das Überraschungsmoment, dachte Sara. Sie hatte das Überraschungsmoment auf ihrer Seite. Smith und sein Komplize wussten nicht, dass sie da war. Sie würde sie überrumpeln.

»Wo ist deine zweite Pistole?«, rief Smith.

»Ich bin Streifenpolizist. Ich trage keine zweite …«

»Erzähl keinen Scheiß!« Er schoss in Brads Richtung, und anstatt der Schreie, mit denen Sara gerechnet hatte, herrschte Schweigen. Sie blickte zurück unter die Tische, um zu sehen, ob jemand getroffen worden war. Drei schockgeweitete Augenpaare starrten zurück.

Das Schweigen erfüllte das Zimmer wie giftiges Gas. Sara zählte bis einunddreißig, bevor Smith fragte: »Bist du noch da, Mann?«

Sie legte sich die Hand auf die Brust, voller Angst, dass ihr Herz zu laut schlug. Nach allem, was sie sehen konnte, bewegte sich Brad nicht. Ein Bild tauchte vor ihren Augen auf, Brad, der die Arme um die Kinder gelegt hatte, doch sein Kopf war weggeschossen. Sie schloss die Augen und versuchte das Bild zu verscheuchen.

Sie wagte einen Blick auf Smith, der jetzt an der Stelle stand, wo Marla sie vor weniger als zehn Minuten begrüßt hatte. Er hatte eine Neun-Millimeter in der einen Hand und die Schrotflinte in der anderen. Seine Jacke stand offen, und Sara sah zwei leere Holster mit zusätzlicher Munition für die Schrotflinte. Im Bund seiner Jeans steckte eine weitere Pistole, und zu seinen Füßen lag eine große schwarze Tasche, die wahrscheinlich noch mehr Munition enthielt. Der zweite Schütze stand hinter dem Tresen, das Gewehr immer noch auf die Eingangstür gerichtet. Sein Körper war angespannt, der Finger auf dem Abzug des Gewehrs. Er kaute Kaugummi, und Sara fand sein geräuschloses Kauen fast noch zermürbender als Smiths Drohungen.

Smith wiederholte: »Bist du noch da, Mann?« Er schwieg ein paar Sekunden. »Hey, Mann?«

Endlich sagte Brad: »Ja, ich bin hier.«

Sara atmete leise aus, Erleichterung machte sich in ihrem Körper breit. Sie drückte sich flach auf den Boden. Am besten käme sie zu Jeffrey vor, wenn sie sich hinter einer Reihe von umgestürzten Aktenschränken vorbeirobbte. Langsam bahnte sie sich den Weg über die kalten Fliesen und streckte ihre Hand nach seiner aus. Endlich berührten ihre Fingerspitzen seinen Jackenärmel. Sie schloss die Augen und schob sich vorwärts.

Die Pistole in seiner Hand war leer geschossen. Sara hätte auch von selbst darauf kommen können, wenn sie nachgedacht hätte. Jeffrey wollte sie gerade laden, als er getroffen wurde, das Magazin war zu Boden gefallen und durch den Aufprall waren die Patronen herausgesprungen, sie lagen überall herum – nutzlose, unbenutzte Patronen. Es war im Grunde klar gewesen. Genauso wie die Tatsache, dass sein Handgelenk, als ihre Finger es endlich berührten, kalt war, oder die Tatsache, dass er keinen Puls mehr hatte.

ZWEI

9.22 Uhr

»Ethan«, sagte Lena, den Telefonhörer zwischen Ohr und Schulter geklemmt, während sie die Schnürsenkel ihrer neuen schwarzen Basketballschuhe zuband. »Ich muss los.«

»Warum?«

»Du weißt warum«, gab sie zurück. »Es ist mein erster Tag wieder bei der Truppe, da darf ich nicht zu spät kommen.«

»Ich will nicht, dass du hingehst.«

»Ach, wirklich? Als hättest du das nicht schon achtzehn Millionen Mal gesagt.«

»Weißt du was?« Er klang beherrscht. Anscheinend war er so naiv zu glauben, dass er es ihr noch irgendwie ausreden könnte. »Du kannst eine ganz schöne Zicke sein.«

»Da hast du aber lange gebraucht, um das rauszufinden.«

Jetzt legte er mit einer seiner Standpauken los, doch Lena hörte kaum zu, als sie sich im Spiegel an der Tür betrachtete. Sie sah gut aus heute. Sie hatte sich das Haar hochgesteckt, und der Anzug, den sie letzte Woche im Ausverkauf gefunden hatte, saß genau richtig. Sie schob das Jackett zurück und legte die Hand auf das Holster mit der Neun-Millimeter. Das Metall fühlte sich gut unter ihren Fingern an.

»Hörst du mir überhaupt zu?«, fragte Ethan.

»Nein«, antwortete sie. »Ich bin Cop, Ethan. Kriminalbeamtin. Fertig.«

»Wir wissen doch beide, was du bist«, sagte er, jetzt schärfer. »Und wir wissen beide, wozu du fähig bist.« Er wartete ab. Lena biss sich auf die Zunge. Sie würde darauf nicht antworten. Dann änderte er die Taktik. »Weiß dein Boss, dass du wieder mit mir zusammen bist?«

»Es ist kein Versteckspiel.«

Ethan registrierte den defensiven Ton und schlug in die Kerbe. »Das würde dir die Arbeit richtig versüßen, was? In weniger als einer Woche weiß jeder, dass du dich von einem Exknacki vögeln lässt.«

Sie ließ die Waffe los und fluchte leise vor sich hin.

»Was hast du gesagt?«

»Ich habe gesagt, dass es eh schon jeder weiß, du Idiot. Jeder auf dem Revier weiß Bescheid.«

»Aber sie wissen nicht alles«, erinnerte er sie mit einem drohenden Unterton.

Lena warf einen Blick auf den Wecker neben ihrem Bett. Sie durfte nicht zu spät kommen an ihrem ersten Tag. Die Lage war schon gespannt genug, ohne dass sie als Letzte hereinschneite. Frank würde das nur als weiteren Beweis dafür ansehen, dass sie noch nicht reif für einen Neuanfang war, und Matt, sein Kumpel, wäre natürlich der gleichen Meinung. Der heutige Tag war für Lena eine schwere Prüfung, schwerer noch als ihr allererster Tag in Uniform. Wie damals würden alle nur darauf warten, dass sie Fehler machte. Der Unterschied war, heute hätten sie Mitleid, wenn Lena es verbockte, während sie sie damals ausgelacht hätten. Und sogar mit Schadenfreude konnte Lena besser umgehen als mit Mitleid. Wenn es heute schiefging, wüsste sie nicht, was sie tun sollte. Fortziehen, wahrscheinlich. Vielleicht war in Alaska noch eine Stelle frei.

Zu Ethan sagte sie: »Ich komme heute Abend wahrscheinlich spät nach Hause.«

»Macht nichts«, sagte er. Die Aussicht, sie später vielleicht noch zu sehen, besänftigte ihn. »Komm einfach bei mir vorbei.«

»Dein Wohnheim stinkt nach Kotze und Pisse.«

»Dann komme ich bei dir vorbei.«

»Super Idee. Mit der lesbischen Geliebten meiner toten Schwester nebenan? Nein, danke.«

»Ach, komm schon, Baby. Ich will dich sehen.«

»Ich weiß aber nicht, wie spät es wird«, sagte sie. »Und dann bin ich wahrscheinlich müde.«

»Wir können einfach schlafen«, schlug er vor. »Ist mir egal. Ich will dich sehen.«

Seine Stimme war jetzt sanft, doch Lena wusste, wenn sie ihn abwies, würde er böse werden. Ethan war erst dreiundzwanzig, fast zehn Jahre jünger als sie, und er hatte noch nicht begriffen, dass eine Nacht in getrennten Betten nicht das Ende der Beziehung bedeutete. Obwohl sich Lena manchmal wünschte, sie könnte sich einfach wieder von ihm trennen. Vielleicht schaffte sie es jetzt, wo sie wieder in ihrem Beruf arbeitete und sich mit anspruchsvolleren Fragen beschäftigte als mit dem täglichen Fernsehprogramm.

»Lena?«, gurrte Ethan, als ahnte er, was ihr durch den Kopf ging. »Ich liebe dich, Baby. Komm heute Abend zu mir. Ich koche was und besorge eine Flasche Wein …«

»Ich habe meine Tage nicht bekommen.«

Er schnappte nach Luft, und sie bedauerte, dass sie seinen Gesichtsausdruck nicht sehen konnte.

»Das ist nicht lustig.«

»Meinst du, ich mache Witze?«, fragte sie. »Ich bin drei Wochen überfällig.«

Er schwieg, dann sagte er: »Das kann auch vom Stress kommen, oder?«

»Oder vom Sperma.«

Er schwieg, sein Atmen war das einzige Geräusch in der Leitung.

Sie brachte ein künstliches Lachen zustande. »Na, liebst du mich immer noch, *Baby?*«

Seine Stimme klang kühl und beherrscht. »Hör auf, so zu reden.«

»Pass auf«, sagte sie, sie bereute, dass sie es überhaupt erwähnt hatte. »Keine Sorge, okay? Ich kümmere mich drum.«

»Was soll das heißen?«

»Es heißt, was es heißt, Ethan. Wenn ich …« Sie brachte nicht einmal das Wort über die Lippen. »Wenn was passiert ist, kümmere ich mich drum.«

»Du kannst doch nicht …«

Das Telefon piepte, und Lena war noch nie so dankbar für die Anklopffunktion gewesen. »Ich muss drangehen. Wir sehen uns.« Sie schaltete auf den anderen Anruf um, bevor Ethan noch etwas sagen konnte.

»Lee?«, fragte eine tiefe Stimme. Lena unterdrückte einen Seufzer. Vielleicht wäre es doch besser gewesen, Ethan an der Strippe zu behalten.

»Hallo, Hank.«

»Herzlichen Glückwunsch zum Geburtstag, Schätzchen!«

Unwillkürlich musste sie lächeln.

»Hast du meinen Brief bekommen?«

»Ja«, sagte sie zu ihrem Onkel. »Vielen Dank.«

»Hast du dir was Hübsches davon gekauft?«

»Ja«, wiederholte Lena und zupfte das Jackett zurecht. Hanks zweihundert Dollar wären besser in Lebensmitteln oder in einer Autoversicherung angelegt gewesen, doch ausnahmsweise hatte Lena sich etwas gegönnt. Heute war ein wichtiger Tag. Sie war wieder Cop.

Jetzt klingelte ihr Handy, und sie sah auf dem Display, dass es Ethan war, der vom Handy aus anrief. Auf dem Festnetz hing er immer noch in der Warteschleife.

Hank fragte: »Musst du da rangehen?«

»Nein«, erklärte sie und drückte auf »Anruf abweisen«. Während Hank ihr die alte Geburtstagsgeschichte erzählte, von dem Tag, als Lena und ihre Zwillingsschwester Sibyl bei ihm einzogen und dass es der glücklichste Tag seines Lebens gewesen sei, verließ Lena ihr Zimmer und lief den Flur hinunter. Im Bad sah sie sich noch einmal im Spiegel an. Sie hatte Ringe unter den Augen, doch das würde sich mit ein wenig Make-up beheben lassen. Nur den violetten Riss in der Unterlippe konnte sie nicht kaschieren, wo sie zu fest draufgebissen hatte.

Am Spiegel hing ein Foto von Sibyl. Es war ungefähr einen Monat vor ihrem Tod aufgenommen worden, und auch wenn Lena das Bild am liebsten abgenommen hätte – dies war nicht ihr Haus. Wie jeden Morgen verglich Lena das Foto ihrer Zwillingsschwester mit ihrem Spiegelbild, und es gefiel ihr nicht, was sie sah. Als Sibyl starb, hatten sie sich zum Verwechseln ähnlich gesehen. Jetzt waren Lenas Wangen eingefallen, und ihr Haar war nicht mehr so dick und glänzend. Sie sah viel älter aus als dreiunddreißig, und mehr als an allem anderen lag das an der Härte in ihren Augen. Ihre Haut schimmerte nicht mehr wie früher, doch Lena gab die Hoffnung nicht auf, wieder zu ihrem alten Selbst zu finden.

Sie ging jeden Tag joggen, und fast jeden Abend verbrachte sie mit Ethan im Fitnessstudio und stemmte Gewichte.

Die Warteschleife machte sich piepend bemerkbar, und Lena knirschte mit den Zähnen. Sie wünschte, sie hätte Ethan nichts von der verspäteten Periode gesagt. Sie hatte ihre Tage ohnehin nie regelmäßig bekommen, aber so spät wie diesmal war sie noch nie dran gewesen. Vielleicht machte sie zu viel Sport – dabei musste sie doch fit sein für die Arbeit. In den vergangenen sechs Wochen hatte sie trainiert wie für einen Marathon. Und Ethan hatte recht mit dem Stress. Sie stand tatsächlich unter enormem Druck in letzter Zeit. Um genau zu sein, seit zwei Jahren.

Lena legte eine Hand vor die Augen. Sie würde jetzt nicht darüber nachdenken. Letztes Jahr hatte ihr eine ziemlich gute Therapeutin gesagt, dass Verdrängen manchmal etwas Gutes war. Heute war eindeutig ein Tag für die Scarlett-O'Hara-Nummer. Sie würde morgen darüber nachdenken. Scheiße, vielleicht auch erst nächste Woche.

Sie unterbrach Hank mit seiner Geschichte, bei der er ein paar Details ausließ, wie zum Beispiel die Tatsache, dass er drogensüchtig und Alkoholiker gewesen war, als das Jugendamt ihm Sibyl und Lena auf den Schoß gesetzt hatte – und das war noch der schönere Teil der Geschichte. »Wie ist es am Wochenende gelaufen?«

»Besser als gedacht«, sagte Hank zufrieden. Am letzten Wochenende hatte er seine heruntergekommene Bar am Rande des miesen Städtchens, in dem Lena aufgewachsen war, als Karaokebar neu aufgezogen. Angesichts von Hanks Stammkundschaft war das ein echtes Wagnis, doch Hanks Erfolg bestätigte Lenas Theorie, dass besoffene Hinterwäldler zu allem fähig waren, sobald das Licht schummerig wurde.

»Schätzchen«, Hank schlug einen ernsten Ton an. »Ich weiß, dass heute ein großer Tag für dich ist ...«

»Keine große Sache«, unterbrach sie ihn. »Wirklich.«

»Vor mir musst du nicht die Starke markieren«, brauste er auf. Manchmal war er ihr so ähnlich, dass es Lena kalt den Rücken hinunterlief. »Ich wollte nur wissen, ob du irgendwas brauchst ...«

»Alles bestens.« Sie wollte dieses Gespräch nicht schon wieder führen.

»Lass mich wenigstens ausreden, verdammt noch mal«, knurrte er. »Ich wollte dir nur sagen, wenn du irgendwas brauchst, ich bin für dich da. Nicht nur Geld und so. Ich bin da für dich.«

»Mir geht es gut«, wiederholte sie. Eher würde die Hölle zufrieren, als dass Lena Hank um irgendetwas bat.

Das Telefon piepte, doch Lena ignorierte es tapfer. Sie ging in die Küche und hätte sich auf dem Absatz umgedreht, wenn Nan sie nicht am Arm gepackt hätte.

»Alles Gute zum Geburtstag!«, rief sie und klatschte überschwänglich in die Hände. Sie nahm ein Streichholz, und Lena sah zu, wie sie die einzelne Kerze auf einem Napfkuchen mit weißem Zuckerguss anzündete. Auf der Arbeitsplatte stand noch ein ähnlicher Kuchen mit einer Kerze, den Nan jedoch nicht beachtete.

»*Happy birthday to you*«, stimmte sie an.

Lena sagte zu Hank: »Ich muss aufhören.«

In dem Moment, als sie auflegte, klingelte das Telefon auch schon wieder. Lena drückte fast gleichzeitig auf Annehmen und Auflegen, gerade als Nan fertig gesungen hatte.

»Danke.« Lena blies die Kerze aus. Sie hoffte nur, Nan erwartete nicht, dass sie jetzt ein Stück Kuchen aß. Sie hatte das Gefühl, ihr läge ein Backstein im Magen.

»Hast du dir was gewünscht?«

»Ja«, sagte Lena, doch was, sagte sie besser nicht laut.

»Ich weiß, dass du zu aufgeregt zum Essen bist.« Nan schälte den Napfkuchen aus seinem Papier. Lächelnd schnitt sie sich ein Stück ab. Manchmal war Nans Intuition richtig unheimlich; als wären sie ein altes Ehepaar. Nan fragte: »Kann ich irgendwas für dich tun?«

»Nein, danke«, sagte Lena und schenkte sich eine Tasse Kaffee ein. Die Kaffeemaschine war eins von Lenas wenigen Besitztümern in den gemeinsamen Räumen des Häuschens. Meistens blieb sie in ihrem Zimmer, las oder sah fern auf dem kleinen Schwarz-Weiß-Gerät, das sie bei der Kontoeröffnung von der Bank geschenkt bekommen hatte.

Lena war aus schierer Not bei Nan eingezogen, und wie sehr sich Nan auch bemühte, es ihr gemütlich zu machen, Lena fühlte sich fehl am Platz. Nan war die perfekte Mitbewohnerin, wenn man Perfektion ertrug, doch Lena war an einem Punkt angelangt, an dem sie sich wieder nach einer eigenen Wohnung sehnte. Sie wollte einen Spiegel, der ihr nicht jeden Morgen die Ereignisse der letzten zwei Jahre ins Gesicht schleuderte. Sie wollte Ethan aus ihrem Leben verbannen. Sie wollte den Backstein in ihrem Magen loswerden. Zum ersten Mal in ihrem Leben wünschte sie sich ihre Periode.

Wieder klingelte das Telefon. Lena würgte den Anruf ab.

Nan nahm noch einen Bissen Kuchen und beobachtete Lena über den Zuckerguss hinweg. Sie kaute langsam, dann schluckte sie runter. »Wie schade, dass du jetzt Make-up trägst. Du hast so schöne Haut.«

Wieder klingelte das Telefon, wieder drückte Lena die beiden Tasten. »Danke.«

»Weißt du«, begann Nan und setzte sich an den Küchentisch, »ich habe nichts dagegen, wenn Ethan ab und zu hier übernachtet. Es ist schließlich auch deine Wohnung.«

Lena versuchte zurückzulächeln. »Du hast Zuckerguss an der Lippe.«

Nan tupfte sich den Mund mit einer Serviette ab. Sie hätte sich den Krümel niemals mit der Hand abgewischt oder abgeleckt. Nan Thomas war der einzige Mensch, den Lena kannte, bei dem zu Hause ein Serviettenspender auf dem Tisch stand. Auch Lena war eine reinliche Person und schätzte Ordnung, aber die Art, wie Nan Dinge nicht einfach wegräumen konnte, nervte sie. Für alles hatte sie ein Häkeldeckchen, am besten mit Troddeln oder Teddybären verziert.

Nan hatte den Kuchen aufgegessen und wischte mit der Serviette die Krümel vom Tisch. Schweigend sah sie Lena an. Wieder klingelte das Telefon.

»Also«, sagte Nan. »Großer Tag heute. Ein neuer Anfang.«

Lena drückte die beiden Tasten. »Ja.«

»Glaubst du, sie geben eine Party für dich?«

Lena lachte schnaubend. Frank und Matt ließen keinen Zweifel daran, dass Lena nicht mehr dazugehörte. Und in letzter Zeit hatte sie immer häufiger überlegt, ob die beiden nicht sogar recht hatten. Aber heute Morgen, als sie sich das Holster umlegte und die Handschellen am Gürtel befestigte, hatte Lena das Gefühl, dass ihr Leben endlich wieder in geordnete Bahnen geriet.

Das Telefon klingelte, Lena drückte die Tasten. Sie versuchte Nans Reaktion zu sehen, doch Nan war damit beschäftigt, das Papier des Napfkuchens zu einem winzigen ordentlichen Quadrat zu falten, als hätte sie nichts bemerkt. Falls Nan Thomas sich je entschloss, Cop zu werden, würden die Verbrecher bei ihr Schlange stehen, um ein Geständnis abzulegen. Sollte sie sich dagegen für die kriminelle Laufbahn entscheiden, würde ihr nie jemand auf die Schliche kommen.

»Jedenfalls«, fuhr Nan fort, »gibt es keinen Grund, dass du ausziehst. Ich habe dich gerne hier.«

Lena betrachtete den einsamen Napfkuchen auf der Küchentheke. Nan hatte zwei gekauft: einen für Lena und einen für Sibyl.

»Im Doppelpack waren sie billiger«, sagte Nan, doch dann gestand sie: »Nein, das war gelogen. Sibyl hat Napfkuchen geliebt. Die einzige Süßigkeit, der sie verfallen war. Ich habe für beide den vollen Preis bezahlt.«

»Hab ich mir gedacht.«

»Tut mir leid.«

»Du musst dich nicht entschuldigen.«

»Jaja, ich weiß.« Nan ging zum Mülleimer, der mit grünen und gelben Häschen dekoriert war, passend zu ihrer Schürze. »Ich war trotzdem deinetwegen bei der Bäckerei. Ich wollte mit dir feiern. Nur weil sie tot ist ...«

»Ich weiß, Nan. Danke. Das ist wirklich lieb von dir.«

»Da bin ich ja froh.«

»Gut«, sagte Lena und zwang sich, Nans ruhigem Blick standzuhalten. Obwohl sie eine solche Sauberkeitsfanatikerin war, ihre Brille putzte sie nie. Lena sah die Fingerabdrücke aus drei Meter Entfernung. Und doch war ihr eulenhafter Blick hinter den Gläsern durchdringend. Lena biss sich auf die Lippen und kämpfte gegen das Bedürfnis, ein Geständnis abzulegen.

Nan sagte: »Es ist einfach schwer ohne sie. Das weißt du ja. Du weißt, wie es ist.«

Lena nickte. Sie versuchte den Kloß im Hals mit Kaffee hinunterzuspülen, doch der Erfolg war, dass sie sich den Gaumen verbrühte.

»Ich habe dich gerne hier, das ist alles.«

»Ich bin dir dankbar, dass ich so lange bei dir sein durfte.«

»Ehrlich, Lee, du kannst so lange bleiben, wie du willst. Mir ist es recht.«

»Ja«, brachte Lena heraus. Sie sah in ihren Kaffee. Was würde Nan zu einem Baby sagen? Lena stöhnte innerlich. Nan würde das Baby wahrscheinlich lieben, ihm Schühchen häkeln und es an Halloween in ein albernes Kostüm stecken. Sie würde nur noch Teilzeit in der Bibliothek arbeiten und dabei helfen, das Kind großzuziehen, und sie wären ein glückliches Ehepaar, bis Lena die Zähne ausfielen und sie am Stock ging.

Wie um sie an Ethans Rolle bei dem Ganzen zu erinnern, klingelte das Telefon. Lena brachte es zum Schweigen.

Nan fuhr fort. »Sibyl hätte auch gewollt, dass du hier wohnst. Sie hat dich immer beschützen wollen.«

Lena räusperte sich. Ihr brach der Schweiß aus. Hatte Nan einen Verdacht?

»Beschützen vor Dingen, die du nicht im Griff hast.«

Das Telefon klingelte. Lena drückte die Tasten, ohne auf das Display zu sehen.

»Und mir tut es gut, jemanden um mich zu haben, der Sibyl kannte«, fuhr Nan fort. »Jemand, der sie mochte und«, sie wartete ab, bis Lena das nächste Klingeln abgestellt hatte, »dem etwas an ihr gelegen hat. Jemand, der weiß, wie schwer es ist ohne sie.« Wieder verstummte sie, doch diesmal nicht wegen des Telefons. »Du siehst ihr nicht einmal mehr ähnlich.«

Lena sah ihre Hände an. »Ich weiß.«

»Das hätte ihr nicht gefallen, Lee. Das hätte sie am allerschlimmsten gefunden.«

Beiden traten aus verschiedenen Gründen die Tränen in die Augen, und als das Telefon zum hundertsten Mal klingelte, nahm Lena ab, nur um den Bann zu brechen.

»Lena«, schrie Frank Wallace. »Wo zum Teufel warst du?«

Sie sah auf die Uhr am Herd. Sie sollte erst in einer halben Stunde auf dem Revier erscheinen.

Frank wartete ihre Antwort nicht ab. »Wir haben eine Geiselnahme auf dem Revier. Beweg deinen Arsch sofort hierher.«

Dann knallte er den Hörer auf.

Nan fragte: »Was ist?«

»Eine Geiselnahme«, sagte Lena und legte das Telefon auf den Tisch. Sie kämpfte gegen den Impuls, sich an die Brust zu greifen, wo ihr das Herz bis zum Hals schlug. »Auf dem Revier.«

»O Gott«, stöhnte Nan. »Das gibt es doch gar nicht. Wurde jemand verletzt?«

»Er hat nichts gesagt.« Lena trank den Kaffee aus, obwohl ihr Adrenalinpegel keinen weiteren Schub brauchte. Sie suchte auf der Küchentheke nach ihrem Schlüssel. Ihre Nerven waren zum Zerreißen gespannt.

Nan sagte: »Weißt du noch, was in Ludowici passiert ist?«

»Lieber nicht.« Lenas Herz flatterte. Vor sechs Jahren waren im Nachbarbezirk sechs Gefangene aus ihren Zellen ausgebrochen und hatten einen Wärter in ihre Gewalt gebracht. Es war zur Belagerung gekommen. Nach drei Tagen waren fünfzehn Gefangene tot oder verletzt. Vier Polizeibeamte waren gestorben. Im Geist ging Lena alle Cops durch, die sie auf dem Revier kannte, und fragte sich, ob einer von ihnen verletzt worden war.

Sie durchsuchte ihre Taschen nach den Schlüsseln.

Wieder klingelte das Telefon.

Lena rief: »Wo sind meine …«

Nan deutete auf den Haken in Form einer Ente an der Wand. Beim zweiten Klingeln nahm sie das Telefon in die Hand. »Was soll ich ihm sagen?«

Lena pflückte die Schlüssel vom Schnabel der Ente. Sie wich Nans Blick aus, als sie die Tür öffnete. »Sag ihm, ich bin schon bei der Arbeit.«

Lena fuhr in ihrem Toyota Celica die Main Street hinunter und stellte überrascht fest, dass die Stadt wie ausgestorben war. Heartsdale war zwar nicht gerade eine brodelnde Metropole, doch montagmorgens sah man doch für gewöhnlich ein paar Leute auf den Bürgersteigen und irgendwelche Studenten, die zum College radelten. Als sie über die Kreuzung fuhr, suchte sie nach irgendwelchen Anzeichen von Leben. Das Neonschild des Heimwerkermarkts war dunkel, und an der Tür der Modeboutique klebte ein Zettel, auf den jemand »Geschlossen« gekritzelt hatte. Zwei Streifenwagen der Grant County Police blockierten die Straße, und Lena parkte auf einem der leeren Parkplätze vor dem Diner. Als Lena ausstieg, hatte sie das Gefühl, in einer Geisterstadt zu sein. Die Luft war still und reglos. Lena sah ihre Spiegelung in den Fenstern des abgedunkelten Schnellrestaurants. Die Stühle standen auf den Tischen, und die Mittagskarte war aus ihrem Saugnapf an der Glastür gefallen. Doch das war nichts Neues. Der Diner hatte vor einem Jahr zugemacht.

Weiter die Straße hinunter standen zwei Zivilfahrzeuge der Polizei vor der Reinigung Burgess, genau dem Polizeirevier gegenüber. Auf dem Parkplatz der Kinderklinik parkten weitere Polizeiwagen, außerdem standen drei Streifenwagen vor dem Revier mitten auf der Straße. Die Zufahrtsstraße des College wurde vom Chevy der Campus-Security abgeriegelt, doch der Möchtegerncop, der in dem Wagen sitzen sollte, war nirgends zu sehen.

Lena stand auf dem Bürgersteig und blickte die Straße hinunter. Fast rechnete sie damit, Steppenläufer vorbeiwehen zu sehen. Das Schaufenster der Reinigung war dunkel getönt, sodass sich selbst aus nächster Nähe kaum etwas im Innern erkennen ließ. Lena nahm an, dass Jeffrey hier die Kommandozentrale eingerichtet hatte. Hinter dem Gefängnis war nur der Parkplatz, und die Gefangenen hatten die Türen mit Sicherheit längst verbarrikadiert. Die Reinigung war der einzig sinnvolle Ort.

»Hallo«, sagte sie zu dem Uniformierten, der bei den Streifenwagen stand. Er blickte die Straße hinauf, von seinem Posten aus in die falsche Richtung.

Mit der Hand an der Waffe fuhr er herum. Er verströmte Stress wie schlechten Körpergeruch.

Sie streckte ihm die Hände entgegen. »Ich gehöre zur Truppe. Nur die Ruhe.«

Seine Stimme zitterte. »Sind Sie Detective Adams?«

Sie kannte den Mann nicht, doch selbst wenn, wäre Lena wahrscheinlich nichts eingefallen, wie sie ihn hätte beruhigen können. Er war leichenblass, und falls er es überhaupt schaffte, die Waffe zu ziehen, würde er sich wohl eher ein Loch in den Fuß schießen, als irgendein Ziel zu treffen.

»Was ist hier los?«, fragte sie.

Er schaltete das Funkgerät an seiner Schulter ein. »Detective Adams ist da.«

Franks Stimme antwortete sofort. »Schick sie hintenrum.«

»Gehen Sie durch die Drogerie«, wies sie der Uniformierte an. »Die Hintertür der Reinigung ist offen.«

»Was ist hier los?«

Er schüttelte den Kopf, und sie sah, wie beim Schlucken sein Adamsapfel hüpfte.

Lena folgte seiner Anweisung und betrat den großen Laden. Über der Tür hing eine Kuhglocke, deren Läuten ihr durch Mark und Bein ging. Sie griff nach oben und brachte die Glocke zum Schweigen, bevor sie durch den leeren Laden nach hinten ging. Ein halb voller Einkaufskorb stand auf dem Boden des Mittelgangs, als hätte der Kunde plötzlich die Flucht ergriffen. Jemand war dabei gewesen, die neongrüne Leuchtreklame einer Sonnencreme zu installieren, die jetzt an einem dünnen Kabel herunterbaumelte. Alle Lichter brannten, auch das Neonschild über dem Apothekentresen, doch der Laden war menschenleer. Auch von dem blonden Spinner, der immer am Schreibtisch hinten im Büro saß, war nichts zu sehen.

Die Tür zum Lager machte ein schmatzendes Geräusch, als Lena sie aufdrückte. Stapel beschrifteter Kisten säumten die Wände vom Boden bis zur Decke: Zahncreme, Klopapier, Zeitschriften. Lena wunderte sich, dass die findigen Collegestudenten noch nicht spitzgekriegt hatten, dass die Läden hier offen und unbewacht waren. Sie hatte selbst ein paar Monate für die Campus-Security des Grant Tech gearbeitet und wusste aus Erfahrung, dass die Burschen mehr Zeit mit Stehlen verbrachten als mit Studieren.

Die Hintertür stand weit offen, und Lena musste im Sonnenlicht blinzeln. Schweiß rann ihr am Hals hinunter, sie wusste nicht, ob von der Hitze oder von der Anspannung. Ihre Schuhe knirschten auf dem Schotter, als sie zur Reinigung ging, wo zwei Uniformierte Wache hielten. Die kleine hübsche Polizistin wäre wahrscheinlich auf Lenas Posten aufgerückt, wenn sie nicht zurückgekommen wäre. Der andere war jünger, er wirkte noch nervöser als der Kerl bei den Streifenwagen.

Lena zog ihre Marke heraus und wies sich aus, obwohl sie die Frau kannte. »Detective Adams.«

»Hemming«, sagte die Polizistin, die Hand am Pistolengurt. Trotz der Umstände schaffte sie es mit einem Blick, Lena ihre Abneigung zu zeigen. Ihren Partner stellte sie nicht vor.

»Was ist hier los?«, fragte Lena.

Hemming wies mit dem Daumen in Richtung Reinigung. »Sie sind da drin.«

Drinnen trocknete die kühle Luft ihren Schweiß innerhalb von Sekunden. Lena schob sich an Reihen von Wäschesäcken vorbei, die auf Abholung warteten. Der Geruch von Chemikalien war fast unerträglich, und sie musste husten, als sie den Bottich mit der Wäschestärke passierte. Die Bügelmaschinen waren noch angeschaltet, wie Flammenwerfer sandten sie Hitzewellen aus. Burgess, der alte Besitzer der Reinigung, war nirgends zu sehen, dabei sah es ihm gar nicht ähnlich, dass er alles stehen und liegen ließ. Lena drehte nach und nach die Temperaturregler herunter und beobachtete dabei eine Gruppe von Männern, die ein paar Meter weiter vorn standen. Bei der letzten Bügelmaschine blieb sie stehen, als sie an den beigen Hosen und dunkelblauen Hemden die Mitarbeiter des Georgia Bureau of Investigation erkannte. Die waren schnell hier aufgekreuzt. Nick Shelton, der örtliche GBI Field Agent in Grant County, stand mit dem Rücken zu ihr, doch sie erkannte ihn an den Cowboystiefeln und der Vokuhila-Frisur.

Lena sah sich nach den anderen Polizeibeamten um. Pat Morris, der erst vor Kurzem vom Streifenbeamten zum Detective befördert worden war, saß auf einem Kühlschrank und hielt sich einen Eisbeutel ans Ohr. Das karottenrote Haar klebte feucht an seinem Kopf. Ein dunkelrotes Rinnsal lief ihm über das Gesicht, und Molly, die Krankenschwester der Kinderklinik, tupfte das Blut mit einem Wattebausch ab. Außer einem Uniformierten, der an einem Klapptisch saß, war Frank der einzige Cop aus der Truppe.

»Lena«, rief Frank und winkte sie herüber. Sein Hemd war blutverschmiert, doch soweit Lena sah, war es nicht sein Blut. Trotzdem wirkte er angeschlagen. Er konnte sich kaum auf den Beinen halten. Lena fragte sich, wie er in diesem Zustand die Sache mit Nick durchziehen wollte.

Auf dem Tisch vor ihm lag ein grob skizzierter Grundriss dessen, was einst die Wache gewesen war. Die Bereiche um die Kaffeemaschine und die Brandschutztür waren mit roten und schwarzen Kreuzen übersät, daneben stand jeweils ein Paar Initialen. Die rechteckigen Formen und schiefen Quadrate mussten die Tische und Aktenschränke sein. Wenn die Karte stimmte, war der Raum ziemlich auseinandergenommen worden.

»Mein Gott.« Lena war es ein Rätsel, wie die Häftlinge den Mannschaftsraum hatten einnehmen können.

Nick zeichnete gerade ein langes Rechteck, die Aktenschränke unter dem Fenster zu Jeffreys Büro. »Wir wollten eben anfangen.« Er zeigte auf die Karte und fragte Pat: »Stimmt es so ungefähr?«

Pat nickte.

»Na gut.« Nick warf den Marker auf den Tisch und gab Frank das Zeichen anzufangen.

»Der Schütze hat hier gewartet, da stand sein Komplize.« Frank zeigte auf zwei Punkte bei der Anmeldung. »Matt kam ungefähr um neun. Sie haben ihm aus nächster Nähe ins Gesicht geschossen.«

Lena hielt sich an der Tischkante fest. Sie sah zum Revier hinüber. Die Eingangstür stand einen Spalt offen, aber sie konnte nicht erkennen, was sie blockierte.

Frank zeigte auf den Tisch in der Nähe der Brandschutztür. »Sara Linton war hier.«

»Sara?«, fragte Lena. Jetzt verstand sie gar nichts mehr. Wie konnte so etwas passieren? Wer würde Matt Hogan erschießen wollen? Sie hatte angenommen, dass die Gefangenen gemeutert hätten, nicht dass irgendjemand von draußen eingedrungen war, um kaltblütig zu morden.

Frank fuhr fort: »Wir konnten zwei der Kinder rausholen.« Er zeigte auf weitere rote Kreuze im Umkreis der Tür. »Burrows, Robinson und Morgan hat es in der ersten Minute erwischt.« Er nickte Pat zu. »Morris hat es geschafft, das Fenster von Jeffreys Büro einzuschlagen und drei weitere Kinder rauszubringen. Keith Anderson ist durch die Brandschutztür über mich hinweggesprungen. Er wurde von hinten getroffen und wird gerade operiert.«

Als Lena ihre Sprache wiedergefunden hatte, fragte sie: »Es waren Kinder da?«

Nick klärte sie auf: »Brad hat mit ihnen eine Führung durch die Wache gemacht.«

Lena schluckte. »Wie viele sind noch drin?«

»Drei«, sagte Nick und zeigte auf drei kleine schwarze Kreuze neben einem größeren. »Das ist Brad Stephens.« Dann deutete er auf die anderen. »Sara Linton, Marla Simms, Barry Fordham.« Sein Finger blieb an einem schwarzen Kreuz vor dem Aktenschrank hängen. Daneben war ein Fragezeichen. Barry war Streifenpolizist, seit acht Jahren im Dienst, hatte Frau und Kind.

Nick sagte: »Barry wurde verletzt, aber wir wissen nicht, wie schwer. Vor ungefähr fünfzehn Minuten wurde noch ein Schuss abgegeben, wir glauben, aus einem Sturmgewehr. Von zwei Beamten wissen wir nichts. Wir glauben nicht, dass sonst noch jemand drin ist.« Er setzte nach: »Der am Leben ist.«

Frank hustete in sein Taschentuch, in seiner Brust rasselte es wie eine Eisenkette. Er wischte sich über den Mund, dann fuhr er fort. »Zwei Streifenwagen sind gleich am Anfang gekommen.« Er deutete auf die Autos auf der Karte. Lena sah sie draußen stehen, daneben parkte ein dritter Wagen, den sie als Brads erkannte, auf seinem angestammten Platz. Was sie von der Straße aus nicht gesehen hatte, waren die vier Cops, die hinter den Streifenwagen kauerten und ihre Waffen aufs Revier gerichtet hatten.

Frank machte weiter. »Der alte Burgess kam mit seiner Flinte raus.« Der Eigentümer der Reinigung schaffte es kaum,

Lenas Wäschesack zu tragen. Es fiel ihr schwer, sich den alten Burgess mit einer Flinte vorzustellen. »Seine Enkeltochter war auch da drin«, sagte Frank. »Sie war die Erste, die Sara gerettet hat.« Er hielt inne, und Lena sah ihm an, wie ihm die Erinnerung zu schaffen machte. »Burgess versuchte durch die Scheibe zu schießen, aber …«

»Kugelsicher«, erinnerte sich Lena.

»Sie hat gehalten«, erklärte Frank. »Aber ein Querschläger hat Steve Mann vor dem Heimwerkermarkt ins Bein getroffen. Danach haben sich alle versteckt.«

Nick sagte: »Burgess und die Cops haben die Schützen da drin so ziemlich festgenagelt.« Er zeigte auf den Tresen, hinter dem normalerweise Marla saß. »Soweit wir sehen, steht der zweite Schütze hinter der Theke und bewacht den Eingang, der andere hält die Geiseln in Schach.«

Lena sah wieder auf die Straße. Die Fenster des Reviers waren getönt, jedoch nicht so dunkel wie die der Reinigung. Sie sah die weißen Einschläge und die Spinnennetzrisse, wo das Schrot das Glas nicht durchschlagen hatte. Sie schätzte, die Spritzer an der Innenseite waren Matts Blut. Am Boden lag eine dunkle, formlose Masse. Es war das Gewicht von Matts Leiche, das die Tür blockierte.

Sie zwang sich wegzusehen. »Habt ihr den Wagen der Typen gefunden?«

»Wir suchen noch«, erklärte Nick. »Wahrscheinlich haben sie auf dem Campus geparkt und sind zur Wache rübergelaufen.«

»Was bedeuten würde, sie waren schon mal hier«, folgerte Lena. An Frank und Pat gewandt, fragte sie: »Habt ihr einen von ihnen erkannt?«

Sie schüttelten beide den Kopf.

Dann sah sie sich noch einmal die Karte an. »Mein Gott.«

»Der Erste hat mindestens drei Waffen. Er hat Matt mit einer abgesägten Schrotflinte umgelegt, wahrscheinlich eine

Wingmaster.« Nick schwieg einen Moment. »Der Zweite hat das Sturmgewehr.«

»Mit den richtigen Patronen kommt er damit durch das Sicherheitsglas«, sagte Lena und dachte, dass die Schützen erstaunliche Kenntnisse über das Polizeirevier haben mussten.

»Richtig«, bestätigte Nick. »Er hat aber nicht auf die Straße geschossen.«

»Noch nicht«, ergänzte Frank.

»Wir versuchen Kontakt aufzunehmen, aber sie gehen nicht ans Telefon.« Nick zeigte auf einen seiner Leute, der sich ein Telefon ans Ohr hielt. »In der Zwischenzeit warten wir auf das Verhandlungsteam aus Atlanta. Sie müssten in weniger als einer Stunde mit dem Hubschrauber hier sein.«

Lena sah starr nach draußen und fragte sich, wie zum Teufel so etwas möglich war. Heartsdale war ein verschlafenes kleines Nest. Die Menschen zogen hierher, um der Gewalt anderswo zu entkommen. Jeffrey hatte ihr vor langer Zeit erzählt, dass er von Birmingham weggegangen war, weil er die Großstadtkriminalität nicht mehr ertragen hatte. Doch anscheinend war sie ihm gefolgt.

Plötzlich lief es ihr eiskalt über den Rücken. Sie hatte in der Mitte der Karte ein rotes X mit zwei Initialen entdeckt. Alles verschwamm vor Lenas Augen. Sie konnte nicht erkennen, was dort stand. Als sie wieder aufsah, starrten sie alle an. Sie schüttelte den Kopf, verzog den Mund, als handelte es sich um einen schlechten Scherz. »Nein«, stammelte sie, als sie schließlich die Initialen entziffern konnte. Jetzt schwebten die Buchstaben klar und deutlich vor ihren Augen, auch wenn sie gar nicht mehr auf die Karte sah. »Nein.«

Frank drehte ihr den Rücken zu und hustete in sein Taschentuch.

Lena griff nach dem schwarzen Marker. »Das hier ist falsch«, sagte sie und riss die Kappe von dem Filzstift ab. »Der hier muss schwarz sein.« Sie versuchte das rote Kreuz zu übermalen, doch ihre Hand zitterte zu stark.

Nick nahm ihr den Stift aus der Hand. »Er ist tot, Lena.« Er legte ihr die Hand auf die Schulter. »Jeffrey ist tot.«

DREI

1991
Sonntag

Tessa ließ sich rücklings aufs Bett fallen. »Ich kann es nicht fassen, dass du ohne mich nach Florida fährst!« Sara antwortete mit einem abwesenden »Hm« und legte ein T-Shirt zusammen.

»Wann hast du das letzte Mal Urlaub gemacht?«

»Weiß nicht«, antwortete sie, obwohl sie sich genau erinnerte. Im Sommer nach ihrem Highschoolabschluss hatte Eddie Linton seine Frau und zwei bockige Töchter ins Auto gepackt und sie zum letzten gemeinsamen Familienurlaub nach Sea World geschleift. Seitdem hatte Sara jeden Sommer mit Kursen oder im Labor verbracht, um Extrascheine zu erwerben, damit sie früher Examen machen konnte. Abgesehen von dem einen oder anderen verlängerten Wochenende zu Hause bei ihren Eltern, war sie seit Ewigkeiten nicht mehr verreist.

»Das hier sind *richtige Ferien*«, sagte Tessa. »Mit einem Mann.«

»Hm«, machte Sara wieder und faltete ein Paar Shorts zusammen.

»Ich habe gehört, er ist ein ziemlich scharfer Typ.«

»Wer hat das denn gesagt?«

»Jill-June aus der Drogerie.«

»Die arbeitet da immer noch?«

»Inzwischen ist sie Geschäftsführerin.« Tessa kicherte. »Sie hat sich die Haare schrecklich blond gefärbt.«

»Absichtlich?«

»Sieht nicht so aus, aber schließlich hat sie zwei ganze Gänge mit Haarpflegeprodukten vor der Nase.«

Sara warf ihrer Schwester eine Hose zu. »Sei so lieb und leg die zusammen.«

»Nur wenn du mir was von Jeffrey erzählst.«

»Was hat Jill-June gesagt?«

»Sie sagt, er ist Sex am Stiel.«

Sara grinste.

»Und er hätte mit jeder vorzeigbaren Frau in der Stadt was gehabt.« Tessa hielt beim Falten inne. »Es gibt ein paar Witze über ihn, aber weil du meine Schwester bist, verschone ich dich.«

»Man hat's nicht leicht.« Sara warf einen Strumpf zurück in den Wäschekorb, als ihr einfiel, dass das Gegenstück schon seit der letzten Wäsche verschwunden war. Sie versuchte das Thema zu wechseln. »Wie kommt es, dass nie die Strümpfe verschwinden, die man loswerden will?«

»Ist er gut im Bett?«

»Tess!«

»Willst du, dass ich dir helfe, deine Unterwäsche zusammenzulegen, oder nicht?«

Sara strich ein Hemd glatt, ohne zu antworten.

»Ihr seid jetzt schon zwei Monate zusammen.«

»Drei.«

Tessa ließ nicht locker. »Du musst mit ihm im Bett gewesen sein, sonst würde er nicht mit dir ans Meer fahren.«

Sara zuckte die Achseln. Tatsache war, dass sie schon beim ersten Date mit ihm geschlafen hatte. Noch in der Küche. Am nächsten Morgen war es ihr so peinlich, dass sie sich noch vor Sonnenaufgang aus ihrer eigenen Wohnung geschlichen hatte.

Hätten sie nicht drei Tage später bei einem Raubmord zusammenarbeiten müssen, dann hätte Sara wahrscheinlich nie wieder ein Wort mit Jeffrey Tolliver gewechselt.

Tessa wurde ernst. »War er dein Erster seit …«

Mit einem Blick stellte Sara klar, dass ihr das zu weit ging. »Erzähl mir lieber, was Jill-June gesagt hat.«

»Oh …« Tessa ließ sich Zeit und grinste schelmisch. »Dass er einen tollen Körper hat.«

»Er joggt viel.«

»Mhm«, brummte Tessa anerkennend. »Dass er groß ist.«

»Zehn Zentimeter größer als ich.«

»Schau an, wie du strahlst.« Tessa lachte. »Schon gut, du brauchst mir jetzt keinen Vortrag zu halten, wie schwer du es mit eins neunzig in der Grundschule hattest.«

»Eins einundachtzig.« Sara warf ihrer Schwester ein Geschirrtuch an den Kopf. »Und das war in der Neunten.«

Tessa legte das Geschirrtuch zusammen und seufzte. »Dass er traumhaft blaue Augen hat.«

»Stimmt.«

»Dass er unglaublich charmant ist und gut erzogen.«

»Stimmt beides.«

»Jede Menge Humor hat.«

»Stimmt auch.«

»Dass er immer mit abgezähltem Kleingeld zahlt.«

Sara lachte und schob ihrer Schwester noch einen Haufen Wäsche hin. »Reden und falten.«

Tessa zupfte eine Fluse von einer schwarzen Hose. »Sie sagt, er war früher Footballspieler.«

»Ach, wirklich?«, fragte Sara. Jeffrey hatte ihr nie davon erzählt. Tatsächlich erzählte er ziemlich wenig von sich. Aber dass er nicht gerne von der Vergangenheit sprach, war einer der Züge, die ihr gefielen.

»Ich hoffe, er ist es wert«, seufzte Tessa. »Redet Daddy wieder mit dir?«

»Nein«, erklärte Sara. Sie versuchte, so zu klingen, als machte ihr das nichts aus. Obwohl ihre Eltern Jeffrey noch nicht einmal kennengelernt hatten, hatten sie sich bereits eine Meinung über ihn gebildet, wie alle anderen im Ort.

Tessa ließ nicht locker. »Erzähl doch mal. Was weißt du, das Jill-June nicht weiß?«

»Nicht viel«, gab Sara zu.

»Komm schon.« Offensichtlich dachte Tessa, Sara machte Spaß. »Erzähl mir, wie er so ist.«

Aus dem Flur meldete sich Cathy Linton. »Erst mal ist er viel zu alt.«

Tessa rollte die Augen, als ihre Mutter im Zimmer stand.

Sara sagte: »Man sollte nicht glauben, dass das hier mein Haus ist.«

»Wenn du nicht willst, dass man einfach reinspaziert, musst du eben die Tür abschließen.« Cathy küsste Sara auf die Wange und überreichte ihr eine grüne Tupperware-Box und eine fettige Papiertüte. »Ich wollte dir was auf die Fahrt mitgeben.«

»Kekse!« Tessa griff nach der Tüte, doch Sara riss sie ihr aus der Hand.

»Dein Vater hat Maisbrot gebacken, aber ich durfte dir keins mitbringen.« Cathy sah sie scharf an. »Er meint, er rackert sich nicht ab, um deinen aufgeblasenen Kerl durchzufuttern.«

Die Worte hingen im Raum wie eine dunkle Wolke. Sogar Tessa blieb das Lachen im Hals stecken. Sara griff nach einer Jeans.

»Gib her.« Cathy nahm ihr die Hose aus der Hand. »So«, sagte sie, klemmte sich die Aufschläge unters Kinn und verwandelte das Ganze in weniger als zwei Sekunden in ein perfektes Quadrat. Sie betrachtete den Wäscheberg auf Saras Bett. »Hast du erst heute gewaschen?«

»Ich hatte keine ...«

»Auch wenn man allein lebt, gibt es keine Entschuldigung, dass man die Wäsche nicht macht.«

»Ich habe zwei Jobs.«

»Na und? Ich hatte zwei Kinder und einen Klempner und habe trotzdem meine Pflichten erledigt.«

Sara sah Tessa Hilfe suchend an, doch ihre Schwester arbeitete so konzentriert an einem Paar Socken, als würde sie Atome spalten.

Cathy fuhr fort. »Wenn du die schmutzige Wäsche einfach direkt in die Waschmaschine steckst und sie alle zwei Tage anstellst, passiert dir das nicht mehr.« Sie schüttelte eins der Hemden auf, die Sara bereits zusammengelegt hatte. Unzufrieden verzog sie den Mund. »Warum hast du kein Bügelspray benutzt? Ich hab dir doch letzte Woche einen Coupon hingelegt.«

Sara gab auf. Sie kniete sich auf den Boden und suchte aus einem Stapel Bücher diejenigen heraus, die sie am Strand lesen wollte.

»Nach allem, was ich so höre«, frotzelte Tessa, »wirst du nicht viel Zeit zum Lesen haben.«

Das hoffte Sara auch, aber vor ihrer Mutter wollte sie es trotzdem nicht besprechen.

»Dieser Mann …«, begann Cathy. Sie ließ sich Zeit, dann sagte sie: »Sara, ich weiß, dass du das nicht hören willst, aber diesmal hast du dich wirklich übernommen.«

Sara drehte sich um. »Danke für dein Vertrauen, Mutter.«

Cathys Gesicht verfinsterte sich. »Hast du vor, einen BH drunterzuziehen? Man sieht ja die …«

»Jaja«, sagte Sara und begann an Ort und Stelle die Bluse auszuziehen.

»Außerdem sind dir die Shorts zu groß. Bist du dünner geworden?«

Sara sah sich im Spiegel an. Sie hatte eine Stunde gebraucht, bis sie ein Outfit gefunden hatte, das gut aussah und doch nicht so, als hätte sie eine Stunde darüber nachgedacht. »Die Shorts sollen so weit sein«, sagte sie und zupfte am Po herum. »Das ist jetzt Mode.«

»Liebe Zeit, Kind. Hast du in letzter Zeit mal deinen Hintern gesehen? Ich jedenfalls nicht.« Tessa gackerte und Cathy änderte ihren Ton, aber die Botschaft blieb dieselbe. »Liebes, du bist nur noch Haut und Knochen. ›Weit‹ ist einfach nicht für Frauen wie dich gedacht.«

Sara stützte sich auf der Kommode auf und holte tief Luft. »Entschuldigt bitte«, sagte sie so beherrscht wie möglich und ging ins Bad. Sie musste sich zusammenreißen, um nicht mit der Tür zu knallen. Dann klappte sie den Klodeckel herunter, setzte sich und ließ den Kopf in die Hände sinken. Draußen meckerte ihre Mutter weiter, dass die Wäsche statisch aufgeladen sei und dass sie Sara den Bügelspray-Coupon nicht hätte hinzulegen brauchen, wenn sie ihn ohnehin nicht einlöste.

Sara hielt sich die Ohren zu, und das Nörgeln ihrer Mutter wurde zu einem erträglichen Summen, nicht schlimmer als eine heiße Nadel im Ohr. Seit dem Tag, als Sara etwas mit Jeffrey angefangen hatte, hackte Cathy auf ihr herum. Sara schien nichts mehr richtig zu machen, angefangen bei ihrer Haltung beim Abendessen bis zum Parken auf der Auffahrt. Einerseits hätte Sara Cathy gerne auf die ständige Krittelei angesprochen, andererseits wusste sie ja, dass es nur Cathys Art war, mit ihren Mutterängsten umzugehen.

Sara sah auf die Uhr. Sie betete, dass Jeffrey pünktlich käme und sie endlich rettete. Er kam selten zu spät, noch eine der vielen Eigenschaften, die sie an ihm mochte. Egal wie oft Cathy behauptete, was für ein Lump Jeffrey Tolliver sei, er hatte immer ein Taschentuch dabei und hielt Sara die Tür auf. Wenn sie im Restaurant vom Tisch aufstand, stand er auch auf. Er half ihr in den Mantel und trug ihren Aktenkoffer. Und als wäre das alles nicht genug, war er so gut im Bett, dass sie sich beim ersten Mal fast die Zunge abgebissen hätte, um nicht laut seinen Namen herauszuschreien.

»Sara?« Cathy klopfte an die Badezimmertür, sie klang besorgt. »Alles in Ordnung, Liebes?«

Sara betätigte die Toilettenspülung und ließ Wasser ins Waschbecken laufen. Als sie die Tür aufmachte, standen ihre Schwester und ihre Mutter mit besorgten Blicken davor.

Cathy hielt eine rote Bluse hoch. »Ich finde nicht, dass dir die Farbe steht.«

»Danke.« Sara nahm die Bluse und warf sie in den Wäschekorb. Dann kniete sie sich wieder vor ihre Bücher und überlegte, ob sie anspruchsvolle Literatur mitnehmen sollte, um Jeffrey zu beeindrucken, oder leichte Kost, die sie lieber las.

»Ich verstehe gar nicht, warum ausgerechnet du ans Meer fahren willst«, sagte Cathy. »Du bekommst doch sofort einen Sonnenbrand. Hast du genug Sonnencreme dabei?«

Ohne sich umzudrehen, hielt Sara eine neongrüne Flasche Sunblocker hoch.

»So schnell, wie du Sommersprossen kriegst. Und deine Beine sind schneeweiß. Mit so bleichen Beinen würde ich keine Shorts tragen.«

Tessa kicherte in sich hinein. »Wie heißt das Mädchen aus ›Gidget‹, das immer mit diesem Riesenhut am Strand sitzt?«

Sara bedachte ihre Schwester mit einem bösen Blick. Doch Tessa zeigte auf die Tüte mit den Keksen und dann auf ihren Mund. Ihr Schweigen ließe sich kaufen.

»Larue«, antwortete Sara und nahm Tessa die Tüte weg.

»Tessie«, sagte Cathy. »Hol mir mal das Bügelbrett.« Dann fragte sie Sara: »Hast du überhaupt ein Bügeleisen?«

Sara lief rot an unter dem Blick ihrer Mutter. »In der Kammer.«

Cathy seufzte missbilligend, als Tessa draußen war. »Wann hast du die Wäsche gemacht?«

»Gestern.«

»Wenn du sie gleich gebügelt hättest …«

»Genau, und wenn ich die Kleider überhaupt nicht getragen hätte, dann müsste ich mich jetzt auch nicht darum kümmern.«

»Das Gleiche hast du schon mit sechs Jahren gesagt.«

Sara wartete.

»Wenn es nach dir gegangen wäre, wärst du nackt zur Schule gegangen.«

Sara blätterte durch ein Buch, doch sie war nicht bei der Sache. Aus den Augenwinkeln sah sie, wie ihre Mutter die zusammengefaltete Wäsche wieder auseinanderzerrte und noch einmal faltete.

Cathy sagte: »Wenn es Tessa wäre, würde ich mir keine Sorgen machen. Ehrlich gesagt«, sie lachte leise und strich das nächste Hemd glatt, »da würde ich mir eher Sorgen um Jeffrey machen.«

Sara legte ein Taschenbuch mit einem blutigen Messerschnitt quer über dem Cover auf den Stapel zum Mitnehmen.

»Jeffrey Tolliver ist ein erfahrener Mann. Im Gegensatz zu dir, und das Grinsen habe ich gesehen, junge Dame. Wohlgemerkt, ich rede nicht nur von dem, was unter der Decke stattfindet.«

Sara nahm das nächste Taschenbuch in die Hand. »Diese Diskussion möchte ich wirklich nicht mit meiner Mutter führen.«

»Deine Mutter ist wahrscheinlich die einzige Frau auf der Welt, die dir das sagt«, fuhr Cathy unbeirrt fort. Sie setzte sich aufs Bett und wartete, bis Sara sich zu ihr umdrehte. »Männer wie Jeffrey wollen nur das eine.« Sara wollte den Mund aufmachen, doch ihre Mutter war noch nicht fertig. »Das ist so lange in Ordnung, solange du auch etwas davon hast.«

»Mutter.«

»Für manche Frauen ist Sex ohne Liebe kein Problem.«

»Ich weiß.«

»Ich meine es ernst, Liebling. Also hör zu. Du gehörst nicht zu diesen Frauen.« Sie strich Sara eine Haarsträhne hinters Ohr. »Du bist nicht der Typ für Affären. Das bist du noch nie gewesen.«

»Davon weißt du doch gar nichts.«

»In deinem ganzen Leben warst du nur mit zwei Männern zusammen. Wie viele Frauen hatte Jeffrey wohl? Mit wie vielen hat er geschlafen?«

»Ich schätze, mit einigen.«

»Und du bist eben nur eine von vielen. Deswegen ist dein Vater sauer auf dich …«

»Findet ihr nicht, es wäre ganz nett, ihn erst mal kennenzulernen, bevor ihr euch ein Urteil bildet?«, fragte Sara. Zu spät fiel ihr ein, dass Jeffrey schon auf dem Weg hierher war. Sie wagte einen Blick auf die Uhr. In zehn Minuten würde ihre Mutter all ihre Vorurteile bestätigt sehen. Wenn sogar Jill-June Mallard es ihm ansah, dann wüsste Cathy Linton Bescheid, sobald er einen Fuß durch die Tür gesetzt hätte.

Cathy beharrte: »Du bist nun einmal kein Flittchen, Liebes.«

»Vielleicht bin ich es geworden. Vielleicht bin ich in Atlanta ein Flittchen geworden.«

»Wenn du meinst.« Cathy zog eine Unterhose aus dem Stapel und runzelte die Stirn. »Diese gehören nicht in die Maschine«, schimpfte sie. »Wenn du sie mit der Hand wäschst und auf die Leine hängst, gehen sie nicht so schnell kaputt.«

Sara zwang sich zu lächeln. »Sie sind nicht kaputt.«

Cathy zog die Brauen hoch, ein Funke von Anerkennung war in ihren Augen. Trotzdem fragte sie: »Mit wie vielen Männern bist du zusammen gewesen?«

Sara sah auf die Uhr und flüsterte: »Bitte.«

Cathy ignorierte es. »Ich weiß von Steve Mann. Liebe Güte, die ganze Stadt hat es gewusst, nachdem Mac Anders euch hinter der Hotdog-Bude erwischt hat.«

Sara starrte auf den Fußboden und versuchte, nicht vor Scham in den Boden zu versinken.

Cathy fuhr fort. »Mason James.«

»Mama.«

»Das sind zwei.«

»Du vergisst den letzten«, erinnerte sie Sara, doch sie bereute es, als sie sah, wie sich das Gesicht ihrer Mutter verfinsterte.

Cathy legte Saras Pyjamahose zusammen. Dann fragte sie mit sanfterer Stimme: »Weiß Jeffrey von der Vergewaltigung?«

Sara versuchte, ruhig zu bleiben. »Das Thema hat sich noch nicht ergeben.«

»Was hast du ihm denn gesagt, warum du von Atlanta weggegangen bist?«

»Nichts«, sagte sie einfach und behielt die Tatsache für sich, dass Jeffrey auch nicht besonders neugierig gewesen war.

Cathy strich den Pyjama glatt. Als sie nach einem nächsten Kleidungsstück griff, stellte sie fest, dass sie bereits alles auf dem Bett neu gefaltet hatte. »Du darfst dich nicht dafür schämen, was passiert ist, Sara.«

Sara zuckte die Achseln, dann stand sie auf, um ihren Koffer zu holen. Es ging nicht darum, dass sie sich schämte, sie hatte ganz einfach die Nase voll davon, dass die Leute sie anders behandelten als normale Menschen – besonders ihre Mutter. Mit den besorgten Blicken und peinlichen Redepausen der Handvoll Leute, die wussten, weshalb sie wirklich nach Grant County zurückgekommen war, konnte sie gerade noch umgehen, doch das gespannte Verhältnis zu ihrer Mutter wurde immer unerträglicher.

Sara öffnete den Koffer und begann die Sachen einzupacken. »Ich sage es ihm, wenn die Zeit reif dafür ist. Falls die Zeit je reif ist.« Wieder zuckte sie die Achseln. »Vielleicht ist die Zeit nie reif.«

»Man kann keine stabile Beziehung aufbauen, wenn man Geheimnisse voreinander hat.«

»Es ist kein Geheimnis«, gab Sara zurück. »Es ist nur sehr persönlich. Es ist etwas, das mir passiert ist, und ich habe einfach keine Lust ...« Sie beendete den Satz nicht. Mit ihrer

Mutter über die Vergewaltigung zu sprechen, so weit war sie noch nicht. »Gibst du mir bitte die Baumwollbluse da?«

Cathy sah sie missbilligend an, dann gab sie ihr die Bluse. »Ich habe zu viele Frauen gesehen, die gekämpft haben, um so weit zu kommen wie du, und dann haben sie in einer Minute alles über den Haufen geworfen für einen Mann, der sie ein paar Jahre später sitzen gelassen hat.«

»Ich gebe für Jeffrey doch nicht meine Karriere auf.« Sara lachte bitter. »Schwanger werden und Kinder großziehen müssen geht schließlich nicht.«

Cathy quittierte den Kommentar mit einem finsteren Blick. »Darum geht es doch nicht, Sara.«

»Worum geht es dann, Mama? Worüber machst du dir solche Sorgen? Was könnte ein Mann mir Schlimmeres antun als das, was schon geschehen ist?«

Cathy betrachtete ihre Hände. Sie weinte nie, doch manchmal, wenn sie schwieg, brach es Sara fast das Herz.

Sara setzte sich zu ihrer Mutter aufs Bett. »Tut mir leid«, sagte sie, obwohl sie es satthatte, sich zu entschuldigen. Sie hatte solche Schuldgefühle, dass sie ihrer ansonsten so vollkommenen Familie all das aufbürdete, und manchmal dachte sie, es wäre das Beste, zu gehen und die Familie endlich wieder zur Ruhe kommen zu lassen.

Cathy sagte: »Ich will nicht, dass du dich aufgibst.«

Sara hielt die Luft an. Ihre Mutter hatte ihre Ängste noch nie ausgesprochen. Sara wusste wahrscheinlich besser als jeder andere, wie leicht es war aufzugeben. Nach der Vergewaltigung hatte sie nur noch heulend im Bett gelegen. Sie hatte keine Ärztin, keine Schwester, keine Tochter mehr sein wollen. Zwei Monate lang hatte Cathy gebettelt und gefleht, und schließlich hatte sie Sara buchstäblich aus dem Bett geworfen. Und dann tat Cathy, was sie schon in Saras Kindheit immer getan hatte – sie hatte Sara in die Kinderklinik gebracht, und diesmal verarztete Dr. Barney Sara, indem er ihr einen Job in seiner Praxis gab. Ein Jahr später hatte Sara dann noch ein zweites Amt übernommen und war Gerichtsmedizinerin von Grant County geworden, um das Geld für die Übernahme von Dr. Barneys Praxis aufzutreiben. Nach zweieinhalb Jahren hatte sie sich in Grant County ein neues Leben aufgebaut, und nun hatte Cathy Angst, sie würde wegen Jeffrey alles hinschmeißen.

Sara stand auf und ging zum Schrank. »Mama ...«

»Ich mache mir Sorgen.«

»Mir geht es wieder gut«, sagte Sara, auch wenn sie wusste, dass sie nie vollkommen genesen würde. Es würde immer ein Vorher und ein Nachher geben, egal wie viel Zeit verstrich. »Du musst dich nicht mehr um mich kümmern. Ich bin stark. Ich schaffe das schon.«

Cathy warf die Arme in die Luft. »Er will sich nur amüsieren mit dir. Das ist alles, was er will – Spaß.«

Sara zog eine Schublade nach der anderen auf, auf der Suche nach ihrem Badeanzug. Dann sagte sie: »Vielleicht will ich ja dasselbe. Vielleicht will ich auch einfach nur ein bisschen Spaß.«

»Ich wünschte, das könnte ich dir glauben.«

»Das wünschte ich auch«, sagte Sara. »Weil es stimmt.«

»Ich weiß nicht, Liebes. Du hast ein so weiches Herz.«

»So weich ist es nicht mehr.«

»Was in Atlanta passiert ist, macht dich nicht zu einem anderen Menschen.«

Sara zuckte die Achseln und steckte den Badeanzug in den Koffer. Es hatte die Menschen um sie herum verändert, und das machte alles noch schwerer. Sara war voller Wut, dass sie vergewaltigt worden war, und sie war wütend, weil das Monster, das über sie hergefallen war, wahrscheinlich in ein paar Jahren wegen guter Führung aus dem Gefängnis entlassen würde. Sie war stinksauer, weil ihr ganzes Leben plötzlich kopfgestanden hatte. Sie hatte die Stelle im Grady Hospital aufgeben müssen, auf die sie so lange hingearbeitet hatte, weil die Kollegen bei der Notaufnahme sie wie ein rohes Ei behandelten. Die Assistenzärztin, die sie nach der Vergewaltigung versorgt hatte, konnte Sara danach nicht mehr in die Augen sehen, und die Kommilitonen machten keine Witze mehr, aus lauter Angst, sie könnten etwas Falsches sagen. Selbst die Krankenschwestern behandelten Sara mit Samthandschuhen, als machte sie die Vergewaltigung zu einer Art Heiligen.

Cathy sagte: »Mehr willst du nicht dazu sagen? Heißt dieser Blick, dass das Thema für dich beendet ist?«

»Ich will nicht darüber sprechen«, gab Sara entnervt zurück. »Ich will kein ernstes Gespräch führen. Ich habe es satt, ernst zu sein.« Sie zog den Reißverschluss des Koffers zu. »Ich habe es so satt, die Musterschülerin zu sein. Ich habe es satt, zu groß für die süßen Typen zu sein. Ich habe es satt, mit Männern auszugehen, die Rücksicht auf meine Gefühle nehmen und langsam und sanft und vorsichtig sind und unsere Zukunft planen und mich behandeln wie eine Mimose und …«

»Mason James ist ein reizender Junge.«

»Genau, Mama. Er ist ein Junge. Ich habe Jungs satt. Ich habe es satt, dass Leute in meiner Gegenwart einen Eiertanz aufführen, weil sie ständig versuchen, meine Gefühle nicht zu verletzen. Ich will jemanden, der Schwung in die Bude bringt. Ich will Spaß haben.« Ohne nachzudenken, sagte sie: »Ich will rumvögeln.«

Cathy schnappte nach Luft – nicht weil das Wort sie schockierte, sondern weil sie es aus Saras Mund hörte. Das Wort kam in Saras aktivem Wortschatz nicht vor, erst recht nicht, wenn sie mit ihrer Mutter sprach.

Cathy sagte nur: »Nicht in diesem Ton, bitte.«

»Wenn Tessa so redet, stört es dich nicht.«

»Tessa sagt es, wenn sie es auch meint, nicht, wenn sie ihre Mutter schockieren will.«

»Ich rede immer so«, log Sara.

»Wirst du auch immer so rot dabei?«

Saras Wangen liefen noch röter an.

»Von hier«, demonstrierte Cathy und legte sich die Hand aufs Zwerchfell. Mit der anderen Hand dirigierte sie und sang: »Vögeln.«

»Mutter!«

»Wenn du es schon sagst, dann mit Gefühl.«

»Du brauchst mir nicht zu erklären, wie man es sagt«, zischte Sara, und als Cathy ihr ins Gesicht lachte, fügte sie hinzu: »Oder wie man es macht.«

Cathy lachte noch lauter. »Ich schätze, inzwischen weißt du Bescheid.«

Sara riss den Koffer vom Bett. »Sagen wir es so, etwas von seiner Fachkenntnis hat abgefärbt.«

»Oho.« Cathy lachte anerkennend.

Sara stemmte die Hände in die Hüften. »Wir machen es immerzu.«

»Ach wirklich?«

»Tag und Nacht.«

»Tag *und* Nacht?« Wieder brach Cathy in Gelächter aus. Sie setzte sich aufs Bett. »Das ist ja skandalös!«

»Ich treffe mich schließlich nicht wegen seiner messerscharfen Intelligenz mit ihm«, sagte Sara. »Ich weiß nicht mal, ob er auf dem College war.«

Von der Tür her rief Tessa: »Sara?«

»Ehrlich gesagt«, fuhr Sara fort. Sie wollte ihrer Mutter das selbstgefällige Grinsen endlich austreiben. »Ich habe nicht den Eindruck, dass er sehr helle ist.«

Cathy lächelte wissend. »Ach ja?«

Tessa versuchte es noch einmal. »Sara?«

»Ja, wirklich, und weißt du was? Es ist mir völlig egal. Wahrscheinlich ist er dumm wie Brot, und es ist mir scheißegal. Ich will ihn schließlich nicht wegen seines Gehirns.«

Tessa sagte: »Verdammt noch mal, Sara. Halt den Mund und dreh dich um.«

Als sich Sara umdrehte, wurde ihr heiß.

Jeffrey lehnte in der Tür, die Arme über der Brust verschränkt. Ein schiefes Lächeln umspielte seine Lippen, doch in seinen Augen lächelte nichts. Er nickte in Richtung des Koffers. »Abfahrbereit?«

Es begann zu nieseln, als sie Grant County verließen. Sara sah zu, wie die Scheibenwischer in regelmäßigen Abständen das Wasser zur Seite schoben, und überlegte, was sie sagen sollte. Mit jedem Scheibenwischen nahm sie sich vor, das Schweigen zu brechen, doch im nächsten Moment pflügten die Wischerblätter schon wieder über die Scheibe, und sie hatte immer noch kein Wort herausgebracht. Sie starrte aus dem Fenster, zählte Kühe, dann Ziegen, dann Reklameschilder. Je näher sie nach Macon kamen, desto höher wurden die Zahlen, und als sie die Ausfahrt erreichten, war Sara schon im dreistelligen Bereich.

Jeffrey schaltete herunter und überholte einen Sattelschlepper. Auch er hatte seit Grant County kein Wort gesprochen, und jetzt brach er das Eis mit den Worten: »Dein Wagen fährt gut.«

»Ja«, stimmte Sara zu. Sie war so erleichtert, dass er etwas sagte, sie hätte heulen können. Gott sei Dank hatten sie ihren Wagen genommen und nicht seinen Truck, wer weiß, wie lange sie noch geschwiegen hätten. Um das Gespräch am Laufen zu halten, bemerkte sie: »Deutsche Wertarbeit.«

»Stimmt anscheinend, dass alle Ärzte BMW fahren.«

»Mein Dad hat ihn mir zum Studium geschenkt.«

»Netter Dad«, sagte er, und dann fügte er hinzu: »Deine Mum scheint auch sehr nett zu sein.«

Sara räusperte sich, die Entschuldigungen, die sie sich während der letzten Stunde zurechtgelegt hatte, fielen ihr plötzlich nicht mehr ein. »Mir wäre es lieber gewesen, du hättest sie unter anderen Umständen kennengelernt.«

»Ich hatte nicht damit gerechnet, sie überhaupt kennenzulernen.«

»Natürlich«, nuschelte sie nervös. »Das habe ich nicht gemeint …«

»Aber ich freue mich, dass ich sie kennengelernt habe.«

Sara nickte und dachte, wenn sie den Mund hielte, würde sie nicht so oft ins Fettnäpfchen treten können.

»Deine Schwester ist süß.«

»Ja«, gab sie zu. So war es schon immer gewesen: Tessa war die Süße, die Lustige, der Cheerleader, die, mit der jeder befreundet sein wollte. Sara dagegen war die Große. An guten Tagen war sie die große Rothaarige.

Statt weiter nach einer eleganteren Formulierung zu suchen, platzte sie heraus: »Tut mir leid wegen dem, was ich gesagt habe.«

»Schon okay«, sagte er, doch sie hörte ihm an, dass es nicht okay war. Weshalb er immer noch mit ihr nach Florida wollte, war ihr ein Rätsel. Hätte Sara einen Funken Selbstachtung gehabt, hätte sie ihn allein fahren lassen. Das gequälte Lächeln in seinem Gesicht, als er ihren Koffer in den Kofferraum hievte, hätte Milch gerinnen lassen.

»Ich wollte nur …« Sie schüttelte den Kopf. »Ich weiß nicht, was ich wollte. Mich zum Idioten machen?«

»Das ist dir gelungen.«

»Was ich mache, mache ich gründlich.«

Er lächelte nicht.

Sie versuchte es noch einmal. »Ich glaube nicht, dass du dumm bist.«

»Wie Brot.«

»Was?«

»Du hast gesagt, ›dumm wie Brot‹.«

»Oh. Na dann.« Sie lachte, heiser wie ein Seehund. »Brot und dumm – so ein Quatsch.«

»Aber gut zu wissen, dass du es nicht wirklich glaubst.« Er sah in den Rückspiegel und überholte den Kleinbus einer Kirchengemeinde. Sara betrachtete seine Hand auf der Kupplung und sah, wie seine Sehnen arbeiteten. Mit den Fingern hielt er den Schalthebel umschlossen, der Daumen tippte leicht auf den Knauf.

»Übrigens«, sagte er, »*war* ich auf dem College.«

»Ach ja?«, sagte sie und vergaß ihre Überraschung zu verbergen. Dann machte sie es noch schlimmer, indem sie sagte: »Oh, gut. Schön für dich.«

Jeffrey sah sie scharf von der Seite an.

»Ich meine, schön, weil … ich meine … weil …« Sie musste über ihre eigene Unfähigkeit lachen, dann legte sie sich die Hand auf den Mund und murmelte: »O Gott, Sara, sei einfach still. Sei einfach still.«

Sie hatte das Gefühl, er lächelte, doch sicher war sie sich nicht.

Dann wagte sie zu fragen: »Wie viel hast du mit angehört?«

»Irgendwas von wegen Abfärben?«

»Das war positiv gemeint.«

»Aha«, sagte er. »Also endlich mal was Positives.« Diesmal zeigte er beim Lächeln die Zähne.

Sara biss sich auf die Zunge und betrachtete die vorbeifliegende Landschaft.

Er sagte: »Es ist schön, dass sich deine Mutter um dich sorgt.«

»Manchmal.«

»Ihr steht euch alle ziemlich nah, was?«

»Schätze schon«, antwortete sie. Es war viel komplizierter.

Er fragte: »Hast du deinen Eltern erzählt, dass ich einen Test gemacht habe?«

»Natürlich nicht«, sagte sie. Die Frage überraschte sie. »Das ist persönlich.«

Er nickte zustimmend, ohne den Blick von der Straße zu nehmen.

Ihr zweites Date hatte mit einem Kuss vor der Haustür geendet und damit, dass Sara Jeffrey bat, einen Aidstest zu machen. Zugegeben, es kam etwas spät – bei ihrem ersten stürmischen Mal hatten sie nicht innegehalten, um über die Verhütung von sexuell übertragbaren Krankheiten zu diskutieren –, doch Sara kannte Jeffreys Ruf schon lange, bevor die Neuigkeit die Drogerie erreicht hatte. Jeffrey war nur ein ganz klein wenig gekränkt gewesen, als sie ihn um eine Blutprobe bat.

»Ich habe am Grady Hospital so viele Fälle gesehen«, sagte sie nun. »So viele Frauen in meinem Alter, die nie gedacht hätten, dass es ihnen passieren könnte.«

»Du musst mir nichts erklären.«

»Letztes Jahr ist der Freund meines Cousins an Aids gestorben.«

Sein Fuß rutschte vom Gaspedal. »Hare ist schwul?«

»Natürlich.«

»Im Ernst?« Er sah sie unbehaglich an.

»Mit der Fistelstimme ist er schließlich nicht zur Welt gekommen.«

»Ich dachte, er blödelt nur rum.«

»Tut er auch«, sagte Sara. »Ich meine, er will mir auf den Wecker gehen. Er nervt gern. Alle.«

»Aber er hat doch an der Highschool Football gespielt.«

»Ach, nur Heteros können Football spielen?«

»Äh … nein«, sagte Jeffrey, doch er klang nicht sehr überzeugt.

Wieder starrten beide auf die Straße. Sara fiel nichts ein, was sie hätte sagen können. Sie wusste fast nichts über den Mann, der neben ihr saß. In den drei Monaten, seit sie eine Affäre hatten, hatte Sara nichts über Jeffreys Familie oder seine Vergangenheit erfahren. Sie wusste zwar, dass er aus Alabama kam, doch mit Details hielt er sich zurück. Wenn sie nicht gerade zusammen im Bett waren, erzählte Jeffrey ihr etwas über die Fälle, an denen er in Birmingham gearbeitet hatte, oder über das, was in Grant County passierte. Wenn sie jetzt darüber nachdachte, fiel ihr auf, dass sie die meiste Zeit redete, wenn sie zusammen waren. Selten erzählte er freiwillig etwas Persönliches, und wenn sie zu sehr bohrte, sagte er entweder gar nichts mehr oder ließ die Hand über ihren Schenkel gleiten, bis sie vergaß, was sie hatte wissen wollen.

Sie sah ihn von der Seite an. Sein dunkles Haar war im Nacken etwas länger, was recht verwegen war, wenn man bedachte, dass die Schulen in Grant County Jungen regelmäßig vom Unterricht verbannten, wenn ihr Haar den Kragen berührte. Dafür war er wie gewöhnlich frisch rasiert. Er trug alte Jeans und ein schwarzes Harley-Davidson-T-Shirt. Seine Turnschuhe sahen nach Hightech aus mit extra gefederter Sohle und schwarz geriffeltem Sprintprofil. Unter der Jeans zeichneten sich seine Muskeln ab, und auch wenn das T-Shirt seinen Waschbrettbauch verbarg, hatte Sara ein genaues Bild davon im Kopf.

Sie betrachtete ihre Beine und wünschte, sie hätte doch etwas anderes angezogen. Am Ende hatte sie sich für einen himmelblauen Wickelrock entschieden, doch ihre weißen Waden leuchteten auf der schwarzen Fußmatte wie der Fettrand von ungebratenem Speck. Trotz der Klimaanlage schwitzte sie unter dem T-Shirt, und wenn sie die Zeit hätte anhalten können, hätte sie sich den unbequemen BH vom Leib gerissen und ihn aus dem Fenster geworfen.

»Also«, sagte Jeffrey.

»Also«, wiederholte Sara und überlegte fieberhaft, wie sie das Gespräch wieder in Gang kriegen könnte. Alles, was ihr einfiel, war: »Du bist Universalspender.«

»Was?«

»Universalspender«, wiederholte sie. »Dein Blut passt zu jeder Blutgruppe.« Sie klammerte sich an den Strohhalm. »Aber umgekehrt verträgst du natürlich nicht jede Blutgruppe. Bei dir geht nur null negativ.«

Er sah sie seltsam an. »Ich werde es mir merken.«

»Du hast Antigene im Blut, die …«

»Sobald wir zurück sind, gehe ich zum Blutspenden.«

Wieder geriet das Gespräch ins Stocken, und sie fragte: »Möchtest du eine Hähnchenkeule?«

»Ist das der Duft, den ich in der Nase habe?«

Sara lehnte sich nach hinten und suchte auf dem Rücksitz nach der Plastikdose, die ihre Mutter ihr eingepackt hatte. »Ich glaube, es gibt auch Kekse, wenn Tessa sie nicht geklaut hat.«

»Das wäre nett«, sagte er und kitzelte sie am Oberschenkel. »Schade, dass wir keinen Tee haben.«

Sara versuchte seine Hand zu ignorieren. »Wir könnten eine Teepause einlegen.«

»Vielleicht.«

Jetzt zwickte er sie, worauf sie ihm auf die Finger klopfte. »Hey ...«

Er lachte über die Maßregelung. »Hättest du was dagegen, wenn wir einen kleinen Umweg machen?«

»Nein«, sagte sie und fand die Dose unter einem Kissen. Sie kletterte wieder auf den Sitz zurück, als er gerade ein Wohnmobil überholte. »Wohin denn?«

»Sylacauga.«

Beim Öffnen der Plastikbox hielt sie inne. »Silla-was?«

»Sylacauga«, wiederholte er. »Meine Heimatstadt.«

VIER

10.15 Uhr

»Ma-att?«, sagte jemand. Es klang wie ein Stottern. »M-a-a-a-a-att?«

In seinen Ohren hallte es, was das Wort noch mehr in die Länge zog.

»M-a-a-a-a-a-att?«

Er versuchte, sich zu bewegen, doch seine Muskeln gehorchten ihm nicht. Aus unerfindlichen Gründen taten seine Finger weh. Sie waren kalt. Alles war kalt.

»Matt«, sagte Sara, ihre Stimme war plötzlich stechend wie eine Nadel. »Matt, wach auf.« Sie nahm sein Gesicht in beide Hände. »Matt.«

Er zwang sich, die Augen zu öffnen. Er sah erst alles verschwommen, dann doppelt. Er sah zwei Saras, die sich über ihn beugten. Zwei Marlas. Zwei Kinder, die er nie zuvor gesehen hatte. Alle waren riesig, wie durch ein Vergrößerungsglas gesehen. Die Deckenfliesen waren noch größer, wie fliegende Untertassen mit gigantischen Neonröhren. Er versuchte sich aufzusetzen.

»Nein, Matt.« Sara hielt ihn zurück. »Nicht.«

Er fasste sich an den Kopf, der sich anfühlte, als steckte er in einem Schraubstock. Seine rechte Schulter brannte, als würde sich ein glühender Schürhaken durch sein Fleisch bohren. Er wollte seine Schulter betasten, doch Sara hielt ihn davon ab.

»Matt«, sagte sie. »Nicht.«

Er fuhr sich mit der Zunge durch den Mund, schmeckte Blut.

Als sie ihm das Haar aus dem Gesicht strich, sah er ein goldenes Funkeln an ihrem Finger. Sie trug seinen Collegering. Warum trug sie seinen Collegering?

»Matt?«

Er blinzelte, in seinen Ohren klingelte es leise. Jeffrey presste die Augen zusammen und versuchte sich zu orientieren. Das Klingeln kam vom Telefon auf Marlas Schreibtisch. Das Blut in seinem Mund kam von einer Wunde an seinem Kopf.

»Matt?«, wiederholte Sara. »Kannst du mich hören?«

Er sagte: »Warum ...«

Sie setzte ihm eine Flasche Wasser an die Lippen. »Trink. Du brauchst Wasser.«

Jeffrey trank und spürte, wie die kühle Flüssigkeit seiner trockenen Kehle wohltat. Wasser rann ihm übers Kinn, als er mit dem Schlucken nicht mitkam.

»Gut«, sagte er und schob ihre Hand weg.

Er schloss wieder die Augen, versuchte den Blick klar zu bekommen. Als er sie wieder öffnete, verschmolzen die beiden Marlas zu einer. Ihre Wangen waren eingefallen, ein Auge war violett verfärbt und blutete. Daneben kauerten tatsächlich zwei Kinder, beide mit dem gleichen Ausdruck im Gesicht. Ein drittes Kind lehnte sich an Sara, keuchend versuchte das Mädchen, seine Angst zu beherrschen.

Jeffrey blickte wieder zu Sara. Er hatte sie noch nie so in Angst gesehen. Sie sah ihm tief in die Augen, als versuchte sie ein Loch in ihn hineinzustarren, ihm einen Gedanken ins Hirn zu treiben.

Langsam nickte er. Er sollte Matt sein.

Sie fragte wieder: »Gut?«

»Ja.« Er sah sich um und versuchte sich zusammenzureimen, was hier los war. Sie lagen auf dem Boden im hinteren

Teil des Mannschaftsraums, um sie herum war alles leer. Brad stapelte vor der Brandschutztür Aktenschränke aufeinander. Jeffreys Bürofenster und -tür waren ähnlich verbarrikadiert. Um sie herum zwischen den Trümmern lagen Leichen. Burrows, Robinson, Morgan. Morgan war Vater von fünf Kindern. Burrows war ein großer Tierfreund und hatte zwei ausgesetzte Greyhounds bei sich aufgenommen. Robinson ... Robinson war neu. Jeffrey erinnerte sich nicht einmal an seinen Vornamen, obwohl er ihn vor knapp einer Woche eingestellt hatte.

Jeffrey wurde schwindelig, er schloss die Augen, Übelkeit stieg in ihm auf.

»Ruhig atmen«, redete Sara auf ihn ein, während sie ihm das Haar zurückstrich. Sein Kopf lag in ihrem Schoß, und nach dem Blut auf ihrem Kleid zu urteilen, lag er schon eine Weile so da. Jeffrey versuchte sich zu bewegen, doch er stellte fest, dass seine Füße mit seinem eigenen Gürtel gefesselt waren.

Plötzlich stand ein Mann über ihnen, der mit einer Schrotflinte auf Marla zielte, während er eine Sig-Sauer-Armeepistole auf Brad gerichtet hielt. In einem Brustgurt trug er zwei weitere Schusswaffen und Ersatzmunition.

Smith. Jeffrey erinnerte sich, dass sich der Mann als Smith vorgestellt hatte. Langsam erinnerte er sich an alles: wie Sara seinen Namen rief, wie Matts Kopf an der Glastür explodierte, die anschließende Schießerei, die Toten. Sam. Der Vorname des neuen Streifenpolizisten war Sam.

Der Mörder musterte Jeffrey abschätzig. »Hinsetzen.«

Sara sagte: »Er muss ins Krankenhaus.« Sie wartete nicht auf eine Antwort. »Die Kinder stehen unter Schock. Sie müssen alle ins Krankenhaus.«

Smith legte den Kopf zur Seite, als hätte er etwas gehört. Er drehte sich zur Lobby, wo ein zweiter Mann auf ein Sturmgewehr gestützt am Anmeldungstresen stand und zum Eingang zeigte. Er war ähnlich ausstaffiert, dunkler Mantel und kugelsichere Weste. Er trug eine schwarze Baseballkappe, tief ins Gesicht gezogen. Er nickte kurz, ohne Smith anzusehen.

Sara nutzte den kurzen Moment der Ablenkung und flüsterte Jeffrey etwas zu. Es klang wie: »Die Asche.«

Smith sah wieder zu Jeffrey herunter. »Hinsetzen.« Er trat Jeffrey gegen das Bein, der Schmerz schoss hoch bis in die Schulter und ließ Jeffrey aufschreien.

»Er muss ins Krankenhaus«, wiederholte Sara.

»Hey«, mischte sich Brad ein, wie ein Kind, das zwischen streitenden Eltern schlichten will. »Ich brauche Hilfe.«

Smith hielt Sara die Mündung der Schrotflinte ins Gesicht. »Los, hilf ihm.«

Doch Sara blieb, wo sie war. »Matt muss medizinisch versorgt werden«, sagte sie mit der Hand auf Jeffreys gesunder Schulter. Die Worte kamen hastig heraus, panisch. »Sein Puls ist unregelmäßig. Wahrscheinlich hat die Kugel die Arterie verletzt. Er war wer weiß wie lange bewusstlos. Die Wunde an seinem Kopf muss versorgt werden.«

»Um mich machst du dir wohl keine Sorgen«, sagte Smith und zeigte auf den behelfsmäßigen Verband um seinen Arm. In der Mitte zeichnete sich ein dunkler Blutfleck ab.

»Sie scheinen für sich selbst sorgen zu können«, gab Sara zurück und warf einen Blick auf seinen Partner beim Eingang.

»Verdammt richtig«, sagte Smith und wippte auf den Fersen. Jeffrey versuchte das Gesicht des zweiten Mannes zu erkennen, doch die Neonröhren waren so grell, dass er die Augen schließen musste.

Brad rutschte ab und ließ einen Aktenschrank fallen. Mit Lichtgeschwindigkeit rissen Smith und der zweite Mann den Kopf herum, die Waffen im Anschlag.

Brad hob die Hände. »Tut mir leid«, sagte er. »Ich habe nur ...«

Während sich der zweite Schütze wieder dem Eingang zuwandte, ging Smith zu Brad hinüber. Sara behielt den zweiten

Mann im Auge und fuhr mit einer Hand unter Jeffreys Rücken. Brieftasche. Sie flüsterte: »Brieftasche.«

Er biss die Zähne zusammen und zog sich hoch, um ihr zu helfen. Kaum hatte sie die Brieftasche an sich genommen, drehte sich Smith auch schon wieder zu ihnen um. Mit funkelnden Augen ließ er den Blick über jeden Einzelnen der Gruppe schweifen, als hätte ihn eine Art sechster Sinn gewarnt. Die Kinder waren so verängstigt, dass sie sich kaum regten, und Marla, die wie blind zu Boden starrte, schien in einer anderen Welt zu sein.

Brad sagte: »Vielleicht können Sie mir ...«

Smith streckte die Hand aus und schnitt ihm das Wort ab. Im Raum war es still, doch offensichtlich hörte der Schütze etwas, das den anderen entging. Oder vielleicht, dachte Jeffrey, war er vor lauter Koks oder Speed total durchgeknallt und paranoid. Warum zum Teufel würde jemand so etwas tun? Was hatten sie davon?

Smith ging rückwärts, beide Waffen auf Brad gerichtet. Vor der Tür des Waschraums hielt er inne, sah nach seinem Partner und bekam ein kurzes Nicken. Die beiden Männer arbeiteten wie die Räder eines Uhrwerks zusammen. Selbst ohne Militäruniform war klar, dass sie entweder gemeinsam in der Grundausbildung oder an der Front gewesen waren.

Die Tür des Waschraums glitt geräuschlos auf, und Smith trat mit erhobener Pistole ein. Jeffrey zählte die Sekunden, den Blick auf die Tür gerichtet, die sich langsam schloss. Plötzlich hörten sie den Schrei einer Frau und einen einzelnen Schuss. Kurz darauf kam Smith aus dem Waschraum, wie eine Trophäe hielt er ein Holster mit einer Polizeiwaffe hoch.

Smith sagte zu seinem Partner: »Sie hatte sich unter dem Waschbecken versteckt.«

Der zweite Mann zuckte die Achseln, als ginge ihn das nichts an, und Jeffreys Herz stockte bei der Erkenntnis, dass das Schwein gerade ein weiteres Mitglied seiner Truppe abgeknallt hatte. Wahrscheinlich hatte sich die Polizistin die ganze Zeit im Schrank unter den Waschbecken versteckt und zu Gott gebetet, dass sie sie nicht finden würden.

Smith warf den Gürtel in die Lobby, dann kam er zu Jeffrey zurück. »Hinsetzen«, befahl er, und als Jeffrey sich nicht schnell genug bewegte, riss er ihn am Kragen hoch.

Jeffrey drehte sich der Magen um. Auch Sara setzte sich auf, legte ihm die Hand in den Nacken und sprach auf ihn ein: »Tief durchatmen. Nicht dass dir schlecht wird.«

Er versuchte zu gehorchen, doch die Maisgrütze, die er zum Frühstück gegessen hatte, hielt sich nicht daran. In einem heißen galligen Schwall übergab er sich.

»Gottverdammt!« Hastig trat Smith einen Schritt zurück um dem Erbrochenen auszuweichen. »Was hast du gefrühstückt, Mann?«

Jeffrey half ihm weiter, indem er auch den Rest der Maisgrütze erbrach. Er spürte Saras Hand im Nacken, das Metall seines Collegerings kühl auf seiner Haut. Warum hatte sie seinen Ring an sich genommen?

Smith sagte: »Brieftasche her.«

Jeffrey wischte sich mit dem Handrücken den Mund ab. »In meiner Jacke«, stöhnte er und schickte ein Dankgebet zum Himmel, dass er das Jackett vorhin vor lauter Wut auf Sara im Verhörraum vergessen hatte.

»Wo?«, verlangte Smith. »Wo ist deine Jacke?«

Jeffrey holte tief Luft, er versuchte den Schwall zu unterdrücken, der sich in seinem Bauch zusammenbraute.

Smith trat Jeffrey gegen die Füße. »Wo ist die Jacke?«, wiederholte er.

»Im Wagen.«

Smith packte Jeffrey am Kragen und riss ihn auf die Füße. Jeffrey schrie vor Schmerz, unter seinen Augenlidern explodierte ein Feuerwerk. Er drückte das Gesicht an die Wand und versuchte, nicht auf den Boden zurückzusinken. Mit jedem

Herzschlag pochten alle Fasern seines Körpers, und seine Knie waren weich wie Butter.

»Alles wird gut«, sagte Sara und stützte ihn. Sie hatte überraschend viel Kraft. In diesem Moment liebte er sie mehr, als er sie je geliebt hatte. »Ruhig atmen«, flüsterte sie und streichelte ihm mit sanften, kreisenden Bewegungen den Nacken. »Alles wird gut.«

»Beweg dich.« Smith schubste sie weg. Dann schob er sich die Schrotflinte in den Gürtel und tastete Jeffrey ab wie ein Profi. Der Mann wusste genau, wie man einen Verdächtigen durchsucht, und er ging nicht gerade zart mit Jeffreys Schulter um.

»Alles klar.« Smith trat zurück. Jeffrey drehte sich mühsam um und lehnte sich mit dem Rücken an die Wand, damit er nicht zusammenbrach. Wieder klingelte das Telefon, das schrille Rasseln fuhr ihm durch Mark und Bein.

»Geht's gut, Matt?« Smith betonte spöttisch das T, als wollte er ihn auf die Probe stellen. Jeffrey wusste nicht, ob es Paranoia oder Panik war, doch er hatte das Gefühl, Smith wusste genau, wen er vor sich hatte, und das war nicht Matt Hogan.

»Es geht ihm nicht gut«, sagte Sara. »Wahrscheinlich blockiert die Kugel die Arterie. Wenn Sie ihn weiter herumschubsen, verändert sie vielleicht ihre Position. Dann verblutet er.«

»Mir bricht das Herz«, sagte Smith, dann sah er nach, wie Brad seine Aufgabe erledigte.

Das Telefon klingelte im Hintergrund weiter, und Sara fragte: »Warum gehen Sie nicht ran und sagen ihnen, dass Sie die Kinder rausschicken?«

Smith legte den Kopf schräg, als würde er den Vorschlag ernsthaft überdenken. »Warum nimmst du nicht meinen Schwanz in den Mund und lutschst ihn?«

Sara ignorierte die Bemerkung. »Sie müssen Ihren guten Willen beweisen, indem Sie die Kinder laufen lassen.«

»Ich *muss* gar nichts.«

Brad warf ein: »Sie hat recht. Sie sind doch kein Kindermörder.«

»Nein.« Smith nahm die Schrotflinte aus dem Gürtel und richtete sie auf Brads Brust. »Nur ein Polizistenmörder.«

Das Wort hing im Raum, und das hartnäckige Klingeln des Telefons erhöhte die Spannung noch.

Sara sagte: »Je schneller Sie Ihre Forderungen stellen, desto rascher kommen wir alle hier raus.«

»Vielleicht will ich ja gar nicht hier raus, Dr. Linton.«

Jeffrey biss die Zähne zusammen. Irgendetwas daran, wie der Mann Saras Namen aussprach, kam ihm bekannt vor.

Smith bemerkte seine Reaktion. »Das gefällt dir wohl nicht, was?«, fragte er, nur wenige Zentimeter von Jeffreys Gesicht entfernt. »Dr. Linton und ich, wir kennen uns schon ewig. Stimmt's nicht, Sara?«

Sara starrte den jungen Mann an, sie wirkte verunsichert. »Seit wann?«

Smith grinste sie schief an. »Eine ganze Weile, was meinst du?«

Sara versuchte ihre Unsicherheit zu verbergen, doch Jeffrey war klar, dass sie keine Ahnung hatte, wer der Junge war. »Sagen Sie es mir.«

Sie starrten sich eine Ewigkeit an. Dann schnalzte Smith anzüglich mit der Zunge, und Sara sah weg. Hätte er gekonnt, wäre Jeffrey auf den Mann losgegangen und hätte ihn windelweich geschlagen.

Auch das entging Smith nicht. Er fragte Jeffrey: »Willst du mir Probleme machen, Matt?«

Jeffrey stand so kerzengerade da, wie es ihm mit gefesselten Beinen möglich war. Er warf dem Mann einen hasserfüllten Blick zu. Smith starrte genauso hasserfüllt zurück.

Brad brach den Bann. »Behalten Sie mich«, schlug er vor.

Ohne das Gesicht von Jeffrey abzuwenden, ließ Smith die Augen zu Brad wandern.

Brad sagte: »Lassen Sie sie gehen, und behalten Sie mich.«

Smith lachte über den Vorschlag, und auch sein Partner am Eingang fiel in sein Gelächter ein.

»Dann behalten Sie mich«, sagte Sara, und beide hörten zu lachen auf.

Jeffrey flüsterte: »Nein.«

Doch sie achtete nicht darauf, sondern sprach weiter auf Smith ein. »Sie haben Jeffrey umgebracht.« Fast versagte ihr die Stimme, als sie seinen Namen aussprach, doch den Rest brachte sie klar genug heraus. »Sie wollen Brad und Matt doch gar nicht. Und erst recht keine alte Frau und drei zehnjährige Kinder. Lassen Sie sie gehen. Lassen Sie alle gehen und behalten Sie mich.«

FÜNF

Sonntag

Die Fahrt nach Sylacauga war ein größerer Umweg, als Jeffrey angekündigt hatte. Er sagte, sie würden bei seiner Mutter übernachten, doch so wie sie vorankamen, schätzte Sara, dass sie nicht vor dem Morgengrauen ankamen. Kurz vor Talladega kam der Verkehr wegen eines Rennens auf der berühmten Nascar-Rennstrecke immer wieder ins Stocken, doch für Jeffrey stellte das offenbar mehr eine Herausforderung als ein Hindernis dar. Beim Ein- und Ausfädeln zwischen Personenwagen, Trucks und Wohnmobilen ließ er so wenig Abstand, dass Sara sich anschnallte. Sie war erleichtert, als er endlich vom Highway abfuhr, doch nur so lange, bis ihr auffiel, dass das letzte Fahrzeug, das diese Straße befahren hatte, vermutlich ein Pferdewagen gewesen war.

Je tiefer sie nach Alabama kamen, desto entspannter, schien es, wurde Jeffrey, und die langen Gesprächspausen waren jetzt angenehm, nicht mehr peinlich. Er fand einen Sender mit gutem Southern Rock, und so fuhren sie zur Musik von Lynyrd Skynyrd und den Allman Brothers durch das waldreiche Hinterland. Unterwegs wies Jeffrey auf verschiedene Sehenswürdigkeiten hin, zum Beispiel die drei kürzlich stillgelegten Baumwollspinnereien oder die Reifenfabrik, die seit einem Chemieunfall geschlossen war. Auch das Helen Keller Center für Blinde war ein imposantes Bauwerk, wenngleich Sara bei hundertfünfzig Stundenkilometern nicht allzu viele Einzelheiten erkennen konnte.

Jeffrey tätschelte ihr das Knie, als sie das x-te Bezirksgefängnis passierten. Lächelnd verkündete er: »Bald sind wir da«, aber etwas an seinem Ausdruck verriet, dass er inzwischen doch bereute, sie hierhergebracht zu haben.

Fast hätten sie die Abzweigung auf eine noch weniger befahrene Straße verpasst, und Sara wollte schon fragen, ob sie sich verfahren hätten, als sich in der Ferne ein großes Straßenschild abzeichnete. Laut las sie vor: »Sylacauga, Geburtsort von Jim Nabors.«

»Wir sind ein stolzes Völkchen«, erklärte Jeffrey und schaltete in der Kurve einen Gang runter. »Ah«, sagte er liebevoll. »Noch eine Sehenswürdigkeit.« Er zeigte auf einen heruntergekommenen Laden. *Yonders Blossom.*

Das Schild war ausgeblichen, doch der stattliche Name, dessen sich der Laden rühmte, war noch zu lesen. Verschiedene Objekte, die man vor einem typischen Laden auf dem Land erwartete, waren strategisch im Vorgarten verteilt, angefangen von einem Kühlergrill, aus dem Farn wuchs, bis zu mehreren alten Reifen, die weiß gestrichen und zu Blumenkübeln umfunktioniert worden waren. An einer Seite des Häuschens stand ein mannshoher Coca-Cola-Kühlschrank.

Jeffrey erklärte: »Hinter dem Eisschrank habe ich meine Unschuld verloren.«

»Im Ernst?«

»Ja«, sagte er mit einem schiefen Grinsen. »An meinem zwölften Geburtstag.«

Sara versuchte, nicht schockiert zu wirken. »Wie alt war sie?«

Er lachte selbstgefällig in sich hinein. »Nicht zu alt, um von ihrer Mutter übers Knie gelegt zu werden, als der alte Blossom Durst bekam und uns erwischte.«

»Du scheinst diese Wirkung auf Mütter zu haben.«

Er lachte wieder und legte ihr die Hand auf den Oberschenkel. »Nicht auf alle, Honey.«

»Honey?«, wiederholte sie. Er hörte sich an, als würde er beim Metzger ein Filetstück bestellen.

Jetzt lachte er über ihre Reaktion, dabei war es ihr vollkommen ernst. »Du machst doch jetzt nicht auf Feministin, oder?«

Sie betrachtete seine Hand auf ihrem Bein und schickte ihm die klare Botschaft, dass er sie wegnehmen sollte, und zwar sofort. »Da kannst du Gift drauf nehmen.«

Er zwickte sie ins Knie und grinste sie mit dem Lächeln an, das ihn vermutlich schon tausendmal vor Ärger bewahrt hatte. Sara war nicht wirklich böse, eher hatte sie das Gefühl, dass er es ihr heimzahlen wollte dafür, wie sie vor ihrer Mutter über ihn geredet hatte. Ganz gegen ihre Gewohnheit ließ sie die Sache auf sich beruhen.

Langsam fuhren sie durch das Städtchen, das nicht viel anders als Heartsdale war, nur noch kleiner. Unterwegs zeigte er ihr die anderen »Sehenswürdigkeiten« seiner Kindheit. An seinem schiefen Grinsen erriet Sara, dass jede dieser Stellen mit einem Mädchen verknüpft war, doch die Details wollte sie lieber gar nicht erst hören.

»Hier bin ich zur Highschool gegangen.« Er zeigte auf ein langes flaches Gebäude, vor dem mehrere Wohnwagen standen. »Ach ja, Mrs. Kelley …«

»Eine deiner Eroberungen?«

Er knurrte leise. »Schön wär's. Lieber Gott, sie muss heute um die achtzig sein, aber damals …«

»Schon verstanden.«

»Eifersüchtig?«

»Auf eine Achtzigjährige?«

»Wir sind da«, verkündete er dann und bog links ab. Sie befanden sich auf der Main Street, die ebenfalls der von Heartsdale glich. Er fragte: »Kommt es dir bekannt vor?«

»Bei euch liegt der Supermarkt zentraler«, gab Sara zurück und beobachtete eine Frau, die mit drei Tüten im Arm und einem kleinen Kind auf jeder Seite aus dem Laden kam. Sara sah zu, wie sich die Kinder am Kleid ihrer Mutter festhielten, und fragte sich, wie es wohl war, ein solches Leben zu führen. Sara hatte immer gedacht, dass sie, sobald ihre Praxis lief, heiraten und selbst Kinder bekommen würde. Doch dann hatte eine Bauchhöhlenschwangerschaft nach der Vergewaltigung diese Möglichkeit zunichtegemacht.

Plötzlich hatte sie einen Kloß im Hals, als sie wieder einmal daran erinnert wurde, was ihr genommen worden war.

Jeffrey deutete auf ein großes Gebäude zu ihrer Rechten. »Das Krankenhaus«, erklärte er. »Als ich geboren wurde, hatte es nur zwei Stockwerke, mit einem Schotterparkplatz dahinter.«

Sie starrte das Gebäude an, versuchte die Fassung wiederzugewinnen.

Er reichte ihr ein Taschentuch. »Alles in Ordnung?«

Sara nahm das Taschentuch. Aus irgendeinem Grund machte sie die nette Geste noch weinerlicher. Aber sie putzte sich die Nase und sagte nur: »Müssen die Pollen sein.«

»Klar«, sagte er und schloss das Fenster. »Der verdammte Hartriegel.«

Sie legte ihm die Hand in den Nacken und fuhr ihm durchs Haar. Sie war immer wieder überrascht, wie weich sein Haar war, fast wie bei einem Kind.

Er blickte auf die Straße, dann wieder zu ihr. Mit seinem schiefen Lächeln sagte er: »Gott, du bist wunderschön.«

Um das Kompliment zu widerlegen, schnäuzte sich Sara lautstark die Nase.

Jeffrey richtete sich auf und fuhr langsamer. »Du bist wunderschön«, wiederholte er und küsste ihren Hals. Er wurde immer langsamer und küsste sie wieder.

»Du hältst noch den Verkehr auf«, warnte sie, doch sie waren allein auf der Straße.

Er küsste sie wieder, diesmal auf die Lippen. Sara war hin- und hergerissen zwischen dem Impuls, sich hinzugeben, und dem Gefühl, dass das halbe Krankenhaus ihnen hinter heruntergelassenen Jalousien zusah.

Sanft schob sie ihn fort. »Ich will nicht als eine der örtlichen Sehenswürdigkeiten enden, wenn du das nächste Mal eine Frau hierherbringst.«

»Glaubst du etwa, ich bringe andere Frauen her?«, fragte er, und sie wusste nicht, ob er es ernst meinte oder nicht.

Hinter ihnen hupte ein Wagen, und so setzten sie ihren Weg mit den erlaubten fünfzig Stundenkilometern fort. Sara verkniff sich die Bemerkung, dass er sich, seit sie eingestiegen waren, zum ersten Mal ans Tempolimit hielt. Irgendetwas war anders, aber sie wusste nicht genau, was. Bevor sie die Frage formulieren konnte, bog er in eine Seitenstraße hinter dem Krankenhaus ein, fuhr in eine Auffahrt und hielt neben einem blauen Pick-up. An der vorderen Veranda lehnte ein rosa Kinderfahrrad, und von der großen Eiche im Vorgarten baumelte ein Autoreifen als Schaukel. Sara fragte: »Hier wohnt deine Mutter?«

»Letzter Umweg«, erklärte er. Sein Lächeln wirkte gezwungen. »Ich bin gleich wieder da.« Und schon war er ausgestiegen, noch bevor sie fragen konnte, wo sie hier waren.

Sara beobachtete, wie Jeffrey zur Haustür ging und klopfte. Er steckte die Hände in die Hosentaschen und drehte sich zu ihr um. Sie winkte, aber wahrscheinlich konnte er sie im Gegenlicht nicht sehen. Jeffrey klopfte noch einmal, ohne dass ihm jemand öffnete. Er drehte sich wieder um, beschirmte die Augen gegen die Sonne und bedeutete Sara mit einem Finger, noch eine Minute zu warten. Während er ums Haus lief, machte sie die Wagentür auf und stieg aus.

Während sie wartete, sah sich Sara um. Die Nachbarschaft erinnerte sie an Avondale, nicht gerade das feinste Pflaster in Grant County. Hier standen vor allem Häuser aus der Zeit nach dem Zweiten Weltkrieg, die man hastig zusammengezimmert hatte, damit die heimkehrenden Soldaten Familien gründen und den Krieg hinter sich lassen konnten. In den Vierzigerjahren war dies wahrscheinlich eine nette Gegend gewesen, aber jetzt wirkte alles nur noch traurig. Autos waren vor Garagen auf Backsteinen aufgebockt, und die meisten Vorgärten waren lange nicht gemäht worden. Von den Häusern blätterte die Farbe ab, und auf den Bürgersteigen wucherte Unkraut. Doch ein paar Aufrechte hatten den Kampf noch nicht aufgegeben, ihren makellosen Rasenflächen und den mit Pseudoklinker verkleideten Häusern war anzusehen, dass auf Sauberkeit und Ordnung Wert gelegt wurde. In diese Kategorie fiel auch das Haus, vor dem Jeffrey geparkt hatte: Der Rasen war sorgfältig gestutzt und der Kies in der Auffahrt frisch geharkt.

Sara schlenderte die Auffahrt hinauf, vorbei an dem Pickup. Ein breiter orangefarbener Streifen lief seitlich an der Tür herunter, auf dem in Blau das Logo der »Auburn Tigers« prangte. An der Haustür flatterte ein orangeblauer Wimpel. Sie bemerkte, dass sogar der Briefkasten orange und blau angemalt war. Offensichtlich war mindestens einer der Hausbewohner ein Fan der Footballmannschaft des Auburn College.

Plötzlich kam ein kleiner Hund über den Bürgersteig geschossen, sprang an ihr hoch und hinterließ schmutzige Pfotenabdrücke auf ihrem Rock. Als er auf ihr »Nein« nicht hörte, kniete sie sich schließlich hin und streichelte das aufgeregte Tier, damit es ihren Rock nicht noch mehr einsaute.

Der Hund kläffte, und Sara rümpfte die Nase, so übel war sein Mundgeruch. Sie strich ihm das struppige Fell auf dem Kopf zurück und kam zu der Erkenntnis, dass sie noch nie einen so hässlichen Hund gesehen hatte. Auf dem Rücken hatte er lockiges Fell wie ein Pudel, an den Beinen war es drahtig wie bei einem Terrier. Die Färbung war eine unansehnliche Mischung aus Schwarz, Grau und Braun. Dazu standen seine

Augen vor, als würde ihm jemand die Eier quetschen, wobei ein Blick genügte, um zu sehen, dass er keine hatte. Der Hund war eine Hündin.

Sara stand auf und versuchte, sich den Schmutz vom Rock zu klopfen. Die Erde hier in Alabama schien eine ganz andere Konsistenz zu haben als der Lehm in Georgia. Sie würde den Rock einweichen müssen, um ihn wieder sauber zu bekommen.

Ein Mann pfiff bewundernd, und Sara wurde rot, bis sie begriff, dass der Mann nicht sie meinte.

Er trug eine Einkaufstüte im Arm und klopfte sich ans Bein. »Tiggy! Komm her, Mädchen.« Als der Hund nicht von Saras Seite wich, kam der Mann gutmütig lachend die Auffahrt herauf. Vor Sara blieb er stehen, musterte sie und pfiff durch die Zähne. »Süße, wenn du von den Zeugen Jehovas bist, bin ich bereit zu konvertieren.«

Jetzt flog die Haustür auf, und eine dunkelhaarige Frau in Saras Alter kam heraus. »Hör nicht auf den Trottel«, sagte sie zu Sara, doch sie betrachtete sie ihrerseits mit weniger Wohlwollen, als der Mann gezeigt hatte. »Sara, richtig?«

»Mhm«, murmelte Sara. »Richtig.«

»Ich bin Darnell, aber alle nennen mich Nell. Und der da ist mein Mann Jerry.«

»Nenn mich Possum«, sagte er und tippte sich an die orangeblaue Baseballkappe.

Verwirrt stotterte Sara: »Sehr erfreut.«

»Ma'am«, Possum tippte sich noch einmal an die Mütze, dann ging er ins Haus.

Nell ließ den Hund herein, nicht aber Sara. »Also«, begann sie, gegen den Türpfosten gelehnt. »Du bist Jeffreys neuestes Spielzeug?«

Sara wusste nicht, ob das ein Witz sein sollte, doch auch in Grant County hatte sie in der Richtung schon einiges erlebt. Resigniert verschränkte sie die Arme vor der Brust. »Sieht so aus.«

Nell verzog den Mund, sie war noch nicht fertig. »Stewardess oder Stripperin?«

Jetzt lachte Sara laut los, doch sie brach ab, als Nell nicht mit einfiel. Dann streckte sie den Rücken durch und sagte: »Stripperin.« Das klang exotischer.

Die Frau kniff die Augen zusammen. »Jeffrey sagt, du machst was mit Kindern.«

Sara wollte etwas Witziges sagen, doch das Einzige, was ihr spontan einfiel, war: »Ich trete mit Luftballon-Tieren auf.«

»Aha.« Endlich trat Nell einen Schritt zur Seite. »Die anderen sitzen draußen.«

Sara ging durch das Wohnzimmer des bescheidenen Heims. Es war mit mehr Auburn-Tigers-Devotionalien vollgestopft, als die Polizei erlaubte. Pompons und Wimpel schmückten den Kamin, und über dem Kaminsims hing ein gerahmtes Trikot mit der Nummer siebzehn. Unter einer Glasglocke auf dem Couchtisch stand ein Modelldorf, das wahrscheinlich den Collegecampus darstellte. Im Regal lagen stapelweise Footballheftchen, und sogar der Schirm der Stehlampe trug das orangeblaue Auburn-Logo.

Nell führte sie durch den Flur zur Hintertür, doch vor einem gerahmten Zeitschriftencover blieb Sara stehen. Unter dem Banner des *SEC Monthly* war ein Foto von Jeffrey an der Fünfzig-Yard-Linie zu sehen. Er trug das Haar länger, und sein Schnurrbart outete das Foto als mindestens fünfzehn Jahre alt. Er hatte einen blauen Pullover an und den Fuß auf den Football gestellt. Darunter stand: »Der große Coup für die Tigers?«

Ohne nachzudenken, fragte Sara: »Er hat für Auburn gespielt?«

Endlich lachte Darnell. »Er hat dich ins Bett gekriegt, ohne dir vorher seinen Sugar-Bowl-Ring zu zeigen?«, fragte sie und schaffte es, Sara gleichzeitig das Gefühl zu geben, dumm *und* ein Flittchen zu sein.

»Hey.« Für Saras Geschmack trat Jeffrey ein bisschen zu spät auf den Plan. In der Hand hatte er ein Bier. »Ihr habt euch also schon kennengelernt.«

Nell sagte: »Du hast mir nicht erzählt, dass sie Stripperin ist, Slick.«

»Nur am Wochenende«, sagte er und reichte Nell das Bier. »Und nur so lange, bis sie bei der Fluggesellschaft eine Vollzeitstelle bekommt.«

Sara versuchte seinen Blick aufzufangen, um ihm klarzumachen, dass sie so schnell wie möglich hier verschwinden wollte. Doch entweder hatte Jeffrey noch nicht gelernt, ihre Zeichen zu deuten, oder er war sich voll bewusst, welcher Behandlung sie ausgesetzt war, und amüsierte sich. Sein freches Grinsen bestätigte sie in der letzteren Vermutung.

Jeffrey nahm sie in den Arm, zog sie an sich und küsste sie aufs Haar. Es fühlte sich an, als wolle er ihr mitteilen, was für ein toller Kumpel sie war. Doch Sara hatte keine Lust auf solche Spielchen. Sie zwickte ihn, so fest sie konnte, in den Arm.

Er zuckte zusammen und rieb sich die Stelle. »Nell, lässt du uns einen Moment allein?«

Nell ging über den Flur zurück und verschwand in einer Tür, wahrscheinlich in die Küche. Durch die offene Hintertür sah Sara einen Pool im Garten und ein zweites Paar, das in Plastikstühlen saß. Irgendwo bellte ein Hund. Possum stand mit einer langen Gabel hinter dem Grill und winkte ihnen durch die Fliegengittertür zu.

Sara zischte: »Dein kleiner Umweg scheint ja bestens geplant zu sein.«

»Wie bitte?«

Sie redete leise, denn sie war überzeugt, dass Nell mithörte. »Gehört das zum Einführungskurs für deine neuen Spielzeuge?«

»Meine was?«

Sie zeigte auf die Küche. »So hat mich deine Freundin bezeichnet.«

Wenigstens hatte er den Anstand, verärgert auszusehen. »Sie denkt nur …«

»Dass ich eins deiner Flittchen bin?«, knurrte Sara, die Wut schnürte ihr die Kehle zu. »Dafür hält sie mich nämlich, das hat sie mir unmissverständlich klargemacht.«

Er versuchte es noch einmal mit seinem Lächeln. »Sara, Honey …«

»Wage es bloß nicht, mich noch mal so zu nennen, du Mistkerl.«

»Ich habe nicht …«

Sie musste sich sehr beherrschen, um nicht laut zu werden. »Für wen zum Teufel hältst du dich eigentlich, mich über den verdammten Moskitoäquator zu schleppen, nur um mich bloßzustellen? Nicht mit mir, das sag ich dir. Du hast zwei Sekunden, um dich von diesen Leuten zu verabschieden, denn ich fahre nach Grant County zurück, und es ist mir scheißegal, ob du mit im Wagen sitzt oder nicht.«

Drei Sekunden vergingen, dann brach er in Gelächter aus. »Allmächtiger«, sagte er. »Das war mehr, als du auf der ganzen Fahrt gesagt hast.«

Sara war so wütend, dass sie ihn mit aller Kraft gegen die Schulter boxte.

»Au«, sagte er und rieb sich die Stelle.

»Ach, unser Footballstar verträgt einen sanften Schlag nicht?« Sie schlug noch einmal zu. »Warum hast du mir nicht mal erzählt, dass du Football gespielt hast?«

»Ich dachte, das weiß jeder.«

»Und woher hätte ich es wissen sollen?«, fragte sie. »Von Rhonda auf der Bank?« Er packte ihre Hand, bevor sie noch einmal zuschlagen konnte. »Von der Schlampe beim Schilderdienst?« Sie versuchte sich loszureißen, doch sein Griff war zu fest.

»Honey …« Dann verbesserte er sich grinsend. »Sara.«

»Glaubst du etwa, ich weiß nicht, dass du praktisch jede Frau in der Stadt gevögelt hast?«

Er machte ein betroffenes Gesicht. »Das waren doch nur Platzhalter, während ich auf dich gewartet habe.«

»So eine gequirlte Scheiße.«

Er kam einen Schritt auf sie zu und legte ihr die Hände um die Taille. »Und mit dem Mund gibst du deiner Mutter einen Kuss?«

Sie versuchte ihn wegzustoßen, doch er drückte sie gegen die Wand. Das vertraute Gewicht seines Körpers war nicht unangenehm, aber Sara dachte nur an seine Freunde vor der Tür, die sie wahrscheinlich in diesem Moment beobachteten. Sie erwartete, dass Jeffrey sie als Nächstes leidenschaftlich küssen würde, um seine Männlichkeit zur Schau zu stellen, und dann würde er eine Ehrenrunde um den Pool drehen und sich von Possum auf die Schulter klopfen lassen. Doch stattdessen küsste er sie sanft auf die Stirn und sagte: »Ich war seit sechs Jahren nicht mehr hier.«

Sara starrte ihn an, sein Gesicht war nur ein paar Zentimeter vor ihrem.

Plötzlich schwang die Tür auf, und einer der attraktivsten Männer, die Sara je gesehen hatte – jedenfalls im wahren Leben –, schlenderte herein. Er war etwa so groß wie Jeffrey, doch er hatte breitere Schultern und bewegte sich männlicher.

Als er den Mund aufmachte, sprach er mit dem erotischsten Südstaatenakzent, den man sich nur vorstellen konnte. »Traust du dich nicht, mir dein neues Mädel vorzustellen, Slick?«

»Klar doch«, sagte Jeffrey und legte Sara besitzergreifend den Arm um die Hüfte. »Honey, das ist Spot. Er und Possum und ich sind zusammen aufgewachsen.«

»Und der hier ist immer noch nicht fertig damit«, sagte der Mann und boxte in die Luft in Richtung Jeffrey. »Ich heiße jetzt Robert.«

Possum rief von draußen: »Kann einer von euch die Burger aus dem Kühlschrank mitbringen?«

»Slick, übernimm du das.« Bevor Jeffrey protestieren konnte, nahm Robert Sara am Arm und führte sie den Flur hinunter. Er öffnete ihr galant die Fliegentür und fragte: »Wie war die Fahrt?«

»Gut«, sagte sie, auch wenn sich darüber streiten ließe. Doch sie wollte positiv klingen. »Lieber Himmel, was für ein wunderschöner Garten.«

Possum strahlte. »Nell hat einen grünen Daumen.«

»Das sieht man«, sagte Sara und meinte es auch so. Überall blühten üppig Blumen, sie wucherten aus Kübeln auf der Veranda und kletterten den Holzzaun hinauf. Hinten im Garten stand ein riesiger Magnolienbaum, in dessen Schatten eine Hängematte hing, und die Stechpalmen vor dem Lattenzaun bildeten einen hübschen Kontrast. Bis auf die bellenden Hunde nebenan war der Garten eine wahre Oase.

»Hoppla«, rief Robert und stieß gegen sie, als die Hündin an ihnen vorbeischoss.

»Tig!«, befahl Possum halbherzig, doch die Töle war schon in den Pool gesprungen. Sie schwamm einmal quer hinüber, kletterte dann wieder heraus, rollte sich durchs Gras und strampelte mit den Beinen in der Luft.

»Mann«, stöhnte Possum. »Die hat ein Leben.«

Die Frau, die am Pool saß, drehte sich um. »Das hat sie von Jeffrey gelernt.« Sie zeigte auf den Stuhl neben sich. »Komm, setz dich zu mir, Sara. Ich bin nicht so zickig wie Nell.«

Dankbar nahm Sara das Angebot an.

»Jessie«, stellte sich die Frau vor. Mit einer trägen Geste deutete sie auf Robert. »Und dieser Prachtkerl ist mein Mann.« Sie hauchte das Wort, dass es fast pornografisch klang.

Sara sagte: »Scheint ein netter Kerl zu sein.«

»Das scheinen sie am Anfang alle«, gab Jessie zurück. »Wie lange kennst du Slick schon?«

»Nicht sehr lange«, gestand Sara. Sie fragte sich, ob hier jeder einen Spitznamen hatte. Irgendwie hatte sie den Verdacht, dass Jessie noch schlimmer war als Nell. Sie kaschierte es nur besser. Nach ihrer Fahne zu urteilen, sorgte der Alkohol für den weichen Ton in ihrer Stimme.

»Eine eingeschworene kleine Gemeinschaft«, bemerkte Jessie und beugte sich zu ihrem Weinglas. »Ich bin neu in der Stadt. Soll heißen, ich bin erst seit zwanzig Jahren dabei. Wir sind von L. A. hergezogen, als ich in die elfte Klasse kam.«

Ihrem Tonfall nach schloss Sara, dass Jessie mit »L. A.« Lower Alabama meinte.

»Robert ist Cop, genau wie Jeffrey. Ist das nicht süß? Sie sind wie Mutt und Jeff in dem Comic, nur dass Jeffrey es hasst, Jeff genannt zu werden.« Sie trank einen kräftigen Schluck Wein. »Possum gehört der Laden drüben neben dem Tasty-Dog-Schnellimbiss. Du musst unbedingt die Kinder kennenlernen, vor allem den Jungen. Sie haben einen so hübschen Jungen. Kinder sind ein Geschenk Gottes. Nicht wahr, Bob?«

»Was meinst du, Sugar?«, fragte Bob, doch Sara war sicher, dass er sie genau verstanden hatte.

Nell setzte sich neben Sara und reichte ihr eine Flasche Bier. »Friedensangebot«, sagte sie.

Sara nahm das Bier an, obwohl es wie Spülwasser schmeckte. Dann zwang sie sich zu sagen: »Ihr habt einen wunderschönen Garten.«

Nell atmete tief durch. »Die Azaleen sind schneller verblüht, als Spucke trocknet. Der Nachbar ist nie zu Hause, und deshalb bellen seine Hunde den ganzen Tag lang. Ich werde die roten Ameisen bei der Hängematte einfach nicht los, und Jared kriegt dauernd Ausschlag vom Sumach, ohne dass ich rauskriege, wo der wächst.« Sie atmete noch einmal tief durch. »Aber vielen Dank. Ich tue mein Bestes.«

Sara wollte Jessie in das Gespräch mit einbeziehen, doch als sie sich umdrehte, hatte die Frau die Augen geschlossen.

»Wahrscheinlich bewusstlos.« Nell fächelte sich mit der Hand Luft zu. »Mein Gott, was war ich vorhin für eine Zicke.«

Sara hatte nichts einzuwenden.

»Normalerweise bin ich nicht so. Wenn Jessie wach wäre, würde sie zwar was anderes behaupten, aber man kann keiner Frau trauen, die vor vier Uhr nachmittags eine Flasche Wein intus hat, und damit meine ich nicht sonntags.« Sie schlug eine Fliege tot. »Hat sie dir schon erzählt, dass sie die Neue hier ist?«

Sara nickte.

»Sei froh, dass sie eingeschlafen ist. Als Nächstes macht sie dir weis, sie wäre auf die Heilsarmee angewiesen.«

Sara trank einen Schluck Bier.

»Slick ist seit Ewigkeiten nicht mehr hier gewesen. Damals hat er die Stadt so schnell verlassen, als würde er mit benzingetränkten Hosen durch die Hölle laufen.« Sie hielt inne. »Wahrscheinlich war ich nur wütend auf ihn und hab es an dir ausgelassen.« Sie legte die Hand auf Saras Armlehne. »Ich will damit sagen, tut mir leid, dass ich eine Zicke war.«

»Danke für die Entschuldigung.«

»Ich hab mich kaputtgelacht, als du das mit den Luftballon-Tieren gesagt hast.« Sie grinste. »Er hat gesagt, dass du Ärztin bist, aber ich hab ihm nicht geglaubt.«

»Kinderärztin«, bestätigte Sara.

Nell lehnte sich in ihrem Stuhl zurück. »Man muss ziemlich was in der Birne haben, um Medizin zu studieren, was?«

»Na ja.«

Sie nickte anerkennend. »Dann schätze ich, du weißt, auf was du dich mit Jeffrey einlässt?«

»Danke«, sagte Sara und meinte es ehrlich. »Du bist die Erste, die mir das sagt.«

Jetzt wurde Nell wieder ernst, sie sah Sara mitleidig an. »Wunder dich nicht, wenn ich auch die Letzte bin.«

SECHS

Während der fünf Stunden, die sie bei Nell im Garten verbrachte, erfuhr Sara mehr über Jeffrey Tolliver als in den drei Monaten, seit sie ihn kennengelernt hatte. Jeffreys Mutter war Alkoholikerin, und sein Vater saß im Knast wegen einer Sache, über die niemand Genaueres sagen wollte. Jeffrey hatte ohne Erklärung kurz vor dem Abschluss das College abgebrochen und bei der Polizei angefangen. Er war ein guter Tänzer und hasste Bohnen. Er war nicht der Typ zum Heiraten, doch das war Sara auch ohne Nells Hilfe klar gewesen. Jeffrey war der Inbegriff des eingefleischten Junggesellen.

Aber weil Nell Sara all diese Informationen während einer ehrgeizigen Partie *Trivial Pursuit* zuflüsterte, kannte Sara am Ende zwar die Schlagzeilen, nicht aber die nötigen Hintergrundinformationen. Es war stockdunkel, als sie sich verabschiedeten, und auf dem Weg zu Fuß zu Jeffreys Mutter überlegte Sara fieberhaft, wie sie die Wissenslücken füllen könnte.

Sie versuchte es mit: »Und was macht deine Mutter so?«

»Alles Mögliche«, sagte er unbestimmt.

»Und dein Vater?«

Er nahm ihren Koffer in die andere Hand und legte den Arm um ihre Taille. »Du scheinst dich heute Abend gut amüsiert zu haben.«

»Nell hat viel zu erzählen.«

»Sie hört sich selbst gern reden.« Er ließ die Hand über ihre Hüfte gleiten. »Ich würde nicht alles glauben, was sie sagt.«

»Wie meinst du das?«

Seine Hand rutschte noch ein Stück tiefer, und er küsste ihren Nacken. »Du riechst gut.«

Sara durchschaute sein Manöver, doch sie ließ sich nicht ablenken. »Bist du dir sicher, dass es deiner Mutter recht ist, wenn wir bei ihr übernachten?«

»Ich habe sie vorhin angerufen«, sagte Jeffrey. »Als Nell dir meine Lebensgeschichte erzählt hat.«

Sein Blick gab ihr zu verstehen, dass er Bescheid wusste, was Nell so quatschte, und Sara nahm an, dass er sie nicht mitgenommen hätte, wenn er nicht genau gewusst hätte, wie es ablaufen würde.

Sie fand, dass Angriff noch immer die beste Verteidigung war. »Ziemlich billiger Trick, mich über dein Leben aufzuklären, ohne dass du ein Wort sagen musst.«

»Ich sag doch, ich würde nicht alles glauben, was Nell erzählt.«

»Sie kennt dich, seit du sechs Jahre alt warst.«

»Sie ist nicht gerade mein größter Fan.«

Langsam dämmerte Sara, was es mit der Spannung zwischen den beiden auf sich hatte. »Sag nicht, ihr beiden wart mal ein Paar?«

Er antwortete nicht, und sie nahm das als Bestätigung.

»Wir sind da«, sagte er schließlich und zeigte auf ein Häuschen, vor dem ein alter Chevy Impala parkte. Trotz seines Anrufs hatte Jeffreys Mutter offensichtlich kein Licht für sie angelassen. Das Haus lag in vollkommener Finsternis.

Sara zögerte. »Vielleicht sollten wir lieber im Hotel übernachten?«

Er lachte und half ihr über den Schotterweg. »Hier gibt es keine Hotels. Bis auf den Schuppen hinter der Kneipe, wo die Fernfahrer die Zimmer stundenweise mieten.«

»Klingt doch romantisch.«

»Für die Fernfahrer vielleicht.« Er führte sie zur Haustür. Selbst im Dunkeln konnte Sara sehen, dass das Haus zu denen gehörte, die der Verwahrlosung anheimgefallen waren. Jeffrey warnte sie: »Vorsicht, Stufe«, und tastete mit der Hand über den Türrahmen.

»Sie schließt die Tür ab?«

»Als ich zwölf war, wurden wir ausgeraubt«, erklärte er und klimperte mit dem Schlüssel. »Seitdem hat sie Angst.« Die Tür klemmte ein bisschen, und er half mit einem gezielten Tritt nach. »Willkommen.«

Drinnen stank es überwältigend nach Nikotin und Alkohol. Sara war froh, dass die Dunkelheit ihr Gesicht verbarg. Das Haus war stickig, und Sara konnte sich kaum vorstellen, hier zu übernachten, geschweige denn hier zu leben.

»Alles in Ordnung«, sagte Jeffrey und schob sie in den Flur.

Sie flüsterte: »Müssen wir nicht leise sein?«

»Die verschläft sogar einen Tornado.« Er machte die Tür hinter ihnen zu. Dann schloss er wieder ab, und sie hörte, wie er den Schlüssel in eine Glasschüssel fallen ließ.

Sara spürte seine Hand unter ihrem Ellbogen. »Hier geht's lang.« Er ging dicht hinter ihr. Nach vier Schritten durch den Eingangsbereich stand Sara plötzlich vor dem Esstisch. Noch drei Schritte, und sie befanden sich in einem kleinen Flur, der von einem Nachtlicht schwach erleuchtet wurde. Vor ihr war das Bad, rechts und links je eine geschlossene Tür. Jeffrey öffnete die rechte Tür und folgte Sara hinein. Er schloss die Tür hinter sich, bevor er Licht anmachte.

»Oh«, sagte Sara und sah sich blinzelnd in dem kleinen Zimmer um. Ein schmales Bett mit grünen Laken, ohne Decke, stand in einer Ecke unter dem Fenster. Poster von halb nackten Frauen schmückten die Wände, den Ehrenplatz über dem Bett nahm Farrah Fawcett ein. Nur der Wandschrank fiel aus dem Rahmen: Auf seiner Tür prangte das Poster eines kirschroten Mustang Cabrios mit einer Wasserstoffblondine, die sich über die Kühlerhaube beugte – wahrscheinlich weil sie wegen des Gewichts ihrer silikonvergrößerten Brüste nicht aufrecht stehen konnte.

»Reizend«, bemerkte Sara und fragte sich, wie viel schlimmer der Schuppen hinter der Kneipe sein konnte.

Zum ersten Mal, seit sie ihn kannte, wirkte Jeffrey verlegen. »Meine Mutter hat nichts verändert, seit ich weggezogen bin.«

»Das sehe ich«, sagte Sara. Und irgendwie machte es sie sogar ein bisschen an. Ihre Eltern hatten ihr immer eingebläut, dass Jungenzimmer tabu seien, und so hatte Sara noch nie eins betreten. Auch wenn die Poster wenig überraschend waren, da war noch etwas anderes in diesem Zimmer, eine Art Essenz. Es roch nicht nach Zigarettenrauch und Bourbon. Das hier roch nach Schweiß und Testosteron.

Jeffrey legte ihren Koffer auf den Boden und öffnete den Reißverschluss für sie. »Ich weiß, du bist anderes gewohnt«, sagte er. Er wirkte immer noch verlegen. Sie versuchte seinen Blick aufzufangen, doch er war mit seiner Reisetasche beschäftigt. Sie sah an seiner Haltung, dass er sich für sein Elternhaus schämte. Dafür, dass er hier aufgewachsen war. Jetzt betrachtete Sara das Zimmer in einem anderen Licht. Ihr fiel auf, wie ordentlich es war. Die Poster hingen in genau gleichem Abstand voneinander an den Wänden, als hätte er beim Aufhängen ein Lineal benutzt. Auch seine Wohnung in Grant County spiegelte seine Ordnungsliebe wider. Sara war erst ein paar Mal dort gewesen, doch nach dem, was sie gesehen hatte, schien er sehr akkurat zu sein.

»Es ist schön«, versicherte sie.

»Na ja«, sagte er, wenig überzeugt. Er hatte seine Zahnbürste gefunden. »Bin gleich wieder da.«

Sara sah ihm nach, als er hinausging und die Tür hinter sich zuzog. Hastig zog sie sich aus und schlüpfte in den Pyjama, ohne den Blick von der Tür zu nehmen, für den Fall, dass seine

Mutter hereinkäme. Nell hatte sich nicht gerade nett über May Tolliver geäußert, und Sara wollte der Frau nicht mit heruntergelassenen Hosen begegnen.

Sie kniete sich vor ihren Koffer. Die Haarbürste fand sie eingewickelt in ihren Shorts, und sie schaffte es, ihre Haarspange herauszunehmen, ohne sich allzu viele ihrer widerspenstigen Locken auszureißen. Während sie sich das Haar bürstete, sah sie sich im Zimmer um, betrachtete die Poster und die Gegenstände, die Jeffrey in seiner Kindheit gesammelt hatte. Auf der Fensterbank lagen verschiedene ausgeblichene Knochen, die einmal zu einem kleinen Tier gehört hatten. Auf dem Nachttisch, der selbst gebaut aussah, standen eine kleine Lampe und eine grüne Schale voller Kleingeld. Leichtathletikurkunden hingen an einer Pinnwand und ein alter Milchkarton barg sauber beschriftete Kassetten. An der gegenüberliegenden Wand stand ein behelfsmäßiges Regal aus Brettern und Backsteinen, vollgestopft mit Büchern. Sara erwartete Comics und ein paar Detektivromane, doch stattdessen fand sie dicke Bände mit Titeln wie *Strategische Gefechte im amerikanischen Bürgerkrieg* und *Die sozialpolitischen Auswirkungen des Wiederaufbaus im ländlichen Süden.*

Sie legte die Bürste weg und nahm das Buch mit dem am wenigsten einschüchternden Titel in die Hand. Auf der ersten Seite fand sie Jeffreys Namen, dazu das Jahr und die Kursbezeichnung. Beim Durchblättern sah sie seine zahlreichen Randbemerkungen und Unterstreichungen. Betreten stellte Sara fest, dass ihr Jeffreys Handschrift vollkommen fremd war. Sie hatte ihn nie eine Nachricht oder auch nur eine Einkaufsliste schreiben sehen. Im Gegensatz zu ihren eigenen krakeligen Druckbuchstaben hatte er eine schöne, fließende Schreibschrift, wie sie heute in den Schulen gar nicht mehr gelehrt wurde. Seine *W* waren tadellos gerundet und fügten sich sauber an die anschließenden Vokale an. Die Schleifen seiner *G* hatten alle exakt die gleiche Form, als hätte er sie mit der

Schablone gemalt. Sogar ohne Grundlinie schrieb er vollkommen gerade, nicht schräg über das Blatt wie die meisten Menschen.

Sie fuhr mit dem Finger seine Anmerkungen nach und spürte die Vertiefungen, die der Bleistift auf der Seite hinterlassen hatte. Die Worte waren wie geprägt, als hätte er zu fest aufgedrückt.

»Was machst du da?«

Sara fühlte sich ertappt, als hätte sie in seinem Tagebuch gestöbert, nicht in einem alten Lehrbuch. »Der Bürgerkrieg?«

Er kniete sich neben sie und nahm ihr das Buch ab. »Ich hatte Geschichte im Hauptfach.«

»Du steckst voller Überraschungen, Slick.«

Er zuckte zusammen, dann stellte er das Buch wieder zu den anderen ins Regal und brachte die Buchrücken wieder auf eine Linie. Ein Streifen im Staub zeigte die exakte Stelle an. Jetzt zog er einen dünnen, in Leder gebundenen Band heraus, auf den in goldenen Buchstaben schlicht das Wort *Briefe* geprägt war.

»Die hier haben die Soldaten an ihre Liebsten zu Hause geschrieben«, sagte Jeffrey und blätterte durch das zerlesene Buch, bis er die Seite fand, die er suchte. Er räusperte sich und las: »Mein Liebling. Die Nacht bricht herein, und ich liege wach und denke darüber nach, was für ein Mensch ich geworden bin. Ich sehe den samtschwarzen Himmel an und frage mich, ob du dieselben Sterne siehst, und ich bete, dass du das Bild von dem Mann bewahrst, der ich für dich war. Ich bete, dass du mich immer noch siehst.«

Jeffrey starrte auf die Worte, ein Lächeln auf den Lippen, als teile er ein Geheimnis mit dem Buch. Er las genauso, wie er Liebe machte: bewusst, leidenschaftlich, aufmerksam. Sara wollte, dass er weiterlas, dass er sie mit dem tiefen Klang seiner Stimme in den Schlaf lullte, doch er brach den Bann mit einem schweren Seufzer.

»Na ja.« Er schob das Buch zurück an seinen Platz. »Ich hätte die Bücher damals verkaufen sollen, als der Kurs zu Ende war, aber ich habe es nicht übers Herz gebracht.«

Sie hätte ihn am liebsten gebeten weiterzumachen, doch sie sagte nur: »Ich habe von meinen auch ein paar behalten.«

Er setzte sich hinter Sara aufs Bett und nahm sie zwischen die Beine. »Aber ich konnte mir das eigentlich nicht leisten.«

»Reich war ich auch nicht«, sagte Sara abwehrend. »Mein Vater ist Klempner.«

»Und ihm gehört die halbe Stadt.«

Sara schwieg, sie hoffte, er würde das Thema fallen lassen. Eddie Linton hatte einst in Immobilien am Rande des Collegecampus investiert, was Jeffrey herausgefunden hatte, als er wegen einer Ruhestörungssache herumtelefonierte. In Jeffreys Augen waren die Lintons vielleicht wohlhabend, doch Sara und Tessa waren mit der Devise aufgewachsen, dass sie nicht mehr Geld ausgeben durften, als sie in den Hosentaschen hatten. Und das war nie viel.

Jeffrey sagte: »Nell hat dir wahrscheinlich von meinem Vater erzählt.«

»Ein bisschen.«

Er lachte bitter. »Jimmy Tolliver war ein kleiner Ganove, der dachte, er könnte ein ganz großes Ding drehen. Zwei Männer sind gestorben, als sie die Bank überfallen haben, und jetzt sitzt er, ohne Hoffnung auf Begnadigung.« Jeffrey griff nach der Bürste. »Egal wen du fragst, hier in der Stadt sind sie alle davon überzeugt, dass ich genauso schlimm bin wie er.«

»Das wage ich ernsthaft zu bezweifeln«, gab Sara zurück. Sie arbeitete schon eine geraume Zeit mit Jeffrey zusammen und wusste, dass er sich ein Bein ausriss, damit immer alles korrekt ablief. Seine Integrität hatte sie von Anfang an beeindruckt.

»Früher habe ich eine Menge Ärger gemacht.«

»Das haben die meisten Jungs.«

»Nicht mit der Polizei«, entgegnete er, und sie wusste nicht, was sie darauf sagen sollte. Aber so schlimm konnte er nicht gewesen sein, sonst hätte ihn die Polizei später nicht eingestellt.

Dann fuhr er fort: »Ich schätze, Nell hat dich auch über meine Mutter aufgeklärt.«

Sara schwieg.

Er begann ihr Haar zu bürsten. »Warst du deswegen so schlecht beim *Trivial Pursuit*? Weil du dich auf Nells Geschichten konzentrieren musstest?«

»In Brettspielen war ich noch nie gut.«

»Und in anderen Spielen?«

Sie schloss die Augen und genoss die Bürstenstriche. »Im Tennis habe ich dich geschlagen«, erinnerte sie ihn.

»Ich hab dich gewinnen lassen.« Doch sie wusste genau, dass ihm die Niederlage schwer im Magen gelegen hatte.

Jeffrey strich ihr Haar zurück und küsste sie zärtlich auf den Nacken.

»Willst du eine Revanche?«, schlug sie vor.

Er nahm sie in die Arme und zog sie näher an sich heran. Dann tat er etwas mit der Zunge, das sie fast um den Verstand brachte.

Sie versuchte sich aufzusetzen, doch er ließ sie nicht gehen. Sie flüsterte: »Deine Mutter ist nebenan.«

»Nebenan ist das Bad«, widersprach er und schob die Hände unter ihr Pyjamaoberteil.

»Jeff ...«, seufzte sie, als er die Hand in ihre Schlafanzughose gleiten ließ. Doch bevor er weiterkam, hielt sie ihn auf.

Er sagte: »Vertrau mir. Sie wacht nicht auf.«

»Das ist es nicht.«

»Ich habe die Tür abgeschlossen.«

»Warum hast du abgeschlossen, wenn sie sowieso nicht aufwacht?«

Er knurrte, wie er wahrscheinlich früher auch seine Lehrerin angeknurrt hatte. »Weißt du, wie viele Nächte ich hier als Kind wach gelegen habe und mir nichts sehnlicher wünschte als eine wunderschöne Frau im Bett?«

»Jetzt sag mir nicht, dass ich die Erste bin, die du hier hast.«

»Hier?«, fragte er und zeigte auf den Boden.

Sie drehte sich um und sah ihn an. »Glaubst du, es macht mich heiß zu hören, wie viele Frauen du hattest?«

Er zog sie auf den Boden. »Aber du bist die Erste, die ich *hier* habe.«

Sie seufzte übertrieben. »Endlich was, worauf ich stolz sein kann.«

»Hör auf damit«, sagte er plötzlich ernst.

»Sonst passiert was?«, neckte sie.

»Ich meine es ernst.«

»Nach allem, was ich so höre ...«

»Ganz ehrlich, Sara. Das hier ist kein Spaß.«

Sie sah ihn verständnislos an.

»Was du zu deiner Mutter gesagt hast«, erklärte er und strich ihr eine Haarsträhne aus dem Gesicht. »Ich will nicht nur meinen Spaß haben mit dir.« Er hielt inne, dann wandte er den Blick ab und starrte das Bücherregal an. »Vielleicht ist es für dich nur Spaß, aber für mich nicht, und deshalb möchte ich, dass du aufhörst, so zu reden.«

Sara schossen all die Warnungen durch den Kopf, die sie in den letzten Monaten erhalten hatte, und so widerstand sie dem Impuls, sich ihm in die Arme zu werfen und ihm ihre Liebe zu erklären. Instinktiv wusste sie, dass Jeffrey nur so sprach, weil er keine Ahnung hatte, was in ihr vorging.

Ihr Schweigen irritierte ihn offensichtlich. Sie sah, wie er mit den Kiefern mahlte und an ihr vorbei an die Wand starrte.

Sie versuchte ihm in die Augen zu sehen, doch er wich ihrem Blick aus. Sie fuhr ihm mit dem Finger über die Lippen und lächelte, als ihr auffiel, dass er sich für sie rasiert hatte.

Seine Haut war glatt, und er roch nach Aftershave und Haferflocken.

»Sag mir, was du denkst«, sagte er.

Sara durfte sich keine Blöße geben. Sie küsste sein Kinn, dann seinen Hals. Als er nicht reagierte, küsste sie die Innenfläche seiner Hand. Sie würde ihm nicht verraten, dass er sie genau da hatte – sie fraß ihm aus der Hand.

Jeffrey nahm ihr Gesicht in beide Hände, sein Blick war tief und unergründlich. Er küsste sie langsam, sinnlich, und drückte sie zu Boden. Sara hatte das Gefühl, mit dem Teppich zu verschmelzen. Er berührte ihre Brüste und machte ihr mit der Zunge Gänsehaut. Langsam arbeitete er sich nach unten vor. Sein Atem kitzelte auf ihrem Bauch, dann auf ihrem Venushügel. Schließlich ließ er die Zunge in sie gleiten, und Sara fühlte sich plötzlich schwerelos, als wäre ihr ganzer Körper an diesem einen Punkt zusammengekommen. Sie fuhr ihm durchs Haar, zog ihn zu sich hinauf, um ihn zurückzuhalten.

Seine Stimme war ein heiseres Flüstern. »Was ist?«

Sara zog ihn an sich, küsste ihn, schmeckte sich selbst in seinem Mund. Obwohl sie es nicht eilig hatten, war Sara voller Ungeduld, als sie an seinem Reißverschluss zog. Er wollte ihr helfen, doch Sara flüsterte: »Nein.« Sein Gewicht fühlte sich gut in ihrer Hand an.

»Ich will dich«, hauchte sie und biss ihm ins Ohr, bis er stöhnte. »Ich will dich in mir spüren.«

»O Gott«, keuchte er. Er zitterte am ganzen Körper, während er versuchte, sich zurückzuhalten. Er wollte ein Kondom aus der Hosentasche holen, doch Sara zog ihn an sich, nahm seinen Schwanz in die Hand und wies ihm den Weg.

Sara wölbte ihm das Becken entgegen, als er in sie eindrang. Zuerst bewegte er sich langsam, fast schmerzhaft langsam, bis Saras ganzer Körper wie eine Saite gespannt war. Seine Rückenmuskeln waren steinhart, und sie grub unwillkürlich die Fingernägel in seine Haut, während sie ihn tiefer in sich hineinzog. Jeffrey behielt den langsamen Rhythmus bei, beobachtete sie, stimmte seinen Körper auf ihren ab. Mehrmals brachte er sie an die Schwelle, nur um sie sanft wieder zurückzuholen. Schließlich wurde der Rhythmus immer leidenschaftlicher, seine Hüften drängten gegen ihre, das Gewicht erdrückte sie fast, bis sie den Kopf zurückwarf, den Mund aufriss. Er küsste sie, dämpfte ihre Schreie mit seinen Lippen, während ihr Körper unter seinem bebte.

»Sara«, hauchte er ihr ins Ohr, als er sich endlich gehen ließ.

Sie behielt ihn in sich, und er begann sie wieder zu küssen, langsam und sinnlich, und strich ihr über das Gesicht, als würde er eine Katze streicheln. Ihr Körper zuckte noch, und sie schlang die Arme um ihn, hielt sich an ihm fest, küsste ihn auf die Lippen, das Gesicht, die Lider, bis er sich schließlich auf die Seite rollte und sich auf den Ellbogen stützte.

Sie seufzte, langsam erholte sich ihr Körper von dem Rausch. In ihrem Kopf drehte sich noch alles, sie konnte kaum die Augen offen halten.

Er strich ihr über die Schläfen, berührte ihre Lider, ihre Wangen. »Ich liebe deine Haut«, sagte er und ließ die Hand über ihren Körper gleiten.

Sie legte die Hand auf seine und seufzte glücklich. Am liebsten hätte sie sich die ganze Nacht nicht mehr bewegt – nie mehr. Sie fühlte sich Jeffrey näher, als sie sich je einem Mann gefühlt hatte. Sara wusste, eigentlich sollte sie Angst haben, versuchen, sich zurückzuhalten, doch in diesem Moment wollte sie einfach nur in seinen Armen liegen und ihn gewähren lassen.

Mit den Fingern berührte er die Narbe auf der linken Seite ihres Bauchs. »Erzähl mir davon«, sagte er.

Panik durchfuhr sie, und sie zwang sich, nicht zurückzuweichen. »Blinddarm«, sagte sie, obwohl die Wunde von einem Jagdmesser stammte.

Als er den Mund aufmachte, rechnete sie damit, dass er ihre ärztlichen Fähigkeiten in Zweifel zog, denn der Blinddarm lag auf der anderen Seite. Doch Jeffrey fragte nur: »Blinddarmdurchbruch?«

Sie nickte und hoffte, damit war es gut. Sara war nicht geübt im Lügen, und sie wusste, sie durfte keine komplizierte Geschichte erfinden.

»Wie alt warst du?«

Sie zuckte die Achseln und sah zu, wie er mit dem Finger die Narbe entlangfuhr. Die Narbenränder waren gezackt, ganz anders als der präzise Schnitt eines Chirurgen. Das Sägemesser hatte das Gewebe aufgerissen, die Klinge fast bist zum Schaft in ihrem Bauch versenkt.

»Irgendwie sexy«, sagte er und küsste wieder ihren Bauch.

Sara legte die Hand auf seinen Hinterkopf und starrte an die Decke, als ihr das Ausmaß ihrer Lüge dämmerte. Noch waren sie am Anfang. Wenn sie an eine Zukunft mit Jeffrey dachte, dann musste sie ihm jetzt die Wahrheit sagen, bevor es zu spät war.

Er küsste sie auf die Lippen. »Morgen sollten wir früh aufbrechen.«

Sie öffnete den Mund, doch statt ihm die Wahrheit zu erzählen, fragte sie nur: »Willst du dich nicht von deinen Freunden verabschieden?«

Er zuckte die Achseln. »Wir können sie doch von Florida aus anrufen.«

»Oh, Mist …« Sie setzte sich auf und sah sich um. »Wie spät ist es?«

Er wollte sie zurückhalten, doch Sara war schon bei ihrem Koffer. »Wo ist meine Uhr?«

Jeffrey verschränkte die Hände hinter dem Kopf. »Frauen brauchen keine Uhr.«

»Wieso das denn?«

Er grinste sie albern an. »Weil am Herd eine ist.«

»Sehr witzig.« Sie warf ihre Bürste nach ihm, doch er fing sie einhändig auf. »Ich habe Mama versprochen, dass ich anrufe, sobald wir in Florida sind.«

»Ruf sie morgen an.«

Sie fluchte, als sie ihre Uhr fand. »Schon nach Mitternacht. Sie macht sich sicher Sorgen.«

»Das Telefon ist in der Küche.«

Die Pyjamahose hing an ihrem Fuß, sie hatte es nicht einmal geschafft, sie ganz abzustreifen. So elegant wie möglich versuchte Sara, sie wieder anzuziehen.

»Hey«, protestierte er.

Doch als sie aufsah, hatte er es sich anders überlegt und schüttelte den Kopf.

Sara knöpfte sich das Oberteil zu und ging zur Tür. Als sie den Türknauf drehte, hielt sie inne. »Hier ist gar kein Schloss!«

Er tat überrascht. »Ach, wirklich?«

Sara zog die Tür hinter sich zu. Sie tastete sich den Flur entlang, bis sie wieder vor dem Esstisch stand. Der Geruch nach Nikotin war noch stärker, als sie ihn in Erinnerung hatte. Mit großem Glück fand sie das Telefon an der Wand neben dem Kühlschrank.

Sie meldete ein R-Gespräch zur Nummer ihrer Eltern an und hoffte, sie hatte Jeffreys Mutter nicht aufgeweckt. Der Anruf wurde durchgestellt, und nach einmaligem Klingeln war ihr Vater am Apparat.

»Sara?«, krächzte Eddie.

Erleichtert lehnte sie sich gegen die Arbeitsplatte. »Hallo, Daddy.«

»Wo zum Teufel bist du?«

»Wir haben in Sylacauga haltgemacht.«

»Wo zum Teufel ist das?«

Sie wollte es ihm erklären, doch er ließ sie gar nicht zu Wort kommen.

»Es ist schon nach Mitternacht«, knurrte er, sein Ton war schärfer jetzt, da er wusste, dass es ihr gut ging. »Was zum Teufel machst du da überhaupt? Deine Mutter und ich sind krank vor Sorge.«

Sara hörte Cathy im Hintergrund murmeln, dann brummte Eddie: »Ich will den Namen von diesem Kerl gar nicht hören. Früher hat sie nie so spät angerufen.«

Sara wappnete sich gegen eine Tirade, doch ihrer Mutter gelang es, ihrem Vater den Hörer abzunehmen, bevor er noch etwas sagen konnte.

»Schätzchen?« Auch ihre Mutter klang besorgt, und Sara hatte ein schlechtes Gewissen, dass sie sich in den letzten zwei Stunden nicht zwei Minuten Zeit genommen hatte, um sich bei ihren Eltern zu melden.

»Tut mir leid, dass ich nicht früher angerufen habe«, sagte sie. »Wir haben in Sylacauga haltgemacht.«

»Und was ist das?«

»Ein Städtchen.« Sara wusste nicht einmal, ob sie es richtig aussprach. »Jeffrey ist hier aufgewachsen.«

»Oh«, sagte Cathy. Sara wartete, doch ihre Mutter sagte nur: »Geht's dir gut?«

»Ja«, versicherte Sara. »Wir hatten einen netten Abend mit seinen Freunden. Sie sind zusammen zur Schule gegangen. Es ist genau wie bei uns, nur kleiner.«

»Ach, wirklich?«

Sara versuchte ihren Tonfall zu deuten, doch es gelang ihr nicht. »Jetzt sind wir bei seiner Mutter. Ich habe sie noch nicht kennengelernt, aber sie ist sicher auch sehr nett.«

»Schön. Dann melde dich, wenn du morgen in Florida angekommen bist, falls du Zeit hast.«

»In Ordnung«, versprach Sara. Sie hätte ihrer Mutter gern erzählt, was passiert war, was Jeffrey gesagt hatte, doch sie hatte nicht den Mut. Außerdem wollte sie sich nicht zum Narren machen.

Cathy schien Saras Zögern nicht aufzufallen. »Also dann, gute Nacht«, sagte sie.

Sara wünschte ihr das Gleiche und legte auf, bevor ihr Vater noch einmal ans Telefon kam. Dann lehnte sie den Kopf gegen den Küchenschrank und überlegte, ob sie nicht doch noch einmal anrufen sollte. Sosehr ihr die Einmischung ihrer Mutter auf die Nerven ging, so wichtig war ihr Cathys Meinung. Im Moment passierte einfach zu viel. Sie brauchte jemanden, mit dem sie darüber reden konnte.

Plötzlich hörte sie ein Poltern aus dem Esszimmer, als wäre jemand gegen den Tisch gestoßen, dann fluchte jemand knurrend.

»Hallo?«, rief Sara. Sie wollte Jeffreys Mutter auf keinen Fall erschrecken.

»Ich weiß, dass Sie da sind«, antwortete eine raue Stimme. »Herrgott noch mal«, fluchte sie und riss die Kühlschranktür auf. Im Licht des Kühlschranks sah Sara eine gebeugte alte Frau mit grau meliertem Haar. Ihr faltiges Gesicht wirkte greisenhaft – jede Zigarette, die sie geraucht hatte, schien eine Linie hinterlassen zu haben. Auch jetzt hielt sie eine Kippe in der Hand, an deren Spitze sich die Asche türmte.

May Tolliver knallte eine Flasche Gin auf die Arbeitsplatte und nahm einen langen Zug von ihrer Zigarette. Dann wandte sie sich an Sara. »Was machen Sie hier?«, fragte sie, dann lachte sie dreckig. »Ich meine, außer dass Sie sich von meinem Sohn vögeln lassen?«

Sara war so schockiert, dass sie zu stottern anfing. »Ich … ich … lasse mich nicht …«

»Sie sind so ’ne feine Ärztin, was?«, sagte sie. Wieder lachte sie, diesmal noch gemeiner. »Na, er wird sie schon runterholen von Ihrem hohen Ross. Oder glauben Sie vielleicht, Sie sind die Erste von dieser Sorte? Was Besonderes?«

»Ich …«

»Lügen Sie mich nicht an«, bellte die alte Frau. »Ich rieche ihn an Ihrer Muschi bis hierher.«

Sekunden später war Sara auf der Straße. Sie wusste nicht einmal, wie sie den Schlüssel gefunden, die Tür aufgeschlossen und das Haus verlassen hatte. Sie wusste nur, dass sie so schnell wie möglich, so weit wie möglich von Jeffreys Mutter wegmusste. Noch nie in ihrem Leben hatte jemand so mit ihr gesprochen. Saras Gesicht brannte vor Scham, und als sie endlich unter einer Straßenlaterne Atem schöpfte, liefen ihr die Tränen über das Gesicht.

»Scheiße«, zischte sie. Sie drehte sich einmal im Kreis und versuchte sich zu orientieren. Irgendwann war sie links abgebogen, aber mehr wusste Sara auch nicht. Sie erinnerte sich nicht einmal an den Namen der Straße oder daran, wie das Haus ausgesehen hatte. Ein Hund bellte, als sie an einem gelben Haus mit weißem Lattenzaun vorbeiging, und Sara bekam Gänsehaut, als sie feststellte, dass ihr weder das Haus noch der Hund bekannt vorkamen. Unter ihren nackten Fußsohlen brannte der heiße Asphalt, und jetzt fielen auch noch die Moskitos über sie her. Sara war sich nicht sicher, ob sie das Haus überhaupt wiederfinden wollte. Lieber schlief sie auf der Straße, als noch einmal den Fuß in dieses Haus zu setzen. Ihre einzige Hoffnung war jetzt, den Weg zurück zu Nell und Possum zu finden. Im Radkasten ihres BMW hatte sie einen Zweitschlüssel versteckt. Jeffrey würde schon irgendwie zurück nach Grant County kommen. Und ob sie ihre Kleider und ihren Koffer je wiedersah, war Sara egal.

Plötzlich zerriss ein markerschütternder Schrei die Nacht. Sara erstarrte mitten in der Bewegung. Im nächsten Moment hallte die Fehlzündung eines Wagens wie ein Schuss durch die Stille, und Adrenalin jagte durch ihren Körper. In einiger Entfernung entdeckte Sara eine große Gestalt, die auf sie zurannte, und instinktiv drehte sie sich um und ergriff die Flucht. Schwere Schritte verfolgten sie. Sie arbeitete wild mit den Armen, hatte das Gefühl, die Lunge würde ihr in der Brust explodieren, doch sie rannte weiter.

»Sara«, schrie Jeffrey, als er schon mit den Fingerspitzen ihren Rücken berührte. Sie blieb so abrupt stehen, dass er gegen sie prallte und beide zu Boden stürzten. Er schaffte es gerade noch, den Sturz mit seinem Körper abzufangen, doch sie schürfte sich den Ellbogen am Asphalt auf.

»Was ist los mit dir?«, fragte er und zog sie am Arm hoch. Er klopfte ihr den Splitt von der Pyjamahose. »Hast *du* geschrien?«

»Natürlich nicht«, antwortete sie gereizt. Auf einmal überkam sie eine unbändige Wut auf ihn. Warum hatte er sie hierhergebracht? Was hatte er sich davon versprochen?

»Beruhig dich erst mal«, sagte er und streckte die Hand nach ihr aus.

Doch sie schlug seine Hand weg. »Fass mich nicht an«, zischte sie. Im selben Moment zerriss wieder ein Knall die Nacht. Diesmal wusste Sara, dass es keine Fehlzündung war. Sie war oft genug auf dem Schießplatz gewesen, um zu wissen, wie sich eine Pistole anhörte.

Jeffrey legte den Kopf auf die Seite, um zu orten, woher der Schuss gekommen war. Wieder fiel ein Schuss. Er drehte sich um. »Du bleibst hier«, befahl er, dann rannte er auf das gelbe Haus mit dem Lattenzaun zu.

Sara folgte, so schnell sie konnte. Sie ging um den Zaun herum, über den Jeffrey gesprungen war. Durch den Garten führte ein ausgetretener Fußweg hinter das Haus. Grelles Licht fiel aus der Hintertür, die Jeffrey aufgetreten hatte. Dann hörte sie wieder einen Schrei. Wenige Sekunden später kam Jeffrey heraus. Plötzlich schien in allen Fenstern gleichzeitig das Licht anzugehen.

»Sara!«, rief Jeffrey und winkte sie heran. »Schnell!«

Als sie über die Wiese rannte, spürte sie einen stechenden Schmerz an der Fußsohle. Der Garten war mit Kiefernnadeln und -zapfen übersät, und sie versuchte auszuweichen, ohne ihr Tempo zu verlangsamen.

Jeffrey packte sie am Arm und riss sie ins Haus. Im Grundriss ähnelte es dem von Possum und Nell, in der Mitte ein langer Flur, von dem nach rechts die Schlafzimmer abgingen.

»Hier lang«, sagte Jeffrey und schob sie den Flur hinunter. Er ging zum Telefon in der Küche. »Ich rufe die Polizei.«

Als Sara das Schlafzimmer betrat, blieb sie einen Moment lang wie versteinert stehen.

Der Deckenventilator drehte sich schleppend, die Blätter machten ein unangenehm knirschendes Geräusch. Jessie stand neben dem offenen Fenster, ihr Mund bewegte sich, doch kein Ton kam heraus. Ein Mann lag ohne Hemd mit dem Gesicht nach unten auf dem Boden neben dem Bett. Die rechte Seite seines Kopfes fehlte. Verschmierte Blutspuren führten zu einer Pistole mit kurzem Lauf, es sah aus, als hätte sie ihm jemand aus der linken Hand getreten.

»Mein Gott«, stöhnte Sara. Blut fand sich nicht nur rund ums Bett, sondern hatte auch die Decke und die Glühbirne des Ventilators wie ein feiner Sprühregen überzogen. Ein Stück Schädel und Kopfhaut klebten am Nachttisch; an der Schublade hing etwas, das aussah wie ein Ohrläppchen.

Trotz der grausigen Szene, die sich ihr bot, war Sara im nächsten Moment schon wieder ganz Ärztin. Sie beugte sich über den Mann, legte ihm den Finger an den Hals und suchte nach einem Puls. Vergeblich tastete sie die Schlagader ab. Die Haut war klebrig, von einem Schweißfilm überzogen. Ein süßlicher Geruch wie Vanille hing in der Luft.

»Ist er tot?«

Sara drehte sich um.

Robert stand hinter der Schlafzimmertür. Er lehnte an der Wand, den Oberkörper vorgebeugt. Mit der linken Hand hielt er sich eine Wunde an der Seite, Blut quoll zwischen seinen Fingern hervor. In der rechten hatte er eine Waffe, mit der er auf den Toten zielte.

Sara sagte zu Jessie: »Hol Handtücher«, aber Jessie rührte sich nicht.

»Alles in Ordnung?«, fragte Sara an Robert gewandt, doch sie hielt Abstand zu ihm. Er zielte immer noch auf den Toten, und seine Augen waren glasig, als wäre er nicht bei Sinnen.

Jetzt kam Jeffrey herein, der sich mit einem schnellen Blick ein Bild zu machen versuchte. »Robert?« Er machte einen Schritt auf seinen Freund zu. Der Mann blinzelte, dann schien er Jeffrey zu erkennen.

Jeffrey zeigte auf die Pistole. »Gib mir die Waffe, Mann.«

Roberts Hand zitterte, als er Jeffrey die Waffe mit der Mündung voran übergab. Jeffrey sicherte sie und verstaute sie im Bund seiner Jeans.

Sara sagte: »Du musst dein T-Shirt ausziehen, okay?«

Robert sah sie verwirrt an. »Ist er tot?«

»Willst du dich nicht erst mal hinsetzen?«, fragte sie, doch er schüttelte den Kopf und lehnte sich zurück an die Wand. Er war groß und muskulös. Selbst in Unterhemd und Boxershorts wirkte er wie jemand, der es nicht gewohnt war, Befehle entgegenzunehmen.

Jeffrey sah Sara in die Augen, dann fragte er: »Was ist passiert, Bobby?«

Roberts Mund bewegte sich, dann brachte er heraus: »Er ist tot, oder?«

Jeffrey stand zwischen ihm und der Leiche. »Was ist passiert?«

Jetzt ergriff Jessie das Wort, sie redete hastig und zeigte aufs Fenster. »Hier«, sagte sie, »hier ist er reingekommen.«

Jeffrey ging an der Wand entlang zum Fenster und spähte hinaus, ohne etwas anzufassen. »Das Fliegengitter ist draußen.«

Robert stöhnte vor Schmerz, als Sara sein Hemd hochschob. Doch er half ihr, das Hemd über den Kopf zu ziehen, damit sie die Wunde untersuchen konnte. Als sie seinen Bauch vorsichtig abtastete, fluchte er zwischen den Zähnen und knetete das

Hemd in den Händen. Blut tropfte in den Bund seiner Boxershorts, und er drückte das Hemd auf die Wunde, um die Blutung zu stillen, bevor Sara Zeit hatte, sich die Verletzung genau anzusehen. Als er sich abwandte, sah sie etwas weiter oberhalb in seinem Rücken die Austrittswunde. Die Kugel steckte hinter ihm in der Wand, um das Loch war ein Kranz winziger Blutströpfchen.

»Bob«, sagte Jeffrey jetzt strenger. »Komm schon. Was ist passiert?«

»Ich weiß es nicht«, sagte Robert, er bohrte sich das Hemd förmlich in die Wunde. »Er ist einfach …«

Jessie unterbrach ihn. »Er hat auf Bobby geschossen.«

»Er hat auf dich geschossen?«, wiederholte Jeffrey, er wollte die Geschichte von Robert hören. Er klang wütend. Er sah sich im Zimmer um, wie um die Szene im Kopf zu rekonstruieren.

Jeffrey zeigte auf die Kugel, die auf der anderen Seite des Betts in der Wand steckte. »Ist das deine Kugel oder seine?«

»Seine«, sagte Jessie schrill. Ihrem Verhalten entnahm Sara, dass sie kaschieren wollte, wie high sie war. Sie schwankte wie ein Baum im Wind, und ihre Pupillen waren so groß, dass ein Sonnenstrahl sie wahrscheinlich sofort blind gemacht hätte.

Jeffrey brachte Jessie mit einem Blick zum Schweigen. »Robert, sag mir, was passiert ist.«

Doch Robert schüttelte nur den Kopf, die Hand fest auf die verletzte Seite gepresst.

Jeffrey schrie: »Herrgott noch mal, Robert, lass uns die Geschichte auf die Reihe kriegen, bevor jemand kommt und sie aufnimmt.«

Sara wollte ihm helfen. »Sag uns einfach, was passiert ist.«

»Bob?« Jeffrey wurde immer wütender.

Sara versuchte es auf die sanfte Tour. »Am besten setzt du dich erst mal hin.«

»Am besten macht er verdammt noch mal den Mund auf«, fluchte Jeffrey.

Doch Robert sah nur seine Frau an, die Lippen aufeinandergepresst. Er schüttelte den Kopf, und Sara dachte einen Moment, sie hätte Tränen in seinen Augen gesehen. Jessie dagegen stand einfach nur da, immer noch leicht schwankend, den Bademantel eng um sich gezogen, als wäre ihr kalt. Wahrscheinlich würde sie erst am Morgen begreifen, wie knapp die beiden heute Nacht dem Tod entgangen waren.

»Er ist durchs Fenster gekommen«, erklärte Robert schließlich. »Er hat Jess bedroht. Hat ihr die Pistole an den Kopf gehalten.«

Jessies Miene war unergründlich. Selbst aus der Entfernung sah Sara, dass Jessie Schwierigkeiten hatte, der Geschichte zu folgen. Auf dem Boden lagen mehrere offene Medikamentenröhrchen, die wahrscheinlich vom Nachttisch gefallen waren. Auch die dreieckigen weißen Tabletten waren blutbespritzt. Auf dem dicken Teppich sah Sara Jessies verschmierte Fußabdrücke. Sie musste an der Leiche vorbei zum Fenster gerannt sein. Sara fragte sich, was wohl in ihr vorgegangen war. Hatte sie versucht zu fliehen, während ihr Mann sein Leben verteidigte?

Jeffrey fragte noch einmal: »Was ist also passiert?«

»Jessie hat geschrien, und ich habe …« Roberts Blick wanderte zu dem Toten auf dem Teppich. »Ich habe ihn zurückgestoßen, er ist umgefallen … und dann hat er auf mich geschossen – auf mich geschossen – und ich …« Er versuchte seine Gefühle in den Griff zu bekommen.

»Es sind drei Schüsse gefallen«, erinnerte sich Sara. Sie sah sich um und versuchte, das, was sie draußen gehört hatte, mit Roberts Bericht in Einklang zu bringen.

Robert starrte den Toten an. »Seid ihr sicher, dass er tot ist?«

»Ja«, sagte Sara. Ihn anzulügen hätte niemandem geholfen.

»Hier …« Anscheinend versuchte Jeffrey Robert von der traurigen Wahrheit abzulenken. Er zeigte auf die Kugel in der

Wand neben dem Bett. »Hat er das erste Mal vorbeigeschossen?«

Robert schluckte. Sara sah, wie ihm ein Schweißtropfen am Hals hinunterlief, als er antwortete. »Ja.«

»Er ist also durchs Fenster gekommen«, begann Jeffrey. »Er hat Jessie die Pistole an den Kopf gehalten.« Er sah Jessie an, und sie nickte hastig. »Du hast ihn vom Bett gestoßen, und er hat auf dich geschossen. Dann hast du nach deiner Waffe gegriffen. Richtig?« Robert nickte kurz, doch Jeffrey war noch nicht fertig. »Wo bewahrst du deine Pistole auf? Im Schrank? In der Kommode?« Er wartete, doch wieder machte Robert den Mund nicht auf. »Wo hattest du deine Pistole?«

Jessie wollte etwas sagen, doch sie hielt den Mund, als Robert auf den geschlossenen Kleiderschrank gegenüber vom Bett zeigte. »Da«, sagte er, bevor Jeffrey seine Frage noch einmal wiederholte.

»Du hast deine Pistole herausgeholt«, sagte Jeffrey und öffnete die Schranktür. Ein Hemd fiel heraus, und er legte es zurück auf den Stapel. Über seiner Schulter sah Sara, dass sich im obersten Fach ein schwarzer Waffensafe aus Kunststoff befand. »Hast du deine Ersatzpistole auch da drin?«

Er schüttelte den Kopf. »Im Wohnzimmer.«

»Also gut.« Jeffrey ließ die Hand auf der offenen Schranktür liegen. »Du hast deine Pistole rausgeholt. Hat er dich dabei angeschossen?«

»Ja.« Robert nickte unsicher. Mit festerer Stimme setzte er nach: »Und dann habe ich ihn erschossen.«

Jeffrey sah sich noch einmal am Tatort um. Er nickte stumm, während er versuchte, das Ganze nachzuvollziehen. Dann ging er wieder zum Fenster und spähte hinaus. Fassungslos sah Sara ihm zu. Jeffrey hatte den Tatort verändert, und er half Robert, eine plausible Geschichte zusammenzuschustern.

Jessie räusperte sich. Mit zitternder Stimme fragte sie Sara: »Wie schlimm ist es?«

Doch Sara war so auf Jeffrey konzentriert, dass sie einen Moment brauchte, bis sie begriff, dass Jessie mit ihr sprach. Jeffrey war mit Robert und Jessie allein gewesen, bevor er Sara ins Haus gerufen hatte. Was hatte er in dieser Zeit getan? Was hatten sie besprochen? Was hatte Jeffrey als Nächstes vor?

»Sara?«, sagte Jessie noch einmal.

Sara zwang sich, das zu tun, was in ihrer Macht lag. Sie fragte: »Robert, kann ich mir jetzt die Wunde ansehen?«

Er nahm die Hand von der Eintrittswunde, und Sara setzte die Untersuchung fort. Mit dem Hemd hatte er das Blut verschmiert, doch Sara meinte unterhalb der Wunde eine v-förmige Schmauchspur zu erkennen.

Sie versuchte, das Blut abzuwischen, doch Robert legte die Hand wieder auf die Verletzung. »Ist schon gut.«

»Ich muss es mir ansehen …«

»Mir geht es gut«, wehrte er ab.

Sara versuchte, ihm in die Augen zu sehen, doch er wandte den Blick ab. »Vielleicht solltest du dich setzen, bis der Krankenwagen kommt.«

Jeffrey fragte: »Ist es schlimm?«

»Es geht schon«, kam ihr Robert zuvor. Er lehnte sich an die Wand. »Danke«, sagte er dann.

»Sara?«, fragte Jeffrey.

Sie zuckte die Achseln. Sie wusste nicht, was sie sagen sollte. In der Ferne hörte sie eine Sirene heulen. Jessie fröstelte und verschränkte die Arme vor der Brust. Sara wollte das Hemd sehen, sie wollte sehen, ob der Stoff ähnliche Spuren aufwies wie Roberts Haut, doch er hielt es fest auf die Wunde gepresst.

Sara arbeitete zwar erst seit zwei Jahren als Gerichtsmedizinerin, doch das, was sie gesehen hatte, war geradezu lehrbuchmäßig eindeutig gewesen. Selbst ein Polizist, der noch grün hinter den Ohren war, hätte gewusst, was es zu bedeuten hatte.

Die Waffe war aufgesetzt worden.

SIEBEN

11.45 Uhr

Lena stand in der Reinigung und beobachtete durchs Schaufenster das Polizeirevier auf der anderen Straßenseite. Durch die getönten Scheiben des Reviers war nichts zu erkennen, doch Lena starrte hinüber, als könnte sie sehen, was sich dahinter abspielte. Vor dreißig Minuten war ein weiterer Schuss gefallen. Von den zwei fehlenden Cops hatte sich nur Mike Dugdale gemeldet. Marilyn Edwards blieb verschwunden, und Frank meinte, er hätte die hübsche junge Polizistin zu Beginn des Überfalls im Mannschaftsraum gesehen. Die verbliebenen Mitglieder der Polizei von Grant County liefen herum wie lebende Leichen. Lena konnte nur daran denken, dass sie, wenn sie fünf Minuten früher zur Arbeit gegangen wäre, vielleicht noch etwas hätte ausrichten können. Vielleicht hätte sie Jeffrey retten können. Sie spürte ein derart brennendes Bedürfnis, mit dort drinnen zu sein, dass sie es auf der Zunge schmeckte.

Lena drehte sich zu Nick und Frank um, die sich über die Karte gebeugt hatten und sich besprachen. Die Beamten des Georgia Bureau of Investigation machten sich an der Kaffeemaschine zu schaffen und warteten leise flüsternd auf Befehle. Pat Morris unterhielt sich mit Molly Stoddard, und Lena fragte sich, ob Pat als Kind Saras Patient gewesen war. Jung genug sah er aus.

»Verdammt noch mal«, rief Frank so laut, dass alle aufblickten.

Nick zeigte auf das Büro des alten Burgess. »Hier rein.«

Die beiden zogen sich in das fensterlose Räumchen zurück und schlossen hinter sich die Tür. Die Unruhe, die sie ausgelöst hatten, hing noch sekundenlang im Raum, und einige gingen nach hinten, wahrscheinlich um auf dem Parkplatz eine zu rauchen und den Gefühlsausbruch zu kommentieren.

Lena schaltete ihr Mobiltelefon ein und wartete. Es piepte zweimal, sie hatte Nachrichten. Sie überlegte, ob sie Nan oder Ethan anrufen sollte. Kurz dachte sie auch an ihren Onkel Hank, doch nach dem Telefongespräch heute Morgen wäre ein Hilferuf einer Kapitulation gleichgekommen, und dazu war sie nicht bereit. Sie hasste es, auf andere Menschen angewiesen zu sein, und genauso hasste sie es, um Hilfe bitten zu müssen. Schließlich schaltete sie das Telefon wieder aus, steckte es zurück in die Tasche und fragte sich, warum sie es überhaupt herausgeholt hatte.

Frank kam zu ihr. Sein Atem roch säuerlich, als er fragte: »Haben wir eine Einheit auf dem Dach?«

Lena deutete auf das Gebäude neben dem Revier. »Da oben sind zwei.« Sie zeigte auf zwei Männer in Schwarz, die mit Scharfschützengewehren im Anschlag bäuchlings auf dem Dach lagen.

»Eben sind noch zwanzig vom GBI angekommen«, erklärte er.

»Wozu?«

»Soweit ich sehe, stehen sie rum und drehen Däumchen.«

»Frank.« Lena hatte einen Kloß im Hals. »Ist es ganz sicher?«

»Was?«

»Das mit Jeffrey?«, sagte sie mit erstickter Stimme.

»Ich habe es mit eigenen Augen gesehen«, sagte Frank erschüttert. Er wischte sich mit der Hand über die Nase und verschränkte die Arme vor der Brust. »Er ist zu Boden gegangen. Sara ist zu ihm ...« Er schüttelte den Kopf. »Das Nächste, was ich mitgekriegt habe, war, dass der Schütze ihr die Kanone an den Kopf gehalten hat und ihr gesagt hat, sie soll sich von ihm fernhalten.«

Lena biss sich auf die Unterlippe und fühlte eine überraschende Woge der Zuneigung für Sara Linton.

»Nick scheint zu wissen, was er tut«, sagte Frank dann. »Sie stellen dem ganzen Haus gerade den Strom ab.«

»Gehen die Telefone auch ohne Strom?«

»Es gibt eine Standleitung zu Marlas Schreibtisch«, erklärte Frank. »Hat der Chief einrichten lassen, als er hier angefangen hat. Und ich habe mich immer gefragt, wofür.«

Lena nickte und versuchte, nicht zu viel darüber nachzudenken. Als Jeffrey hier als Polizeichef anfing, hatte er eine Menge Dinge getan, die damals seltsam wirkten, sich aber am Ende als klug erwiesen hatten.

Frank fuhr fort: »Die Telefongesellschaft hat dafür gesorgt, dass sie von drinnen nur uns anrufen können.«

Lena nickte wieder, doch sie fragte sich, wer all das in die Wege geleitet hatte. Wenn es nach ihr gegangen wäre, hätten sie das Gebäude gestürmt, die Arschlöcher gestellt und sie mit den Füßen zuerst hinausgetragen.

Lena stellte den Fuß auf die Fensterbank und band sich die Schnürsenkel, damit Frank nicht die Tränen in ihren Augen sah. Sie hasste es, dass sie so nah am Wasser gebaut war. Es war ihr peinlich, weinen zu müssen, besonders weil jemand wie Frank es ihr als Schwäche auslegen würde. Dabei waren es Tränen der Wut. Wie konnte jemand so etwas tun? Wie konnten diese Kerle einfach in die Wache hereinspazieren – Lenas letzte Zufluchtsstätte – und so etwas tun? Jeffrey war Lenas Fixstern gewesen während all der beschissenen Jahre, die sie durchgemacht hatte. Wie konnte es passieren, dass er ihr plötzlich genommen wurde, gerade jetzt, wo sie versuchte, ihr Leben in den Griff zu bekommen?

Frank knurrte: »Das verdammte Fernsehen ist auch schon da.«

»Was?«, fragte sie und unterdrückte das Schniefen.

»Das Fernsehen«, sagte er. »Sie wollen Helikopter herschicken, um alles live zu übertragen.«

»Das Revier liegt in der Flugverbotszone«, sagte Lena und putzte sich mit dem Jackenärmel die Nase. Als unter Reagan Fort Grant geschlossen wurde, hatten Tausende Menschen ihren Arbeitsplatz verloren. Madison als Ortschaft hatte praktisch aufgehört zu existieren. Doch die militärische Flugverbotszone war noch in Kraft, was jetzt die Sender wenigstens davon abhalten würde, ihre Helikopter über den Häusern schweben zu lassen.

Frank entgegnete: »Aber das Krankenhaus liegt nicht in der Zone.«

»Mistkerle«, fluchte sie. Lena verstand nicht, wie jemand diesen Beruf ausüben konnte. Für sie waren es widerliche Aasgeier, und die Leute, die sich die Liveübertragungen vom Sofa aus ansahen, waren nicht besser.

Frank sprach jetzt leiser. »Wir müssen die Sache unter Kontrolle behalten.«

»Was meinst du damit?«

»Jetzt, wo Jeffrey weg ist …« Frank starrte hinaus auf die Straße. »Unsere Leute dürfen die Verantwortung nicht abgeben.«

»Damit sprichst du von dir, nehme ich an?«, fragte Lena, doch in seinem Blick las sie, dass er es anders meinte. »Was ist eigentlich mit dir los? Bist du krank?«

Er zuckte die Achseln und wischte sich mit einem schmutzigen Taschentuch über den Mund. »Matt und ich, wir haben gestern Abend was Falsches gegessen.« Lena war irritiert, als sie die Tränen in seinen Augen sah. Sie konnte sich nicht vorstellen, wie es für ihn gewesen sein musste, seinen Freund sterben zu sehen. Als Matt hier angefangen hatte, war Frank sein

Betreuer gewesen. Fast zwanzig Jahre waren inzwischen vergangen, und sie hatten so gut wie jeden Tag zusammengearbeitet.

Frank sagte: »Wir kennen Nick. Wir wissen, was für ein Mann er ist. Er braucht jede Unterstützung, die wir ihm geben können.«

»Habt ihr das in Burgess' Büro besprochen?«, fragte Lena. »Vor fünf Minuten warst du noch nicht so scharf drauf, ihm zu helfen.«

»Wir sind unterschiedlicher Meinung, wie wir vorgehen sollen. Ich bin dagegen, dass irgend so ein Bürokrat hier aufläuft und alles versaut.«

»Wir sind hier nicht in einem Western«, widersprach Lena. »Wenn der Verhandlungsführer weiß, was er tut, sollten wir uns an seine Anweisungen halten.«

»Es ist kein Mann«, sagte Frank. »Es ist eine Frau.«

Lena warf ihm einen gereizten Blick zu. Frank hatte nie einen Zweifel daran gelassen, was er von Frauen in Uniform hielt. Es machte ihn wahrscheinlich wahnsinnig, dass Atlanta eine Frau schickte, um das Kommando zu übernehmen.

Frank versuchte abzuwiegeln: »Es geht nicht darum, dass es eine Frau ist.«

Lena schüttelte nur den Kopf, es nervte sie, dass er sich jetzt mit solchen Kinkerlitzchen aufhielt. »Man landet nicht beim GBI, indem man Plätzchen backt.«

»Nick war mit dem Mädel auf der Polizeischule. Er kennt sie.«

»Und, was hat er dir erzählt?«

»Er will nicht darüber reden«, sagte Frank. »Aber jeder weiß, was passiert ist.«

»Ich nicht«, schnaubte Lena.

»Das Team hatte sich vor einem Restaurant in Whitfield verschanzt. Drinnen saßen haufenweise Angestellte in ihrer Mittagspause, und zwei bewaffnete Schwachköpfe wollten abkassieren.« Er schüttelte den Kopf. »Sie hat gezögert. Innerhalb von einer Minute ist alles schiefgegangen. Sechs Menschen sind gestorben.« Er warf Lena einen wissenden Blick zu. »Unsere Leute sind da drinnen und beten, dass sie jemand rausholt«, er schüttelte den Zeigefinger in Richtung Revier, »und sie hat nicht das Zeug dazu.«

Lena blickte zur anderen Straßenseite. Im Mannschaftsraum waren nur noch sechs Menschen übrig.

Dann sah sie Frank in die Augen. »Wir müssen rauskriegen, was da drinnen vor sich geht.« Es gab Eltern, Ehefrauen, Verlobte, die im Ungewissen waren, verzweifelt auf die Nachricht warteten, ob ihre Angehörigen zu den Toten oder zu den Überlebenden gehörten. Lena wusste, wie es sich anfühlte, jemanden zu verlieren, aber wenigstens hatte sie schnell erfahren, dass Sibyl tot war. Sie musste nicht warten wie diese Familien jetzt. Jeffrey hatte ihr die Nachricht überbracht, und Lena war direkt ins Leichenschauhaus gefahren. Das war alles.

Frank fragte: »Was?«

Lenas Gedanken schweiften ab, sie dachte an Jeffrey, der ihr immer wieder eine Chance gegeben hatte. So auch heute. Egal welchen Blödsinn Lena anstellte, er hatte nie aufgehört, an sie zu glauben. Nie wieder würde jemand so über sie denken.

Frank wiederholte: »Was ist?«

»Ich habe nur nachgedacht ...«, sagte sie, dann lenkte sie der Anblick eines Hubschraubers über dem College ab. Gemeinsam beobachteten Lena und Frank, wie der große schwarze Vogel in der Luft schwebte, bevor er auf dem Dach der Klinik landete. Das Grant County Medical Center war ein altes zweigeschossiges Backsteingemäuer, und fast rechnete Lena damit, dass es in sich zusammenfiel. Aber es schien zu halten, denn ein paar Sekunden später klingelte Nick Sheltons Telefon. Er klappte es auf, hörte zu, klappte es wieder zu.

»Die Kavallerie ist da«, verkündete er, doch ihm war keine Erleichterung anzuhören. Er bedeutete Lena und Frank, ihm zu folgen, und so machten sie sich zu dritt auf den Weg zum Medical Center. Auf der Straße herrschte eine Hitze wie in der Sauna.

Lena fragte Nick: »Können wir irgendwas tun?«

Er schüttelte den Kopf. »Das ist jetzt nicht mehr unsere Show. Wir haben nichts mehr zu sagen.«

Lena versuchte, Franks Geschichte zu überprüfen. »Du warst mit der Frau in der Ausbildung?«

Seine Antwort war kurz. »Nicht lange.«

»Ist sie gut?«, hakte Lena nach.

»Sie ist eine Maschine«, sagte Nick, aber es klang nicht wie ein Kompliment.

Nick ging voraus, als sie schweigend die Läden auf der Main Street passierten. In weniger als fünf Minuten erreichten sie die Klinik, doch bei der Hitze und Anspannung kam es ihnen vor wie eine Ewigkeit. Lena wusste nicht genau, was sie erwartet hatte, doch die elegant gekleidete Frau, die jetzt aus dem Hintereingang der Klinik kam und zielstrebig auf sie zumarschierte, überraschte sie. Hinter ihr gingen drei stämmige Männer des Georgia Bureau of Investigation im obligatorischen blauen Hemd zur Kakihose. Sie trugen riesige Glocks im Holster und bewegten sich wie Gorillas. Ihre Anführerin war etwa eins sechzig und zierlich, doch sie schritt mit dem gleichen herrischen Gang auf Nick zu.

»Schön, dass du kommen konntest.« In Nicks Stimme lag ein Anflug von Resignation. Zu Frank und Lena sagte er: »Das ist Dr. Amanda Wagner. Sie ist die leitende Verhandlungsführerin des GBI. Sie macht den Job länger als sonst irgendwer in Georgia.«

Wagner beachtete die beiden anderen kaum, als sie Nicks Hand schüttelte. Offenbar hielt sie es nicht für nötig, die drei Männer vorzustellen, die sie begleiteten, und denen schien es nichts auszumachen. Aus der Nähe wirkte sie älter, als Lena zuerst geschätzt hatte, wahrscheinlich war sie Mitte fünfzig.

Sie hatte die Nägel farblos lackiert und war sparsam geschminkt. Der schlichte Diamantring an ihrem Finger war der einzige Schmuck, den sie trug, dafür hatte sie einen Haarschnitt von der Sorte, die man ewig föhnen musste. Und doch hatte ihr Auftreten etwas Beruhigendes. Lena dachte, was immer zwischen Nick und der Verhandlungsführerin vorgefallen war, es musste etwas Persönliches gewesen sein. Egal was Frank sagte, Amanda Wagner machte alles andere als einen zimperlichen Eindruck. Im Gegenteil, sie schien durch und durch kämpferisch.

Wagner fragte Nick mit einem kultivierten Südstaatenakzent: »Wir haben zwei erwachsene männliche Schützen, schwer bewaffnet, mit sechs Geiseln, drei davon Kinder, korrekt?«

»Korrekt«, sagte Nick. »Telefonanlage und technische Geräte unter Kontrolle. Wir hören die Mobiltelefone ab, aber sie versuchen nichts dergleichen.«

»Hier lang?«, fragte sie. Nick nickte, und sie machten sich auf den Weg zurück zur Reinigung. »Hat man den Wagen gefunden?«

»Wir sind noch dran.«

»Ein- und Ausgänge?«

»Gesichert.«

»Scharfschützen?«

»Standardformation von sechs Punkten.«

»Minicams?«

»Wir brauchen eure.«

Sie sah sich um, und schon hatte einer ihrer Männer das Handy herausgezogen. Sie fuhr fort. »Was ist mit den Gefängnisinsassen?«

»Wurden nach Macon evakuiert.«

Über ihnen hob der Helikopter ab, der sie hergebracht hatte. Wagner wartete, bis das Brüllen der Rotoren verklang, dann fragte sie: »Habt ihr Kontakt aufgenommen?«

»Ich habe einen meiner Männer ans Telefon gesetzt. Aber sie sind noch nicht rangegangen.«

»Ist er für Verhandlungen ausgebildet?«, fragte Wagner, obwohl sie die Antwort erriet. Als Nick den Kopf schüttelte, sagte sie trocken: »Hoffen wir, dass sie nicht rangehen, Nicky. Meistens wollen sie während der gesamten Belagerung ein und denselben Verhandlungspartner. Ich dachte, das hättest du gelernt.« Sie wartete, doch als Nick schwieg, schlug sie vor: »Vielleicht könntest du ihn aufhalten und mir die Nummer besorgen?«

Nick nahm sein Funkgerät vom Gürtel. Er ging voraus und gab den Befehl weiter. Als er die Nummer der Wache laut wiederholte, tippte einer der Männer aus Wagners Team die Zahlen in ein Handy und hielt es sich ans Ohr.

»Wer ist drin?«, fragte sie, als sie sich wieder in Bewegung setzten. »Gib mir noch einmal die Fakten.«

Wie ein braver Schüler zählte Nick die Geiseln an den Fingern ab. »Marla Simms, die Sekretärin der Dienststelle. Eine alte Dame. Sie wird uns nicht viel helfen. Brad Stephens, Streifenpolizist. Er ist seit sechs Jahren bei der Truppe.«

Wagner fragte Frank: »Können wir uns auf ihn verlassen?«

Die direkte Frage überraschte Frank. »Absolut zuverlässiger Cop«, antwortete er.

Doch Lena hatte das Gefühl, das reichte nicht. »Unter Stress wird er schnell nervös.«

Alle drehten sich zu ihr um. Frank schien sich zu ärgern, aber Lena bereute nicht, dass sie die Verhandlungsführerin gewarnt hatte. »Ich war letztes Jahr mit ihm auf Streife. Unter Druck lässt er einfach nach.«

Wagner bedachte sie mit einem anerkennenden Blick. »Seit wann sind Sie Detective?«

Lena hatte einen Kloß im Hals. Mit dieser einen Frage löste sich ihre ganze Entschlossenheit in Luft auf. »Aus persönlichen Gründen habe ich eine Zeit lang ausgesetzt …«

»Schön für Sie«, unterbrach sie Wagner und wandte sich wieder an Nick. »Wer noch?«

Nick ging zügig weiter, und die anderen folgten. »Sara Linton, örtliche Kinderärztin und Gerichtsmedizinerin.«

Wagner verzog den Mund zu einem Lächeln. »Das ist mal was Neues.«

»Sie war mit unserem Polizeichef verheiratet«, sagte Nick. »Jeffrey Tolliver.«

»Ich will nur die Namen der Lebenden.«

An der Tür der Reinigung blieb er stehen. Hemming und ihr Kollege von der Streife standen immer noch draußen. »Dann sind noch drei Kinder drin, ungefähr zehn Jahre alt und vollkommen durch den Wind.«

»Die Kinderärztin wird sich wohl um sie kümmern. Wie viele Kinder wurden getötet?«

»Keins«, antwortete Nick. »Eins ist im Krankenhaus, verliert vielleicht seinen Fuß. Die Schule ist gerade dabei, die Eltern zu informieren. Viele hier arbeiten in Macon und pendeln, aber zumindest sind alle Kinder identifiziert.« Er dachte nach. »Außerdem ist noch ein Polizist drin. Barry Fordham. Er wurde ziemlich schwer getroffen, soweit Frank sehen konnte.«

»Wir müssen davon ausgehen, dass er tot ist«, sagte Wagner nüchtern und betrat die Reinigung. Drinnen teilte sich die Menge der Officers und Special Agents, um sie durchzulassen. Wagner sah sich im Raum um. Sie taxierte jeden Einzelnen der vier GBI-Agenten, die Nick dabeihatte, bis zu Molly Stoddard, Saras Krankenschwester. Schließlich sah sie Lena an und sagte: »Sind Sie so lieb und besorgen mir einen Kaffee? Schwarz, zwei Löffel Zucker.«

Wut stieg in Lena auf, doch sie ging gehorsam zur Kaffeemaschine. Sie ignorierte Pat, der ihren Blick aufzufangen versuchte.

In der Zwischenzeit setzte sich Wagner auf die Kante des Klapptischs und richtete das Wort an die Gruppe. »Fangen wir an mit dem Tatverlauf. Wir haben – wie viele – fünf Tote da drin?«

Lena schluckte ihren Stolz hinunter: »Es fehlt noch jemand von der Streife«, sagte sie, während sie zwei Päckchen Zucker in einen Pappbecher rieseln ließ.

»Also sechs Tote«, sagte Wagner. »Die ganze Stadt weiß Bescheid. Es gibt nur einen Grund, warum er sich nicht bei uns meldet.«

»Marilyn«, berichtigte Nick. »Die vermisste Person ist eine Frau.«

»Das waren dann also die zwei Schüsse, die später gefallen sind. Sie schalten diejenigen aus, die Probleme machen könnten. Eine Uniform ist für die wie eine Zielscheibe. Ihr nervöser Kollege«, sie stellte sich neben Lena und schenkte sich den Kaffee selbst ein, »wirkt vielleicht nicht bedrohlich genug. Das hat Ihrem Brad das Leben gerettet. Fürs Erste.«

Wagner sah auf die Uhr. Dann fragte sie: »Haben wir einen Plan von der Belüftungsanlage des Gebäudes?«

Frank antwortete: »Alle Gebäudepläne sind beim Katasteramt. Wir haben schon zwei Leute hingeschickt.«

»Da kümmern wir uns drum«, sagte Wagner zu einem ihrer Männer. »James, sei so nett und begleite Nicky, um die Suche ein wenig voranzubringen.« Bevor die beiden draußen waren, sagte sie noch: »Und wenn ihr schon dort seid, dann lasst auch gleich das Wasser abstellen.«

Frank fragte: »Was ist der nächste Schritt?«

Wagner trank einen Schluck Kaffee, dann antwortete sie: »Die Geiselnehmer sichern das Gelände. Sperren die Geiseln in einen Raum, damit sie leichter zu bewachen sind. Schritt drei, sie sorgen dafür, dass keiner reinkommt. Sie verbarrikadieren die Tür, und da der Anführer offensichtlich schlau genug war, einen Freund mitzubringen, bleibt einer am Vordereingang auf dem Posten, damit es keine Überraschungen gibt.« Sie trank noch einen Schluck Kaffee und schien im Kopf die

Möglichkeiten durchzugehen. »Für all das hatten sie mehr als genug Zeit, was bedeutet, dass sie bald zu Schritt vier übergehen, nämlich Forderungen zu stellen. Hier fangen die Verhandlungen an. Zuerst wollen sie, dass Wasser und Strom wieder angestellt werden, dann wollen sie Lebensmittel. Wir dagegen wollen in das Gebäude rein.« Sie sah, wie Lena den Mund aufmachte, doch Wagner hob die Hand und sagte: »Dazu kommen wir, wenn es so weit ist.«

Frank sagte: »Wir haben Eltern, die mit ihren Kindern reden wollen.«

»Wird nicht passieren«, erklärte Wagner. »Unser Ziel ist es, so wenig Emotionen wie möglich ins Spiel zu bringen. Wir werden hier keine heulenden Eltern haben, die um das Leben ihrer Kinder flehen. Unsere Schützen kennen den Wert der Geiseln, ohne dass wir sie extra darauf hinweisen müssen.«

»Was dann?«, fragte Lena. »Wie geht es weiter?«

»Erst bekommen sie Hunger oder wollen sich selbst im Fernsehen sehen. Irgendwann kommt dann der Punkt, an dem sie alles haben, was wir ihnen geben können, und sie rauswollen. Bis dahin müssen wir wissen, was sie außer Geld wollen. Geld wollen sie immer – in kleinen, nicht gekennzeichneten Scheinen.« Sie machte eine Pause. »Wir müssen den Wagen finden. Sie haben sich wohl keine Flügel wachsen lassen, um hierherzufliegen, und für die Flucht haben sie das bestimmt auch nicht vor.«

Lena sagte: »Hinter dem College ist ein See.«

»Privat?«

»Halb, halb«, sagte sie. »Es ist nicht ganz leicht, ungesehen ein Boot ins Wasser zu lassen, aber auch nicht unmöglich, wenn man es drauf anlegt.«

Wagner wandte sich an einen von Nicks Leuten. »Machen Sie das, bitte? Nehmen Sie ein paar Männer, und suchen Sie das Ufer ab. In einem Umkreis, der zu Fuß zu erreichen ist. Die beiden planen im Anschluss ja wohl keine Wanderung.«

Frank fragte sie: »Ich schätze, alle Berichte über gestohlene Boote in der letzten Woche befinden sich auf dem Revier?«

»Ja.«

»Haben Sie die Notrufe umgeleitet?«

»Ja«, sagte Frank wieder. »Zur Feuerwehr die Straße runter.«

»Könnten Sie bitte rausfinden, ob jemand heute Morgen ein gestohlenes Boot gemeldet hat?«

Frank nahm eins der Telefone von der Kundentheke und wählte.

Wagner wandte sich an die zwei Männer ihres Teams, die noch da waren. »Als Erstes tauschen wir die Kinder gegen Lebensmittel und Wasser ein.« Sie fragte Lena: »Gibt es da drin einen Wasserspender?«

»Nur hinten bei den Zellen.«

»Wie viele Toiletten?«

Lena verstand den Sinn der Frage nicht, doch sie antwortete: »Eine.«

Als sie Lenas Verwirrung sah, erklärte Wagner: »Trinkwasser. Im Tank sind knapp sechs Liter. Das werden sie erst mal unter sich aufteilen.«

Frank legte den Hörer auf. »Keine vermissten Boote«, sagte er. »Ich habe einen Funkspruch rausgeschickt, ob sich irgendjemand an einen entsprechenden Bericht erinnert.«

»Gut gemacht«, sagte Wagner. Dann zu ihrem Team: »Nach den Kindern versuchen wir die alte Frau oder den Streifenpolizisten rauszuholen. Sie werden keinen großen Wert auf die beiden legen; der Polizist ist nicht ganz koscher, und die alte Frau ist Ballast. Ich schätze, die Kinderärztin wollen sie behalten.« Sie fragte Frank und Lena: »Ist sie hübsch?«

Lena zögerte. »Na ja, sie ist nicht gerade …«, doch Frank unterbrach sie: »Ja.«

»Wahrscheinlich ist sie selbstbewusst«, fuhr Wagner fort. »Mit falscher Bescheidenheit kommen Frauen nicht durchs

Medizinstudium.« Sie runzelte die Stirn. »Das wird ihnen nicht gefallen.«

Molly sagte: »Ich bin Krankenschwester in der Klinik. Sara ist der vernünftigste Mensch, den ich kenne. Sie würde nichts tun, was die anderen in Gefahr bringt, vor allem wenn Kinder im Spiel sind.«

Wagner betrachtete ihr Team. »Was meint ihr, Jungs?«

Derjenige, der vorher telefoniert hatte, sagte: »Sie werden garantiert ein Problem mit ihr haben.«

Der andere ergänzte: »Irgendwo müssen sie das Adrenalin loswerden.« Er nickte. »Ich wette, dass sie die Frau behalten.«

»Dem stimme ich zu«, sagte Wagner, und Lena lief es eiskalt über den Rücken.

Molly begann: »Glauben Sie, dass sie …«

Wagners Antwort war messerscharf. »Die haben vier Polizisten getötet und auf Kinder geschossen, von denen sie eins schwer verletzt haben. Glauben Sie, die machen vor sexueller Nötigung halt?« Sie wandte sich wieder an Frank. »Sie waren dort drin, Detective. Was wollten sie? Was werden sie noch wollen?«

Er zuckte die Achseln, und Lena spürte seine Wut und seine Ratlosigkeit. »Ich weiß es nicht.«

Wagner ließ nicht locker. »Was haben die als Allererstes getan?«

»Sie haben Matt erschossen. Sie haben das ganze Revier zusammengeschossen.«

»Hatten Sie das Gefühl, dass es ihnen vor allem darum ging, Detective Hogan zu erschießen?«

Obwohl Lena mitbekommen hatte, wie Nick am Telefon die Details durchgab, war sie jetzt überrascht, dass die Frau Matts Namen kannte.

Wagner hakte nach. »Detective Wallace?«

Wieder zuckte Frank die Achseln. »Ich weiß es nicht.«

»Sie wissen mehr als wir, Detective. Sie waren dort drinnen. Was haben die beiden gesagt?«

»Ich weiß es nicht. Sie haben herumgeschrien. Also, einer von ihnen hat geschrien. Er hat angefangen, Marla zu schlagen. Ich bin nach hinten, um Nick anzurufen.«

Lena biss sich auf die Zunge. Sie hatte Marla nie gemocht, aber sie war schockiert, dass die Typen sich an einer alten Frau vergriffen. Lena hätte nicht überrascht sein dürfen, und doch, das mit Marla entfachte ihre Wut noch mehr.

»Halt mal«, sagte Frank plötzlich. Er sah aus, als wäre ihm gerade ein Licht aufgegangen. »Der Kerl hat nach dem Chief gefragt. Der, der sich Smith genannt hat. Er hat Marla gesagt, er will den Chief sehen. Das hat sie mir gesagt, und ich bin zu Jeffrey, und dann …« Er hatte hektisch gesprochen, verstummte aber, als er zu Jeffreys Namen kam.

Irgendwie schaffte es Wagner, dem, was Frank sagte, einen Sinn zu entnehmen. »Die Männer haben nach Chief Tolliver gefragt, aber dann haben sie Detective Hogan erschossen?«

»Ich …« Frank zuckte die Achseln. »Ich glaube schon.«

Sie sah sich im Zimmer um und entdeckte neben Lena Pat Morris. »Sind Sie Morris?«

Er nickte, offensichtlich war ihm nicht wohl dabei, dass sie ihn herauspickte. »Ja, Ma'am.«

Sie lächelte entwaffnend, als wären sie alte Freunde. »Waren Sie von Anfang an dabei?«

»Ja, Ma'am.«

»Und was haben Sie gesehen?«

»Das Gleiche wie Frank.«

Ihr Lächeln wurde dünner. »Und das wäre?«

»Ich hab an meinem Schreibtisch gesessen und einen Bericht getippt«, fing Morris an. »Der Chief kam herein, und ich hab ihn gefragt, wie man auf die Seite D-15 kommt. Ich kenne mich mit Computern nicht so gut aus.«

»Schon in Ordnung«, beruhigte ihn Wagner. »Und dann?«

Lena sah, wie Morris schluckte. »Und dann kam Matt vorne herein. Marla hat was zu ihm gesagt. ›Da sind Sie ja‹ oder so ähnlich. Und dann hat Dr. Linton angefangen zu schreien.«

»Sie hat einfach geschrien?«

»Nein, Ma'am. Sie hat ›Jeffrey‹ geschrien, so als wollte sie ihn warnen.«

Wagner holte tief Luft, dann atmete sie wieder aus. Sie presste die Lippen zusammen, und Lena bemerkte, dass ihr Lippenstift verwischt war. »Also könnte es sein, dass da eine Verwechslung vorliegt.«

Frank fragte: »Was meinen Sie damit?«

»Der Schütze hat Detective Hogan für euren Chief gehalten.« Wagner sah sich um. »Ich weiß, das ist eine alberne Frage, aber gibt es vielleicht irgendeinen Täter, den euer Chief überführt hat, der zu so etwas fähig wäre?«

Lena ging im Kopf die Fälle durch und fragte sich, warum sie nicht selber darauf gekommen war. Es gab einen Haufen Leute, die Jeffrey hassten und ihn am liebsten umgebracht hätten. Aber keiner von ihnen hatte das Zeug dazu, es auch zu tun. Außerdem waren es nicht die mit der großen Klappe, die zur Tat schritten. Es waren die Stillen, die ewig vor sich hin brüteten, bis ihre aufgestaute Wut irgendwann explodierte und sie mit einer Kanone aufkreuzten.

»Einen Versuch war es wert.« Wagner wandte sich wieder an alle. »So oder so haben unsere beiden Schützen ihre Mission ausgeführt. Sie wollten Tolliver umbringen, und ihrer Meinung nach wurde das in den ersten beiden Minuten erledigt. Allerdings wurde ihre Flucht anschließend von unserem hilfreichen Reinigungsbesitzer verhindert, als er mit der Flinte auf die Straße rannte. Ich schätze, ihr Hauptziel besteht im Moment darin, lebend aus dem Gebäude herauszukommen.«

»Amanda?«, meldete sich Nick, der mit einem zusammengerollten Papier unter dem Arm hereinkam. »Hier ist der Belüftungsplan.«

»Gut«, sagte sie und rollte den Grundriss auf dem Tisch aus. Sie studierte das Belüftungssystem und zeigte dann auf einen Schacht, der an einem Teil der hinteren Wand entlanglief. »Das scheint der beste Platz zu sein«, entschied sie. »Durch die Zwischendecke im Sitzungszimmer können wir eine Minicam in den Tunnel schleusen, um uns das Ganze von oben anzusehen.«

Frank schlug vor: »Warum gehen wir nicht einfach durch die Zwischendecke rein?«

»Die Platten brechen zu leicht ein. Außerdem wollen wir nicht, dass Staub herabfällt und sie gewarnt werden …«

»Aber«, unterbrach er aufgeregt, »die Zwischendecke geht über das ganze Gebäude. Wir könnten einfach hinten einsteigen und uns dann fallen lassen …«

»Und dann gibt es da drin noch ein Blutbad«, schnitt Wagner ihm das Wort ab. »Wir sind noch lange nicht am Ende unserer Möglichkeiten, Detective Wallace. Im Moment wollen wir vor allem sehen und hören, was dort drin vor sich geht. Wenn wir die Lage unter Kontrolle bringen wollen, ist der erste Schritt herauszufinden, was sie vorhaben.«

Wagner winkte ihr Team heran, und über die Karte gebeugt berieten sie, wie sie am besten ins Gebäude kamen. Lena sah ein paar Minuten zu und versuchte dem Jargon zu folgen, als sie die nötigen Geräte aufzählten. Sie bemerkte, dass Nick etwas abseits stand, sein Gesicht war wie versteinert. Lena hatte keine Ahnung, wie sein Abschied von dieser Truppe gelaufen war. Es musste mehr an der Geiselnahme von Whitfield dran gewesen sein, als Frank wusste. Aber weiß Gott, was sich die Leute zusammenreimten, weswegen Lena damals aus der Polizeiarbeit ausgestiegen war.

Pat Morris trat zu ihr an den Tisch mit der Kaffeemaschine. »Verstehst du irgendwas von dem, was die da reden?«, flüsterte er.

Sie schüttelte den Kopf.

»Immerhin scheinen sie zu wissen, was sie tun«, sagte er dann. Lena sagte nichts, doch sie war der gleichen Meinung.

»Es war so unheimlich«, sagte Morris immer noch flüsternd. »Die Kerle da drin können nicht viel älter sein als mein kleiner Bruder, und der geht noch zur Highschool.«

Lena sah ihn an, irgendwo in ihrem Kopf begann es zu rattern. »Ist das dein Ernst?«, fragte sie. »Wie jung? Wie jung sahen sie aus?«

Er zuckte die Achseln. »Bestimmt sind sie älter, aber sie sehen aus wie Achtzehnjährige.«

»Warum meinst du, dass sie älter sind?«, fragte Lena. Sie merkte, dass Wagner und ihr Team aufhorchten, doch es war ihr egal. »Sind sie schmal gebaut? Irgendwie feminine Typen?«

Morris trat von einem Fuß auf den anderen. Ihr Nachhaken war ihm unangenehm. »Ich weiß auch nicht, Lena. Es ist alles so schnell gegangen.«

Jetzt mischte sich Wagner ein. »Woran denken Sie, Detective Adams?«

»An den letzten Fall, an dem ich gearbeitet habe, bevor ich meine Auszeit genommen habe«, sagte Lena, der Kloß in ihrem Hals schnürte ihr die Kehle zu.

Nick schlug mit der Faust auf den Tisch und knurrte: »Gottverdammt.« Er hatte an dem Fall mitgearbeitet und das Drama mit eigenen Augen gesehen.

»O nein«, sagte Molly. »Du glaubst doch nicht etwa ...«

Wagner war mit ihrer Geduld am Ende. »Macht es nicht so spannend, Leute.«

»Jennings«, sagte Lena endlich, und mit dem Namen hatte sie einen galligen Geschmack im Mund. »Ein Pädophiler, der gerne junge Männer die Drecksarbeit erledigen lässt.«

ACHT

Montag

Jeffrey half den Sanitätern, Robert die Stufen herunterzuschleppen. Aus unerfindlichen Gründen hatte sich Robert geweigert, sich auf die Trage zu legen, und jedes Mal wenn Jeffrey versuchte, mit ihm zu reden, schüttelte er nur den Kopf.

Jeffrey sagte: »Ich komme ins Krankenhaus, sobald Hoss hier ist.«

Robert schüttelte zum hundertsten Mal den Kopf. »Nein, Mann. Mir geht's gut. Kümmer dich lieber drum, dass Jessie sicher zu ihrer Mutter kommt.«

Jeffrey klopfte ihm auf die Schulter. »Wir reden morgen, wenn dir das lieber ist.«

»Mir geht's gut«, beharrte Robert. Und selbst als sie ihn in den Krankenwagen hievten, bat er nur: »Kümmer dich um Jess.«

Jeffrey schlenderte zum Haus zurück, doch er ging nicht hinein. Er setzte sich auf die Stufen und wartete auf Hoss. Clayton »Hoss« Hollister war der Sheriff von Sylacauga – seit Jeffrey denken konnte. Als Jeffrey den Schusswechsel meldete, hatte man ihm gesagt, dass der Alte übers Wochenende angeln war. Jetzt war Hoss auf dem Rückweg von Lake Martin, etwa eine halbe Autostunde von Sylacauga entfernt. Am Telefon hatte Jeffrey vorgeschlagen, schon mal mit der Untersuchung des Tatorts anzufangen, doch sein alter

Mentor hatte abgewehrt. »Lebendig wird er davon auch nicht mehr.«

Zwei Hilfssheriffs standen auf der Straße und befragten Roberts Nachbarn. Sie wussten, dass sie drinnen nichts zu suchen hatten, bis ihr Boss auftauchte. Hoss führte ein eisernes Regiment im Revier. Jeffrey vertrat bei seiner Truppe wahrlich einen anderen Führungsstil. Aber er wusste, dass der Alte in diesem Fall besonders sorgfältig vorgehen würde. Robert und Jeffrey hätten wahrscheinlich beide eine kriminelle Laufbahn eingeschlagen, wenn Hoss nicht gewesen wäre. Er hatte sie immer im Auge behalten, seit sie Teenager waren, hatte jeden ihrer Schritte überwacht. Auch seine Hilfssheriffs wussten von seinem speziellen Ehrgeiz, die Jungs betreffend, und wenn er nicht da war, übernahmen sie die Aufpasserpflichten.

Damals hatte Jeffrey es gehasst. Er hatte schon einen Vater, selbst wenn Jimmy Tolliver mehr Zeit im Knast verbrachte als zu Hause. Erst jetzt, wo Jeffrey selbst Polizist war, verstand er, welchen Dienst Hoss ihm erwiesen hatte. Hoss war der Grund, warum Jeffrey und Robert zur Polizei gegangen waren. Auf seine Art war Hoss ihnen ein leuchtendes Beispiel gewesen. Doch was Robert jetzt trieb, war Jeffrey ein Rätsel.

Während Jeffrey von der Verandatreppe aus die Hilfssheriffs beobachtete, ließ er sich Roberts Geschichte wieder und wieder durch den Kopf gehen und versuchte, auch das, was Jessie gesagt hatte, in irgendeinen sinnvollen Zusammenhang zu bringen. Irgendetwas stimmte nicht, aber das konnte Jeffrey nicht überraschen – schließlich war er hier in Sytacauga. Er hasste dieses Kuhdorf, hasste das Gefühl, dass ihm jede Sekunde, die er hier verbrachte, das Leben aussaugte. Es war eine saudumme Idee gewesen herzukommen, und noch dümmer war es gewesen, Sara mitzuschleppen. Nichts hatte sich in den letzten sechs Jahren geändert. Possum und Bobby verbrachten immer noch jeden Sonntag zusammen und schwelgten am Pool in Erinnerungen an alte Tage, während Nell ihre verbitterten Kommentare beisteuerte und Jessie sich volllaufen ließ. Sara mitzubringen, hatte alles nur noch schlimmer gemacht.

Trotz seines albernen Geständnisses letzte Nacht war Jeffrey nicht klar, was genau er für Sara empfand. Irgendwie hatte sie es geschafft, ihn zu verunsichern. Sein ursprünglicher Plan war, mit ihr nach Florida zu fahren und sie so lange zu vögeln, bis er endlich genug von ihr hatte. Normalerweise ließen sich die Frauen nur zu gern von ihm flachlegen, und damit hatte er meistens nicht nur nach kurzer Zeit die Nase voll von ihnen, sondern auch ein gutes Argument, zur Nächsten überzugehen. Doch Sara war anders. Objektiv gesehen war sie genau die Art Frau, mit der er sich vorstellen konnte, eine Familie zu gründen: die perfekte Mischung aus Sexappeal und Selbstbewusstsein, die ihm nie langweilig wurde. Doch er musste mit seinen Wünschen vorsichtig sein, denn unter der Oberfläche verbarg sich eine harte Nuss, die es zu knacken galt. Sie hatte ihren eigenen Kopf, und den ließ sie sich nicht so leicht nehmen. Um alles noch schlimmer zu machen, hielt Saras Mutter ihn für den Leibhaftigen selbst, und ihre Schwester hatte ihn mit einem einzigen Blick als den Frauenheld geoutet, der er sein Leben lang gewesen war. Als sie ihm gestern die Tür aufmachte, hatte sie ihm ins Gesicht gelacht, ihn mit einem wissenden Lächeln von Kopf bis Fuß gemustert und verkündet, sein Ruf sei ihm bereits vorausgeeilt.

Instinktiv wollte Jeffrey ihnen allen das Gegenteil beweisen. Und vielleicht war genau das das Problem – und der eigentliche Grund für die Anziehung, die Sara auf ihn ausübte. Jeffrey wollte ihre Anerkennung. Er wollte, dass die Leute ihn für einen von den Guten hielten, für einen netten Kerl aus einer reizenden, gottesfürchtigen Familie, die auf der richtigen Seite des Gesetzes stand. Und jetzt war er auf verlorenem Posten. Sara sah ihn mit dem gleichen Blick an, mit dem ihn die Bürger von Sylacauga sahen. Als wäre er nicht besser als sein Vater.

»Hallo«, sagte Sara und setzte sich neben ihn auf die Treppe.

Er zuckte zusammen. »Wie geht es Jessie?«

»Sie ist auf dem Sofa eingeschlafen«, sagte sie und schlang die Arme um ihre Knie. Sie klang distanziert, wie eine Fremde.

»Hat sie was genommen?«

»Ich glaube, nach dem Adrenalinschock fängt jetzt das Zeug zu wirken an, das sie vorher genommen hat.« Sie sah ihn aufmerksam an.

»Was ist?«

»Wir müssen miteinander reden.«

Jeffrey ahnte Schlimmes, doch das, was sie sagte, war noch schlimmer.

»Du hast den Tatort manipuliert.«

»Was?« Er stand auf und stellte sich zwischen Sara und die Leute auf der Straße. Er wusste, er hatte nichts Falsches getan, trotzdem fühlte er sich ertappt. »Wovon zum Teufel redest du?«

»Du hast die Tür offen gelassen.«

»Die Hintertür? Wie hätte ich sonst reinkommen sollen?«

Sara presste das Kinn auf die Brust, wie immer, wenn sie sich beherrschen musste. »Der Schrank. Du hast die Schranktür aufgemacht. Du hast das Hemd zurückgelegt.«

Jetzt erinnerte er sich, und zum ersten Mal in seinem Leben verstand er seine eigene Handlungsweise nicht. »Ich habe nur ...« Er hatte keine Antwort. »Ich weiß nicht, was ich da getan habe. Ich war außer mir. Das hat nichts zu bedeuten.«

Saras Tonfall war ganz sachlich. »Jemand hält seiner Frau eine Pistole an den Kopf, schießt auf ihn, und Robert rennt zum Schrank, packt seine Waffe und schließt die Schranktür wieder?«

Jeffrey versuchte eine logische Erklärung zu finden. »Wahrscheinlich hat er die Tür ganz automatisch wieder zugemacht.« Doch er merkte, dass er sich an einen Strohhalm klammerte. Das Timing stimmte einfach nicht.

Sara stand auf und klopfte sich den Staub von der Pyjamahose. »Ich lasse mich nicht zum Komplizen machen«, sagte sie.

»Komplize?« Jeffrey dachte, er hätte sich verhört.

»Der Tatort wurde manipuliert.«

»Das ist doch lächerlich«, sagte er und lief ins Haus.

Sie kam hinter ihm her, als wolle sie ihn nicht aus den Augen lassen. »Wo gehst du hin?«

»Ich mache die Schranktür wieder zu«, sagte er und ging ins Schlafzimmer. Vor dem Schrank hielt er inne. Die Tür war bereits wieder geschlossen.

Als er Sara ansah, um ihre Erklärung zu hören, sagte sie: »Ich habe sie nicht zugemacht.«

Jeffrey öffnete die Tür wieder und trat einen Schritt zurück. Dann trat er noch einen Schritt zurück. Vor ihren Augen fiel die Schranktür von allein zu. Erleichtert lachte er auf. »Siehst du?« Er wiederholte den Vorgang noch einmal mit dem gleichen Ergebnis. »Wahrscheinlich ist der Boden uneben«, erklärte er und zeigte auf die Dielen. »Wenn man loslässt, schließt sich die Tür.«

Ein Anflug von Zweifel blieb in Saras Blick. »Gut«, sagte sie, doch ganz überzeugt war sie nicht.

»Was noch?«

»War der Waffensafe abgeschlossen?«

Er öffnete die Schranktür wieder und sah den schwarzen Kasten im oberen Fach. »Zahlenschloss«, sagte er. »Vielleicht war er offen. Sie haben keine Kinder.«

Sara sah den Toten auf dem Fußboden an. »Ich möchte bei der Obduktion dabei sein.«

Jeffrey hatte den Toten fast vergessen. Jetzt drehte er sich um und betrachtete die Leiche. Das blonde Haar des Mannes war mit Blut verklebt und verdeckte sein Gesicht. Auf dem nackten Rücken klebten Blut und Gehirnmasse. Die Schnürsenkel seiner Turnschuhe lagen quer über dem Teppich. Jeffrey hatte nie verstanden, wie man darauf kam, ein Toter schlafe nur. Der Tod veränderte etwas in der Luft, er lud sie auf mit Spannung, Grauen. Selbst mit halb geschlossenen Augen und lockerem Kiefer gab es keinen Zweifel daran, dass der Mann tot war.

Jeffrey sagte: »Lass uns rausgehen«, und verließ das Zimmer.

Auf dem Flur hielt Sara ihn auf. »Hast du mich gehört?«, sagte sie. »Ich will bei der Obduktion …«

»Warum führst du sie nicht gleich selbst durch?«, unterbrach er sie. Sein Gefühl sagte ihm, nur so konnte er sie zum Schweigen bringen. »Es gibt hier keinen Gerichtsmediziner. Hier übernimmt der Typ vom Beerdigungsinstitut den Job für hundert Dollar pro Nase.«

»Schön«, sagte sie, doch ihr wachsamer Blick verriet, dass sie immer noch misstrauisch war. Jeffrey wusste, wenn sie irgendetwas Ungewöhnliches entdeckte, von einem Ausschlag bis zu einem eingewachsenen Zehennagel, würde sie versuchen, ihm damit zu beweisen, dass sie recht hatte.

»Wonach suchst du überhaupt?«, wollte er wissen. Dann fiel ihm ein, dass Jessie nebenan war. Leiser fuhr er fort: »Glaubst du, mein bester Freund ist ein Mörder?«

»Er hat zugegeben, dass er den Mann erschossen hat.«

Jeffrey ging zur Tür, er wollte raus, weg von Sara. Doch wieder lief sie hinter ihm her. Sie wusste einfach nicht, wann sie ihn gehen lassen musste.

Sara stemmte die Hände in die Hüften und sprach so, wie sie wahrscheinlich mit ihren kleinen Patienten redete. »Denk darüber nach, was sie gesagt haben, Jeffrey.«

»Ich muss nicht darüber nachdenken«, gab er zurück, doch je mehr Sara sagte, desto mehr kam er ins Grübeln, und die Schlüsse, die er zog, gefielen ihm nicht besonders. Schließlich fragte er: »Warum tust du das?«

»Die zeitliche Abfolge stimmt einfach nicht mit dem überein, was wir auf der Straße gehört haben.«

Jeffrey schloss die Haustür. Er wollte nicht, dass jemand ihre Unterhaltung mit anhörte. Durch das schmale Fenster in der Tür sah er, wie die Hilfssheriffs mit dem Fahrer des Krankenwagens sprachen, der gerade angekommen war.

Sara sagte: »Von dem Schrei bis zum ersten Schuss hat es eine Weile gedauert.«

Er versuchte sich zu erinnern, doch es gelang ihm nicht. Trotzdem sagte er: »So ist es nicht passiert.«

»Der Schuss ist erst nach ein paar Sekunden gefallen.«

»Wie viele Sekunden?«

»Vielleicht fünf.«

»Weißt du, wie lang fünf Sekunden sind?«

»Weißt du es?«

Er sah, wie Hoss' Wagen am Straßenrand hielt. Es war noch derselbe schäbige Streifenwagen wie damals, als Jeffrey ein Teenager war. In der elften Klasse hatten Jeffrey und Robert den Wagen jedes Wochenende waschen müssen, als Strafe dafür, dass sie in der Schule einen armen Neuntklässler mit Paketband an den Wasserspender gefesselt hatten.

»Na gut«, lenkte Jeffrey ein. Er wollte das hier endlich hinter sich bringen. »Fünf Sekunden. Das passt doch zu ihrer Geschichte – sie hat geschrien, Robert hat ihn weggestoßen, er hat geschossen. Das könnte fünf Sekunden dauern.«

Sie starrte ihn an. Er wusste nicht, ob sie ihn für einen Idioten oder einen Lügner hielt. Doch sie überraschte ihn, indem sie sagte: »Ich kann mich nicht erinnern, was sie gesagt haben, ob sie zuerst geschrien hat oder er den Kerl erst weggestoßen hat.« Dann setzte sie nach, wahrscheinlich aus purer Boshaftigkeit: »Wenn du Robert helfen willst, seine Geschichte zurechtzubiegen, solltest du es tun, bevor er eine offizielle Aussage macht.«

Jeffrey beobachtete, wie Hoss mit den Hilfssheriffs redete. Er trug eine Anglerweste und einen alten zerknitterten Hut, an dessen Krempe Köder steckten. Jeffrey spürte, dass Angst in ihm aufstieg.

Er sagte: »Der zweite Schuss ist erst gefallen, als ich schon bei dir war. Das war wie viel später, noch mal zehn Sekunden?«

»Ich weiß nicht. Auf jeden Fall nicht gleich.«

»Vielleicht hat Robert seine Waffe gesucht.«

»Stimmt.« Dass sie ihm recht gab, überraschte ihn wieder.

»Und der nächste Schuss kam wenige Sekunden danach, oder?« Als sie nicht antwortete, sagte er: »Vielleicht zwei oder drei Sekunden später?«

»Ungefähr.«

»Das könnte passen«, beharrte er. »Der Typ schießt auf ihn, Robert geht seine Waffe holen. Es ist dunkel, er findet sie zuerst nicht. Während er sucht, wird er angeschossen, aber dann schafft er es doch noch zurückzuschießen.«

Sie nickte, doch überzeugt wirkte sie nicht. Jeffrey ahnte, dass sie ihm etwas verschwieg, und dabei lief ihnen die Zeit davon.

»He«, sagte er. Am liebsten hätte er sie geschüttelt. »Was verschweigst du mir?«

»Nichts.«

»Ich meine es ernst, Sara. Da ist doch noch was.«

Ohne zu antworten, blickte sie aus dem Fenster.

Hoss stand immer noch am anderen Ende der Auffahrt. Der Krankenwagen gab ein Piepen von sich, als er rückwärts in die Auffahrt fuhr. Mit jedem Piepen schien Jeffreys Frust größer zu werden, und als Sara das Haus verlassen wollte, packte er sie am Arm.

Überrascht rief sie: »Was machst du …«

»Kein Wort zu ihm«, warnte er sie. In diesem Moment hatte er das Gefühl, die Welt drohte in Stücke zu brechen, und er konnte es nicht aufhalten. Wenn Sara nur ein paar Stunden schweigen könnte, würde er der Sache selbst auf den Grund kommen.

Sara versuchte, sich loszureißen, und funkelte ihn entrüstet an. »Lass mich.«

»Versprich es mir.«

»Lass mich«, wiederholte sie und riss sich los.

Jeffrey war so wütend und verzweifelt, dass er mit der Faust gegen die Wand schlug. Sara zuckte zusammen. In ihren Augen flackerte Angst, dann purer Hass.

»Sara«, sagte er. Er hob die Hände und trat einen Schritt zurück. »Ich wollte nicht …«

Ihr Mund wurde zu einer schmalen Linie. Ihre Stimme war tiefer als gewöhnlich, als bemühe sie sich, nicht zu schreien. Er hatte sie noch nie richtig wütend gesehen, und etwas an ihrer Beherrschtheit jagte ihm mehr Furcht ein, als wenn sie ihm eine Kanone an den Kopf gehalten hätte.

»Hör gut zu«, zischte sie zwischen zusammengebissenen Zähnen hervor. »Du kannst mich nicht einschüchtern!«

Er versuchte, sie zu beruhigen. »Ich wollte dich nicht …«

Sie wich zurück. »Und wenn du mich noch ein Mal anfasst, dann bringe ich dich mit bloßen Händen um.«

Jeffrey stockte das Herz. Wenn sie ihn so ansah, fühlte er sich dreckig und gemein, wie der letzte Schläger. Kein Wunder, dass sein Vater sich regelmäßig mit Schnaps die Kante gegeben hatte, wenn er seine Frau geschlagen hatte. Ihr Hass musste sich angefühlt haben, als zerfleischte sie ihn bei lebendigem Leib.

Draußen sah Jeffrey, wie Hoss und seine Hilfssheriffs aufs Haus zukamen. Er schluckte und versuchte ein letztes Mal, vernünftig mit Sara zu reden.

»Alles, was wir haben, sind Fragen«, sagte er. »Ich sorge dafür, dass du die Obduktion durchführst, in Ordnung? Morgen reden wir noch mal mit Bobby und Jess, ja? Gib mir nur ein bisschen Zeit, dass ich rausfinden kann, was zum Teufel hier los ist, bevor du meinen besten Freund auf den gottverdammten elektrischen Stuhl schickst!«

Sie sah ihm nicht in die Augen, doch ihre Wut war wie eine Sirene, die ihm in den Ohren schrillte.

»Sara …«

Hoss klopfte an die Tür, und Jeffrey legte die Hand auf den Türknauf, als könnte er ihn damit aufhalten. Der Alte warf ihm einen stechenden Blick durchs Fenster zu, und Jeffrey kam sich wieder vor wie fünfzehn, als er vor dem Warenhaus mit dem Radio erwischt worden war, das er nicht bezahlt hatte.

Sara griff nach dem Türknauf, und Jeffrey öffnete die Tür.

»Sieh mal einer an.« Hoss streckte die Hand aus, und Jeffrey schüttelte sie. Der alte Mann packte erstaunlich fest zu. Sein Haar war inzwischen schlohweiß, und die Falten hatten sich tiefer in sein Gesicht gegraben, doch ansonsten hatte er sich kein bisschen verändert.

Hoss sagte: »Verdammt schade, dich unter diesen Umständen wiederzusehen, Slick.« Dann sah er Sara an, tippte sich an die Mütze und sagte: »Ma'am.«

Sara machte den Mund auf, doch Jeffrey kam ihr zuvor: »Hoss, das ist Sara Linton. Sara, das ist Sheriff Hollister.«

Hoss schenkte ihr ein Lächeln, was nur alle Jubeljahre vorkam. »Hab gehört, Sie haben Robert versorgt. Danke, dass Sie sich um den Jungen gekümmert haben.«

Sara nickte, und Jeffrey sah ihr an, dass sie nur auf den rechten Moment wartete, das Wort zu ergreifen. Sie war immer noch so wütend, dass sie am ganzen Körper bebte.

Hoss sagte: »Wir können Ihre Aussage morgen aufnehmen. Sie hatten sicher eine anstrengende Nacht.«

Jeffrey hielt die Luft an, er wartete darauf, dass Sara explodierte.

Wieder überraschte sie ihn. »Schön, also morgen.« Ohne ihm in die Augen zu sehen, fragte sie dann: »Glaubst du, es ist Nell recht, wenn ich heute Nacht bei ihr auf der Couch schlafe?«

Jeffrey sah zu Boden und seufzte erleichtert. »Klar.«

Hoss zitierte einen seiner Hilfssheriffs herbei. »Warum fährst du die Lady nicht zu Possum rüber?«

Jeffrey kannte den Deputy noch von der Kirche – aus Zeiten, als May Tolliver sonntags nüchtern blieb, um ihrem Sohn ein bisschen Religion einzutrichtern. Er sagte: »Danke, Paul.«

Paul tippte sich an die Mütze und bedachte Jeffrey mit einem misstrauischen Blick – dem gleichen misstrauischen Blick, den Jeffrey geerntet hatte, seit er laufen konnte. Und schlimmer noch, auch Sara sah ihn jetzt so an, als sie ohne ein weiteres Wort das Haus verließ.

Hoss sah ihr hinterher, sein Blick sprach Bände. Selbst in einer alten gestreiften Pyjamahose war Sara eine attraktive Frau. »Alle Achtung.«

Jeffrey sagte: »Sie ist durcheinander.« Er wusste genau, wie Hoss seine Bemerkung auffassen würde.

»Nicht gerade ein Anblick für eine Frau«, stimmte er zu. »Ist Jessie in Ordnung?«

»Sie liegt auf der Couch«, sagte Jeffrey. »Sie schläft.« Es war wie früher, wenn er für seine Mutter lügen musste.

Hoss nickte, und Jeffrey wusste, er verstand, dass Jessies Schlaf nicht nur von der Erschöpfung kam. »Ich habe ihre Mutter angerufen, sie holt sie ab. Faith ist die Einzige, die das Mädchen beruhigen kann.«

Dann wandte sich Hoss an seinen zweiten Hilfssheriff, der eine Kamera um den Hals trug und eine große rote Werkzeugkiste dabeihatte. Er sah aus wie zwölf und stellte wahrscheinlich die hiesige Spurensicherung dar. Jeffrey zuckte zusammen, als Hoss dem Deputy zurief: »Reggie, du wartest hier auf Jessies Mutter. Wir sind gleich wieder da.«

Hoss trat ins Haus und sah sich im Flur um. An den Wänden hingen Fotos, die meisten aus den Zeiten, als Jeffrey, Possum und Robert noch zur Schule gingen. Auf manchen waren auch Nell und Jessie zu sehen, doch zum großen Teil waren es nur die drei Jungs. Ein Gruppenfoto zeigte Jeffreys und Roberts Footballmannschaft mit einem großen Banner im

Hintergrund, auf dem »State Champions« stand. Gestern am Pool hatte Possum Sara von ihrem letzten erfolgreichen Spiel gegen die Comer High erzählt. Wie er die Geschichte verklärte, war Jeffrey peinlich und machte ihn traurig. Possum war immer ihr größter Fan gewesen.

Hoss fragte: »Was zum Teufel ist heute Nacht hier passiert?«

»Kommen Sie, ich zeige Ihnen das Zimmer«, sagte Jeffrey, ohne die Frage zu beantworten. »Sara und ich waren draußen auf der Straße, als wir Jessie schreien hörten.« Er biss sich auf die Innenseiten der Wangen, als sie den Flur hinuntergingen. Was er verschwieg, lag ihm schwer im Magen.

Wie gewöhnlich konnte Hoss seine Gedanken lesen. »Ist was nicht in Ordnung, Junge?«

»Nein, Sir«, antwortete Jeffrey. »Es war einfach nur eine lange Nacht.«

Hoss schlug Jeffrey so kräftig auf den Rücken, dass er husten musste. Das war seine Art, Zuneigung zu zeigen. »Du bist ein harter Knochen. Du schaffst das schon.« Vor der Schlafzimmertür blieb er stehen. »Meine Güte«, murmelte er. »Hier sieht's ja aus.«

»Ja«, stimmte Jeffrey zu. Er versuchte, den Tatort mit den Augen von Hoss zu sehen. Der Deckenventilator surrte immer noch, doch man sah, dass er abgestellt gewesen sein musste, als der Mann erschossen wurde. Die Rotorblätter zeichneten sich in den Blutspritzern an der Decke ab. Der Schalter war blutverschmiert, wahrscheinlich hatte Robert ihn angestellt. Das war nur logisch. Er wollte das Licht anmachen, um nachzusehen, wie schwer er verwundet war. Es war auch logisch, dass zwischen den letzten beiden Schüssen ein paar Sekunden vergingen. Robert war den Umgang mit Waffen gewohnt, seit er acht Jahre alt war. Er hätte nie ins Dunkle gefeuert. Wahrscheinlich hatte er seine Augen erst an die Dunkelheit gewöhnt, um zu sehen, wo Jessie war. Wie Jeffrey sie kannte, hatte sie wahrscheinlich hilflos in einer Ecke gestanden. Es sah Robert ähnlich, dass er sich Zeit genommen hatte.

Hoss sah aus dem Fenster. »Das Fliegengitter wurde eingedrückt«, stellte er fest. Jeffrey wusste immer noch nicht, ob von innen oder von außen, aber keine Macht der Welt hätte ihn noch mal in das Zimmer gebracht. Er würde sich draußen umsehen, wenn Hoss weg war.

Hoss fragte: »Was hat Robert gesagt?«

Jeffrey suchte nach einer Antwort, doch Hoss winkte ab.

»Ich frag ihn dann selbst.« Jeffrey war die Überraschung wohl anzusehen, denn Hoss erklärte: »Und du kannst deine Aussage morgen machen, wenn du dein Mädchen aufs Revier bringst.«

Nach dem Blick, den Sara ihm zugeworfen hatte, als sie ging, war Jeffrey nicht sicher, ob er morgen noch ein Mädchen hatte, aber das behielt er für sich. Stattdessen beobachtete er, wie Hoss durch das Zimmer ging. Wenn er daran dachte, was er zurückhielt, zog sich sein Magen zusammen. Das war der eigentliche Grund, warum Jeffrey nie eine Verbrecherlaufbahn angestrebt hatte. Anders als Jimmy Tolliver konnte Jeffrey mit einem schlechten Gewissen nachts nicht schlafen. Er hasste Lügen – vielleicht, weil seine ganze Kindheit voll davon gewesen war. Seine Mutter bestritt, dass sein Vater der Verbrechen schuldig war, wegen deren er saß; sein Vater bestritt, dass seine Mutter ein Alkoholproblem hatte. Und zur gleichen Zeit band der junge Jeffrey jedem, der es hören wollte, seine eigenen faustdicken Lügen auf. Er war von Sylacauga fortgegangen, um ein neuer Mensch zu werden. Doch kaum hatte er wieder einen Fuß auf heimatlichen Boden gesetzt, schlüpfte er in alte Gewohnheiten wie in ein Paar ausgetretene Galoschen.

»Junge?«, fragte Hoss. Er stand immer noch am Fenster. Jeffrey sah, dass Hoss in einem von Jessies blutigen Fußabdrücken stand. Ein paar ihrer kleinen weißen Pillen waren unter seinem Stiefelabsatz zerstampft worden.

»Sir?«, antwortete Jeffrey und dachte, dass Hoss wahrscheinlich genauso geschockt wie er selbst war. Jeder zeigte es nur auf eine andere Art.

»Ich hab gesagt, für mich ist die Sache sonnenklar«, sagte Hoss. Er stupste den Toten mit der Stiefelspitze an, und Jeffrey tat die Respektlosigkeit weh, mit der Hoss den Tod dieses Mannes behandelte. Doch so war es bei Hoss immer gewesen. Es gab die Guten, und es gab die Bösen, und um die einen zu schützen, tat man mit den anderen eben das, was getan werden musste. Hoss war mit Robert und Jeffrey zwar streng gewesen, doch er billigte nicht, dass irgendjemand schlecht über sie redete.

Hoss hockte sich hin und betrachtete die Leiche. Das Gesicht war zum großen Teil von schulterlangem, fettigem blondem Haar bedeckt. Trotzdem fragte er: »Schon mal gesehen?«

»Nein«, sagte Jeffrey und ging in die Knie, um besser sehen zu können. Er stand immer noch vor der Tür, doch aus der Hocke sah er die Blutspritzer, die sich fächerförmig um den Toten ausbreiteten. Auch an der Stelle, wo Jeffrey stand, gab es Spritzer. Robert musste gerade versucht haben, den Schalter zu finden, als er getroffen wurde.

»Luke Swan.« Hoss stand auf und steckte die Daumen hinter den Gürtel.

Jeffrey kannte ihn dem Namen nach. »Der war bei uns auf der Schule.«

»Er hat die Schule abgebrochen, bevor ihr euren Abschluss gemacht habt«, sagte Hoss. »Erinnerst du dich an ihn?«

Jeffrey nickte, doch es stimmte nicht. In seiner Highschoolzeit hatte sich fast alles um Football gedreht. Luke Swan war alles andere als ein sportlicher Typ gewesen. Er sah aus, als brächte er nicht mal fünfzig Kilo auf die Waage.

»Seitdem hat er nur Ärger gemacht«, sagte Hoss mit einem Anflug von Bedauern. »Drogen, Alkohol. Hat mehr als einen Rausch auf der Wache ausgeschlafen.«

»Hat Robert ihn schon mal verhaftet?«

Hoss zuckte die Achseln. »Teufel, Slick, wir haben nur acht Deputys, die hier Schicht schieben. Jeder von uns hat den Jungen das eine oder andere Mal einkassiert.«

»Hat er schon mal so was angestellt?«, fragte Jeffrey. Als Hoss den Kopf schüttelte, erklärte er: »Bewaffneter Raubüberfall ist ein großer Schritt, wenn er bis jetzt nur ein bisschen Ärger gemacht hat.«

Hoss verschränkte die Arme vor der Brust. »Was willst du damit sagen? Sollte ich mir Sorgen machen?«

Jeffrey sah die Leiche an. Auch wenn er das Gesicht des Mannes nicht richtig sehen konnte, ließen ihn die dünnen blauen Lippen und der schmale Körperbau jünger wirken, als er offensichtlich war. »Nein, Sir.«

Ohne darauf zu achten, wohin er trat, kam Hoss auf ihn zu. »Deine Lady vorhin hat mir den Eindruck gemacht, als hätte sie was zu sagen.«

»Sie ist die Gerichtsmedizinerin bei uns in der Stadt.«

Hoss pfiff beeindruckt durch die Zähne, doch seine Bewunderung galt nicht Sara. »Ihr könnt euch einen Gerichtsmediziner leisten?«

»Es ist eine halbe Stelle«, erklärte Jeffrey.

»Ist sie teuer?«

Jeffrey schüttelte den Kopf, obwohl er keine Ahnung hatte, was Sara verdiente. Ihrem Haus und ihrem Wagen nach zu urteilen sehr viel mehr als er. Natürlich war es immer leichter, Geld zu verdienen, wenn bereits welches im Hintergrund war. Diese Wahrheit hatte Jeffrey sein Leben lang bestätigt gefunden.

Hoss nickte mit dem Kopf in Richtung der Leiche. »Glaubst du, sie würde den für uns übernehmen?«

Wieder bekam Jeffrey kaum Luft. »Ich frag sie.«

»Gut.« Hoss warf einen letzten Blick in das Zimmer. »Ich will, dass die Sache so schnell wie möglich aufgeklärt wird und Robert wieder auf der Straße ist.«

Dann, als wollte er jede weitere Diskussion beenden, drehte er sich um und machte das Licht aus.

NEUN

Sara wachte schweißgebadet auf. Als sie sich zu schnell aufsetzte, brummte ihr der Kopf. Verwirrt sah sie sich um und versuchte sich zu erinnern, wo sie war. Die Auburn-Devotionalien hatten eine beruhigende Wirkung. Selbst die orangeblaue Decke, die Nell ihr gestern Nacht gegeben hatte, war irgendwie tröstlich. Sara machte es sich bequem, legte sich die Decke um die Schultern und lauschte den gedämpften Geräuschen. In der Küche hörte sie die Kaffeemaschine, und irgendwo hupte ein Auto.

Sie zog die Beine an und legte das Kinn auf die Knie. Sara hatte lange keinen Albtraum von Atlanta mehr gehabt, doch jetzt war sie wieder dort gewesen – in dem Toilettenraum im Grady Hospital, wo sie vergewaltigt worden war. Der Vergewaltiger hatte ihr die Hände mit Handschellen hinter dem Rücken gefesselt und Sara auf eine Weise geschändet, die noch heute schmerzte, wenn sie daran dachte. Und zum Schluss hatte er ihr den Bauch aufgeschlitzt und sie in ihrem Blut liegen lassen.

Es schnürte ihr die Kehle zu, und Sara schloss die Augen, um durch tiefes Ein- und Ausatmen die aufkommende Panik zu unterdrücken.

»Geht's dir gut?« Nell stand mit einer Kaffeetasse in der Tür.

Sara nickte.

»Possum ist schon los und macht den Laden auf. Jeffrey will nach Jessie sehen. Aber er soll nicht glauben, dass sie vor Mittag aus dem Bett kommt.« Sara schwieg. »Er lässt dir ausrichten, du sollst um halb neun startklar sein.«

Sara sah zur Uhr, die auf dem Kaminsims stand. Es war halb acht.

»Der Kaffee ist fertig, wenn du welchen willst«, sagte Nell dann und ließ Sara allein.

Sara richtete sich auf und stieß sich die Zehen an ihrem Koffer. Jeffrey hatte ihn vor ein paar Stunden hereingebracht, doch sie hatte so getan, als schliefe sie. Er war hereingeschlichen wie ein Dieb, und als sie ihm nachsah, fragte sie sich, worauf sie sich da eingelassen hatte. Jeffrey Tolliver war nicht der Mann, für den sie ihn gehalten hatte. Nicht mal Cathy Linton hätte ihm das Verhalten von gestern Nacht zugetraut. Sara hatte sich bedroht gefühlt, einen Moment hatte sie sogar Angst gehabt, er würde sie schlagen. Auf so einen Menschen konnte sie sich nicht einlassen. Sie konnte zwar nicht abstreiten, dass sie gewisse Gefühle für ihn hegte, doch das hieß nicht, dass sie sich in eine Lage bringen würde, in der ihr auf irgendeine Weise Gefahr drohte.

Sara presste die Lippen zusammen und betrachtete die gerahmte Titelseite an der Wand, auf der Jeffrey zu sehen war. Vielleicht war er nur so sonderbar, weil er wieder in seiner alten Heimat war. Der Mann von gestern Abend hatte nichts mit dem Jeffrey Tolliver gemein, den sie in den letzten Monaten kennengelernt hatte.

Sie merkte, dass sie versuchte, Entschuldigungen für sein Verhalten zu finden. Bisher hatte er nie das geringste Anzeichen erkennen lassen, dass er zu einem Ausbruch wie dem von gestern Nacht fähig war. Er war verzweifelt gewesen. Er hatte die Wand geschlagen, nicht sie. Vielleicht reagierte sie übertrieben. Die Geschichte zerrte an seinen Nerven, und sie hatte alles nur verschlimmert. Er hatte sie zwar am Arm gepackt, aber er hatte sie auch wieder losgelassen. Er hatte sie gewarnt, nicht zu reden, aber gehindert hatte er sie daran nicht, als der Sheriff kam. Bei Tageslicht konnte Sara seine Wut und seinen Frust sogar verstehen. Und Jeffrey hatte natürlich recht: In Alabama gab es die Todesstrafe, und nicht nur das, hier wurde sie auch ähnlich gern vollstreckt wie in Texas und in Florida. Falls Robert schuldig gesprochen wurde, musste er mit dem elektrischen Stuhl rechnen.

Obwohl sie von der schlaflosen Nacht wie gerädert war, versuchte sie noch einmal durchzugehen, was sie gestern Abend in Roberts Schlafzimmer gesehen hatte. Sie erinnerte sich nicht mehr genau, was sie auf der Straße gehört hatte, und sie war auch nicht mehr ganz sicher wegen der Schmauchspur an Roberts Wunde. Aber sie musste sich doch fragen, warum Robert sich so viel Mühe gab, die Eintrittswunde zu kaschieren, wenn er nichts zu verbergen hatte.

Wenn sie recht hatte, dann war der Lauf der Pistole, mit der Robert angeschossen worden war, aufgesetzt worden, und zwar in einem Winkel von unten nach oben. Die Mündung hatte eine v-förmige Verbrennung auf der Haut hinterlassen. Entweder kniete oder saß die Person, die geschossen hatte, unter ihm, oder Robert hatte die Waffe selbst auf sich gerichtet und den Abzug gedrückt. Die zweite Theorie würde auch erklären, warum die Verletzung so harmlos ausgefallen war. Im Unterleib gab es sieben lebenswichtige Organe und ungefähr zehn Meter Darm. Die Kugel war an alldem glatt vorbeigegangen.

Sara wollte den Sheriff gestern Nacht über ihren Verdacht informieren, doch ein Blick hatte genügt und sie wusste, dass Hollister, wie Jeffrey, auf jeden Fall hinter Robert stand, so lange es Zweifel an seiner Schuld gab. Clayton »Hoss« Hollister war ein Südstaatler der alten Schule, vom Spitznamen bis zu den Cowboystiefeln. Sara wusste, wie das System hier funktionierte. Ihr Vater gehörte zwar nicht zum Kern der Clique, die in Grant County das Sagen hatte – er hasste Verpflichtungen –, doch er spielte mit den meisten von ihnen Karten. Schon in ihrer ersten Woche als Gerichtsmedizinerin hatte Sara die Gepflogenheiten kennengelernt, als der Bürgermeister ihr erklärte, dass das County einen Exklusivvertrag mit der Firma seines Schwagers hatte und der gesamte medizinische Bedarf ausschließlich dort bestellt wurde, egal zu welchem Preis.

Sara wollte sich Roberts Wunde heute noch einmal ansehen, und auch wenn Jeffrey sein Versprechen, sie die Obduktion durchführen zu lassen, nicht hielt – oder halten konnte –, wollte sie zumindest dabei sein, wenn die Leiche des Einbrechers untersucht wurde – oder des Opfers, je nach Betrachtungsweise. Danach wollte Sara nur noch eins – so schnell wie möglich aus Sylacauga verschwinden. Allein. Sie musste Abstand gewinnen, um sich zu sammeln und in Ruhe darüber nachzudenken, wie sie nach dem Ausbruch von gestern Nacht zu Jeffrey stand.

Vorsichtig stand Sara auf. Ihr Fuß schmerzte nach dem spontanen Dauerlauf gestern Abend, sie musste wohl in eine Scherbe getreten sein. Auf dem Weg zum Highway würde sie sich Pflaster besorgen.

Nell lächelte müde, als Sara in die Küche humpelte. »Die Kinder schlafen noch ’ne Stunde.«

Sara versuchte, höflich zu sein. »Wie alt sind sie?«

»Jared ist zehn, Jennifer zehn Monate jünger.«

Sara zog die Brauen hoch.

»Keine Sorge, sobald Jen draußen war, hab ich mich sofort sterilisieren lassen.« Nell nahm eine Tasse aus dem Schrank. »Schwarz?« Sara nickte. »Jen ist die schlauere von beiden. Sag das nicht zu Jared, aber in der Schule ist Jen jetzt schon ein Jahr weiter. Er ist selbst schuld – er ist nicht auf den Kopf gefallen, aber er interessiert sich eben mehr für Sport als für Bücher. Jungen in dem Alter können einfach nicht still sitzen.

Aber das kennst du ja von deinem Job.« Sie stellte Sara die Tasse hin und schenkte ein. »Schätze, wenn du mal heiratest, willst du einen ganzen Stall voll Kinder.«

Sara starrte in den dampfenden Kaffee. »Ich kann keine Kinder bekommen.«

»Oh«, sagte Nell. »Da bin ich ja mal wieder ins Fettnäpfchen getreten. Ist mein Hobby.«

»Schon gut.«

Nell setzte sich mit einem tiefen Seufzer an den Küchentisch. »Mein Gott, ich und meine Neugier. Wenigstens damit hat meine Mutter recht.«

Sara zwang sich zu einem Lächeln. »Schon gut, wirklich.«

»Ich werd dich nicht löchern«, bohrte Nell weiter, um klarzustellen, dass sie für freiwillige Geständnisse offen war.

»Bauchhöhlenschwangerschaft«, erklärte Sara, mehr sagte sie nicht.

»Weiß Jeffrey davon?«

Sie schüttelte den Kopf.

»Du kannst welche adoptieren.«

»Sagt meine Mutter auch immer«, sagte Sara, und zum ersten Mal sprach sie den Grund aus, warum sie der Gedanke an Adoption abschreckte. »Ich weiß, es klingt schrecklich, aber ich kümmere mich den ganzen Tag um die Kinder anderer Leute. Wenn ich nach Hause komme …«

»Mir brauchst du nichts zu erklären«, sagte Nell. Sie nahm Saras Hand und drückte sie. »Und Jeffrey macht es bestimmt nichts aus.«

Sara biss sich auf die Lippe, und Nell quittierte es mit einem tiefen Seufzer.

»Oje. Überraschen tut's mich nicht, aber ich hätte euch gewünscht, dass es ein bisschen länger hält.«

»Tut mir leid.«

»Vergiss es.« Nell klopfte sich auf den Schenkel, dann stand sie auf. »Ich mag dich trotzdem. Außerdem hat Jeffrey auch mal einen Dämpfer verdient. Glaub mir, es ist das erste gottverdammte Mal, dass *er* sitzen gelassen wird.«

Sara blickte wieder in ihre Kaffeetasse.

»Willst du Pfannkuchen?«

»Ich habe keinen großen Hunger«, sagte Sara, doch ihr Magen knurrte.

»Ich auch nicht.« Nell holte die Pfanne heraus. »Drei oder vier?«

»Vier.«

Nell stellte die Pfanne auf den Herd und begann den Teig anzurühren. Sara sah zu und dachte dabei an ihre Mutter, der sie Tausende von Malen beim Pfannkuchenmachen zugesehen hatte. Es war tröstlich, hier in der Küche zu sitzen, und Sara spürte, wie die Albträume der letzten Nacht verblassten.

»Der blöde Nachbar«, sagte Nell und winkte freundlich, als ein Mann am Fenster vorbeiging. Eine Autotür wurde zugeschlagen, dann ging der Motor an. »Jedes Wochenende verbringt er mit so einem Flittchen, das er in Birmingham aufgegabelt hat. Jetzt schau dir das an«, sie sah nach, ob Sara auch aufpasste. »Kaum dass er weg ist, fangen die Hunde wie wild zu bellen an und hören nicht auf, bis er abends um zehn heimkommt.« Sie stellte sich auf die Zehenspitzen und verrenkte sich den Hals, um in den Nachbargarten zu sehen. »Ich hab ihm schon tausendmal gesagt, dass die armen Viecher eine Hütte brauchen. Possum wollte ihm sogar eine bauen. Gott, wie die Armen im Regen jaulen.«

Wie aufs Stichwort begannen die Hunde zu bellen. Um guten Willen zu zeigen, fragte Sara: »Sie haben keine Hundehütte?«

Nell schüttelte den Kopf. »Nein. Früher musste er immer heimkommen, wenn sie mal wieder über den Zaun gesprungen waren. Dann hat er sie einfach angekettet. Ich kann die Uhr danach stellen, wann sie ihren Wassernapf umwerfen, und jeden Morgen muss ich rüber und ihnen frisches Wasser geben.« Sie reichte Sara einen Eierkarton und eine Schüssel. »Hier, mach dich nützlich.« Dann fuhr sie fort: »Und dabei sind Boxer so hässlich. Nicht mal auf die süße Art. Und wie sie einen vollsabbern. Ich komm jedes Mal zurück wie aus der Dusche.«

Sara schlug die Eier in die Schüssel. Sie hörte nicht mehr zu, sondern ließ sich von Nells Geplapper einlullen. Sie dachte an Jeffrey und versuchte Logik in die Vorfälle der letzten Nacht zu bringen. Sara wusste, dass es ihre größte Schwäche, aber auch ihre größte Stärke war, die Dinge schwarz oder weiß zu sehen. Doch jetzt sah sie zum ersten Mal in ihrem Leben nur ein graues Gemisch. Gestern Nacht war sie müde und durcheinander gewesen. Hatte sie die Schmauchspur wirklich gesehen? Je mehr sie darüber nachdachte, desto mehr kam sie zu der Überzeugung, dass sie es sich eingebildet haben musste. Nur ihr Bauchgefühl blieb bei dem ersten Eindruck. Und warum hatte Robert nicht gewollt, dass sie sich die Wunde ansah, wenn er nichts zu verbergen hatte?

»Sara?«, fragte Nell. Anscheinend hatte sie etwas gefragt.

»Entschuldige«, sagte Sara. »Wie bitte?«

»Ich hab gefragt, ob Robert den Typ kannte.«

Sara schüttelte den Kopf. »Ich glaube nicht, sonst hätte er was gesagt.«

»Es ist noch nichts in der Zeitung. Wir haben hier nur 'ne Wochenzeitung, und die erscheint erst am Sonntag. Aber heute Morgen hab ich auf der Straße gehört, dass es Luke Swan ist. Der Name wird dir nichts sagen, aber er war bei uns auf der Schule. Hat ein paar Häuser weiter gewohnt.« Sie zeigte in Richtung Garten. »Possum ist in diesem Haus zur Welt gekommen, und ich bin gegenüber aufgewachsen – hab ich dir das erzählt?« Sara schüttelte den Kopf. »Wir sind nach dem Tod seiner Mutter hier eingezogen. Ich konnte die Frau nicht ausstehen«, sie klopfte dreimal auf den Schrank unter der Spüle, »aber es war nett von ihr, dass sie uns das Haus vermacht hat. Ich dachte, Possums Bruder würde einen Aufstand machen, aber am Ende ist alles gut gegangen.« Sie holte Luft. »Was wollte ich gerade sagen?«

»Luke.«

»Ach ja.« Sie drehte sich wieder zum Herd. »Er hat um die Ecke gewohnt, bis sein Vater arbeitslos wurde, dann sind sie in die Nähe der Schule gezogen. Er war bei uns nicht gerade beliebt.«

Sara ahnte, dass sie mit »bei uns« die Schönen und die Sportskanonen der Highschool meinte. Auf Saras Schule hatte es die gleichen Cliquen gegeben. Sara hatte zwar nicht dazugehört, aber zumindest hatte man sie respektiert.

Nell fuhr fort. »Man sagt, er hatte ordentlich was auf dem Kerbholz, aber was heißt das schon? Die Leute behaupten alles Mögliche, wenn einer stirbt. Du müsstest mal Possum hören, wenn er über seine Mutter redet – als wär sie Mary Poppins gewesen, dabei ist die Frau ihr Leben lang keinen Tag fröhlich gewesen. Irgendwie war sie genau wie Jessie.« Nell goss Teig für vier kleine Pfannkuchen auf die Pfannkuchenplatte. »Ich hab gehört, dass Jessie bei ihrer Mama ist.«

»Ja«, bestätigte Sara.

»Liebe Zeit«, murmelte Nell und nahm Sara die Schüssel mit den Eiern ab. Sie verrührte sie mit einer Gabel, dann kippte sie sie in eine Pfanne. Auch wenn Sara an einer der strengsten medizinischen Fakultäten des Landes ihren Abschluss gemacht und zu den Besten ihres Jahrgangs gehört hatte, fühlte sie sich in Gegenwart von Frauen, die kochen konnten, immer minderwertig. Das erste und letzte Mal, dass sie einen Freund bekocht hatte, hatte damit geendet, dass sie zwei Töpfe und den Mülleimer wegschmeißen musste.

Nell sagte: »Meine Beziehung zu Jessie ist ein ewiges Auf und Ab. Vielleicht, weil Robert und Possum uns zwingen, die ganze Zeit zusammenzuhocken, und einfach erwarten, dass wir uns prächtig verstehen. Meistens geht es gut, aber manchmal würd ich ihr am liebsten eine knallen, damit sie zur Besinnung kommt.« Sie ließ die Gabel über der Pfanne abtropfen und legte sie auf einer Serviette ab. »Aber jetzt tut sie mir einfach nur leid.«

»Schlimme Sache.«

Mit einem Bratenwender drehte Nell die Pfannkuchen um. »Bobby ist ein echter Schatz, aber bei Männern weiß man nie, was man hat, bis man daheim ist und sie aus der Packung nimmt. Vielleicht schmatzt er beim Essen. Als Possum vor ein paar Jahren damit anfing, hab ich ihm mit dem Baseballschläger gedroht.« Sie lud die Pfannkuchen und etwas Rührei auf einen Teller und stellte ihn Sara hin. »Speck?«

»Nein, danke.«

Nell nahm drei Streifen gebratenen Speck und legte sie auf Saras Teller. »Ich hab sie nie leiden können. Bis vor ein paar Monaten. Da hatte sie eine Fehlgeburt. Ich bin jeden Tag bei ihr gewesen, damit sie keine Dummheiten macht. Die beiden sind daran fast zerbrochen. Seit ich sie kenne, wollte Jessie ein Kind. Schon in der Mittelstufe. Doch sie hat nie eins kriegen können.«

Sara goss sich Ahornsirup über die Pfannkuchen. Es waren vier vollkommene Kreise, gleichmäßig dick. »Was für Dummheiten hätte Jessie machen sollen?«

»Pillen«, sagte Nell und wendete die nächsten Pfannkuchen. »Sie hat schon mal zu viele Pillen geschluckt. Wenn du mich fragst, wollte sie nur Aufmerksamkeit erregen. Robert macht nicht den Eindruck, als ob er ihr zu wenig Aufmerksamkeit schenkt, aber man weiß ja nie.«

»Nein«, bestätigte Sara, den Mund voll Speck. Bis gestern Abend hätte sie auch nie gedacht, dass Jeffrey fähig wäre, ihr zu drohen. Sie konnte immer noch den Lufthauch spüren, als er eine Handbreit neben ihrem Gesicht mit der Faust gegen die Wand geschlagen hatte. »Würde sie ihn je betrügen?«

»Ha«, Nell lachte, während sie sich den Teller volllud. Sie setzte sich Sara gegenüber an den Tisch und bediente sich großzügig mit Ahornsirup. »Wenn, dann müsste sie sich jemanden in Alaska suchen. Robert weiß über alles Bescheid, was hier passiert. Wahrscheinlich wird er Sheriff, wenn der Alte abdankt. Hoss sitzt seit ewigen Zeiten auf seinem Sessel. Und ich schätze, irgendwann müssen sie ihn mit den Füßen zuerst aus dem Büro tragen. Aber wie ich die Leute hier kenne, würden sie ihn noch wählen, wenn er schon tot ist.«

»Es gibt hier keine eigene Polizeitruppe, nur das Büro des Sheriffs?«

Nell nahm eine Gabel voll Ei. »Weißt du, wie klein dieses Nest ist? Wenn wir auch noch mehrere Cops hätten, wer würde dann die Tankstelle führen?« Sie stand auf. »Saft?«

»Nein, danke.«

Nell nahm zwei Gläser aus dem Schrank und stellte sie auf den Tisch. »Wenn Jeffrey hiergeblieben wäre, hätte sich Hoss natürlich längst zur Ruhe gesetzt.«

»Warum?«

Sie schenkte Saft ein. »Thronfolger. Roberts Vater war ein Versager, aber besser einen Versager zum Vater als jemanden wie Jimmy Tolliver. Der Mann war ein Monster. Jeffrey redet nicht darüber, aber die Narbe unter seiner Schulter hat er von seinem Daddy.«

Sara kannte die Narbe, doch sie hatte nie danach gefragt, um nicht über ihre eigene Narbe reden zu müssen. Jetzt fragte sie: »Was ist passiert?«

Nell setzte sich wieder. »Ich war dabei«, sagte sie und nahm einen Bissen von ihrem Pfannkuchen. Ungeduldig wartete Sara, dass sie fertig gekaut hatte. Ausnahmsweise interessierte sie, was Nell zu sagen hatte. Endlich schluckte sie runter. »May hat ihn beleidigt, und da hat er sich auf sie gestürzt. Jimmy ist total ausgerastet. So was hab ich noch nie gesehen. Hoffentlich muss ich das auch nie wieder sehen.« Wieder klopfte sie auf Holz.

Sara schluckte, obwohl sie nichts im Mund hatte. »Sein Vater hat seine Mutter geschlagen?«

»Schätzchen, geschlagen hat er sie die ganze Zeit. May war so was wie Jimmys persönlicher Punchingball. Jeffrey auch, wenn er daheim war. Was selten vorkam. Meistens war er draußen im Steinbruch, weil er es nicht ausgehalten hat. Da draußen hat er sich dann hingesetzt und bis Sonnenuntergang gelesen. Manchmal hat er sogar da übernachtet, außer wenn Hoss ihn gefunden hat. Der hat ihn dann mit aufs Revier genommen.« Sie trank einen Schluck Saft. »Na ja, dieses eine Mal, als ich da war, sind sie aufeinander losgegangen, und Jeffrey wollte dazwischengehen. Jimmy hat ihm dermaßen eins übergebraten, dass Jeffrey durch die Luft geflogen ist, und das mein ich buchstäblich, quer durch die Küche. Da hat er sich dann am Herd den Rücken aufgeschlitzt. Damals gab es noch diese Griffe mit den scharfen Metallkanten, nicht wie heute, wo alles mit Drehknöpfen und Schaltern geht.«

Nach einer Weile sagte Sara: »Das habe ich nicht gewusst.« Sie versuchte sich vorzustellen, wie es für Jeffrey war, in einer solchen Umgebung aufzuwachsen, doch es gelang ihr nicht. Wie die meisten Kinderärzte hatte sie genug misshandelte Kinder in ihrer Praxis gehabt. Nichts machte sie wütender als die Feigheit von Erwachsenen, die ihre Frustration an einem Kind ausließen.

»Jeffrey ist nicht so leicht auf die Palme zu bringen«, fuhr Nell fort. »Ich schätze, das ist ein guter Zug, aber vielleicht auch nicht. Man fragt sich, was er alles in sich reinfrisst. Er hasst Streit. Schon immer. Wusstest du, dass er am Auburn College ein Stipendium hatte?«

»Jeffrey?«, fragte Sara verblüfft.

»Zum Teil wegen seines Footballs, aber sie geben einem kein dickes Stipendium, um die Ersatzbank zu drücken.« Plötzlich lachte sie laut auf, als könnte sie nicht glauben, was sie da gesagt hatte. »Erzähl das bloß nicht Possum, aber es ist die reine Wahrheit. Kaum war Jeffrey in Auburn, hat er Football gehasst. Er wäre aus dem Team ausgetreten, wenn Hoss ihn gelassen hätte.«

»Und was hatte Hoss damit zu tun?«

Nell legte die Gabel nieder. »Weißt du, warum Jeffrey Slick heißt?«

»Ich kann es mir denken.«

Nell lachte schnaubend. »Ja, weil er so gut aussieht. Aber in Wirklichkeit hat er den Namen, weil er sich, egal was er anstellte, aalglatt aus allem herausgewunden hat.«

»Was hat er denn so angestellt?«

»Ach, nichts Besonderes im Vergleich zu dem, was die Kinder heute so machen. Er hat im Warenhaus geklaut, sich Mamas Auto genommen, wenn sie besoffen auf der Couch lag. Wahrscheinlich genau das Gleiche, was sein Vater in dem Alter auch gemacht hat. Zwischen zehn und zwölf. Isst du das noch?« Als Sara den Kopf schüttelte, nahm sich Nell das letzte Stück Pfannkuchen von ihrem Teller. »Jeffrey wäre wahrscheinlich genau da, wo sein Vater jetzt ist, wenn Hoss sich nicht eingemischt hätte.«

»Und wie hat Hoss sich eingemischt?«

»Hat ihn den Rasen vor dem Gefängnis mähen lassen, statt ihn darin einzusperren. Manchmal hat er Jeffrey mit reingenommen, damit er sich mit ein paar von den Härtefällen unterhält. Das hat ihm eine Heidenangst eingejagt. Robert auch, aber der hatte es nicht so nötig. Er war schon immer eher der Mitläufer, und wenn man Jeffrey auf den rechten Weg brachte, hatte man bei Robert auch gewonnen.«

»Hoss sei Dank.«

»Manchmal komm ich ins Grübeln.« Nell lehnte sich mit ihrer Kaffeetasse zurück. »Jeffrey hat ein weiches Herz. Aber das hast du wohl auch schon bemerkt.«

Sara antwortete nicht, doch sie fragte sich, ob Nell ihn

wirklich so gut kannte. In sechs Jahren konnte viel passieren. Schon in einer Nacht konnte viel passieren.

»Früher hab ich immer gedacht, er würde mal Lehrer werden, vielleicht Footballtrainer an der Highschool. Doch als Jimmy lebenslänglich kriegte, hat Jeffrey sich verändert. Vielleicht hat er gedacht, er könnte dadurch, dass er zur Polizei ging, die Verbrechen seines Dads wettmachen. Vielleicht wollte er es auch nur Hoss recht machen.«

»Und, hat er?«

Nell schob ihren Teller weg. »Na, das kannst du wohl glauben.«

In diesem Moment sah Sara Jeffrey am Küchenfenster Vorbeigehen. Sie stand auf. »Ich muss mich anziehen.«

Jeffrey kam durch die Hintertür. Er schien überrascht, Sara und Nell beim Frühstück anzutreffen.

Sara erklärte: »Ich wollte mich gerade fertig machen.«

Er sah sie kurz an und sagte: »Du siehst gut aus.« Sara trug immer noch den Pyjama, in dem sie gestern Abend aus seinem Elternhaus gerannt war.

Nell fragte: »Wie geht es Jessie und den anderen?«

»Den Umständen entsprechend.« Er deutete auf die leeren Teller. »Riecht gut.«

»Ich hab Possum nicht geheiratet, um mich für dich an den Herd zu stellen.« Nell stand auf. »Aber es ist noch reichlich Teig da und Rührei ebenfalls. Ich gehe mal nachsehen, ob die blöden Hunde ihr Wasser schon ausgekippt haben.«

Kaum war Nell draußen, war es vorbei mit der Gesprächigkeit. Sara setzte sich schweigend an den Tisch – sie wusste nicht, was sie sonst tun sollte. Die Pfannkuchen lagen ihr tonnenschwer im Magen. Ihr Kaffee war inzwischen lauwarm, doch sie schaffte es, ihn hinunterzuwürgen.

Jeffrey kaute auf einem Stück Speck herum und goss sich Kaffee ein. Er stellte die Kanne zurück auf die Wärmeplatte, doch dann nahm er sie wieder herunter, um Sara nachzuschenken. Sie schüttelte den Kopf. Also stellte er die Kanne wieder zurück, steckte sich noch ein Stück Speck in den Mund und starrte in Richtung Spüle.

Sara malte mit der Gabel in den Siruppfützen auf ihrem Teller und überlegte, was sie sagen könnte. Eigentlich war er an der Reihe. Also legte sie die Gabel hin und verschränkte die Arme. Sie sah Jeffrey erwartungsvoll an.

Er räusperte sich. Dann fragte er: »Was wirst du heute aussagen?«

»Was willst du hören?«, fragte sie zurück. »Oder versuchst du wieder, mich einzuschüchtern?«

»Ich hätte das nicht tun dürfen.«

»Nein, hättest du nicht«, sagte sie. Plötzlich war wieder die Wut von gestern da. »Ich sage dir eins: Nach deiner Drohung und dem, was deine Mutter zu mir gesagt hat, sollte ich jetzt einfach aufstehen und gehen.«

Er blickte zu Boden, und sie spürte, dass er sich schämte. Seine Stimme versagte, und er musste sich noch einmal räuspern, bevor er herausbrachte: »Ich habe in meinem ganzen Leben noch keine Frau geschlagen.«

Sara wartete.

»Eher würde ich mir die Hand abhacken.« Mit mahlenden Kiefern rang er um Fassung. »Ich habe jeden Tag meiner Kindheit zusehen müssen, wie mein Dad meine Mutter verprügelt hat. Manchmal hat sie ihn provoziert, manchmal hat er es nur getan, weil er es so wollte.« Er sah Sara immer noch nicht in die Augen. »Ich weiß, du hast keinen Grund, mir zu glauben, aber ich würde dir niemals wehtun.« Als Sara nicht antwortete, fragte er: »Was hat meine Mutter zu dir gesagt?«

Sara konnte die Worte nicht wiederholen. »Es spielt keine Rolle.«

»Doch, es spielt eine Rolle«, widersprach er. »Es tut mir leid. Es tut mir leid, dass ich dich überhaupt hierhergebracht habe, an diesen … diesen Ort.« Jetzt blickte er sie an, seine Augen waren rot. »Ich wollte nur, dass du siehst …« Er brach ab. »Verdammt, ich weiß nicht, was ich wollte. Dass du siehst, wer ich wirklich bin. Vielleicht ist es das, was du jetzt zu sehen bekommst. Vielleicht bin ich in Wirklichkeit so.«

Er tat ihr leid, doch dann kam sie sich deswegen albern vor.

Er nahm den Stuhl, auf dem Nell gesessen hatte, rückte ihn vom Tisch ab und setzte sich. »Bobby wollte heute Morgen nicht mit mir reden.«

Sara wartete.

»Als ich reinkam, war er schon angezogen und wollte nach Hause.« Jeffrey hielt inne. Sie konnte seine Hilflosigkeit spüren. »Ich hab ihm gesagt, dass wir reden müssen, aber er hat einfach Nein gesagt. Einfach so. ›Nein‹, als ob er was zu verbergen hätte.«

»Vielleicht stimmt es.«

Er trommelte mit den Fingern auf den Tisch.

»War Jessie bei ihm?«

»Nein. Sie war noch nicht mal wach, als ich bei ihren Eltern vorbeigefahren bin.«

Sara biss sich auf die Lippe. Sie wusste nicht, ob sie ihm von ihrer Entdeckung erzählen sollte oder nicht.

»Komm schon«, bat er. »Sag mir, was ich übersehen habe.« Frustriert schlug er mit der flachen Hand auf den Tisch. »Gott, ich mache das doch nicht mit Absicht, Sara. Egal, wie viele Jahre vergangen sind, er ist immer noch mein bester Freund. Es ist nicht leicht, in so einem Moment ein guter Cop zu sein.«

Sara atmete tief ein. Der Schlag auf den Tisch hatte sie erschreckt, am liebsten wäre sie wirklich aufgestanden und gegangen. Nur weil er aus einer gewalttätigen Familie kam, hieß das zwar noch lange nicht, dass auch er zu Gewalt neigte, aber sie wurde das Bild von gestern Nacht nicht los. Seine breiten Schultern und sein muskulöser Körper, den sie immer so attraktiv gefunden hatte, hatten plötzlich etwas Bedrohliches bekommen.

Anscheinend spürte er ihre Reaktion, denn seine Stimme wurde weicher. »Bitte sieh mich nicht so an.«

»Ich wollte nur …«

Als sie nichts sagte, fragte er: »Was?«

Sara presste das Kinn auf die Brust. Für diese Unterhaltung war sie noch nicht bereit. Stattdessen kam sie auf das gegenwärtige Problem zurück. »Ich will mir Roberts Einschusswunde noch einmal ansehen.«

»Warum?«

»Ich bin mir nicht sicher, aber …«, begann sie, doch dann war sie plötzlich überzeugt. »Unterhalb der Wunde waren Schmauchspuren.«

»Du bist dir nicht sicher?«

»Ich *will* mir nicht sicher sein, aber im Grunde bin ich es.«

Er lachte tonlos. »Er hat die ganze Zeit die Hand draufgedrückt.«

»Er hat das Blut mit seinem Hemd gestillt.«

»Hat er dich das Hemd ansehen lassen?«

Sara schüttelte den Kopf. Wenn die Pistole aus nächster Nähe abgefeuert worden war, wären auch auf dem Hemd Schmauch- und Pulverspuren.

Er sagte: »Im Krankenhaus haben sie es wahrscheinlich weggeschmissen.«

»Oder er.«

»Oder er«, bestätigte Jeffrey. Er schüttelte den Kopf. »Wenn er doch nur mit mir reden würde. Er könnte mir versuchen zu erklären, was passiert ist …«

»Was machen wir jetzt?«

Er schüttelte wieder den Kopf. »Warum redet er bloß nicht mit mir?«

Die Antwort lag auf der Hand, doch Sara schwieg.

»Vielleicht hat Luke Swan versucht, sich auf ihn zu stürzen. Er lag schließlich nur einen knappen Meter entfernt.«

»Eher anderthalb.«

»Dann hat Robert ihn weggestoßen«, sagte Jeffrey. »Swan war wahrscheinlich auf den Knien.«

»Möglich.«

Sie hörte die Anspannung in seiner Stimme, als er versuchte, alles irgendwie zu erklären. »Vielleicht hat Swan gehört, wie Robert seine Pistole holte. Da ist er auf ihn los. Vielleicht stand er direkt vor ihm.« Jeffrey hielt die Hand hoch, mit den Fingern machte er die Pistole nach. »Er hat auf Robert geschossen, und dann hat Robert ihn erschossen.«

Sara versuchte, die Schwachstelle in der Theorie zu sehen. »Möglich.«

Jeffrey war spürbar erleichtert. »Warten wir die Autopsie ab, in Ordnung? Bis dahin können wir es doch für uns behalten. Die Autopsie wird zeigen, was passiert ist.«

»Hast du gefragt, ob ich dabei sein darf?«

»Hoss will sogar, dass du die Untersuchung machst.«

»Also gut.«

»Sara ...«

»Ich habe schon gepackt«, sagte sie und stand auf. »Sobald ich fertig bin, möchte ich los.« Um keine Zweifel aufkommen zu lassen, erklärte sie: »Ich will nach Hause.«

ZEHN

13.32 Uhr

Das Telefon kreischte wie Fingernägel auf einer Tafel. Saras Ohren fingen an, ihr Streiche zu spielen. Sie hatte das Gefühl, das Klingeln wurde lauter und leiser, wie eine Polizeisirene. Um die Zeit zu überbrücken, zählte sie die Sekunden dazwischen, verzählte sich, bis sie dachte, es hätte aufgehört, nur um das nächste Schrillen umso lauter wahrzunehmen. Das Telefon klingelte noch mit einer Glocke, nicht mit einer computergenerierten Melodie. Der schwarze Apparat war so alt, dass es Sara nicht gewundert hätte, wenn eine Wählscheibe dran gewesen wäre. Es hatte weder ein leuchtendes Display noch stromlinienförmige Tasten. Bei all den Handys und schnurlosen Telefonen mit ihren digitalisierten Klingelzeichen hatte Sara vergessen, wie sich ein richtiges Telefon anhörte.

Mit dem Handrücken wischte sie sich den Schweiß von der Oberlippe. Ab dem Moment, da der Strom abgestellt worden war, wälzte sich die Hitze von draußen in den schlecht belüfteten Mannschaftsraum herein. Inzwischen, über eine Stunde später, war es stickig und man bekam kaum noch Luft. Zu allem Überfluss begannen die Leichen zu riechen.

Smith hatte Brads Uniformhemd und -hosen in den Belüftungsschacht gestopft, wahrscheinlich um zu verhindern, dass die Polizei sich Einblick verschaffte. Jetzt saß Brad in weißen Boxershorts und schwarzen Socken da, doch es war ihm schon lange nicht mehr peinlich. Aus irgendeinem Grund hatte Smith Vertrauen zu Brad, und er war der Einzige, dem Smith irgendeine Art von Freiheit zugestand. Sara war es gelungen, Brad Jeffreys Brieftasche zuzuschieben, als er die kleinen Mädchen aufs Klo brachte. Sie hatte allerdings keine Ahnung, wo er sie versteckt hatte. Sie hoffte nur, es war ein gutes Versteck.

Der Stress hatte zwei der übrig gebliebenen Mädchen schließlich so erschöpft, dass sie beide, mit den Köpfen in Brads Schoß, eingeschlafen waren. Marla saß ein Stück von der Gruppe entfernt und starrte mit offenem Mund und leerem Blick zu Boden. Sara hatte panische Angst, dass die alte Frau hysterisch werden und Jeffreys wahre Identität verraten könnte. Es lief ihr kalt über den Rücken, als sie sich eingestand, dass sie, falls sie eine Wahl treffen musste, alles tun würde, um Jeffrey zu schützen.

Sara lehnte den Kopf gegen die Wand und riskierte einen Blick auf Smith. Er lief wieder auf und ab und murmelte dabei vor sich hin. Er hatte den Mantel ausgezogen und stellte seinen absolut durchtrainierten Körper zur Schau. Stahlharte Muskeln zeichneten sich unter dem T-Shirt ab. Auf dem rechten Bizeps war ein großer blauer Adler eintätowiert, und bei jedem zweiten Schritt versuchte Sara, die Inschrift darunter zu entziffern, doch ohne Erfolg.

Wie sein Komplize trug er Armeehosen und Springerstiefel. Die kugelsichere Weste war bei der Hitze wahrscheinlich wie eine Zwangsjacke, doch er löste nicht einmal die Schnallen. Aus jeder Pore schien er eine animalische Angriffslust auszudünsten, und doch war es der zweite Schütze, der stillere von beiden, der Sara mehr Angst einjagte. Er befolgte Befehle, führte aus, was immer man ihm auftrug, ganz egal, ob es darum ging, auf kleine Kinder zu zielen oder einem Polizisten den Kopf wegzupusten. Dieser Charaktertyp war unter jungen Männern nicht ungewöhnlich – das Militär versuchte bevorzugt diese Sorte Jungs zu rekrutieren –, doch Smith und er zusammen bildeten das explosive Gemisch. Falls Smith etwas zustieß, wäre der zweite Schütze vollkommen unberechenbar. Wenn man einem Skorpion den Kopf abhackte, war der Schwanz immer noch tödlich.

Jeffrey bewegte sich in Saras Schoß, und sie legte ihm beruhigend die Hand auf die gesunde Schulter. »Alles wird gut«, flüsterte sie.

Er rieb sich die Augen wie ein müdes Kind. Er hatte den Abdruck einer Falte ihres Kleides im Gesicht, und sie hätte die Linie am liebsten weggeküsst.

»Wie spät ist es?«

Sie sah auf die Uhr. »Halb zwei«, sagte sie und strich ihm eine Strähne aus der Stirn. »Weißt du, wo wir sind?«

Er atmete tief ein, dann wieder aus. »Ich habe geträumt, wie ich mit meiner Frau zum allerersten Mal Liebe gemacht habe.«

Sie presste die Lippen zusammen. Sie wünschte sich so sehnlich, sie könnte die Zeit zurückdrehen, dass ihr die Tränen kamen.

Er fuhr fort. »Wir waren in meinem Elternhaus, auf dem Fußboden in meinem Kinderzimmer …«

»Schsch«, machte sie. Sie wollte nicht, dass er zu viel redete.

Er verstand und schloss die Augen, als wollte er die Erinnerung noch nicht gehen lassen. Als er die Augen wieder öffnete, konnte Sara sehen, wie stark seine Schmerzen waren. Doch er klagte nicht. Stattdessen sagte er: »Das verdammte Telefon macht mich noch verrückt.«

»Ich weiß.« Fast wünschte sie, die Männer würden den Stecker rausziehen, wenn sie schon nicht drangingen. Sie wartete das nächste Klingeln ab, dann fragte sie: »Hast du große Schmerzen?«

Er schüttelte den Kopf, aber sie wusste, dass er log. Er war schweißgebadet, nicht nur von der Hitze. Die Wunde blutete nicht mehr, aber vielleicht hatte er innere Blutungen. Sein Arm fühlte sich eiskalt an, der Puls war unregelmäßig. Wahrscheinlich klemmte die Kugel zwischen der verletzten Arterie und einem Nerv. Wenn Jeffrey sich bewegte, hatte er unerträgliche Schmerzen. Außerdem barg jede Bewegung das Risiko, dass sich die Kugel verschob. Die Wunde war zu weit oben, als dass sie den Arm hätte abbinden können. Das Einzige, was ihn im Moment vor dem Verbluten bewahrte, war die Kugel selbst. Wenn nicht bald Hilfe kam, wusste Sara nicht, wie lange er noch durchhalten würde.

»Ich habe gerade daran gedacht«, sagte sie, ihre Stimme war kaum mehr als ein Flüstern, »wie sehr du dich ...« Sie blickte auf, doch Smith unterhielt sich mit seinem Komplizen. »Wie viel sich verändert hat«, sagte sie dann. Er war so anders als der Mann, in den sie sich einst verliebt hatte, und doch war so vieles noch genauso wie damals. Die Zeit hatte ihn veredelt, ihn geschliffen wie einen Diamanten.

»Wo sind sie?«, fragte er und versuchte sich aufzusetzen.

Als sie ihn sanft zurückdrückte, blieb er, wo er war. Selbst die Tatsache, dass er sich so kraftlos ergab, machte Sara Angst. »Sie sind vorne«, sagte sie. »Sie haben Allison bei sich.«

»Ruth Lippmans Tochter?«, fragte er und hob schwach den Kopf. Sie ließ ihn einen Blick auf das Mädchen werfen, bevor sie ihn wieder nach unten drückte. Allison saß mit baumelnden Beinen auf dem Anmeldungstresen. Auf dem Schienbein prangte eine rote Schnittwunde. Letzte Woche war sie mit dem Fahrrad gestürzt, als sie ein besonders waghalsiges Kunststück machen wollte. Sara hatte die Wunde mit zwei Stichen genäht und Allison für einen Lutscher das Versprechen abgenommen, dass sie beim nächsten Mal vorsichtiger wäre.

Smith ging jetzt nicht mehr auf und ab, sondern war bei Allison stehen geblieben, die Schrotflinte in der Armbeuge. Der zweite Schütze stand auf der anderen Seite des Mädchens, das Gewehr, mit dem er immer noch auf den Eingang zielte, lag auf dem Tresen. Smith sah aufmerksam herüber, und Sara wusste, dass er jedes Wort verstand.

»Dein Arm macht mir Sorgen«, sagte sie zu Jeffrey.

»Es geht schon.« Wieder versuchte er, sich aufzurichten.

»Nicht«, sagte sie. »Bitte. Du darfst dich nicht mehr bewegen als unbedingt nötig.«

Jeffrey schien die Sorge in ihrer Stimme zu hören, denn er gab nach.

Er fragte: »Haben sie Forderungen gestellt?«

Sie schüttelte den Kopf und versuchte Smiths Blick auszuweichen. Sara hatte ihr halbes Leben in der Pädiatrie verbracht. Auch wenn Smith kein Kind mehr war, er kam ihr vor, als wäre er noch lange nicht erwachsen. Sie wusste, wie aggressiv heranwachsende Männer werden konnten, wenn man sie reizte, vor allem wenn sie Publikum hatten. Sara wollte nicht erschossen werden, nur weil Smith seinem Freund etwas beweisen musste.

Jeffrey versuchte, sich bequemer hinzulegen, und sie betete, er würde seinem Arm nicht noch schlimmeren Schaden zufügen. Leise fragte er: »Der eine scheint dich zu kennen. Hast du ihn wiedererkannt?«

Wieder schüttelte sie den Kopf. Sie wünschte, sie könnte ihm sagen, dass sie wusste, wer die Schützen waren und was sie hier wollten. Im Geist war sie die letzten fünfzehn Jahre von Grant County bis Atlanta durchgegangen. Sie hätte sich bestimmt an Smith erinnert, wenn er ein Patient gewesen wäre. Doch selbst wenn sie ihn vergessen haben sollte, warum sollte er hierhergekommen sein, um Jeffrey umzubringen? Oder handelte er vielleicht im Auftrag seines Freundes? Sara versuchte, einen besseren Blick auf den Komplizen zu bekommen. Er hatte die Mütze noch immer tief ins Gesicht gezogen, doch die Sonne, die durch den Spalt an der Eingangstür fiel, erhellte seine Augen. Sie waren vollkommen leer, wie eine Pfütze trüben Wassers.

Plötzlich merkte Sara, dass Smith beobachtete, wie sie seinen Freund anstarrte. Hastig zwang sie sich, Allison zuzulächeln. Die Kleine hockte in sich zusammengesunken auf dem Tresen, der Rock bauschte sich um ihre Knie. Tränen liefen ihr über das Gesicht. Ruth Lippman war Saras Englischlehrerin in der zehnten Klasse gewesen. Sie war streng, konnte aber die Schüler begeistern, und Sara hatte sie dafür geliebt.

»Er hat kaum einen Akzent«, sagte Jeffrey. Es stimmte. Nur wenn Smith sich aufregte, hörte man, dass er aus dem Süden kam, ansonsten sprach er ein farbloses, unmelodiöses Englisch, wie man es beim Militär eingebläut bekam. Aber vielleicht reimte Sara sich das nur zusammen. Wahrscheinlich wollte er nur unbedingt Soldat sein; vielleicht war sein Vater ein hohes Tier beim Militär gewesen, aber mit seiner Kriminalakte und seinem psychologischen Profil wurde er selbst nicht einmal zur Grundausbildung zugelassen.

Jeffrey blinzelte.

»Versuch zu schlafen.«

»Ich darf nicht«, sagte er, doch seine Lider flatterten, und schließlich schloss er die Augen.

Sara sah zu Smith, der die ganze Szene beobachtet hatte. Sie versuchte, ihrer Stimme einen festen Klang zu verleihen, doch sie konnte das Zittern nicht unterdrücken. »Er braucht medizinische Versorgung. Bitte lassen Sie ihn gehen.«

Smith verzog den Mund, als würde er tatsächlich darüber nachdenken. Neben ihm rührte sich sein Komplize. Er murmelte etwas, und dann ging Smith zum Telefon und nahm mit Schwung ab.

Er sagte: »Wir tauschen die alte Frau gegen Sandwiches und Wasser ein. Und zwar ohne irgendwelche Zusätze. Wir haben ein paar Vorkoster hier.« Dann legte er den Kopf schräg und lauschte der Antwort. »Nein. Vergessen Sie es.« Nach einer weiteren Pause drehte sich Smith um und sah Allison an. Er hielt ihr das Telefon hin, und Sara ahnte, dass er sie anlächelte.

Sie wünschte, das Mädchen würde ihm nicht vertrauen, doch sie sah, wie Allison zurücklächelte. Einen Moment später kniff er ihr ins Bein. Allison schrie auf, und Smith hielt sich das Telefon wieder ans Ohr.

Er lachte blechern. »Ja, Sie haben richtig gehört, Lady. Die Kinder behalten wir.« Er drehte sich um und betrachtete die restlichen Geiseln. »Und wir wollen ein paar Biere.«

Sein Partner riss den Kopf herum. Sara hatte den Eindruck, eben war Smith vom verabredeten Plan abgewichen. Soso, dachte sie. Vielleicht war Smith doch nicht der Anführer.

Smith ließ den Ärger über die stille Rüge seines Partners an der Person am anderen Ende der Leitung aus. »Eine Stunde, du Schlampe. Wenn ihr länger braucht, gibt es hier noch viel mehr Tote.«

ELF

Montag

Am nächsten Morgen fuhr Sara zum Bestattungsinstitut. Jeffrey saß auf dem Beifahrersitz und wies ihr den Weg. Normalerweise war sie vor einer Obduktion gern allein, um sich mental auf ihre Aufgabe vorzubereiten, doch für diesen Luxus hatte sie heute keine Zeit. Bevor sie bei Nell aufgebrochen waren, hatte Sara noch ihre Mutter angerufen und angekündigt, dass sie am Abend wieder in Grant County wäre.

»Hier ist es«, sagte Jeffrey und zeigte auf ein u-förmiges Gebäude neben dem Highway. Bis auf einen kleinen Blumenladen auf der anderen Straßenseite war es das einzige Haus weit und breit. Sattelschlepper wirbelten heiße Luft auf, als Sara ausstieg. In der Ferne hörte sie Donnergrollen, und genauso war ihre Stimmung.

Sie fuhr zusammen, als sie den Fuß auf den Asphalt setzte und sich ein Stein durch die dünne Sohle ihrer Sandale bohrte.

Jeffrey fragte: »Alles klar?« Sie nickte und ging auf den Eingang zu.

Paul, der Deputy, der sie gestern Abend zu Nell gebracht hatte, stand vor der Tür und rauchte eine Zigarette. Er drückte die Kippe am Rand der Mülltonne aus und warf sie in den mit Sand gefüllten Aschenbecher. »Ma'am«, sagte er und hielt Sara die Tür auf.

»Danke«, sagte Sara. Sie bemerkte den argwöhnischen Blick, mit dem er Jeffrey bedachte.

Jeffrey fragte: »Wo sind sie?«

Er antwortete, ohne Jeffrey anzusehen. »Hinten. Einfach den Gang runter.«

Der Hilfssheriff ging voran. Bei jedem Schritt hörte Sara seine Schlüssel rasseln und das Leder des Holsters quietschen. Mit den Spritzbetonwänden und den Neonröhren, die alles in gelbes Licht tauchten, wirkte das Bestattungsinstitut fast wie ein ganz gewöhnliches Amt. Es roch nach Chemikalien und künstlichem Raumduft, der in einem Wohnzimmer oder Büro vielleicht angenehm gewesen wäre, doch hier wurde Sara nur schlecht davon.

»Hier lang.« Paul öffnete eine Tür am Ende des Korridors. Sara warf Jeffrey einen Blick zu, doch er sah mit regloser Miene an ihr vorbei in die Leichenhalle. Der Tote lag auf einem konkaven Tisch, rundherum standen Chemikalien und Kosmetika. Die Leiche war mit einem sauberen weißen Laken zugedeckt, dessen Saum im Luftstrom der brummenden Klimaanlage am Fenster flatterte. Es war so kalt hier unten, dass man kaum Luft bekam.

»Hey«, sagte Hoss und streckte Sara die Hand entgegen. Sie schüttelte sie kräftig, bis sie merkte, dass er sie eigentlich nur am Ellbogen fassen wollte, um sie in den Raum zu führen. Sara erinnerte sich vage, dass Männer aus Hoss' Generation einer Frau normalerweise nicht die Hand schüttelten, es sei denn aus Spaß. Ihr Großvater Earnshaw, den sie innig liebte, war genauso.

Hoss stellte sie den anwesenden Männern vor. »Das ist Deacon White, der Betreiber des Bestattungsinstituts.« Der massige, mürrische Mann mit den Geheimratsecken nickte Sara kurz zu. »Das ist Reggie Ray.« Hoss zeigte auf den zweiten Hilfssheriff, der gestern Nacht bei Robert gewesen war. Der junge Mann trug immer noch die Kamera um den Hals, und Sara fragte sich, ob er den Apparat wohl auch mit ins Bett nahm.

»Slick«, sagte Hoss zu Jeffrey. »Ich glaube, ich habe euch gestern gar nicht vorgestellt – Reggie ist Marty Rays Junge.«

»Was du nicht sagst«, sagte Jeffrey kühl. Trotzdem streckte er dem anderen die Hand hin. Reggie nahm sie widerwillig, und wieder fragte sich Sara, warum sich die Deputys Jeffrey gegenüber so zugeknöpft benahmen.

Hoss sagte: »Wir haben Roberts Aussage heute Morgen aufgenommen.« Jeffrey war sichtlich überrascht. »Die Nachbarn bestätigen seine Geschichte im Großen und Ganzen.«

Sara wartete, dass Jeffrey etwas sagen würde, doch er starrte nur auf den Boden.

Sekundenlang herrschte eine unangenehme Stille, dann zeigte Deacon White auf eine Tür hinter Sara. »Wir bewahren die Kittel im Lager auf. Sie können sich gerne bedienen.«

»Danke«, sagte Sara und bekam ein ernstes Nicken zur Antwort. Vielleicht nahm der Mann es ihr übel, dass sie an seiner Stelle die Obduktion durchführte. Der Bestattungsunternehmer von Grant County, ein alter Schulfreund von Sara, war mehr als froh gewesen, als sie ihm die Verantwortung als Gerichtsmediziner abnahm, doch Deacon White schien ein harter Knochen zu sein.

Sie ging zu dem Lagerraum hinüber, der kaum mehr als ein Wandschrank war. Trotzdem schloss sie die Tür hinter sich. Kaum war die Tür zu, begannen die Männer zu reden. Sie hörte die Stimmen von Hoss und Paul.

Anscheinend ging es um das letzte Basketballspiel der Highschoolmannschaft.

Sara faltete einen OP-Kittel auseinander und schlüpfte in die Ärmel. Als sie versuchte, die Bändel am Rücken zuzubinden, kam sie sich vor wie ein Hund auf der Jagd nach seinem eigenen Schwanz. Der Anzug war viel zu groß, er war offensichtlich Deacon Whites vollschlanker Mitte angepasst. Als sie schließlich die Füßlinge und die Haube überzog, kam sie sich in ihrem Aufzug vollkommen lächerlich vor.

Sie hatte schon die Hand am Türgriff, doch bevor sie die Tür öffnete, schloss sie einen Moment die Augen und versuchte, alles zu verdrängen, was in den letzten vierundzwanzig Stunden passiert war. Die Vermutung, dass Robert sich die Wunde selbst zugefügt hatte, könnte ihre Untersuchungsergebnisse beeinflussen, und Sara wollte ganz sichergehen, dass sie sich nur an die klaren Fakten hielt. Sie war kein Ermittler. Ihre Aufgabe bestand allein darin, der Polizei ihre professionelle Einschätzung mitzuteilen. Die Polizei hatte selbst zu entscheiden, was sie daraus machte. Das Einzige, was sie tun konnte, war, ihre Aufgabe gut zu erledigen.

Die Männer wurden still, als sie zurück in den Raum kam. Sie meinte ein Grinsen auf Pauls Gesicht gesehen zu haben, doch dann blickte er schnell wieder in sein Notizheft und schrieb mit einem abgekauten Bleistiftstummel etwas hinein. Deacon White stand neben der Leiche, und Jeffrey und Hoss lehnten mit verschränkten Armen an der Wand. Reggie stand am Waschbecken, seine Kamera reflektierte das Licht. Im Raum herrschte angespannte Stille. Trotzdem wurde Sara das Gefühl nicht los, dass es sich hier nur um eine Proforma-Veranstaltung handelte.

Sie fragte: »Wo sind die Röntgenbilder?«

White wechselte einen Blick mit Hoss, dann sagte er: »Wir röntgen üblicherweise nicht.«

Sara versuchte, sich die Überraschung nicht anmerken zu lassen. Sie wusste, sie machte sich keine Freunde, wenn sie hier reinplatzte und den Leuten auf die Nase band, dass sie sie für einen Haufen Dorftrottel hielt. Röntgenbilder gehörten zu den Standardvorschriften bei jeder Obduktion, und bei einer Kopfwunde waren sie besonders wichtig. Die Kugel zerschlug den Knochen, wenn sie in die Schädeldecke eintrat, und die Lage der Knochensplitter im Hirn lieferte aufschlussreiche

Hinweise darauf, welchen Weg die Kugel genommen hatte. Schnitt man die Wunde auf, konnte es sein, dass man die Lage der Splitter veränderte und damit sogar falsche Spuren legte.

Sie fragte: »Haben Sie die Kugel gefunden?«

»Im Kopf?«, fragte Reggie zurück. Er klang überrascht. »Ich hab zwei .22er aus der Wand gepult. In der Nähe seines Kopfes habe ich nichts gefunden außer ... Gehirn.«

»Die Kugel steckt vielleicht noch drin«, erklärte Sara.

Hoss räusperte sich höflich, dann sagte er: »Vielleicht hat unser alter Reg die Kugel übersehen. Wir finden sie bestimmt, wenn wir noch mal gründlich danach suchen.«

Reggie wirkte empört, doch als Hoss zu ihm rübersah, hatte er sich schon wieder im Griff. Er zuckte die Achseln, als wollte er dem Sheriff sagen: »Kann sein.«

Sara legte sich ihre Worte sorgfältig zurecht. »Manchmal bremst das Hirngewebe die Geschwindigkeit der Kugel ab, und die Kugel ist dann zu langsam, um wieder aus dem Schädel auszutreten.«

Hoss bemerkte: »Von seinem Kopf fehlt die gesamte rechte Hälfte.«

»Dazu kann es auch durch den Schädelbruch kommen.« Sara wusste, welche Munition Polizisten am liebsten benutzten, und mutmaßte: »Wir reden hier von einer Neun-Millimeter mit Hohlspitze, nehme ich an?«

Reggie blätterte in seinem Notizheft zurück und las vor: »In der Beretta war Kaliber .22, lang für Büchsen, in der Glock neun Millimeter mit Hohlspitze.«

Sara sagte: »Die hätte genug Kraft, einen Teil der Schädeldecke wegzureißen.« Sie verkniff sich die Bemerkung, dass ein Röntgenbild darüber leicht Aufschluss gegeben hätte.

Hoss sagte: »Na schön.«

Sara wartete ab, ob er noch etwas zu sagen hatte, doch als er schwieg, zog sie das Laken weg. Sie hätte sich denken können, dass sie die Leiche auf den Rücken legen würden, und jetzt versuchte sie, ihren Ärger darüber hinunterzuschlucken. Die Leichenflecken waren zum Hinterkopf gewandert, was bedeutete, dass in das weiche Gewebe der Kopfhaut Blut gesickert sein konnte. Solche Flecken waren nur schwer von Kontusionen zu unterscheiden, die vor dem Tod entstanden waren. Solange es keine Hautaufschürfungen gab, war es fast unmöglich, zwischen Leichenflecken und Prellungen zu unterscheiden.

Die Totenstarre hatte eingesetzt. Swans Haar klebte mit Blut in seinem Gesicht. Dennoch konnte Sara sehen, dass Mund und Augen leicht geöffnet waren. Auf der Seite, mit der er auf dem Teppich gelegen hatte, war ein bläulicher Schatten. Sein Brustkorb war schmal, die Rippen standen hervor. Man hatte es versäumt, ihm Plastiktüten über die Hände zu stülpen, um mögliche Spuren wie Schießpulver oder Fasern, die er umklammert hielt, zu konservieren – und klammern war das richtige Wort: Swans rechte Hand war zur Faust geballt.

Reggie sagte: »Ich hab versucht, ihm die Hand zu öffnen, aber es ging nicht.«

»Schon gut«, sagte Sara. Falls sie tatsächlich Reste von Schießpulver an Swans Hand fand, ließ sich nicht zurückverfolgen, ob sie von Reggie oder von dem Toten stammten. »Sind die Fotos vom Tatort schon fertig?«

Er schüttelte den Kopf. »Aber hier sind meine Zeichnungen«, sagte er und zog einen zusammengefalteten Umschlag aus der Tasche. Darin waren drei Blätter mit groben Grundrissen des Tatorts. Er entschuldigte sich gleich: »Ich wollte noch mal drübergehen.«

»Schon gut«, sagte Sara wieder und breitete die Zettel auf dem Tisch neben dem Waschbecken aus. Das Bett und der Schrank standen einander als zwei schiefe Rechtecke gegenüber. Luke Swan war ein Strichmännchen mit zwei Kreuzchen als Augen. Seine rechte Hand lag unter seinem Körper, die andere war seitlich ausgestreckt. Sie fragte: »Er hat auf seiner rechten Hand gelegen?«

Reggie nickte. »Ja. Er hatte die Hand an der Brust, als wir ihn umgedreht haben.«

White ergänzte: »Die Totenstarre war ziemlich heftig.«

»Um wie viel Uhr war das?«

»Ungefähr zwei Stunden nach dem Unfall«, sagte er, und Sara versuchte, nicht weiter darüber nachzudenken, dass der Mann, der die Obduktion normalerweise vorgenommen hätte, jetzt schon von einem Unfall sprach.

»War es schwierig, ihn zu bewegen?«

»Wir mussten die Totenstarre brechen, um ihn auf die Bahre zu kriegen.«

»Arme und Beine?«, fragte sie, und er nickte. Die Totenstarre begann im Kiefer und breitete sich dann in die Extremitäten aus. Es dauerte normalerweise sechs bis zwölf Stunden, bis sie vollständig war.

Zum ersten Mal meldete sich Jeffrey zu Wort: »Vielleicht war er in Panik. Oder er war high.«

»Wir machen ein Drogenscreening.«

Hoss mischte sich mit gezwungener Höflichkeit ein. »Könnt ihr das für Leute übersetzen, die nicht auf dem College waren?«

Sara erklärte: »Die Totenstarre kann durch körperliche Belastung vor Todeseintritt beschleunigt werden. Durch den Abbau von Adenosintriphosphat, kurz ATP, werden die Muskeln schneller steif.«

Der Sheriff nickte, doch sie sah ihm an, dass ihm die Information auch nicht weiterhalf.

Sara wollte gerade zu einer Erklärung ansetzen, doch beim Anblick von Hoss' ganzer Haltung überlegte sie es sich anders. Er war ihrem Großvater Earnshaw so ähnlich, dass sie sich bei einem Lächeln ertappte.

Reggie sagte: »Das hier sind die Patronenhülsen.« Er zeigte

auf einen Strich in der Nähe der Tür. Zwei weitere waren neben dem Opfer eingetragen. »Die .22er lagen hier und hier. Die Neun-Millimeter war bei der Tür.«

Jeffrey räusperte sich. Widerwillig sagte er: »Hast du die Hülsen auf Fingerabdrücke untersucht?«

Diesmal unterdrückte Reggie seinen Ärger nicht. »Natürlich.« Dann fügte er hinzu: »Die Waffen auch. Die Glock ist auf Robert eingetragen. Es ist seine Dienstwaffe. Bei der Beretta ist die Seriennummer abgeschliffen.«

Hoss nickte und steckte die Hände in die Hosentaschen.

Sara fragte White: »Haben Sie Handschuhe?« Er holte eine Schachtel Gummihandschuhe aus dem Schrank über dem Waschbecken. Die Männer beobachteten, wie Sara zwei Paar Latexhandschuhe übereinanderzog. White rollte den Wagen mit dem Besteck herbei. Sara war froh, dass sie darunter ein Seziermesser, Scheren, Skalpelle und die anderen Instrumente fand, die sie für die Obduktion benötigte.

»Ich helfe Ihnen«, sagte White. Zusammen schlugen sie das Laken zurück, das die untere Hälfte von Luke Swans Körper bedeckte. Man hatte ihm Jeans und Unterhose ausgezogen. Swan war ein kleiner Mann, höchstens eins siebzig, und wog knapp sechzig Kilo, wobei sein Körper nichts von der Grazie aufwies, die sein Nachname versprach. Auch wenn sein blondes Haar schulterlang war, hatte er kaum Körperbehaarung, und selbst sein Schamhaar wuchs spärlich. Sein Penis war leicht angeschwollen, an den aufgedunsenen Hoden waren geplatzte Äderchen zu sehen. Er hatte dünne Beine und eine lange Narbe an der Außenseite seines linken Oberschenkels. Sara schätzte, dass sie noch aus der Kindheit stammte. Damals musste es eine böse Verletzung gewesen sein. Aus irgendeinem Grund musste sie an Jeffreys Narbe denken, und sie fragte sich, was in Jeffrey vorgegangen war, wenn sein Vater ihn schlug.

»Würde es Ihnen etwas ausmachen mitzuschreiben?«, bat sie Paul.

»Nein, Ma'am«, antwortete er und blätterte eine neue Seite in seinem Notizheft auf.

»Er ist wie alt?«

Paul sagte: »Vierunddreißig.«

Sie nickte. Das Alter passte zu dem Körper, der hier vor ihr lag. Sie diktierte, was sie bis jetzt herausgefunden hatte, und wartete nach jeder Information, dass Paul fertig wurde mit Schreiben. In Grant County hatte sie ein Diktafon für ihre Berichte. Sie war es nicht gewohnt, ihren natürlichen Rhythmus bei der Untersuchung zu unterbrechen.

»Die Haut ist trocken, wahrscheinlich Nährstoffmangel«, sagte sie und tastete seinen Arm ab. »Einstichlöcher am rechten Arm, wahrscheinlich ein paar Jahre alt.« Spontan untersuchte sie den Bereich zwischen den Zehen. »Frische Einstichwunden.«

»Was sagen Sie?«, unterbrach sie Hoss.

Jeffrey erklärte: »Er hat sich die Drogen zwischen die Zehen gespritzt, damit nicht jeder sieht, dass er an der Nadel hängt.« Zu Sara sagte er: »Das erklärt das ATP.«

»Je nachdem, was er genommen hat.« Sie fragte Deacon: »Haben Sie Blut- und Urinproben genommen?«

Der Mann nickte. »Es dauert aber ein, zwei Wochen, bis wir sie zurückbekommen.«

Sara biss sich auf die Zunge, doch Jeffrey hakte nach: »Lässt sich das nicht beschleunigen?«

Hoss sagte: »Das kostet.«

Jeffrey zuckte die Achseln, und Hoss nickte White zu, um ihm grünes Licht zu signalisieren.

Sara setzte die äußerliche Untersuchung fort, ohne etwas Bemerkenswertes zu finden, außer einer sternförmigen Wunde am rechten Fußknöchel.

Sie bat Deacon White: »Würden Sie mir helfen, die Faust zu öffnen?«

Er zog sich ein Paar Handschuhe über, und alle beobachteten, wie Deacon White versuchte, die Finger aufzubrechen. Als die Hand nicht nachgab, veränderte er seine Position. Er machte einen Ausfallschritt und drückte seinen Daumen mit aller Kraft in die kleine Öffnung zwischen Swans Daumen und Zeigefinger. Als er sich mit dem ganzen Oberkörper hineinlehnte, brach der Finger endlich auf. Der nächste ließ sich schon leichter öffnen, und so stemmte er nach und nach alle Finger auf. Es hörte sich an wie knackende Äste.

»Nichts«, sagte White. Er beugte sich über die Hand, dann trat er einen Schritt zurück, damit Sara besser sehen konnte. Swans Fingernägel hatten sich in das weiche Fleisch seiner Handfläche gegraben, ansonsten war die Hand leer.

White fragte: »Todeskrampf?«

»Das kommt sehr selten vor«, antwortete Sara und sah sich noch einmal die Brust an, wo die Hand gelegen hatte. »Er hat auf seiner Faust gelegen. Vielleicht hat das Gewicht seines Körpers die Finger zusammengedrückt, und dann hat die Totenstarre eingesetzt.« Sie sah sich um und entdeckte in der Ecke eine rollbare Lampe. »Könnten Sie mir wohl die Lampe herüberschieben, damit ich es mir genauer ansehen kann?«

Er kam ihrer Bitte nach, wickelte die Schnur ab und ließ Paul den Stecker in die Steckdose stecken. Die Birne flackerte ein paar Mal, doch sie warf genügend Licht auf die leere Handfläche.

Mit dem spitzen Ende einer Pinzette kratzte sie trockene Haut und ein paar größere, nicht identifizierbare Schuppen unter seinen Fingernägeln hervor. Sie füllte die Proben in ein Reagenzglas, zusammen mit einem Stück Fingernagel, und sah zu, wie Paul das Reagenzglas mit grünem Klebeband versiegelte.

Während Reggie Fotos machte, hielt Sara ein Lineal an die Narben und die anderen Auffälligkeiten, die sie entdeckt hatte. Als sie beim Kopf waren, entfernte Sara mit den Fingern Knochensplitter und Gehirnmasse aus den Haaren, bevor sie

Swans Gesicht freilegte und die Eintrittswunde auf der linken Seite seines Kopfes betrachtete.

Jeffrey hatte die ganze Zeit geschwiegen, doch jetzt sagte er: »Schmauchspuren.« Er hatte so leise gesprochen, dass Sara nicht sicher war, ob sie es sich nur einbildete.

Aber er hatte recht. Winzige rötlich braune Punkte fanden sich rund um die Eintrittswunde, dort, wo das Pulver die Haut versengt hatte. Sara hielt das Lineal, während Reggie fotografierte. Sie kämmte mit den Fingern durch Swans Haar und untersuchte die Haut rund um die Wunde auf weitere Anhaltspunkte. Schließlich sagte sie: »Ich sehe hier keinen Ruß.«

»Kann das Blut den Ruß abgewaschen haben?«, fragte Jeffrey, der sich neben sie gestellt hatte.

»Nicht von der Seite«, sagte sie mit einem Anflug von Erleichterung. Der Kopf war übel zugerichtet, doch im Licht der Lampe konnte sie alles genau sehen. Schmauchspuren ohne Rußpartikel ließen mit großer Wahrscheinlichkeit darauf schließen, dass die Kugel aus mittlerer Entfernung abgeschossen worden war. Das bedeutete, dass Robert mindestens einen halben Meter entfernt gestanden hatte, als er auf Swan geschossen hatte.

Jeffrey fragte: »Womit war die Glock noch mal geladen?«

Paul blätterte wieder in seinem Notizheft zurück. »Federal, 115 Grain.«

»Kugelpulver.« Jeffrey atmete hörbar auf. Zu Hoss sagte er: »Kugelpulver brennt schneller. Das heißt, Robert hat mindestens einen knappen Meter entfernt gestanden.«

»Das passt zu seiner Aussage von heute Morgen«, befand Hoss. »Er hatte eine Ladehemmung, als er abdrückte.«

»Eine Ladehemmung?«, wiederholte Sara. Das bedeutete, dass es zwischen dem Zeitpunkt, als er abdrückte, und dem Schuss eine Verzögerung geben hatte.

»Und was hat er gesagt, wie lange es gedauert hat?«, fragte Jeffrey.

»Er war sich nicht sicher«, antwortete Hoss. »Vielleicht eine halbe Sekunde.«

Als Sara Jeffreys Gesicht sah, fragte sie sich, ob ihr die Skepsis ebenfalls anzusehen war. Wie oder wann eine Waffe abgefeuert wurde, war wissenschaftlich nicht nachzuweisen. Kugeln trugen keinen Stempel mit der Uhrzeit des Abfeuerns, und ob eine Waffe tatsächlich Ladehemmung gehabt hatte oder nicht, ließ sich unmöglich genau feststellen.

Sara wandte ihre Aufmerksamkeit wieder dem Toten zu und fuhr durch sein Haar auf der Suche nach Knochenresten, die sie auf einem Tablett sammelte. Sie versuchte sich zu konzentrieren, doch sie wurde den Gedanken nicht los, wie schnell man ihr für jede Frage, die sich aus der Sachlage ergab, Entschuldigungen auftischte. Im umgekehrten Fall, wenn Robert hier vor ihr auf dem Tisch gelegen hätte, dann hätten alle anwesenden Männer Luke Swan gejagt wie einen tollwütigen Hund, davon war sie überzeugt.

Als könnte er ihre Gedanken lesen, fragte Jeffrey Hoss: »Wo ist Robert jetzt?«

»Er ist bei Jessie und ihrer Mutter«, antwortete er. »Warum?«

»Ich wollte mal nach ihm sehen. Hören, wie es ihm so geht.«

»Es geht ihm gut«, sagte Hoss und sah auf die Uhr. »Das Ganze hier dauert länger, als ich dachte. Ich hab gleich einen Termin.«

Jeffrey fragte: »Soll Paul unsere Aussagen aufnehmen?«

Hoss schien die Aussagen völlig vergessen zu haben, doch dann sagte er: »Nein, das mache ich schon. Treffen wir uns so gegen drei auf dem Revier.«

Jeffrey wandte ein: »Wir hatten vor, so bald wie möglich zu fahren.«

»Kein Problem.« Hoss klopfte Jeffrey kräftig auf die Schulter. »Dann schaut ihr einfach auf dem Weg zum Highway auf dem Revier vorbei. Es dauert nicht lange, da bin ich sicher.«

Paul wartete, bis sein Boss draußen war, dann sagte er höflich: »Ich hab auch noch eine Menge Papierkram zu erledigen.« Er nickte Sara zu, dann ging er. Als Nächster war Deacon White an der Reihe, der sich wegen einer Verabredung zum Mittagessen verabschiedete. Sara fragte sich, ob er gesehen hatte, dass es auf der Uhr über der Tür erst zehn war.

Reggie ließ die Kamera sinken und lehnte sich gegen das Waschbecken. Seinem Gesichtsausdruck nach zu schließen, hatte er niemanden, der auf ihn wartete, doch selbst wenn, schien er Jeffrey nicht mit der Leiche allein lassen zu wollen.

Jeffrey machte es noch schlimmer, indem er Reggie fragte: »Was hat Robert ausgesagt?«

Reggie zuckte die Achseln. »Warum so neugierig?«

Jeffrey zuckte ebenfalls die Achseln.

Sara wusste nicht, wie Reggie es verkraften würde, doch sie sagte zu Jeffrey: »Ich möchte eigentlich nicht nach der Kugel graben. Wir brauchen zuerst Röntgenbilder, sonst zerstöre ich hier alle Spuren.«

Reggie sagte: »In dem Zimmer war keine Kugel mehr. Ich hab genau nachgesehen. Nur die zwei .22er lfB in der Wand und die Hülsen auf dem Boden, so wie ich sie aufgezeichnet habe.«

Jeffrey schien auf der Hut zu sein, als wollte er Reggie aushorchen. »Was für eine Ersatzwaffe hatte Robert?«

Doch Reggie starrte nur schweigend vor sich hin.

Sara sagte: »Die Neun-Millimeter ist schneller als die .22er. *Wenn* eine Kugel im Schädel stecken geblieben wäre, dann die .22er.«

Reggie klappte erstaunt den Mund auf. Er sah von Jeffrey zu Sara. »Ich denke, dann sollten wir die Kugel finden.«

Jeffrey nickte.

Während Sara sich frische Handschuhe anzog, dachte sie, dass sie hierzu eigentlich keine Befugnis hatte, doch es war der einzige Weg, die Wahrheit ans Licht zu bringen. Vorsichtig betastete sie die Austrittswunde mit den Fingern; sie wollte nicht zur Zange greifen, um auf dem Metall keine Kratzer zu hinterlassen.

»Nichts«, sagte sie schließlich. »Vielleicht steckt sie tiefer.«

Reggie erklärte: »Hoss wird nicht erlauben, dass wir ihn durchleuchten.«

»Luke«, sagte Jeffrey. »Er heißt Luke Swan. Hat er mal bei dir im Streifenwagen gesessen?«

»Scheiße«, schnaubte Reggie. »Zigmal.«

»Weswegen?«

»Meistens wegen Einbruch, aber er hat immer aufgepasst, dass keiner zu Hause war. Meistens ist er eingebrochen, wenn er dachte, dass die Leute in der Kirche sind.«

»Gestern war Sonntag.«

»Die Kirche macht um acht zu. Selbst wenn er total breit war, hätte er die Wagen in der Einfahrt sehen müssen.«

»Hat er schon früher Waffen bei sich gehabt?«

»Nein.«

»Ist er je gewalttätig geworden?«

»Nie.« Reggie dachte noch einmal nach. »Er war im Grunde harmlos, meistens hat er nicht mehr mitgenommen, als er in einem Kissenbezug tragen konnte.« Dann setzte er nach: »Andererseits weiß man ja nie, oder? Ich schätze, das Gleiche haben die Leute auch von deinem Vater gesagt, bevor er mit den Typen hochgenommen wurde, die meinen Onkel Dave auf dem Gewissen haben.«

Sara sah, wie Jeffrey schluckte.

Reggie fuhr fort: »Man weiß nie, wozu die Menschen fähig sind. Eben stiehlt er noch einen Rasenmäher, und am nächsten Tag legt er kaltblütig einen Deputy um.«

Sara hatte das Gefühl, sie müsste etwas sagen, aber es fiel ihr nichts ein. Jeffrey hatte die Fäuste geballt, als hätte er Reggie am liebsten windelweich geprügelt. Reggie hob trotzig das Kinn.

Sara versuchte, die beiden abzulenken. »Reggie, könnten Sie vielleicht mitschreiben?«

Nur widerwillig wandte Reggie den Blick von Jeffrey ab. »Kein Problem, Ma'am«, sagte er und holte sein Notizheft heraus. Er warf Jeffrey noch einen Blick zu. »Ich helfe doch gern.«

Während er mitschrieb, ging Sara die Ergebnisse noch einmal von vorne durch, denn sie hatte keine Lust, Paul später wegen seiner Aufzeichnungen nachlaufen zu müssen und damit die Abreise aus diesem gottverlassenen Nest auch nur eine Minute länger hinauszuzögern. Aus dem Augenwinkel sah sie, wie Jeffrey Luke Swan anstarrte. Sie fragte sich, woran er wohl dachte. Er hatte ihr nicht erzählt, dass die Schießerei, in die sein Vater verwickelt gewesen war, den Tod eines Polizisten zur Folge gehabt hatte. Reggie hatte offensichtlich ins Schwarze getroffen, denn Jeffreys Wut hatte sich in eine Traurigkeit verwandelt, die Sara körperlich zu spüren meinte.

Der Rest der Obduktion war Routine, soweit man bei einem Erschossenen von Routine reden konnte. Weder gab es besondere Erkenntnisse noch Hinweise, die dem, was Robert letzte Nacht gesagt hatte, widersprachen. Jahrelanger Drogenkonsum und ungesunde Ernährung hatten zu Kalziumablagerungen in den Koronararterien geführt. Die Leber war leicht vergrößert, doch in Anbetracht des Alkohols, den Sara in Swans Magen fand, war das normal. Was die fehlende Kugel anging, hatte Reggie im Haus vielleicht etwas übersehen, oder sie steckte tiefer im Hirn. Sara öffnete Swans Schädel nicht, damit später noch Röntgenaufnahmen gemacht werden konnten, falls Hoss sich doch noch entschied, Ermittlungen anzustellen.

Als Sara den Y-Schnitt mit dem üblichen Matratzenstich vernähte, fielen ihr die Kleider ein.

Reggie sagte: »Sie sind in einer Tüte auf dem Revier.«

»Wir haben sie nicht hier?«, wunderte sich Sara. Das war seltsam.

»Hoss hat sie heute früh zur Beweisaufnahme mitgenommen.« Reggie blätterte in seinem Notizheft zurück. »Ein Paar Levis, Größe 29/30, ein Paar Nike-Turnschuhe und weiße Socken, ein Portemonnaie mit sechs Dollar und dem Führerschein.«

»Keine Unterhose?«, fragte Sara.

Er las noch einmal nach. »Anscheinend nicht.«

»Autoschlüssel?«

»Er ist nie selbst gefahren. Hat vor drei Jahren wegen Trunkenheit am Steuer seine Fahrerlaubnis verloren.«

»Das heißt nicht, dass er nicht fährt«, wandte Jeffrey ein.

Reggie zuckte die Schulter. »Es hat ihn jedenfalls nie jemand erwischt. Seine Oma hat ein Auto. Die ist total daneben. Hoss hat sie ein paar Mal erwischt, wie sie auf der falschen Straßenseite gefahren ist, und einmal hat sie das Stoppschild auf der Henderson umgemäht. Seitdem springt der Wagen nicht mehr an.«

Sara zog die Handschuhe aus. »Wo kann ich mich hinsetzen und meinen Bericht schreiben?«

»Ich sag Deacon White Bescheid«, sagte Reggie. »Es stört ihn sicher nicht, wenn Sie sein Büro benutzen.«

Sara ging zum Waschbecken, um sich die Hände zu waschen. Sie spürte, dass Jeffrey sie beobachtete. Doch als sie versuchte, seinen Blick aufzufangen, kam White herein, und er sah weg.

»Also«, sagte White und ging einen Packen Formulare durch. »Das hier sind wahrscheinlich die, die Sie benutzen.«

Sara warf einen Blick auf die Obduktionsvordrucke. »Ja, vielen Dank.«

»Ich fülle sie meistens da drüben aus«, sagte er dann und rollte ihr einen Stuhl an die Arbeitsplatte neben dem Waschbecken.

»Bestens.«

Jeffrey sagte: »Ich warte im Wagen auf dich«, und ging hinaus.

»Ich lasse Sie dann mal arbeiten«, sagte White.

Sara zog den Stuhl an die Theke und begann zu schreiben. Reggie schlenderte zu ihr herüber und sah ihr über die Schulter, während sie ihren Namen und die verschiedenen Angaben in das Formular eintrug, die der Staat von ihr verlangte. Sie notierte Luke Swans Adresse und Telefonnummer, dann Gewicht und Maße seiner Organe und andere Auffälligkeiten, die sie gefunden hatte. Als sie zum Schluss kam, räusperte sich Reggie. Sara sah ihn an und wartete darauf, was er zu sagen hatte.

Irgendwie rechnete sie damit, dass er sich über Jeffrey beschwerte. Doch stattdessen fragte er: »Routine für Sie?«

Sara wog ihre Worte ab. Sie wusste nicht, ob sie dem Mann vertrauen konnte. »Eine Schießerei ist nie Routine.«

»Stimmt«, gab er zu. Er wählte seine Worte genauso vorsichtig wie sie. »Wie lange kennen Sie Jeffrey Tolliver schon?«

»Eine Weile. Warum?«

»Nur so.«

»Sonst noch was?«

Reggie schüttelte den Kopf, und Sara konzentrierte sich wieder auf den Bericht.

Ein paar Minuten später räusperte er sich wieder, und sie sah ungeduldig auf.

Er sagte: »In das Magazin der Beretta passen sieben Kugeln.«

»Dann müssten noch fünf im Magazin sein.«

»Sechs, wenn eine in der Kammer war.«

Anscheinend musste man ihm alles aus der Nase ziehen. »Und wie viele waren drin?«

»Sechs.«

Sie legte den Stift zur Seite. »Reggie, was wollen Sie mir sagen?«

Er mahlte mit den Kiefern, genau wie Jeffrey, wenn er wütend war.

»Wenn Sie etwas zu sagen haben, dann sagen Sie es.« Sie spürte, dass sie so bei ihm nicht weiterkam, doch sie konnte auch nicht ständig Rücksicht auf anderer Leute Befindlichkeiten nehmen. »Reggie, wenn Ihnen in dieser Sache etwas Verdächtiges aufgefallen ist, müssen Sie es sagen. Ich kann nur diese Formulare hier ausfüllen, nicht mehr. Ich bin kein Polizist, und ich bin auch nicht Ihre Mutter …«

»Lady«, begann Reggie, seine Stimme zitterte vor Wut. »Sie wissen gar nicht, in was Sie sich da hineinziehen lassen.«

»Das klingt mir sehr nach einer Drohung.«

»Es ist eine Warnung«, sagte er. »Sie scheinen ein netter Mensch zu sein, aber meiner Meinung nach lassen Sie sich mit den falschen Leuten ein.«

»Das haben Sie mehr als deutlich gemacht.«

»Vielleicht sollten Sie sich mal überlegen, warum die Leute Sie ständig vor ihm warnen.« Er tippte sich an den Hut, als Sara zur Tür ging. »Ma'am.«

ZWÖLF

Die Hitze draußen fühlte sich an wie eine Wand, als Sara aus dem Bestattungsinstitut kam. Am Himmel sah sie die Vorboten eines Gewitters, doch die aufkommenden Wolken kühlten die Luft nicht ab. Als Sara bei Jeffrey am Wagen ankam, rann ihr der Schweiß in Bächen den Rücken hinunter. Trotzdem schlug sie vor: »Lass uns ein paar Schritte gehen.«

Er stellte keine Fragen, als sie den Friedhof hinter dem Gebäude überquerten. Es ging kein Lufthauch, und Sara wurde von der Hitze schwindelig, als sie die Anhöhe hinaufstiegen. Sara lief immer weiter, las geistesabwesend die Inschriften der Grabsteine, während sie sich dem Wäldchen hinter dem Friedhof näherten. Im Zaun war eine Pforte, die Jeffrey ihr aufhielt.

Es wurde dunkler, als sie in den Wald kamen, und Sara wusste nicht, ob es an dem dichten Blätterdach über ihren Köpfen lag oder an dem sich zusammenbrauenden Gewitter. So oder so, im Schatten war es plötzlich merklich kühler, und dafür war sie dankbar.

Sie folgten einem schmalen Pfad. Jeffrey ging voraus, drückte Äste zur Seite und machte den Weg frei. Über ihnen sangen Vögel, und sie hörte das Zirpen einer Grille – oder das Zischen einer Schlange, je nachdem, wie viel Spielraum man seiner Fantasie ließ.

Schließlich brach sie das Schweigen. »Ich weiß, dass wir hier in Alabama sind, aber ich verstehe trotzdem nicht, wieso sich keiner gefragt hat, weshalb Luke Swan kein T-Shirt anhatte.«

Jeffrey riss einen Zweig von einem niedrigen Ast. »Niemand scheint sich hier groß Fragen zu stellen.« Er sah sich über die Schulter nach ihr um. »Vor dem Fenster waren keine Fußspuren.« Er überlegte kurz, dann sagte er: »Der Boden war natürlich trocken. Man könnte behaupten, dass niemand in dem trockenen Boden Spuren hinterlassen hätte.«

»Ich finde, es wird ganz schön viel behauptet«, sagte sie und zuckte zusammen, als sich eine Wurzel in ihre Ferse grub.

Er blieb stehen und drehte sich zu ihr um. »Ich konnte nicht erkennen, ob das Fliegengitter von außen oder von innen eingedrückt wurde.«

»Und was willst du jetzt tun?«

»Gott«, sagte er und warf den Zweig in den Wald. »Ich weiß es nicht.« Dann kniete er sich hin und begann seine Schnürsenkel zu lösen.

»Was machst du denn da?«

»Mit deinen Sandalen kannst du genauso gut barfuß gehen.« Er zog seine Turnschuhe aus und reichte ihr einen.

Sie zögerte, doch er bestand darauf. »Sara, ich habe jeden Zentimeter deines Körpers geküsst. Bild dir nicht ein, ich hätte nicht gemerkt, dass deine Füße so groß wie meine sind.«

»Nicht ganz«, murmelte sie und stützte sich auf seine Schulter, während sie in den rechten Schuh schlüpfte. Zu ihrer Schande passte er fast perfekt.

Sie blickte ihn an, um zu sehen, ob er es merkte, doch er lächelte nur zu ihr hinauf und sagte: »Ich liebe es, wenn du rot wirst.«

»Ich bin nicht rot geworden«, widersprach sie, doch sie spürte, dass ihre Wangen glühten.

Er half ihr in den zweiten Schuh. Sie wollte sich hinknien, um die Schnürsenkel zuzubinden, doch Jeffrey kam ihr zuvor.

»Ich warte die ganze Zeit darauf, dass irgendjemand den Mund aufmacht. Sie können ihm die Geschichte doch nicht einfach so abkaufen.«

»Ich glaube, Reggie stellt sich vielleicht doch ein paar Fragen«, sagte sie und sah zu, wie er über der Schleife einen weiteren Knoten machte. Seine Hände waren so groß, und doch waren seine Berührungen immer ganz zart. Irgendwie hatte sich die Wut aufgelöst, die heute Morgen noch in ihr gegärt hatte, und sie wusste nur noch, dass sie vierundzwanzig Stunden vorher drauf und dran gewesen war, sich rettungslos in ihn zu verlieben. Sosehr ihre Vernunft auch dazu riet, sie konnte ihre Gefühle für ihn nicht ändern.

»So.« Er stand auf, ihre Sandalen in der Hand. »Geht's?«

Sie ging einen Schritt und log: »Ein bisschen zu groß.«

»Jaja.« Jeffrey lief auf Socken weiter. »Hat Reggie erwähnt, dass ich mal was mit seiner Schwester hatte?«

»Ich gehe mal davon aus, dass du mit jeder Frau in der Stadt was hattest.«

Er sah sie seltsam an.

»Tut mir leid«, sagte sie dann, und es stimmte auch. Ein paar Minuten liefen sie schweigend weiter, dann fragte sie: »Warum haben hier alle etwas gegen dich?«

»Mein Dad war nicht im Rotary Club.«

»Da muss doch mehr dran sein.« Sara fragte sich, was er verbergen wollte. Doch auch sie hatte ihre Geheimnisse, und so war sie in keiner guten Position, ihm seine Zurückhaltung vorzuwerfen.

Er blieb stehen und sah sie an. »Ich möchte noch eine Nacht hierbleiben.«

»In Ordnung.«

»Und ich will, dass du bei mir bleibst.«

»Ich habe nicht vor ...«

»Du bist der einzige Mensch hier, der mich nicht für einen Verbrecher hält.«

»Und Hoss.«

»Er wird seine Meinung ändern, wenn ich meine Aussage mache.«

»Was wirst du aussagen?«

»Das Gleiche wie du: die Wahrheit.« Er lief weiter, und sie folgte ihm. »Vielleicht wäre alles anders, wenn Robert den Mund aufmachen würde.« Er blieb stehen und zeigte auf irgendetwas hinter Sara. Als sie sich umdrehte, sah sie die Berge, die sich am Horizont abzeichneten.

»Das ist Herd's Gap«, sagte er. »Wo die Reichen leben. Jessies Familie zum Beispiel.«

Sara beschirmte ihre Augen und betrachtete das Panorama.

»Ich weiß, es sieht unscheinbar aus, aber wir sind direkt am Fuß der Appalachen. Von hier aus kann man es nicht sehen, aber dort drüben«, er zeigte nach links, »sind die Cheaha Mountains.« Er ging weiter. »Und unter uns liegen fünfzig Kilometer des härtesten, weißesten Marmors der Welt. Fast hundertzwanzig Meter in die Tiefe.«

Sara sah seinen Rücken an und fragte sich, was er ihr damit sagen wollte. »Aha.«

»Das Washington Monument wurde mit Sylacauga-Marmor errichtet und das Oberste Bundesgericht auch«, fuhr er fort. »Ich weiß noch, wie früher bei den Sprengungen die Fensterscheiben zitterten.« Er stieg über einen umgefallenen Baum und reichte Sara die Hand, um ihr zu helfen. An seinen Socken klebte Erde, aber es schien ihm nichts auszumachen.

Er sagte: »Unter der Stadt fließt ein Fluss. Durch den unterirdischen Fluss und die Sprengungen im Steinbruch hat sich im ganzen Stadtgebiet der Boden stellenweise abgesenkt. Vor ein paar Jahren hat sich unter der Baptistenkirche ein Loch geöffnet, und die halbe Kirche ist zehn Meter in die Tiefe gestürzt.«

»Jeffrey ...«

Wieder war er stehen geblieben. »Genau so fühlt es sich an, Sara. Ich habe das Gefühl, die ganze Stadt versinkt, und ich stürze mit ihr in die Tiefe.« Er lachte bitter. »Es heißt, wenn man mal auf dem Boden ist, kann man nicht tiefer sinken. Aber in Sylacauga ist sogar das möglich.«

Sara holte tief Luft, dann atmete sie aus. »Ich kann keine Kinder bekommen.«

Es schien Ewigkeiten zu dauern, bis er reagierte, dann sagte er unbestimmt: »Verstehe.«

»Wir tun wohl am besten so, als hättest du nicht gesagt, was du gestern Nacht gesagt hast, bevor …«, sie warf eine Hand in die Luft, »… bevor die Katastrophe hereingebrochen ist.«

»Nein«, unterbrach er sie. »Ich habe es ernst gemeint«, sagte er, und sie glaubte ihm.

»Dann erklär mir«, bat sie, »warum Reggie dir nicht vertraut.«

Regentropfen begannen auf das Laubdach zu prasseln, und als Sara hinaufsah, brach unvermittelt das Unwetter los. In wenigen Sekunden waren sie beide bis auf die Knochen durchnässt. Es schüttete so stark, dass Sara nach Jeffreys Hand griff, um ihn nicht zu verlieren.

»Hier lang«, rief er durch das Prasseln. Er lief zügig voran, dann begann er zu rennen, als ein Blitz den Himmel zerriss. Die hohen Bäume um sie herum, die eben noch so majestätisch gewirkt hatten, waren nur noch riesige Blitzmagneten, und Sara schloss sich seinem Tempo an. Sie hoffte, sie fanden einen Unterstand, bevor der Sturm noch schlimmer wurde.

Der Himmel verdunkelte sich, und gerade als Sara hinaufsah, zog Jeffrey sie hinunter in die Hocke. Vorsichtig schob er ein Dickicht aus Schlingpflanzen und ein paar alte modrige Bretter zur Seite, dann führte er sie in den etwa einen Meter breiten Eingang einer Höhle. Drinnen war die Luft fast kalt, und sie legte die Hand an die felsige Decke, um sich zu orientieren. Selbst in der Hocke stieß sie mit dem Kopf an. Sie machte sich noch kleiner und streckte die Hand aus, um ihre Umgebung zu ertasten, während Jeffrey sie tiefer in die Höhle zog. Rechts und links war nur Finsternis, doch plötzlich stieg die Decke über ihnen an, und sie konnte sich ein wenig aufrichten. Nur den Kopf musste sie noch einziehen.

Das Prasseln des Regens war jetzt nur noch gedämpft zu hören. Durch das Gestrüpp und die Bretter am Eingang fiel gerade so viel Licht, dass sie nicht vollkommen im Dunkeln standen, doch das machte es nicht besser. Selbst als sich ihre Augen an das Dämmerlicht gewöhnten, konnte sie das Ende der Höhle nicht sehen.

»Alles in Ordnung?«, fragte Jeffrey.

»Geht schon.« Sara schauderte, nicht nur wegen der Kälte. Sie stützte sich an der Decke ab und kämpfte gegen die Klaustrophobie.

»Mein Gott, stinkt es hier.« Er drängte sich an ihr vorbei und machte sich am Eingang zu schaffen. Dann trat er die Bretter weg, um mehr Licht hereinzulassen, doch es blieb unangenehm finster.

Sara blinzelte und machte schließlich eine Sitzbank aus, die aus einem Auto zu stammen schien. Polster und Federn bohrten sich durch den Kunststoffbezug. Davor stand ein alter Sofatisch, dessen Kanten mit Hanfseil umwickelt waren. An den Stellen, wo Leute ihre Füße aufgestützt hatten, war es abgewetzt. Jeffrey zupfte etwas aus seinem Haar und ging zu der Bank hinüber. Er tastete darunter herum, und dann hörte sie ihn durch das gleichmäßige Rauschen des Regens lachen.

»Alles noch da«, sagte er zufrieden.

Sie kam näher, die Dunkelheit beunruhigte sie. Die Luft roch faulig. Sie fragte sich, ob es hier Tiere gab und ob eines vielleicht gerade auf dem Heimweg war und wie sie Schutz vor dem Sturm suchte.

Jeffrey riss ein Streichholz an, und für einen kurzen Moment wurde die Höhle in flackerndes Licht getaucht, bevor das Streichholz zuckend wieder erlosch. Auch Jeffrey stand mit eingezogenem Kopf da. Doch anders als Sara schien er sich hier zu Hause zu fühlen. Es war ihr peinlich, ein solcher Angsthase zu sein. Sara hatte sich nie vor dem Dunkeln gefürchtet, doch dieser enge Raum hatte etwas an sich, das sie beunruhigte.

Er riss das nächste Streichholz an. Wieder brannte es schnell ab und ließ sie in der Finsternis der Höhle zurück. »Wahrscheinlich nass geworden.«

Bevor sie sich zurückhalten konnte, sagte Sara: »Mir gefällt es hier nicht.«

»Das Gewitter ist bald vorbei«, beruhigte er sie. Er nahm sie beim Arm und führte sie zu der Bank. »Mach dir keine Sorgen. Wir waren früher nach der Schule immer hier.«

»Warum?« Sie konnte sich nicht vorstellen, dass jemand freiwillig hierherkam, um sich wie bei lebendigem Leib begraben zu fühlen. Selbst im Sitzen spürte sie die drückende Decke. Sie griff nach Jeffreys Hand.

»Mach dir keine Sorgen«, sagte er noch einmal. Endlich schien er zu merken, dass sie Angst hatte. Er legte den Arm um sie und küsste sie auf die Schläfe.

Sara lehnte sich an ihn. »Wie habt ihr die Höhle gefunden?«

»Wir sind hier in der Nähe des Steinbruchs«, erklärte er. »Robert hat die Höhle irgendwann entdeckt, als wir auf der Suche nach Pfeilspitzen waren.«

»Pfeilspitzen?«

»Wir sind auf Indianergebiet. Zuerst waren die Creeks hier, dann die Krieger der Shawnee. Sie nannten den Ort Chalakagay. In DeSotos Bericht taucht er schon im frühen sechzehnten Jahrhundert auf.« Er hielt inne. »Aber um 1836 hat die Regierung sie natürlich alle nach Westen vertrieben.« Er hielt wieder inne. »Sara, ich will gar keine Kinder.«

Das Prasseln des Regens rauschte in der Ferne, es klang, als fegten tausend Besen über den Fels.

»Ich hatte als Kind nicht die besten Vorbilder, und wer weiß, was meine Gene noch ausbrüten, wenn ich sie weitergebe.«

Sie legte ihm einen Finger auf die Lippen. »Erzähl mir lieber von den Indianern.«

Er küsste ihren Finger, dann fragte er: »Warum? Brauchst du eine Gutenachtgeschichte?«

Sara lachte. Solange er redete, konnte sie es ewig hier aushalten. »Erzähl mir irgendwas«, bat sie.

Er überlegte einen Moment. »Du kannst es nicht sehen, aber hier drinnen gibt es auch Marmor. Nicht so viel, dass sich die Leute vom Steinbruch dafür interessieren würden, aber dahinten an der Wand sieht man deutlich die Marmoradern im Fels. Deswegen ist die Luft hier so kalt. Frierst du?«

»Nein, ich bin nur klitschnass.«

Er zog sie näher an sich, und sie legte den Kopf in die Kuhle unter seinem Hals. Alles war gut, wenn sie nur so dasitzen konnte, bis das Unwetter vorbeigezogen war.

Er fuhr fort. »Die Bank haben wir aus einem alten Auto auf dem Schrottplatz geklaut. Possum hat wahrscheinlich immer noch die Narben am Hintern, wo ihn der Wachhund gebissen hat. Der Couchtisch ist vom Sperrmüll. Wir haben ihn drei Kilometer bis hierher geschleppt.« Er lachte gutmütig. »Wir dachten, wir sind die Könige.«

»Ich wette, du hast deine Mädchen hierhergebracht.«

»Machst du Witze? Die hatten doch alle Angst vor Spinnen.«

»Spinnen?« Sie schrak zusammen.

»Erzähl mir nicht, dass du plötzlich Angst vor Spinnen hast.«

»Ich habe nur Angst vor Krabbeltieren, wenn ich sie nicht sehen kann.« Als er aufstand, fragte sie: »Wo willst du hin?«

»Warte«, sagte er nur, und sie hörte, dass er sich an der Höhlenwand entlangtastete. »Wir hatten hier mal eine Kaffeedose …« Er wurde ruhig, und dann hörte sie das Scheppern von Metall. »Aha. Hier sind noch mehr Streichhölzer. Possum hatte sie aus einem Comicheft. Angeblich wasserfest.«

Sara zog die Füße an und saß kerzengerade auf ihrem Sitz. So verrückt es war, auf einmal hatte sie die unnatürliche Angst, dass jemand – oder etwas – die Hand nach ihr ausstrecken würde.

»Mal sehen«, sagte er und riss das Streichholz an. Sein Gesicht tauchte aus der Dunkelheit auf, als er die Flamme an eine Kerze hielt. Das Streichholz flackerte, und sie hielt die Luft an. Sie würde nicht atmen, bis der Docht brannte.

»Unglaublich, dass sie immer noch funktionieren.«

Im flackernden Licht sah Sara plötzlich eine Gestalt hinter ihm. Ihr Herz machte einen Aussetzer, und sie schnappte so laut nach Luft, dass Jeffrey erschrak und sich den Kopf an der Decke stieß.

Dann drehte er sich um und schrie: »Großer Gott!«

Er wich zurück, stolperte über den Couchtisch und stürzte zu Boden.

Panisch griff Sara nach der Kerze. Sie verbrannte sich die Hand an dem heißen Wachs, doch sie schaffte es, die Flamme zu retten. Ihr Herz schlug so heftig, dass ihr der Brustkorb zu zerspringen drohte.

»Gott«, rief Jeffrey und klopfte sich die Jeans ab. »Was zum Teufel ist das?«

Sara zwang sich aufzustehen, dann ging sie auf das Skelett zu, das sie Sekunden zuvor so fürchterlich erschreckt hatte.

Die menschlichen Überreste lagen auf einem Felsvorsprung wie auf einer Bank. Auch wenn die Knochen längst vergilbt waren, an ein paar Stellen waren noch Sehnen übrig; wahrscheinlich hatte sie die Kälte hier unten konserviert. Der linke Unterschenkelknochen fehlte mitsamt dem Fuß, ebenso wie einige Finger der rechten Hand. Selbst im schwachen Kerzenschein sah Sara, dass Nagetiere die Haut von den Knochen gefressen hatten. Sie hielt die Kerze an den Kopf, der zur Seite gerollt war und in einer Lücke zwischen zwei Steinen steckte. Der Schädel war auf der rechten Seite gebrochen und der

Knochen eingedrückt. Wahrscheinlich von einem schweren Gegenstand erschlagen.

Als sie sich zu Jeffrey umdrehte, sah sie, wie er etwas in die Hosentasche steckte.

Er klang distanziert. »Was ist?«

Sara blickte wieder auf das Skelett. »Ich glaube, dieser Mensch ist ermordet worden.«

DREIZEHN

13.58 Uhr

Lena biss die Zähne so fest zusammen, dass es wehtat.

Wagner sagte nicht viel am Telefon, doch Lena und wahrscheinlich jeder andere in der Reinigung hörten, wie der Amokschütze am anderen Ende herumschrie.

Auf die Frage: »Wollen Sie mir nicht sagen, wie Sie heißen?«, bekam Wagner nur ein bellendes Lachen zur Antwort. Als sie nach den Kindern fragte, quälte er ein kleines Mädchen, bis es ins Telefon weinte. Das Geheul hallte durch den Raum, und Lena hätte sich am liebsten die Ohren zugehalten.

Wagner blieb ganz ruhig. »Verstehe ich richtig, dass Sie die Kinder behalten wollen?«

Er nuschelte eine Antwort, doch die letzte Forderung war laut und klar, umso mehr, da Wagner das Telefon von ihrem Ohr weghielt. »Eine Stunde, du Schlampe. Wenn ihr länger braucht, gibt es hier noch viel mehr Tote.«

Trotz der Drohung lächelte Wagner, als sie das Telefon zuklappte. »Also gut«, sagte sie. »Sie wollen Bier.«

Lena machte den Mund auf, um sich freiwillig zu melden, doch Wagner bedeutete ihr zu warten und wandte sich an Frank und Nick: »Gentlemen, dürfte ich um einen Moment Ihrer Zeit bitten?«

Die Männer folgten ihr in Bill Burgess' Büro. Wagner lächelte Lena an, bevor sie die Tür schloss. Ihr Lächeln war undurchschaubar, und Lena wusste nicht, ob es eine Warnung war oder bloße Höflichkeit. So oder so, Lena würde mit Händen und Füßen darum kämpfen, dass sie ins Gebäude geschickt wurde. Sie musste ihren Beitrag leisten. Jeffrey hatte gegen den Willen der ganzen Stadt dafür gesorgt, dass Lena zur Truppe zurückkehren durfte. Das schlimmste Verbrechen war, dass er jetzt tot dort drin lag und Lena am Leben war.

Molly Stoddard hatte die ganze Zeit an den Klapptisch gelehnt dagestanden, doch jetzt löste sie sich von dem Tisch und klopfte an die Tür des Büros. Ohne eine Antwort abzuwarten, ging sie hinein und schloss die Tür hinter sich.

Lena erwartete eine Reaktion von Wagners Mitarbeitern, doch sie blieben gleichgültig. Einer von ihnen sprach so leise in ein Handy, dass Lena sich fragte, ob er nur die Lippen bewegte. Die anderen beugten sich über den Grundriss des Reviers und zeigten auf bestimmte Bereiche, als feilten sie an einer Strategie. Der Plan, eine Kamera durch das Belüftungssystem hineinzuschleusen, war gescheitert, weil die Schützen den Schacht mit Kleidungsstücken verstopft hatten.

Lena ging hinüber, um zu sehen, was die beiden planten. Der Mann mit dem Handy beendete sein Gespräch. Er erklärte: »Jennings ist letztes Jahr bei einer Massenkarambolage in Friendswood, Texas, ums Leben gekommen.«

»Das ist nicht Ihr Ernst«, stöhnte Lena. Die Nachricht traf sie wie eine Ohrfeige.

Der Mann entgegnete: »Er hatte zwei Kinder auf der Rückbank. Eins davon ist wohlbehalten aus dem Wrack geklettert. Das ist Glück, was?«

»Ja«, sagte Lena, doch sie bezweifelte, dass der Junge sich wie ein Glückspilz fühlte. Sie hatte mit eigenen Augen gesehen, was Jennings seinen Opfern antat. Dass diese Bestie auf so banale Weise gestorben war, kam ihr irgendwie falsch vor.

Jetzt ging die Tür des Büros auf, und Amanda Wagner kam mit Frank heraus. Nick und Molly waren noch drin, und Lena sah, dass Molly am Schreibtisch des alten Burgess saß und sein Telefon benutzte. Sie hatte den Kopf nach vorn gebeugt, eine Hand im Nacken. Offensichtlich führte sie ein privates Gespräch.

Wagners Kollege wiederholte die Information über Jennings. Sie bemerkte nur: »Na ja, es war sowieso eine etwas wilde Theorie.« Dann winkte sie Lena ins Büro. »Kommen Sie bitte mit.«

Nick wartete, bis sich alle versammelt hatten, dann schloss er die Tür. Molly sah Lena beunruhigt an. Ins Telefon sagte sie: »Liebling, Mama muss jetzt Schluss machen.« Sie wartete einen Moment, dann sagte sie: »Ich hab dich auch lieb.«

Lena kannte Saras Mitarbeiterin aus der Klinik, doch sie hatte sie nie weiter beachtet und auch nie darüber nachgedacht, ob die Frau vielleicht Familie hatte. Dabei war sie sicher eine gute Mutter – immer die Ruhe in Person, immer für die Kinder da. Egoismus schien ihr völlig fremd zu sein. Manche Menschen waren für das Familienleben einfach wie geschaffen.

»Detective Adams«, fing Wagner an. »Wir haben Sie ausgewählt, in das Gebäude zu gehen.«

Nick warf ein: »Ich möchte noch mal sagen, dass ich dagegen bin.«

Lena ging in die Defensive. »Ich weiß, was ich …«

»Ich meine nicht Sie«, unterbrach Nick. Er zeigte auf Molly. »Sondern sie.«

»Moment mal«, sagte Lena, als sie endlich begriff, was Molly getan hatte. »Sie geht mit rein?«

Wagner erklärte: »Wir schicken Sie beide als Sanitäter rein. Das ist Ihre Tarnung.«

»Sie haben doch gesagt, dass Barry wahrscheinlich tot ist.«

Molly sah Nick an, als sie sprach. »Ein paar der Kinder könnten verletzt sein. Sara braucht mich vielleicht.«

Nick presste die Lippen zusammen, und Lena wunderte sich, wieso er so heftig reagierte. Seine Einwände schienen privater, nicht beruflicher Natur zu sein.

»Nur für die Akten«, sagte Wagner. »Ich war unschlüssig, was Sie angeht, Detective Adams, aber Nicky hat mir versichert, dass Sie der Aufgabe gewachsen sind.«

Lena verbiss sich eine trotzige Bemerkung. Sie schluckte ihren Stolz hinunter und sagte: »Wenn Sie sich nicht sicher sind ...« Sie versuchte, Worte zu finden, doch sie musste gegen ihre Gefühle kämpfen. »Wenn Sie glauben, dass jemand anders besser geeignet ist, trete ich zurück.«

»Genau das ist das Problem«, antwortete Wagner. »Es ist niemand besser geeignet. Wenn ich einen meiner Jungs schicke, wissen die Schützen genau, was los ist. Ich glaube, die beste Vorgehensweise ist, Sie beide reinzuschicken. Mit Frauen haben sie weniger Probleme.«

»Oder sie nehmen euch beide ebenfalls als Geiseln«, warf Nick ein. »Oder erschießen euch einfach.«

»Er hat recht«, sagte Wagner. »Wir können nichts tun, um sie daran zu hindern.« Sie verschränkte die Arme vor der Brust. »Wollen Sie immer noch unbedingt da rein?«

Lena zögerte nicht. »Ja.«

Jetzt richteten sich alle Blicke auf Molly.

»Miss Stoddard?«, fragte Wagner.

Molly tauschte einen Blick mit Nick aus. »Ja.« Wagner sagte: »Ihre Entschlossenheit scheint ein wenig nachgelassen zu haben.«

»Nein.« Molly stand auf. »Ich bin bereit.«

14.15 Uhr

Lena wusch sich im Waschraum des Grant County Medical Center die Hände. Sie zitterten, aber das war nichts Neues.

Seit ihrer Entführung vor zwei Jahren zitterten ihre Hände immer wieder einmal. Manchmal dachte Lena, es läge an den Verletzungen, doch die Ärzte versicherten ihr, dass die Nerven nicht beschädigt worden seien.

»Alles in Ordnung?«, fragte Molly Stoddard. Sie sah Lenas Hände an.

»Alles bestens«, sagte Lena und riss ein Papierhandtuch von der Rolle.

»Es ist normal, nervös zu sein«, sagte Molly. »Ehrlich gesagt ist es mir sogar lieber, wenn Sie auch nervös sind.«

»Na dann«, gab Lena zurück. Sie nahm sich die Sanitäteruniform vom Waschtisch und ging in eine der Kabinen, um sich umzuziehen.

»Ich bin jedenfalls nervös«, sagte Molly. Als Lena immer noch nicht antwortete, seufzte sie: »Na gut.«

Lena zog die Jacke aus und hängte sie an den Haken an der Kabinentür. Als sie sich die Bluse aufknöpfte, klopfte es an die Tür des Waschraums.

Nick Shelton rief: »Seid ihr angezogen?«

Molly rief Ja, Lena Nein.

»Entschuldigung«, sagte Molly, doch Lena hörte, dass Nick schon im Raum war. Sie setzte sich auf den Klodeckel. Sie wollte nicht nackt sein, wenn er im Raum war, selbst wenn sie hinter einer geschlossenen Kabinentür stand.

»Ich wollte nur sagen …«, begann Nick unsicher, »ich wollte nur …«

»Es wird schon klappen«, beruhigte ihn Molly, als wüsste sie genau, was er auf dem Herzen hatte. Lena spähte durch den Türspalt und sah, dass Molly Nicks Wange streichelte. »Mir wird schon nichts passieren«, flüsterte sie.

»Du musst das nicht tun«, sagte Nick.

»Wenn ich da drin wäre, würde Sara …«

»Sara hat keine zwei Kinder zu Hause, und genau das würde sie dir jetzt auch sagen, wenn sie könnte.«

Molly sah in Lenas Richtung, und Lena stand auf, um sich weiter umzuziehen, damit die beiden nicht dachten, sie beobachte sie. Sie ließ ihre Hose auf den Boden gleiten und hörte ein gedämpftes Klappern, als das Taschenmesser, das sie immer in der hinteren Hosentasche hatte, auf die Fliesen fiel. Lena spähte durch den Spalt, um sich zu vergewissern, dass Molly und Nick nichts gesehen hatten. Sie flüsterten immer noch, als wäre es ihnen völlig egal, dass Lena kaum einen Meter neben ihnen stand. Offensichtlich wollte Nick nicht, dass Molly in das Gebäude ging. Lena konnte es ihm nicht verübeln. Es gab keine Garantie, dass die Schützen sie nicht auch als Geiseln nahmen.

Lena öffnete das Klappmesser und strich über die scharfe Klinge. Das Messer war kaum acht Zentimeter lang, doch es war nicht ungefährlich. Die Frage war nur, wo Lena es verstecken sollte, wenn die Geiselnehmer sie durchsuchten.

Nick sprach jetzt lauter, um auch Lena anzusprechen. »Die Typen haben zu leicht klein beigegeben«, sagte er. »Normalerweise sind Geiselnehmer viel unnachgiebiger. Sie handeln rein emotional. Man muss erst eine ganze Weile mit ihnen verhandeln und ihr Vertrauen gewinnen, bevor sie Zugeständnisse machen. Die hier geben Marla zu früh raus.«

Lena schlüpfte in die weiße Hose. Sie war mindestens eine Nummer zu groß, doch sie hatte mit Schlimmerem gerechnet. Sie sagte: »Vielleicht haben sie Hunger.«

»Irgendwas stimmt da nicht«, beharrte Nick. »Sie scheinen zu wissen, was wir vorhaben. Den Belüftungsschacht haben sie nicht zum Spaß blockiert. Sie wussten, dass wir Kameras reinbringen wollen und dass wir es nach den Standardrichtlinien zuerst über die Belüftung versuchen würden. Vielleicht ist es nur eine Falle, um mehr Geiseln in die Hand zu bekommen.«

Lena zog einen Turnschuh aus und ließ das Messer hineingleiten. Dann zog sie ihn wieder an.

»Lena?«, fragte Nick.

»Ich weiß, welche Gefahren uns drohen, Nick«, gab sie zurück. Er behandelte sie wie eine Zehnjährige, nicht wie einen erfahrenen Cop. Sie zog das Hemd über, es spannte an der Brust. Auf dem Namensschild an der Brusttasche stand Martin, und Lena fragte sich, ob der Name zu einem dürren Mann oder einer flachbrüstigen Frau gehörte.

Als Lena aus der Kabine kam, trat Molly einen Schritt von Nick zurück, als fühlte sie sich ertappt. Lena betrachtete sich im Spiegel. Sie fand, so wie die Knöpfe über ihrem Busen spannten, sah sie aus wie eine Nutte oder ein Pornostar. Doch wenn sie an einige der weiblichen Sanitäter dachte, die sie aus Heartsdale kannte, passte sie genau ins Schema.

Zu Nick sagte sie: »Ich weiß, dass du Wagner nicht traust.«

»Weißt du auch, warum?«, fragte er und fuhr fort, ohne eine Antwort abzuwarten. »Ich weiß von den Gerüchten, aber ich sag dir was: *Ich* war derjenige, der gezögert hat. Sie hat nicht gezögert. Sie zögert nie. Sie ist eiskalt. Und ich sag dir noch eins.« Er warf Molly einen vielsagenden Blick zu. »Sie kann Frauen nicht ausstehen.«

Lena ließ die Luft zwischen den Zähnen entweichen.

»Glaub mir«, sagte Nick. »Es macht ihr nichts aus, Frauen als Lockvogel zu benutzen. Und genau das tut sie hier, egal, was du vielleicht denkst. Das ist damals in Ludowici passiert. Sie hat eine Polizistin reingeschickt, und die Geiselnehmer haben die Frau behalten. Zehn Minuten später war sie tot.«

»Weil *du* gezögert hast?«, fragte Lena angriffslustig. Doch als sie das Schuldbewusstsein in seinen Augen sah, bereute sie ihre Worte – nicht, weil sie es nicht genau so gemeint hatte, sondern weil die Situation schon schwierig genug war, ohne dass Lena auch noch Molly Stoddard gegen sich aufbrachte.

Nick sagte: »Es wird nicht so einfach, wie du dir vielleicht vorstellst. Du bist lange genug bei der Polizei, um zu wissen, dass hier was nicht stimmt. Tief drinnen spürst du es auch. Du weißt es, Lena.«

»Ich warte draußen«, sagte Lena nur. Sie hielt es für das Beste, die beiden allein zu lassen. Als sie aus dem Waschraum kam, rannte sie in einen von Wagners Kollegen, und der Mann hielt sie mit seinen Gorillaarmen verdutzt fest, damit sie nicht umfiel. Doch er ließ seine Hand ein bisschen zu lang auf ihrem Körper. Lena stieß ihn fort und versuchte, ihre Wut zu unterdrücken. Dann ging sie zu Wagner, die mit dem Handy am Ohr am Ende des Flurs stand. Die Frau beendete das Gespräch, als Lena bei ihr ankam.

Wagner fragte: »Drückt der Schuh?«

»Er ist nur ein bisschen eng«, sagte Lena. »Das Hemd auch.«

»Lieber zu eng als zu weit«, entgegnete Wagner. »Was ist mit Ihrer Lippe passiert?«

Lena fasste sich an den Mund, bis sie merkte, wie verräterisch die Geste war. »Unfall«, sagte sie, und es klang nicht einmal in ihren eigenen Ohren überzeugend.

Wagner schien sie zu durchschauen, aber sie sprach Lena nicht darauf an. Stattdessen sagte sie: »Ich habe meine Zweifel, was Sie angeht, Detective Adams, aber ich lasse Sie reingehen, weil Sie Ortskenntnis haben und weil die Geiselnehmer bei Ihnen weniger misstrauisch sind.«

»Danke für das Vertrauen.«

»Sie brauchen mein Vertrauen nicht, Detective«, gab Wagner zurück. »Hören Sie mir gut zu: Sie bringen die Lebensmittel rein und holen Marla Simms da raus, und zwar so schnell wie möglich.«

»In Ordnung.«

»Ich will nicht, dass Sie die Heldin markieren, und vor allem will ich auf gar keinen Fall, dass Sie sich für eine andere Geisel eintauschen lassen.«

Lena wich Wagners Blick aus und sah zu Boden. Genau das hatte sie vorgehabt.

»Es mag auf den ersten Blick eine gute Idee sein, aber Sie nutzen uns hier draußen viel mehr als drinnen. Sie haben Erfahrung darin, gefährliche Situationen einzuschätzen. Ich brauche Ihre Expertenmeinung.«

Sie wirkte offen und ehrlich, also beschloss Lena, auch ehrlich zu ihr zu sein. »Klingt, als wollen Sie mich verarschen.«

Wagner verzog die Lippen zu einem Lächeln und musterte Lena mit einem Blick, den sie schon oft bei Leuten gesehen hatte: Der Frau war soeben klar geworden, dass sie Lena unterschätzte. »Nicht ganz. Sie haben doch mit Brad Stephens gearbeitet. Vielleicht kann er Ihnen Informationen geben. Partner haben ihr eigenes Kommunikationssystem.«

»Er war nicht mein Partner.«

»Ich habe keine Zeit für Ihre Egoprobleme«, sagte Wagner. »Ich will eine genaue Zeichnung von dem, was da drinnen los ist, wenn Sie wieder rauskommen. Wir müssen genau wissen, wo wer ist. Wir müssen wissen, wie viele Schreibtische und Aktenschränke vor der Tür stehen und wie schwer die Geiselnehmer bewaffnet sind. Was haben sie dabei, Sig, Smith & Wesson oder Glock? Detective Wallace glaubt, die Schrotflinte sei eine Wingmaster. Wie viel Munition haben sie? Welche Kaliber? Tragen sie die kugelsicheren Westen immer noch? Wie verstehen sie sich untereinander? Steigt einem die Sache vielleicht zu Kopf? Lässt sich der andere umkrempeln oder ablenken? Ich will von jeder Schwäche in der Abwehr wissen, und das geht nicht, wenn Sie drinbleiben.«

Lena nickte. All diese Informationen wären wichtig, und Molly Stoddard konnte nicht mal den Unterschied zwischen einer .22er und einer Neun-Millimeter erkennen, geschweige denn eine brauchbare Einschätzung der verfügbaren Feuerkraft abgeben.

Lena fragte: »Soll ich was reinschmuggeln?«

»Nein«, sagte Wagner. »Noch nicht. Wir müssen erst mal ihr Vertrauen gewinnen. Sie werden Sie von Kopf bis Fuß abtasten.« Sie warf einen Blick auf Lenas Schuh. »Wenn sie was finden, werden sie wütend, und an irgendjemandem lassen sie ihre Wut dann aus. Und dieser Jemand ist vielleicht jemand anderes als Sie. Bevor Sie also irgendwelche Risiken eingehen, fragen Sie sich, ob es die Sache wert ist, das Leben anderer Menschen in Gefahr zu bringen.«

»Okay«, sagte Lena und trat von einem Fuß auf den anderen. »Ich bin bereit.«

Wagner sah sie einen Herzschlag lang an, dann lächelte sie grimmig. »Schätzchen, Sie können mir ans Bein pinkeln, aber sagen Sie hinterher nicht, das war der Regen.«

Lena fühlte sich ertappt, doch sie versuchte, es sich nicht anmerken zu lassen.

Noch einmal blickte Wagner auf Lenas Schuh. Aber sie sagte nur: »Seien Sie bloß vorsichtig.«

VIERZEHN

Montag

Jeffrey lief durch den Wald, dicke Klumpen nasser Erde klebten ihm an den Socken. An einem Baum blieb er stehen, stützte sich ab und zog sich die Socken aus. Es hatte aufgehört zu regnen, die Sonne löste die Wolken auf, und am Boden verdampfte die Feuchtigkeit. Jeffrey wischte sich den Schweiß von der Stirn, als er auf den Friedhof kam. Auf dem offenen Gräberfeld brannte die Sonne noch heißer, und auf dem abfallenden Hügel blitzten die weißen Grabsteine wie Zähne in einem Maul, das Jeffrey zu verschlingen versuchte.

Reggie saß bei geöffneter Tür in seinem Streifenwagen, in seinem Mundwinkel klebte eine Zigarette. Er rührte sich nicht, sondern wartete, bis Jeffrey bei ihm war. Der heiße Asphalt schlug Blasen unter Jeffreys nackten Füßen, doch er ließ sich nichts anmerken.

Reggie musterte die nassen Sportsocken in Jeffreys Hand. Er verzog den Mund zu einem sarkastischen Grinsen, doch Jeffrey kam jeder Beleidigung zuvor.

»Bring mich aufs Revier«, verlangte er und setzte sich auf den Beifahrersitz.

Reggie zog noch einmal an der Zigarette, bevor er die Tür schloss. Er ließ den Motor an und wartete ein paar Minuten. »Wo hast du dein Mädchen gelassen?«

»Ihr geht's gut«, sagte Jeffrey. Trotz der Angst, die sie in der

Höhle gehabt hatte, bevor sie das Skelett entdeckte, bestand Sara darauf, vor Ort zu bleiben, bis Jeffrey Hilfe holte.

Reggie legte in aller Ruhe die Hand auf den Schaltknüppel, dann legte er den Gang ein. Er ließ sich Zeit beim Einfädeln auf die Interstate und tuckerte unter dem Tempolimit zurück in die Stadt. Jedem bekannten Gesicht winkte er zu, als hätte er nichts Besseres zu tun. Jeffrey versuchte sich zu beherrschen. Er wusste, Reggie tat das mit Absicht. Doch als sie mit vierzig Stundenkilometern an der Highschool vorbeikrochen, musste er Dampf ablassen.

»Gibt es einen Grund, weshalb du so langsam fährst?«

»Ich will dir nur auf den Sack gehen, Slick.«

Jeffrey starrte aus dem Fenster und fragte sich, wie viel schlimmer dieser Tag noch werden konnte.

Reggie fragte: »Sag du mir, was hier los ist?«

»Nein.«

»Genießt du hier irgendwelche Privilegien?«

Jeffrey pfiff durch die Zähne. »Privilegien. Schwieriges Wort.«

»Schön, dass es dich beeindruckt.«

»Hat dir das deine Schwester beigebracht?«

»Red nicht von meiner Schwester.«

»Wie geht's Paula denn so?«

»Ich hab gesagt, du sollst den Mund halten, du Arschloch«, warnte Reggie. »Warum fragst du nicht nach meinen Cousinen? Wie es ihnen so geht ohne ihren Vater? Wie unsere Familienfeste so sind, seit Onkel Dave nicht mehr bei uns ist?«

Jeffrey fühlte sich genauso mies, wie Reggie beabsichtigt hatte. Trotzdem widersprach er: »Ich bin nicht für meinen Vater verantwortlich.«

»Ach ja«, sagte Reggie und nahm eine scharfe Kurve auf den Parkplatz der Wache. »Das ist mächtig bequem für dich. Soll ich das meiner Cousine Jo sagen, wenn sie im Herbst den Highschoolabschluss macht und ihr Daddy nicht da ist, um ihr zu gratulieren? Das tröstet sie bestimmt.«

Jeffrey schnappte sich die nassen Socken von der Fußmatte und stieg aus dem Wagen, bevor Reggie den Motor abgestellt hatte. Er stürmte in das Gebäude, ohne auf die Sekretärin oder den Hilfssheriff zu achten, der bei ihr am Schreibtisch stand, und rannte nach hinten zu Hoss' Büro. Ohne anzuklopfen, riss er die Tür auf.

Hoss blickte von seiner Zeitung auf, als Jeffrey die Tür hinter sich zuzog. »Was gibt's denn, Junge?«

Jeffrey wollte sich setzen, doch etwas hielt ihn davon ab. Stattdessen lehnte er sich erschöpft an die Wand. Seine Ängste holten ihn langsam ein. Er sah sich im Büro des Sheriffs um. Auch hier hatte sich in den letzten zehn Jahren nicht das Geringste verändert. Die Anglertrophäen und die Fotos von seinem Boot standen nach wie vor dort, und die gefaltete amerikanische Flagge, die auf dem Sarg seines Bruders gelegen hatte, als sie seine Leiche aus Vietnam zurückbrachten, hatte nach wie vor ihren Ehrenplatz im Regal neben dem Fenster. Nach dem Tod seines Bruders wollte Hoss unbedingt auch zur Armee, doch er war wegen seiner Plattfüße ausgemustert worden. Hoss witzelte, das Pech der Armee sei Sylacaugas Glück gewesen, doch Jeffrey wusste, dass er es nicht so leicht genommen hatte.

Hoss sagte: »Jeffrey?«

»Wir haben Knochen gefunden.«

»Knochen?« Hoss faltete die Zeitung ordentlich zusammen.

»In der alten Höhle, wo die Jungs und ich nach der Schule immer waren.«

»Beim Steinbruch?«, fragte Hoss vorsichtig. »Wahrscheinlich ist es ein Bär oder so was.«

»Sara ist Ärztin, Hoss. Sie weiß, wie menschliche Knochen aussehen. Verdammt, das verfluchte Skelett lag auf dem Felsvorsprung, als würde die Lady auf der Couch ein Mittagsschläfchen machen.«

»Eine Frau?«, fragte Hoss, und mit einem Mal wurde die Luft im Raum stickig.

An der Tür klopfte es.

»Was ist?«, rief Hoss.

Reggie machte die Tür auf. »Ich wollte nur ...«

»Lass uns eine Minute allein«, bellte Hoss, er duldete keine Widerrede.

Jeffrey hörte, wie die Tür ins Schloss fiel, doch er hatte den Blick nicht von Hoss gewandt. Der alte Mann schien in den letzten Sekunden um hundert Jahre gealtert zu sein.

Jeffrey griff in die Hosentasche und zog die Kette heraus, die er in der Höhle gefunden hatte. Er hielt sie hoch und ließ das herzförmige goldene Medaillon in der Sonne tanzen.

»Das beweist gar nichts«, sagte Hoss. »Sie ist zigmal draußen in der Höhle gewesen. Das weiß jeder. Verdammt, sie hat es selbst rumerzählt.«

»Sara wird nicht zulassen, dass diese Sache unter den Teppich gekehrt wird.«

»Ich dachte, ihr wolltet heute Nachmittag abfahren?«

»Ich hatte sie davor schon überredet, noch eine Nacht zu bleiben«, erklärte Jeffrey. »So oder so, Sara wird der Sache hier auf den Grund gehen wollen.«

»Ich fürchte, da kann ich sie nicht ranlassen.«

Jeffrey registrierte die Schärfe in seiner Stimme. »Ich habe nichts zu verbergen«, sagte er.

»Es geht nicht darum, ob jemand was zu verbergen hat oder nicht, Slick. Es geht darum, dass man die Vergangenheit ruhen lassen sollte. Das Leben geht weiter. Das gilt für euch beide, für Robert und für dich.«

»Egal, was Lane Kendall für ein Drachen ist, sie muss es erfahren.«

»Was erfahren?«, fragte Hoss. Er stand auf und ging ans Fenster. Genau wie in Jeffreys Büro sah man von hier aus auf den Parkplatz. »Im Moment wissen wir gar nichts.«

»Sara wird etwas finden.«

»Was finden?«

»Jemand hat ihr den Schädel eingeschlagen«, sagte Jeffrey. »Jemand hat sie umgebracht.«

»Vielleicht ist sie gestürzt«, wiegelte Hoss ab. Er stand kerzengerade da, mit dem Rücken zu Jeffrey. »Hast du daran schon gedacht?«

Jeffrey sagte: »Dann sollten wir Sara machen lassen.«

»Vielleicht ist sie es gar nicht«, sagte Hoss. Er drehte sich um. Er schien sich wieder gefasst zu haben und streckte die Hand nach der Kette aus.

Als er sie ihm reichte, erklärte Jeffrey: »Sie trug sie immer, jeden Tag. Jeder kannte die Kette.«

»Yep«, stimmte Hoss zu. Er holte sein Taschenmesser heraus und öffnete damit das herzförmige Medaillon. Dann drehte er den Anhänger um und hielt ihn Jeffrey hin. In beiden Seiten klebten grob ausgeschnittene Babyfotos. Eine blonde Locke, zusammengehalten von einem dünnen Faden, kringelte sich um das Foto auf der linken Seite.

»Zwei Babys«, sagte Jeffrey. Ein Foto war farbig, das andere schwarz-weiß, doch es war nicht zu übersehen, dass das Kind auf der rechten Seite schwarzhaarig war, während das linke blonde Haare hatte.

Hoss drehte den Anhänger um und betrachtete die Fotos. Er seufzte tief, dann schloss er das Medaillon wieder und gab es Jeffrey zurück. »Behalt du es bei dir.«

Widerwillig nahm Jeffrey die Kette an sich und ließ sie in seine Hosentasche gleiten.

Hoss sagte: »Ich habe Reggie gesagt, er soll beim Bestattungsinstitut auf dich warten.«

»Warum?«

»Du musst mit Robert reden.«

»Heute Morgen hatte er kein großes Interesse daran.«

»Jetzt schon«, sagte Hoss. »Er hat auf dem Revier angerufen und nach dir gefragt.«

»Sara wartet in der Höhle bei dem Skelett.«

»Ich werde sie holen.«

»Bei dieser Sache wird sie nicht lockerlassen«, sagte Jeffrey noch einmal.

»Bei welcher Sache?«, fragte Hoss. »Könnte irgendein Penner sein, der sich in der Höhle verkrochen hat und vergessen hat, wieder rauszukommen. Könnte sein, dass jemand gestürzt ist und sich den Kopf eingeschlagen hat. Könnte alles Mögliche gewesen sein, meinst du nicht?« Als Jeffrey schwieg, erinnerte er ihn: »Du hast nichts zu verbergen.«

Jeffrey sagte nichts. Sie wussten beide, dass es da etwas gab. Die Dinge schienen so schnell auf den Abgrund zuzurasen, dass Jeffrey kaum mithalten konnte.

Hoss klopfte ihm kräftig auf die Schulter. »Hab ich je zugelassen, dass dir etwas zustößt, Junge?«

Jeffrey schüttelte den Kopf, doch die Worte waren alles andere als tröstlich. Hoss hatte in der Tat mehr als einmal gegen das Gesetz verstoßen, damit Jeffrey und Robert nicht in Schwierigkeiten kamen.

Hoss erlaubte sich ein Lächeln. »Wird schon.« Dann machte er die Tür auf und winkte Reggie herein. Nebenbei fragte er: »Was ist mit deinen Schuhen passiert?«

Jeffrey blickte auf seine nackten Füße. Eigentlich sollte er jetzt in Florida sein und barfuß durch den Sand laufen. Eigentlich sollte er Sara den Rücken mit Sonnenöl einreiben und den Rest ihres Körpers auch, während sie über seine Witze lachte und ihn anhimmelte.

Hoss fragte: »Welche Schuhgröße hast du?«

»Dreiundvierzig.«

»Ich hab vierundvierzigeinhalb.« Er fragte Reggie: »Welche Schuhgröße hast du?«

Reggie sah verlegen aus. »Zweiundvierzig.«

»Dann musst du wohl meine anziehen.« Hoss holte ein Schlüsselbund aus der Tasche und drückte ihn Reggie in die Hand. »Geh und hol meine Stiefel aus dem Kofferraum.«

FÜNFZEHN

Hoss' Stiefel stanken, als wäre er damit durch Fischdärme gewatet, und beim Anblick der angetrockneten Schuppen an den Sohlen schätzte Jeffrey, dass er genau das getan hatte. Die Lederstiefel mit den Stahlkappen waren nicht nur unerträglich heiß, sondern auch bleischwer. Jeffrey konnte sie auf den ersten Blick nicht ausstehen. Lieber wäre er barfuß gegangen, wenn es möglich gewesen wäre.

Als Kind musste Jeffrey immer die abgetragenen Schuhe und Kleider anziehen, die seine Mutter billig auf dem Flohmarkt der Baptistengemeinde kaufte. Er hasste es, anderer Leute Sachen aufzutragen, und als er alt genug war, ließ er das eine und andere Stück im Warenhaus Belk in Opelika mitgehen. In der Schuhabteilung war manchmal so viel los gewesen, dass die Verkäufer den Überblick verloren, und sein erstes Paar Schuhe, das ihm passte, war die Beute eines seiner verwegensten Diebstähle gewesen: Frech wie Oskar war er mit nagelneuen Fünfzehn-Dollar-Schuhen an den Füßen aus dem Kaufhaus hinausmarschiert, und die Sohlen waren noch so glatt, dass er auf dem polierten Marmor fast ausgerutscht wäre. Ihm war beinahe das Herz stehen geblieben, doch als er am nächsten Tag wie ein Hollywoodstar in der Schule auflief, machte das die ausgestandenen Ängste mehr als wett.

In Hoss' Stiefeln hatte Jeffrey das Gefühl, zwei Tonnen Zement mit sich herumzuschleppen. Zwei Tonnen, die anderthalb Nummern zu groß waren. Er spürte jetzt schon die erste Blase an der Ferse, und in seinen Spann grub sich ein Stein oder eine Fischgräte.

Reggie fuhr genauso langsam wie zuvor und schaffte es, eine Ewigkeit hinter einem Traktor herzukriechen. Er hatte den Polizeifunk leise gedreht und hörte im Radio Countrymusik. Er lenkte mit einer Hand, mit der anderen klopfte er auf der Mittelkonsole den Takt des Hank-Williams-Songs mit.

Jeffrey beobachtete ihn aus dem Augenwinkel, als sie die Anhöhe von Herd's Gap hinauf zum Haus von Jessies Eltern fuhren. Reggie Ray war durchschnittlich groß und schlaksig. Er konnte nicht älter als fünfundzwanzig oder sechsundzwanzig sein, doch sein braunes Haar ging an der Stirn bereits deutlich zurück. Am Hinterkopf wirkte es irgendwie toupiert, und Jeffrey vermutete, dass er sich das Haar über eine kahl werdende Stelle bürstete. Bis Mitte dreißig hatte Reggie höchstwahrscheinlich eine Glatze.

Jeffrey fuhr sich durch sein volles Haar, das einzig Gute, das ihm sein Vater vererbt hatte. Selbst mit sechzig hatte Jimmy Tolliver noch die gleichen dichten Locken wie in der Highschool gehabt. Noch heute trug er es wie damals: zurückgekämmt, gegelt und mit einer Tolle. In seiner gestreiften Gefängniskluft sah er aus wie ein Statist in einem Elvis-Film.

Reggie fragte: »Was gibt es zu grinsen?«

Jeffrey ertappte sich, wie er bei der Erinnerung an seinen Alten tatsächlich lächelte, doch das konnte er Reggie schlecht sagen. Nicht nach dem, was Jimmy Reggies Familie angetan hatte. »Nichts weiter«, murmelte er.

»Diese Stiefel stinken wie Scheiße«, sagte Reggie und kurbelte das Fenster herunter. Heiße Luft wehte herein wie aus einem Schlot. »Was hast du mit deinen Schuhen gemacht?«

»Ich habe sie Sara gegeben«, antwortete Jeffrey ohne weitere Erklärung.

»Scheint ein netter Mensch zu sein.«

»Ja«, sagte Jeffrey, und dann, um Reggie zuvorzukommen: »Keine Ahnung, was sie mit einem Kerl wie mir will.«

»Amen«, stimmte Reggie zu.

Sie hatten den Kamm des Hügels erreicht. In der Ferne sah Jeffrey ein paar Leute auf dem Golfplatz des Sylacauga Country Club herumstehen. Als Junge hatte Jeffrey ab und zu als Caddie gejobbt, doch die herablassende Art, wie ihn die Reichen behandelten, war ihm bald auf die Nerven gegangen. Außerdem hatte er nie verstanden, was beim Golfspielen der Kick war. Wenn er ein paar Stunden an der frischen Luft sein wollte, dann ging er lieber joggen oder benutzte seine Muskeln für etwas Sinnvolleres, als in einem albernen Wägelchen einem kleinen weißen Ball hinterherzujagen.

Reggie räusperte sich. Jeffrey ahnte, welche Überwindung es ihn kostete zu fragen: »Was ist eigentlich los?«

»Was meinst du?«

»Warum will Robert mit dir reden?«

Jeffrey gab eine ehrliche Antwort, denn er wusste, Reggie glaubte ihm ohnehin nicht. »Ich weiß es nicht.«

»Ach ja?«, schnaubte Reggie. »Und warum muss ich dich dann rausfahren, statt dass Hoss es selber macht?«

Das war eine gute Frage. Jeffrey hatte gar nicht darüber nachgedacht, als Hoss sich anbot, Sara in der Höhle zu helfen. Normalerweise war das die Art von Aufgabe, die er seinen Hilfssheriffs übertrug. Normalerweise würde Hoss mit Jeffrey zu Robert fahren, statt sich durchs Unterholz zu kämpfen. Vielleicht dachte Hoss, er könnte Sara irgendwie von ihrem Vorhaben abbringen. Viel Glück, dachte Jeffrey, doch er wusste, Hoss würde scheitern.

»Slick?«, hakte Reggie nach.

»Bitte nenn mich nicht so«, bat Jeffrey – wahrscheinlich mit dem Effekt, dass Reggie ihn jetzt bis ans Ende aller Tage so nannte. »Hoss wollte nach Sara sehen.«

»Hat sie sich verlaufen?«

»Nein.« Jeffrey konnte es Reggie genauso gut auch jetzt erzählen. Der Hilfssheriff würde es früher oder später sowieso erfahren. »Sie hat etwas entdeckt. Wir haben etwas entdeckt. Da ist eine Höhle in der Nähe vom Steinbruch ...«

»Die mit den Brettern«, sagte Reggie. Als er Jeffreys Überraschung bemerkte, erklärte er: »Paula hat mir davon erzählt.«

»Woher weiß Paula davon?«, fragte Jeffrey. Er hatte Reggies Schwester nie zur Höhle mitgenommen. Es war ein ungeschriebenes Gesetz zwischen Robert, Possum und ihm gewesen, keine Mädchen mit in die Höhle zu bringen. Jeffrey wusste, dass sie sich alle, bis auf das eine Mal, daran gehalten hatten.

Reggie zuckte nur die Achseln. »Und, was habt ihr entdeckt?«

»Knochen.« Jetzt war Jeffrey auf Reggies Reaktion gespannt. »Ein Skelett.«

»Hm.« Reggie schien fast zu lächeln, als er Jeffrey ansah. »Scheint nicht deine Woche zu sein, was, Slick?« Er kicherte heiser, dann lachte er laut los. »Meine Güte«, brachte er schließlich prustend hervor und schlug sich auf den Schenkel.

»Du verhältst dich wirklich wie ein Profi, Reggie«, sagte Jeffrey. Er war mehr als erleichtert, als sie endlich in den Elton Drive einbogen. Jessies Mutter stand vorne im Garten und goss die Blumen. Hinter ihr erhob sich die weiß getünchte zweigeschossige Villa mit den mächtigen Säulen, die einen großen Balkon im oberen Stockwerk stützten. Jasper Clemmons hatte sich wahrscheinlich inzwischen zur Ruhe gesetzt, doch er war einmal ein hohes Tier in einer der örtlichen Spinnereien gewesen, und die Villa repräsentierte seine Stellung. Als Jeffrey das Haus zum ersten Mal gesehen hatte, musste er unwillkürlich an *Vom Winde verweht* denken. Jetzt kam es ihm nur noch wie ein billiger Abklatsch von Tara vor. Das Anwesen war gepflegt, aber heute sah Jeffrey, dass hier mehr Schein als Sein am Werk war. Was wiederum gut zu Jessies Familie passte.

Faith Clemmons hatte Jeffrey nie gemocht. Entgegen der landläufigen Meinung hatte Jeffrey nicht mit jeder Frau in der Stadt angebandelt, und irgendwie schien Faith es ihm übel zu nehmen, dass Jeffrey ihre Tochter ausgelassen hatte. Ohne Zweifel war Jessie ein bildschöner Teenager gewesen – sie war jetzt noch eine schöne Frau –, doch etwas an ihr hatte Jeffrey immer abgeschreckt. Sie hatte so etwas Verzweifeltes an sich, und Jeffrey hatte mit klammernden Frauen noch nie etwas anfangen können. Schon damals hatte er erkannt, was das Problem bei Jessie war: ihre unstillbaren Ansprüche.

Als Jessie ein Auge auf Robert warf, war Jeffrey zuerst beunruhigt, doch inzwischen wusste er, dass die beiden ein perfektes Paar waren – wenn man das von zwei Leuten sagen konnte, die einander mehr brauchten als liebten. Robert hatte ein Helfersyndrom, ihm gefiel die Rolle des Ritters mit einer Mission, die er zu erfüllen hatte. Jessie hatte ständig irgendwelche Schwierigkeiten, und so konnte er regelmäßig auf seinen Schimmel steigen und ihr zu Hilfe eilen. Manche Männer brauchten so etwas, doch für Jeffrey wäre es wie ein Strick um den Hals gewesen.

»Hallo, Faith.«

»Jeffrey«, sagte sie. Sie goss die Blumen im Beet, das sich zwischen ihnen befand. »Robert ist drinnen.«

Bevor er »Danke« sagte, hatte sie ihm wieder den Rücken zugedreht.

Reggie grinste. »Noch einer von deinen Fans.«

Jeffrey ignorierte ihn, als sie zum Eingang gingen. Die Blase an seiner Ferse brannte wie Feuer, doch er würde vor Reggie nicht humpeln.

Um sich von dem Schmerz abzulenken, dachte er an Sara und die Höhle. Wahrscheinlich war Hoss inzwischen bei ihr. Was würde er ihr erzählen? Was für eine Geschichte würde er erfinden, um Jeffrey zu decken? Doch Sara war nicht die Art von Frau, die sich anlügen ließ, und nach den Ereignissen der letzten Nacht war sie mehr als bedient. Bald würde sie merken, dass was dran war an dem, was die Leute über Jeffrey erzählten. Das Schlimmste war, dass Jeffrey selbst schuld war. Sie hierherzubringen war ungefähr so, als hätte er eine scharfe Handgranate geschluckt. Er musste nur noch warten, bis alles in die Luft flog.

Durch das Fliegengitter sah Jeffrey in die Eingangshalle, die bis nach hinten durchging. Das Gebäude stammte aus einer Zeit, als Villen noch etwas hermachten, als sie noch Statussymbol der Elite waren und nicht nur große, hallende Kästen. Jeffrey war nur ein paar Mal hier gewesen, doch er erinnerte sich, dass rechts und links von der Eingangshalle ein Empfangszimmer und ein Salon abgingen. Außerdem gab es ein Esszimmer, die Küche und eine riesige Wohnstube nach hinten raus. Bevor er an eine Tür klopfen konnte, kam ihm Jessie schon aus der Küche entgegen. Sie hielt ein Glas in der Hand, und an der Farbe des Getränks und dem Klirren der Eiswürfel erriet Jeffrey, dass sie Scotch trank.

Reggie kam zu demselben Ergebnis. Demonstrativ sah er auf die Uhr. »Kurz nach Mittag.«

Jeffrey wollte Jessie in Schutz nehmen, doch dann ließ er es bleiben.

»Hey, Jungs«, sagte Jessie. Für eine Alkoholikerin hatte sie sich gut im Griff. Nie lallte oder torkelte sie. Doch hinter Jessies makelloser Haut und ihrer perfekten Figur verbarg sich eine verbitterte Frau, die alles schwarzsah, und der Alkohol förderte diese Gehässigkeit zutage.

Jeffrey fragte: »Ist Robert da?«

»Wo soll er sonst sein?«, sagte Jessie und öffnete die Fliegentür. Sie trat einen Schritt zur Seite, doch sie stand immer noch im Weg, sodass ihre Körper sich streiften, als Jeffrey eintrat. Reggie wurde diese Behandlung nicht vergönnt. »Ihr könnt im Salon warten. Ich hole Robert.«

Jeffrey sah ihr nach. Jessie stakste auf verboten hohen Stöckelschuhen davon. Dass sie auf diesen Dingern mit ihrem Promillepegel gehen konnte, widersprach allen Gesetzen der Physik.

Reggie räusperte sich. Natürlich hatte er Jeffreys Blick missverstanden. Schulmeisterlich verschränkte er die Arme vor der Brust. »Sie ist die Frau deines besten Freundes.«

Jeffrey ignorierte ihn und betrat den Salon. Auch hier hatte sich nichts verändert. Zwei lange Sofas, mit weinrot und weiß gestreifter Seide bezogen, standen einander gegenüber, dazwischen ein schwindsüchtiger Couchtisch. Rechts und links des großen Fensters zur Straße waren zwei Ohrensessel arrangiert. Auf der anderen Seite befand sich ein mächtiger Kamin, in dem man einen Menschen hätte rösten können. Die Möbel wirkten so zierlich, als würden sie bei einem Niesen umfallen, doch Jeffrey ließ sich nicht täuschen. Er ließ sich in eins der Sofas fallen, während Reggie an der Tür stehen blieb, immer noch mit dem gleichen abfälligen Blick.

Jeffrey starrte den weißen Teppich an, der aussah, als würde er mehrmals am Tag gesaugt. Er sah die Fußabdrücke, die er auf dem Weg zum Sofa hinterlassen hatte, und überlegte, ob der Geruch, der in der Luft hing, vom toten Fisch an Hoss' Stiefeln oder von dem Duftpotpourri auf dem Couchtisch kam. Dann dachte er wieder an Sara. Er fragte sich, was sie in diesem Moment tat. Er wäre jetzt gerne bei ihr gewesen. Jeffrey wollte nicht, dass sie ihn für einen Verbrecher hielt. Wenn es in seiner Macht gestanden hätte, er hätte mit den Fingern geschnippt, und sie wären plötzlich woanders, irgendwo, Hauptsache, weit weg von hier.

Reggie fragte: »Hattest du etwa auch was mit der Mutter?«

»Was?« Jeffrey merkte erst jetzt, dass sein Blick nach draußen geschweift war, wo Faith Clemmons ihre Azaleen wässerte. »Mein Gott, Reggie. Hör endlich auf damit, ja?«

Reggie verschränkte die Arme vor der Brust. »Oder was?«

Von der Treppe waren Schritte zu hören, die langsam näher kamen. Roberts Eintreten nahm Jeffrey den Wind aus den Segeln. Wenn er heute Morgen schon mitgenommen ausgesehen hatte, wirkte er jetzt, als wäre er unter einen Laster gekommen. Er ließ die Schultern hängen und hielt sich die Wunde am Bauch.

Jeffrey stand auf, doch er wusste nicht, was er sagen sollte. »Setz dich doch«, sagte er schließlich.

»Ich stehe ganz gern«, gab Robert zurück. »Reggie, würdest du uns bitte kurz allein lassen?«

»Kein Problem«, sagte Reggie wachsam. Er tippte sich an die Mütze, dann ging er hinaus.

Robert wartete, bis das Fliegengitter ins Schloss fiel, dann sagte er: »Ihr habt ihre Leiche in der Höhle gefunden.«

Roberts Bestimmtheit überraschte Jeffrey. Es war keine Frage, es war eine Feststellung. Sie hatten ihre Leiche gefunden.

»Hoss hat mich angerufen«, erklärte Robert und ließ sich vorsichtig in einen Sessel sinken. »Er meint, es wäre irgendein Penner oder so was – soll hingefallen sein und sich den Schädel aufgeschlagen haben. Aber wir wissen beide, dass es Julia Kendall ist.«

Trotz Klimaanlage brach Jeffrey der Schweiß aus. Er suchte in der Hosentasche nach der Kette mit dem herzförmigen Medaillon. »Das habe ich unter dem Felsvorsprung gefunden.«

Robert nahm Jeffrey die Kette aus der Hand. Mit dem Daumennagel öffnete er das Medaillon und sah sich die Fotos an. »Himmel. Julia.«

Jeffrey sah aus dem Fenster. Faith hatte das Wasser abgedreht und sprach mit Reggie. Wahrscheinlich versicherten sie sich gegenseitig, was für ein Dreckskerl Jeffrey war. Vielleicht erzählte Reggie ihr sogar von Julia. Die Neuigkeit würde sich in der ganzen Stadt verbreiten, bevor Jeffrey überhaupt die Chance hatte, es Sara selbst zu erklären. Sie würde die Geschichte von jemand anderem hören, von jemandem, der keine Ahnung hatte. Jeffrey sank ins Sofa zurück. Er könnte es nicht ertragen, wenn sie ihn noch einmal so ansah wie gestern Nacht.

Robert fragte: »Was hast du Sara gesagt?«

»Nichts«, antwortete Jeffrey und bereute es bitter. Er hätte ihr gleich in der Höhle alles sagen müssen. Er wusste nicht, ob sie gesehen hatte, wie er die Kette eingesteckt hatte. Er hätte gleich mit ihr reden sollen, anstatt sich zu verhalten, als hätte er etwas zu verbergen. »Ich habe ihr nichts von der Kette gesagt.«

»Warum?«

»Weil es auch ohne Beweise genug Leute in der Stadt gibt, die Sara einreden, was für ein mieses Schwein ich bin.«

»Was soll das schon für ein Beweis sein?« Robert gab Jeffrey die Kette zurück. Keiner schien das verdammte Ding behalten zu wollen.

»Das hier wühlt den ganzen Schlamm wieder auf. Gott, diese verdammte Stadt kotzt mich an.«

Robert starrte auf seine Hände. »Alle haben gedacht, sie hätte sich aus dem Staub gemacht.«

»Ich weiß.«

Beide schwiegen, wahrscheinlich dachten sie das Gleiche. Jeffrey hatte ein ungutes Gefühl, als würde ihm alles entgleiten und er konnte nichts dagegen tun.

Robert fragte: »Weißt du, was sie im Knast mit Polizisten machen?«

Jeffrey schluckte. »Wir kommen doch nicht in den Knast«, brachte er heraus. »Selbst wenn sie was finden … das uns mit der Sache in Zusammenhang bringt … es ist so lange her …«

»Nein«, sagte Robert. »Im Ernst. Was machen sie mit einem? Was hab ich zu erwarten?«

Jeffrey sah seinen Freund zum ersten Mal richtig an, seit er ins Zimmer gekommen war. Bis auf ein paar Falten um die Augen sah Robert noch genauso aus wie damals in der Highschool. Er war immer noch sportlich und groß, nur die hängenden Schultern und das nervöse Wippen mit dem Fuß waren neu. Früher, auf dem Footballfeld, hatte Jeffrey seine Gedanken lesen können. Jetzt war ihm schleierhaft, was in seinem Freund vorging.

Schließlich fragte er: »Was versuchst du mir zu sagen, Bobby?«

»Ich versuche es nicht, ich sag es dir. Ich hab Luke erschossen. Ich hab ihn kaltblütig erschossen.«

Jeffrey musste sich verhört haben.

»Er hatte eine Affäre mit Jessie.«

Jeffrey wollte immer noch nicht begreifen. »Was sagst du da …«

Doch Roberts Tonfall war ruhig und nüchtern, als würde er erzählen, wie er mit den Ameisen im Haus fertiggeworden sei. »Ich war ein paar Sachen einkaufen, und als ich heimkam, habe ich die zwei zusammen erwischt. Er hat mit ihr … Verdammt, du kannst es dir vorstellen.«

Das war zu viel. Jeffrey konnte an diesem Tag nicht noch mehr ertragen. »Robert, warum sagst du so was? Das ist doch nicht wahr.«

»Ich hab meine Pistole geholt und ihn erschossen.« Er schüttelte den Kopf. »Nicht im Affekt. Erst hab ich die beiden erwischt, dann hab ich meine Pistole geholt. Jessie hat geschrien, als ich zurückkam. Ich hab sie gefragt, was zum Teufel sie da machen. Als er versucht hat, Ausreden zu erfinden, hab ich einfach abgedrückt.«

Jeffrey stand auf. »Sag nichts mehr.«

»Sein Kopf … ist einfach explodiert.«

»Robert, halt den Mund, verdammt noch mal. Du brauchst einen Anwalt.«

»Ich brauche keinen Anwalt«, sagte er. »Ich brauche eine Gehirnwäsche. Ich brauche jemanden, der mir hilft zu vergessen, wie es aussah, als sein Kopf einfach ...«

»Robert«, unterbrach Jeffrey mit fester Stimme. »Du brauchst mir das alles nicht zu erzählen.«

»Doch«, sagte er. »Ich muss. Ich gestehe. Es gab keinen Einbruch. Die zweite Waffe ist meine Ersatzpistole. Damit habe ich mich selbst angeschossen. Sara weiß es, sie hat gemerkt, dass ich die Waffe aufgesetzt habe. Mein Gott, es war dumm, aber ich hab es getan. Ich hab nicht nachgedacht. Ich hatte nicht viel Zeit. Bei den Nachbarn ging schon das Licht an. Wenn man zu solchen Sachen gerufen wird, denkt man als Cop: ›Mein Gott, was für ein Vollidiot‹, aber wenn man selber drinsteckt, hat man keine Zeit nachzudenken. Vielleicht ist es der Schock oder die Angst oder irgendwas anderes, das einsetzt, auf jeden Fall macht man Fehler. Du *willst* nicht geschnappt werden, aber du weißt einfach nicht mehr, was du tun sollst.« Er zeigte auf den Sessel. »Setz dich, Jeffrey. Du machst mich ganz nervös.«

Jeffrey fragte: »Warum tust du das?«

»Weil es nicht richtig ist«, antwortete Robert. »Als ich heute Morgen bei Hoss war, hab ich die gleiche Aussage gemacht wie gestern Abend. Es ist wie damals in der Highschool. Hoss frisst alles, was wir ihm erzählen.«

»Er weiß nichts davon?«

»Nein, ich wollte erst mit dir reden. Wenigstens das bin ich dir schuldig.«

»Robert«, begann Jeffrey. Sein Freund tat ihm keinen großen Gefallen damit. Obwohl alles logisch klang, Jeffrey glaubte die Geschichte einfach nicht. Er war mit diesem Mann aufgewachsen, hatte unzählige Nachmittage mit ihm verbracht, Musik gehört, über Mädchen geredet, von den Autos geschwärmt, die sie sich mit sechzehn kaufen würden.

Robert sagte: »Ich muss die Verantwortung übernehmen für das, was ich getan habe. Ich habe diesen Mann getötet, weil ich mich nicht mehr beherrschen konnte – all die Wut und der Hass und ... alles. In dem einen Moment ist einfach alles hochgekommen, und das Nächste, was ich weiß, ist, dass er tot auf dem Boden liegt.« Robert ließ den Kopf auf die Brust sinken. »Ich hab ihn umgebracht. Er ist tot. Er hat meine Frau gevögelt, und ich habe ihn getötet.«

Jeffrey rieb sich die Schläfen, er wusste nicht, was er sagen sollte.

»Hast du gewusst, dass Jessie vor ein paar Monaten eine Fehlgeburt hatte?«

Jeffrey versuchte, den Kloß in seinem Hals runterzuschlucken. »Nein.«

»Es wäre ein Junge geworden. Wie findest du das? Das wäre das Einzige auf der Welt gewesen, was sie endlich glücklich gemacht hätte, doch Gott wollte es einfach nicht zulassen.«

Jeffrey hatte ernsthafte Zweifel, dass Jessie irgendetwas glücklich machen konnte, trotzdem sagte er: »Es tut mir leid.«

»Es ist meine Schuld«, sagte Robert. »Es ist etwas an mir ... ich weiß nicht, Slick. Irgendwas an mir scheint schlecht für sie zu sein. Ich bin Gift.«

»Das ist nicht wahr.«

»Ich bin kein guter Mensch. Ich bin kein guter Ehemann.« Er seufzte tief. »Ich war nie ein guter Ehemann. Die Menschen kommen aus allen möglichen Gründen vom Weg ab, schätze ich, doch am Ende ...« Er sah auf. »Ich war dir nicht einmal ein guter Freund.«

»Das ist nicht wahr«, wiederholte Jeffrey.

Robert starrte Jeffrey an, Verzweiflung in seinem Blick. Er sank noch tiefer in den Sessel, als hätte er nicht einmal die Kraft, gerade zu sitzen. Seine Augen bewegten sich hin und her, als versuchte er in Jeffreys Blick zu lesen.

»Ich war es«, sagte Robert schließlich. »Beide Male. Ich hab Swan umgebracht, und Julia hab ich auch umgebracht.«

Jeffrey bekam keine Luft mehr.

»Das andere – das war ich auch.«

»Nein, das stimmt nicht«, widersprach Jeffrey. Wovon zum Teufel redete er da? Robert konnte doch keinen Menschen töten!

»Ich hab sie mit einem Stein erschlagen«, erklärte Robert. »Es ging ganz schnell.«

»Das hast du nicht getan«, sagte Jeffrey. Seine Stimme zitterte vor Wut oder vor Angst. Das war einfach zu viel. »Alle glauben, sie ist weggerannt. Das hast du vor fünf Minuten selber gesagt.«

»Ich hab gelogen«, gab er zurück. »Jetzt sage ich die Wahrheit. Den Stein hab ich in den alten Steinbruch geworfen. Du wirst ihn nie finden, aber mein Geständnis sollte reichen.«

»Warum sagst du das?«

Als Robert aufstand, zuckte er vor Schmerz zusammen. »Hol Reggie.«

»Nein. Nicht bevor du mir nicht sagst, warum du lügst.«

Robert klopfte ans Fenster und winkte Reggie herein. »Ich will, dass Reg mich verhaftet.«

»Das ist nicht …«

»Es ist besser so, Slick. Einfacher. Damit haben wir alles ordentlich zu Ende gebracht. Endlich aus und vorbei.« Robert wischte sich über die Augen. »Schau mich an, ich heule wie ein Mädchen.« Er lachte trocken. »Wenn Reggie mich so sieht, hält er mich für einen Waschlappen.«

»Scheiß auf Reggie«, sagte Jeffrey in dem Moment, als der Hilfssheriff hereinkam. Reggie zog die Brauen hoch, doch ausnahmsweise hielt er den Mund.

Robert streckte dem Hilfssheriff die Hände entgegen. »Du musst mir Handschellen anlegen.«

Reggie sah von einem zum anderen. »Soll das ein Witz sein?«

»Ich habe gestern Abend Luke Swan umgebracht«, sagte Robert und fasste sich an die Brusttasche. Den Bruchteil einer Sekunde dachte Jeffrey, er würde eine Waffe ziehen. Stattdessen hielt Robert ein abgefeuertes Projektil in der Hand.

Reggie sah sich die Hülse an. »Polizeimunition«, stellte er fest, genau wie die Kugeln, die Robert in der Glock hatte.

Robert sagte: »Die Kugel hat in seinem Kopf gesteckt.« Er legte den Zeigefinger auf die Stelle hinter dem Ohr. »Nur die Spitze hat rausgesehen, genau hier. Ich hätte es nie für möglich gehalten, aber sie saß da, als hätte sie jemand reingesteckt, und ich konnte sie ganz leicht rausziehen.«

Reggie kaufte es ihm immer noch nicht ab. Er wollte Robert die Kugel zurückgeben, doch der nahm sie nicht. »Du verarschst mich doch, oder?« Er lachte schnaubend. »Das ist nur eine deiner Geschichten, Bubba? Du willst, dass ich mich wieder mit Hoss in die Haare kriege?«

»Hör auf, dich aufzuspielen, Junge«, zischte Robert scharf. So hatte Jeffrey ihn noch nie gehört. Robert war Reggies Vorgesetzter, und es war ein Befehl, als er zu ihm sagte: »Leg mir die Handschellen an, und lies mir meine Rechte vor. Mach es nach Vorschrift.«

Plötzlich stand Jessie in der Tür, ihr Glas war randvoll. »Möchtet ihr irgendwas …« Ihre Stimme verlor sich, als sie merkte, dass sie ausnahmsweise nicht im Mittelpunkt stand. Sie sah Robert tief in die Augen, und für eine Sekunde stand ihr das Grauen ins Gesicht geschrieben. Sie hielt sich am Türrahmen fest, als brauchte sie eine Stütze, um nicht umzufallen. »Was hast du ihnen gesagt?«

Robert hatte Tränen in den Augen. Seine Stimme war voller Bedauern, als er sagte: »Die Wahrheit, Baby. Ich habe ihnen die Wahrheit gesagt.« Wieder streckte er Reggie die Hände hin. »Luke Swan hatte eine Affäre mit meiner Frau. Als ich nach Hause kam und die beiden miteinander erwischte, habe ich ihn erschossen.« Er schüttelte die Hände. »Mach schon, Reggie. Bringen wir's hinter uns.«

Jessie murmelte: »O Gott.«

Robert wiederholte: »Leg mir die Handschellen an.«

Reggie griff sich an den Gürtel, doch er zog die Handschellen nicht heraus. »Ich werde dich nicht verhaften«, sagte er. »Ich bring dich aufs Revier, und dann redest du mit Hoss. Aber auf keinen Fall leg ich dir Handschellen an.«

»Reggie, das ist ein Befehl.«

»Nein, verdammt noch mal«, widersprach er. »So gern ich dich auf der Rückbank des Streifenwagens hätte, wegen dir werde ich nicht Hoss' Zorn auf mich ziehen.« Dann fügte er hinzu: »Dieses eine Mal wenigstens nicht.«

»Du musst vorschriftsmäßig vorgehen«, verlangte Robert.

Doch Reggie blieb eisern. »Ich gehe jetzt raus und lass den Wagen an. Beruhig dich erst mal. Wenn du so weit bist, kannst du rauskommen.«

»Ich bin so weit«, sagte Robert. Als Jeffrey sich ihnen anschloss, hob er die Hand. »Nein, Jeffrey. Das hier muss ich allein tun.«

Jessie stand immer noch in der Tür, Robert musste auf dem Weg nach draußen zwangsläufig an seiner Frau vorbei. Jeffrey beobachtete, wie Robert sie auf die Wange küsste, und er sah auch, wie Jessie vor seiner Berührung zurückzuckte, obwohl sie es zu verbergen versuchte. Jeffrey hätte sie am liebsten dafür erwürgt, dass sie Robert so behandelte. Niemals hatte Robert jemanden umgebracht. Jeffrey nahm ihm die Geschichte einfach nicht ab. Irgendetwas war daran faul.

Und doch nickte Jeffrey, als Robert ihn bat: »Kümmer dich bitte um Jessie, Jeffrey, tu mir den Gefallen.«

»Ich komme später auf dem Revier vorbei.«

»Jess«, sagte Robert dann. »Gib Jeffrey die Schlüssel von meinem Truck.« Er brachte ein trauriges Lächeln zustande. »Ich brauche ihn wohl eine Weile nicht.«

»Sag nichts, Robert. Auch nicht zu Hoss«, flehte Jeffrey noch einmal. »Wir müssen dir einen Anwalt besorgen.«

Ohne zu antworten, verließ Robert das Zimmer. Sekunden später fiel die Fliegentür ins Schloss.

»Na schön«, sagte Jessie und nahm einen tiefen Schluck von ihrem Drink. Das Glas war fast voll, als sie es ansetzte, doch sie ließ kaum mehr als die Eiswürfel übrig. Jeffrey beobachtete sie beim Trinken und fragte sich, wie sie so ruhig bleiben konnte, wenn ihr Mann gerade wegen Mordes abgeführt wurde.

Jessie lutschte an einem Eiswürfel, dann spuckte sie ihn zurück ins Glas. »Das muss der schönste Tag im Leben dieses Hinterwäldlers sein.« Sie wartete darauf, dass Jeffrey etwas sagte, doch den Gefallen tat er ihr nicht. »Reggie hat all die Jahre wie ein Geier darauf gelauert, dass Robert eine Dummheit macht. Ich wette, morgen gibt er ihm den Gnadenstoß und holt sich die Beförderung, auf die er so lange warten musste.«

»Für mich hat es sich nicht so angehört, als hätte Robert die Dummheit gemacht«, sagte Jeffrey. Seine Stimme bebte vor Wut. Es war Jessies Fehler. Sie hatte Robert das eingebrockt. Sie hatte es ihnen allen eingebrockt.

»Na wunderbar, Slick. Verdammt typisch. Er ballert in der Gegend rum und erschießt einen Mann, und du willst mir den schwarzen Peter zuschieben.«

»Warum hast du ihn betrogen?«, fragte Jeffrey. »Warum?«

Sie zuckte die Achseln, als hätte das keine Bedeutung mehr. Doch gleichzeitig machte sie einen nervösen Eindruck.

»Er war gut zu dir.«

»Jetzt komm aber mal runter von deinem hohen Ross, Jeffrey Tolliver. Du vergisst wohl, wen du vor dir hast.«

»Ich bin nie fremdgegangen«, knurrte er. Ihr wissender Blick ekelte ihn an. Jeffrey hatte vielleicht herumgevögelt, aber er hatte die Frauen immer wissen lassen, woran sie bei ihm waren – beziehungsweise woran nicht.

Er sagte: »Wenn ich jemandem ein Versprechen gebe, dann halte ich es auch. Ich würde meine Frau niemals betrügen.«

»Du hast leicht reden«, sagte Jessie und saugte an dem nächsten Eiswürfel. Dann schnalzte sie mit den Lippen. »Du bist der schlimmste Betrüger von allen, denn du hältst dich für zu gut, als dass dir das passieren könnte.«

»Ist es dir scheißegal, dass er in den Knast kommt? In diesem Land gibt es für so was die Todesstrafe, Jessie. Es kann sein, dass er mit der Nadel im Arm endet.«

Sie sah in ihr Glas und ließ das Eis darin kreisen.

»Wie hat es angefangen?«, wollte Jeffrey wissen. »Hast du Drogen von ihm gekauft?«

»Drogen?« Sie sah verwirrt aus. »Robert?«

»Luke Swan«, sagte er. »Er war ein Junkie. Hat es so angefangen?« Er packte sie am Arm und suchte nach Einstichen. »Habt ihr zusammen Heroin gedrückt und seid dann im Bett gelandet?«

»Du tust mir weh.«

Er schob ihren Ärmel hoch und suchte ihre Armbeuge ab.

»Hör auf!«

Als er ihren anderen Arm packte, fiel das Eis auf den Boden. »Was hat dich dazu gebracht, Jessie? Erzähl's mir!«

»Gottverdammt, Slick!«, schrie sie und stieß ihn weg. »Lass mich in Ruhe.«

»Ich habe keine Zeit für so was«, sagte Jeffrey. Er musste so schnell wie möglich hier raus, sonst tat er Jessie noch ernsthaft weh.

Er sagte: »Gib mir Roberts Schlüssel.«

Sie hielt seinem Blick noch eine Sekunde stand, dann sagte sie: »Er ist in der Küche in meiner Tasche.« Sie ließ einen Moment verstreichen, als wollte sie ihm zeigen, dass sie die Entscheidung selber getroffen hatte. »Ich hole ihn.«

Jeffrey wartete im Flur auf sie. Er hatte diesen Mist so satt. Es war schlimm genug, dass Reggie ihn in die Pfanne hauen wollte, aber von Roberts ehebrecherischer Frau würde er sich das ganz sicher nicht gefallen lassen.

»Hier«, sagte Jessie, als sie mit einem vollen Glas in der einen und einem Schlüsselbund in der anderen Hand aus der Küche kam.

»Du bist ein Wrack«, sagte er und streckte die Hand nach den Schlüsseln aus.

Sie warf ihm einen seltsamen Blick zu, den er nicht deuten konnte. »Ich hätte dich heiraten sollen.«

»Ich wüsste nicht, dass ich gefragt hätte.«

Sie lachte, als hätte sie den ganzen Tag nichts Komischeres gehört. »Pass bloß auf, Slick.«

»Auf was soll ich aufpassen?«

»Diese Sara scheint dich um den kleinen Finger gewickelt zu haben.«

»Lass Sara aus dem Spiel.«

»Warum? Ist sie was Besseres als ich?«

Sie hatte es erfasst, doch Jeffrey wollte sich auf keinen weiteren Streit einlassen. Er hatte auf die harte Tour gelernt, dass man mit Trinkern nicht diskutieren konnte. »Gib mir die verdammten Schlüssel.«

»Du wirst sie heiraten, und irgendwann vögelst du dann doch hinter ihrem Rücken herum.«

»Jessie, ich sag es nicht noch einmal.«

»Irgendwann kommt der Tag, an dem du kapierst, dass du nicht mehr der Mittelpunkt ihres Lebens bist, und dann rennst du los und suchst dir eine andere. Denk an meine Worte.«

Jeffrey hatte immer noch die Hand ausgestreckt. Er musste sich zwingen, nichts zu sagen.

Sie ließ die Schlüssel über seiner Hand baumeln, dann ließ sie sie fallen. »Komm und besuch mich in ein paar Jahren.«

»Eher soll mir der Schwanz abfaulen.«

Sie lächelte und hob ihr Glas. »Bis dann.«

Robert fuhr immer noch denselben schrottreifen 68er Chevy-Truck, den er schon in der Highschool gehabt hatte. Die Gänge waren launisch und ächzten jedes Mal, wenn Jeffrey zu schalten versuchte. Es gab irgendeinen Trick, wie man die Karre überlistete, aber Jeffrey hatte ihn vergessen. An jedem Stoppschild ruckelte der Wagen wie bei einem Sechzehnjährigen, der gerade fahren lernte; jedes Mal wenn Jeffrey den ersten Gang einlegen wollte, würgte er den Motor ab.

Als er Herd's Gap hinter sich ließ, wusste er nicht, wohin. Sara war wahrscheinlich noch im Bestattungsinstitut mit dem Skelett beschäftigt. Hoss war auf dem Revier und sperrte Robert ein. Jeffrey hätte nach Hause fahren können, doch über Mittag war seine Mutter meistens da, und das Letzte, was er jetzt brauchte, war der Anblick, wie sie sich mit billigem Wodka stärkte, bevor sie zur zweiten Schicht im Krankenhaus antrat. Eine Alkoholikerin am Tag war genug.

Jeffrey war auf dem Weg zu Nell, die wahrscheinlich schon von Roberts Verhaftung wusste, als ihm Possum einfiel. So war es immer gewesen: An Possum dachten sie immer als Letztes. Anders als Robert, der mit Jeffrey in der Footballmannschaft war und seinen eigenen Fanclub hatte, war Possum das fünfte Rad am Wagen, ein Puffer, der von seinen zwei konkurrierenden Freunden mitgeschleppt wurde. Possum lachte über ihre Witze und notierte den Punktestand zwischen ihnen. Nicht dass er dabei immer vollkommen selbstlos gewesen wäre. Manchmal hatte er Glück und konnte sich den einen oder anderen Krumen schnappen, den Jeffrey oder Robert fallen ließen.

Auch Nell war eine von Jeffreys Verflossenen. Damals war Jeffrey froh gewesen, sie loszuwerden. Schon als Teenager hatte Nell genau gewusst, wo es langging, und mit ihrer Meinung nicht hinter dem Berg gehalten. Dass es dabei meistens um Jeffreys Fehler ging, war das Hauptproblem ihrer Beziehung. Ihre unverblümte Art, ihn zu kritisieren, konnte ziemlich ekelhaft sein. Wäre sie nicht eins der wenigen anständigen Mädchen der Schule gewesen, die einen ranließen, hätte er sie nach dem ersten Date abserviert.

Jeffrey liebte Herausforderungen, doch bei Nell war er an seine Grenzen gestoßen. Am Ende musste er zugeben, dass Possum besser zu ihr passte – ihm machte es nichts aus, bevormundet zu werden, und er konnte mit Kritik umgehen. Und doch war Jeffrey überrascht gewesen, als sie nur einen Monat nachdem er nach Auburn gegangen war, geheiratet hatte. Er hatte sich gefragt, ob da schon etwas hinter seinem Rücken gelaufen war. Doch neun Monate später verstand er, was los war. Irgendwie lag ihm die Sache heute noch im Magen, doch der Gerechtigkeit halber musste er zugeben, dass er es war, der die Beziehung mit Nell auf Eis gelegt hatte, als er wegzog. Allerdings hatte er gedacht, sie würde ihm ein bisschen hinterhertrauern und nicht gleich mit seinem zweitbesten Freund ins Bett springen.

Jeffrey zwang den Truck in den zweiten Gang und bog auf den Parkplatz vor Possums Laden ein. Es war immer noch die gleiche heruntergekommene Kaschemme mit verschlissenen Flaggen der Auburn University zu beiden Seiten der Tür. Im Schaufenster warben Schilder für kaltes Bier und Köderfisch, die beiden wichtigsten Waren, die ein Laden auf dem Land führen musste.

Die Türglocke klingelte laut, als Jeffrey eintrat. Die Holzdielen unter seinen Füßen quietschten, wahrscheinlich stammten sie noch aus der Zeit der Wirtschaftskrise. In den Ritzen sammelte sich der Staub von sechzig Jahren.

Jeffrey ging, ohne zu zögern, hinter den Tresen und nahm sich ein Sixpack Budweiser aus dem Kühlschrank. Dann holte er noch ein zweites Sixpack aus dem Regal.

»Hallo?«, rief Jeffrey und stellte das Bier auf den Tresen. Die Registrierkasse war ein altes Modell, das kinderleicht aufzubrechen war, daneben stand ein Wechselgeldautomat mit mindestens hundert Dollar Kleingeld. Typisch Possum, dass er sich auf die Ehrlichkeit der Leute verließ.

»Possum«, rief Jeffrey und nahm sich ein Bier aus der Packung. Ein Coca-Cola-Öffner lag auf dem Tresen. Das Bier war bitter. Jeffrey stürzte es runter und versuchte seine Geschmacksknospen zu umgehen. Dann sah er sich die Fotos an, die Possum am Zigarettenregal aufgehängt hatte. Wie bei Robert stammten eine Menge der Fotos noch aus Highschooltagen. Doch anders als bei Robert gab es hier außerdem eine Menge Fotos von Kindern verschiedener Altersstufen. Jennifer entwickelte sich von einem in Decken gehüllten Bündel zu einem frühreifen Mädchen. Jared wuchs von einem nuckelnden Säugling zu einem schlaksigen Halbwüchsigen heran. Jeffrey schätzte, dass er ungefähr neun sein musste, und konnte sich gut in das Kind hineinversetzen. Damals waren seine Arme und Beine viel zu lang gewesen, wie bei einem Fohlen, das gerade laufen lernte. Jared hatte Nells schwarzes Haar und den gleichen überheblichen Ausdruck um das Kinn. Er sah Possum überhaupt nicht ähnlich, dafür war Jennifer unübersehbar die Tochter ihres Vaters. Sie hatte Possums Augen und seine hängenden Schultern und strahlte insgesamt die gleiche harmlose Freundlichkeit aus, die Possum mehr als einmal den Hals gerettet hatte.

Jeffrey nahm noch einen kräftigen Schluck Bier, es schmeckte gar nicht mehr so schlecht. Er dachte an Robert und daran, durch welche Hölle er gegangen sein musste, als Jessie das Kind verlor. Die Ehe war ein merkwürdiges Tier, immer unberechenbar, manchmal sanftmütig, manchmal böse. Als Jeffrey noch auf Streife gegangen war, hatte er die Notrufe wegen häuslicher Gewalt am schlimmsten gefunden. Das war diese seltsame, undefinierbare Verbindung zwischen Mann und Frau. Eben noch wollten sie sich gegenseitig umbringen, und im nächsten Moment gingen sie demjenigen an die Gurgel, der sich zwischen sie stellte, in diesem Fall dem Polizisten.

Erst schrien sie sich an und warfen sich jedes erdenkliche Schimpfwort an den Kopf, und dann warfen sie sich förmlich vor den Streifenwagen, um ihren Ehepartner vor dem Gefängnis zu retten.

Und alles wurde noch schlimmer, wenn Kinder da waren. Als Streifenpolizist hatte er immer versucht, sie aus der Schusslinie zu halten – eine schwierige Aufgabe, denn die meisten Kinder glaubten, zwischen ihren Eltern schlichten zu können, indem sie sich einmischten. Jeffrey hatte es als Kind oft genug selbst versucht, er wusste, was Kinder dazu brachte. Aber er wusste auch, wie sinnlos es war. Nichts war schlimmer, als bei jemandem zu klingeln und dort ein Kind wimmernd mit einem blauen Auge oder einer blutigen Lippe in der Ecke zu finden. Wahrscheinlich kanalisierte Jeffrey einen Teil seiner eigenen Wut, wenn er einen gewalttätigen Familienvater hinter Gitter brachte. Bis vor ein paar Jahren hatte er das sogar als Bonus seines Geschäfts empfunden.

Jeffrey ließ die leere Flasche in den Mülleimer fallen und nahm sich das nächste Bier. Diesmal öffnete er die Flasche an der Kante der Ladentheke. An den Kratzern im Holz sah er, dass Possum es wahrscheinlich genauso machte.

Er legte den Kopf zurück und trank einen großen Schluck Bier. Sein Magen protestierte knurrend, und Jeffrey fiel ein, dass er seit dem gebratenen Speck heute Morgen bei Nell nichts gegessen hatte. Doch jetzt war es ihm egal. Er hatte die zweite Flasche schon halb leer, als er die Toilettenspülung hörte.

»Hallo, Slick …« Possum kam vom Klo und knöpfte sich die Hose zu. Er warf einen Blick auf das Bier. »Bedien dich.«

»Meinst du hier?«, fragte Jeffrey und drückte auf den »No Sale«-Knopf der Registrierkasse. Die Schublade mit den ordentlich gestapelten Geldscheinen sprang auf. »Hier sind mindestens zweihundert Dollar drin.«

»Zweihundertdreiundfünfzig einundachtzig«, sagte Possum und nahm sich ebenfalls ein Bier. Er machte es am Tresen auf und trank einen Schluck.

Jeffrey trank sein Bier aus und nahm sich das nächste. Possum warf einen Blick auf die zwei leeren Flaschen, doch er hielt den Mund.

Jeffrey sagte: »Ich schätze, das mit Robert hast du schon gehört.«

»Was?«

Jeffrey hatte ein flaues Gefühl im Magen. Er nahm noch einen kräftigen Schluck und hoffte, dass ihm bald endlich alles egal sein würde. »Er hat sich gestellt.«

Possum verschluckte sich an seinem Bier und musste husten. »Was?«

»Ich war gerade bei Jessies Mutter. Robert sagt, er hat es getan.«

»Was getan?«

»Den Typen erschossen.«

»Luke Swan«, flüsterte Possum. »Meine Fresse.«

»Jessie hat ihn betrogen.«

Possum schüttelte den Kopf. »Das glaube ich nicht.«

»Mir musst du nicht glauben. Red mit Robert. Er sagt, er hätte die beiden erwischt, wie sie es getrieben haben.«

»Warum sollte sie ihn betrügen?«

»Weil sie eine Schlampe ist.«

»So darfst du nicht über sie reden.«

»Warum nicht, Possum? Weil es stimmt?« Jeffrey trank noch einen Schluck Bier, dann noch einen. »Gott, du hast dich kein bisschen verändert.«

»Jetzt hör aber auf.«

»Possum«, sagte Jeffrey. »So bist du, Kopf in den Sand stecken und so tun, als wenn nichts wär.« Er trank das Bier aus und wartete, dass der Alkohol endlich seinen Kummer betäubte. »Er sagt, er hat auch Julia umgebracht.«

Possum stützte sich auf den Tresen. Er riss die Augen auf. »Das ist doch bloß verrücktes Gerede.«

»Ja, verrückt ist es. Die ganze verdammte Stadt ist verrückt.«

»Glaubst du ihm?«

Die Frage überraschte Jeffrey, vor allem, weil Possum sonst nie etwas in Zweifel zog. »Nein«, sagte er. »Verdammt, ich weiß es nicht.«

»Scheiße«, sagte Possum.

Jeffrey griff nach dem nächsten Bier, doch Possum hielt seine Hand fest und sagte: »Mach mal halblang.«

»Ich hab schon eine Mama.«

»Und die ist ein verdammt guter Grund, dass du halblang machst.«

Jeffrey verlor die Beherrschung. Er holte aus und schlug Possum ins Gesicht. Possum war zu weit entfernt, doch der Schlag hatte noch genug Wucht, dass er rückwärts taumelte und gegen den Tresor fiel.

»Au!«, rief Possum. Er betastete seinen Mund und sah das Blut auf seinen Fingern. »Jesus, Slick, du hast mir fast einen Zahn ausgeschlagen.«

Jeffrey hob wieder die Faust, doch der Ausdruck in Possums Augen hielt ihn zurück. Possum würde sich nicht wehren. Er wehrte sich nie. Er wurde nie wütend, und er stellte nie infrage, was Jeffrey tat.

Jeffrey griff in die Tasche und zog ein paar Zehner für das Bier heraus.

»Nein«, sagte Possum und schob das Geld zurück, während ihm das Blut übers Kinn rann. »Vergiss es.«

»Ich zahle für mein Bier«, versetzte Jeffrey und warf das Geld auf den Tresen. Dann nahm er die restlichen Flaschen und das zweite Sixpack.

»Hör zu, Slick, ich kann dich fahren …«

»Leck mich am Arsch«, sagte Jeffrey und stieß Possum weg.

Doch Possum lief ihm bis zur Tür nach. »In deinem Zustand solltest du nicht fahren.«

»In welchem Zustand?«, rief Jeffrey und riss die Beifahrertür von Roberts Truck auf. Er stellte das Bier auf den Sitz, dann lief er um die Motorhaube herum. Er stolperte über ein Schlagloch und hielt sich an der Kühlerhaube fest.

Possum flehte: »Jeffrey, lass es sein.«

Als Jeffrey hinter das Lenkrad kletterte, verschwamm alles vor seinen Augen, als stünde die ganze Welt auf dem Kopf. Er drehte den Zündschlüssel, und der Truck begann tröstlich zu schnurren. Als Jeffrey vom Parkplatz bretterte, riss er im letzten Moment das Lenkrad herum, um nicht die Zapfsäulen umzumähen.

SECHZEHN

14.50 Uhr

Molly stieg auf den Beifahrersitz des Krankenwagens und musterte Lena von oben bis unten. »Ein engeres Hemd gab's wohl nicht?«

»Ich kann es nicht ändern.« Sie wusste, dass Molly die Situation nur auflockern wollte, aber Lena schaffte es nicht mitzuspielen. Sie hatte feuchte Hände, und ihre Nerven, sonst stark wie Drahtseile, lagen blank. Wenn Lena erst einmal im Gebäude drin war, würde sie wieder funktionieren. Sie konnte mit ihren Ängsten umgehen, sobald sie sich ihnen stellte. Wenn die Show losging, würde sie ihren Mann stehen. Doch bis es so weit war, hatte sie Lampenfieber.

Molly holte tief Luft. Als sie wieder ausatmete, sackte sie in sich zusammen wie ein Luftballon. Dann nahm sie das Stethoskop, das sie um den Hals trug, in beide Hände. »Also gut. Ich bin bereit.«

Lena versuchte, den Schlüssel ins Zündschloss zu stecken, doch ihre Hand zitterte zu stark. Nach mehreren Versuchen kam ihr Molly zu Hilfe. »Da.«

»Das kommt von den Narben«, sagte Lena, als der Wagen ansprang. »Nervenschaden.«

»Haben Sie öfter Probleme damit?«

Lena gab Gas und spürte das Vibrieren des Motors unter ihrem Fuß. »Nein«, sagte sie. »Manchmal.«

»Haben Sie Krankengymnastik gemacht?«

Lena verstand zwar nicht, was diese alberne Unterhaltung sollte, doch das Gequatsche war irgendwie beruhigend. »Ungefähr drei Monate«, erklärte sie. »Paraffinbäder, Tennisball kneten, Stifte in Löcher stecken.«

»Geschicklichkeitstraining.« Molly starrte auf die Straße.

»Ja«, sagte Lena. Vom Grant County Medical Center zum Polizeirevier waren es keine dreihundert Meter, doch je näher sie kamen, desto weiter schien es in die Ferne zu rücken. Lena hatte das Gefühl, dass sie durch einen Tunnel in ein schwarzes Loch fuhren.

»Ich musste so was für mein Knie machen«, sagte Molly. »Ich hab es mir verdreht, als ich meinen Kleinen die Treppe raufgejagt habe.«

»Sie haben zwei Kinder?«

»Zwei Jungs«, erklärte Molly mit leisem Stolz.

Lena steuerte den Notarztwagen über eine Metallplatte, die ein Schlagloch abdeckte. In dem schweren Fahrzeug war von den Straßenschäden kaum etwas zu spüren. Sie fragte sich, ob auch in ihr ein Kind heranwuchs, und wenn ja, ob es ein Mädchen und ein Junge war. Was wäre, wenn sie es bekäme? Wenn sie Ethan heiratete, wäre sie ihm ein für alle Mal ausgeliefert.

Molly sagte: »Zwillinge.«

»Ach du Scheiße«, sagte Lena. Zwillinge. Doppelt so viel Verantwortung. Doppelt so viel Gefahr. Doppelt so viel Schmerz.

»Alles in Ordnung?«, fragte Molly wieder.

»Ich habe heute Geburtstag«, sagte Lena plötzlich, ohne auf den Weg zu achten.

»Wirklich?«

»Ja.«

»Hier können wir parken«, sagte Molly. Erst jetzt merkte Lena, dass sie fast am Revier vorbeigefahren war. Nick hatte ihr eingebläut, dass sie den Eingang nicht blockieren durften, und sie hatten verabredet, es wäre das Beste, auf der Seite der Boutique zu parken, nicht in Richtung College.

Lena überlegte, ob sie zurückfahren sollte, doch es war zu spät. »Dann müssen wir wohl.«

»Ja.« Molly strich sich die Hose glatt. »Das Ganze ist doch eine Routinesache, oder? Wir gehen mit dem Essen rein und kommen mit Marla heraus, nicht wahr?«

»Stimmt«, sagte Lena. Ihre Hand rutschte vom Schaltknüppel ab, als sie auf Parken schaltete. Leise fluchte sie vor sich hin, versuchte sich zusammenzureißen. Lena hatte nie Angst. Vor zwei Jahren hatte sie Schlimmeres erlebt, als die meisten Menschen sich nur vorstellen konnten. Wovor hatte sie Angst? Was konnte hier auf sie warten, das noch schlimmer war?

»Hören Sie«, begann Molly zögernd. »Nick hat gesagt, ich soll es Ihnen nicht sagen ...«

Lena wartete.

»Wir haben ein Zeitlimit. Wenn wir nicht rechtzeitig rauskommen, kommen unsere Leute rein.«

»Und warum darf ich das nicht wissen?«

»Nick hatte Angst, dass die Geiselnehmer Wind davon bekommen.«

»Aha.« Lena verstand. Nick vertraute ihr nicht. Das hatte er Amanda Wagner deutlich genug gesagt. Er dachte wohl, Lena würde Dummheiten machen, würde sie alle in die Scheiße reiten. Und vielleicht hatte er recht. Vielleicht würde Lena die Sache in den Sand setzen, so wie sie immer alles in den Sand setzte. Vielleicht war es das. Das Ende vom Lied.

»Wird schon schiefgehen«, sagte Molly und griff nach Lenas Hand.

Weil ihr sonst nichts einfiel, sah Lena auf die Uhr.

Molly tat es ihr gleich. »Ich hab meine Uhr mit seiner abgeglichen.« Sie zeigte Lena ihre große Snoopy-Uhr. Als Lena ihre Digitaluhr auf die gleiche Zeit einstellte, fragte sie sich, wozu das gut sein sollte.

»Sie kommen genau vierzig Minuten, nachdem wir durch die Tür gegangen sind.« Sie sah noch einmal auf die Uhr. »Das wäre dann also um 15.32 Uhr.«

»Okay«, sagte Lena.

Molly legte die Hand auf den Türgriff. »Wir schaffen es rechtzeitig zu Ihrer Party.«

»Welcher Party?« Lena hatte keinen Schimmer, wovon Molly sprach.

»Ihrer Geburtstagsparty.« Dann öffnete sie die Tür einen Spalt. »Fertig?«

Lena nickte, zu sprechen wagte sie nicht. Die beiden Frauen stiegen aus dem Notarztwagen und trafen sich an der Heckklappe, wo Wagners Männer die Kisten mit Proviant eingeladen hatten, kaltem Wasser und abgepackten Sandwiches von den Tankstellen im Umkreis. Auf dem Weg zum Eingang konzentrierte sich Lena auf die Sandwiches. Sie las die Etiketten und fragte sich, wer für so ein labberiges Schinken-Salat-Sandwich Geld ausgab. Das Verfallsdatum war erst in drei Monaten. Wahrscheinlich steckten in jedem Bissen genug Konservierungsstoffe, um damit ein Pferd einzupökeln.

»Los geht's«, sagte Molly, als vor ihnen die Tür aufging.

Lena drehte sich der Magen um. Aus der Tür fiel ihnen Matts Leiche entgegen. Was von seinem Kopf übrig war, klatschte mit einem schmatzenden Geräusch auf den Boden, Blut und Gehirn spritzten auf den Bürgersteig. Das meiste von seinem Gesicht fehlte, das linke Auge hing nur noch an einem Nerv, wie bei einer Halloweenmaske. Der Kiefer klaffte offen, und Lena konnte alles sehen – die Zähne, die lange Zunge, die Sehnen und die Muskeln, die das Ganze noch zusammenhielten.

»Langsam«, sagte der Mann, der innen hinter der Tür stand. Er trug eine schwarze Skimaske mit mandelförmigen Löchern für Augen und Mund. Lena wurde plötzlich von einer lähmenden Angst gepackt. Frank hatte nichts von Masken gesagt. Die Männer hatten sie also übergezogen, um von den Sanitätern nicht erkannt zu werden. Was das für die Geiseln bedeutete, die ihre Gesichter bereits kannten, wollte sich Lena nicht ausmalen.

»Immer langsam«, sagte er und winkte sie herein. In einer Hand hielt er eine abgesägte Schrotflinte – die Wingmaster, die Frank gesehen hatte –, in der anderen eine Sig Sauer. Die kugelsichere Weste schmiegte sich eng an seine Brust, und sie entdeckte noch eine Pistole, die im Bund seiner Armeehose steckte.

Lena merkte erst, dass sie stehen geblieben war, als Molly flüsterte: »Lena!«

Lena zwang sich, ihre Füße in Bewegung zu setzen. Sie versuchte, über Matt hinwegzusteigen, ohne hinzusehen, doch sie hatte das Gefühl, sich jeden Moment übergeben zu müssen. Ihre Turnschuhe hinterließen blutige Abdrücke.

Im Gebäude war es mindestens zehn Grad wärmer als draußen auf der Straße. Hinter der Anmeldung stand ein zweiter Bewaffneter, eine AK-47 lag auf dem Tresen. Auch er trug eine Skimaske, doch seine hatte einen sanduhrförmigen Ausschnitt im Gesicht, der ihm mehr Platz zum Atmen ließ. Seine Augen waren völlig ausdruckslos, und er sah Lena und Molly kaum an, als sie den Eingangsbereich betraten.

Der Erste, wahrscheinlich Smith, versuchte die Tür zu schließen, doch Matt lag im Weg. Mit voller Wucht rammte er die Tür in die Leiche, aber der Tote bewegte sich nicht. »Scheiße«, murmelte er und trat Matt in die Seite. Er trug Militärstiefel mit Stahlkappen, und es knackte laut, wahrscheinlich hatte er Matts Rippen gebrochen.

Smith sagte: »Los, helft mir, den Wichser hier wegzuräumen.«

Lena war wie angewurzelt mit dem Sandwichkarton stehen geblieben. Molly sah sie panisch an, dann setzte sie die Kiste mit dem Wasser ab. Sie ging zu Matt, packte ihn an den Füßen und zerrte ihn hinein.

»Nein«, sagte Smith. »Raus. Wirf den Wichser raus.« Er wischte sich mit dem Arm über den Mund. »Der Wichser stinkt.« Als Molly zu Matts Kopf ging, trat Smith noch einmal zu. »Verdammter Drecksack«, knurrte er, und in seiner Stimme lag eine Schärfe, die Molly Angst einflößte. Er holte aus und trat Matt mehrmals in die Eier. Das tote Fleisch gab kaum nach, und das Geräusch erinnerte Lena an Nan, wenn sie im Garten mit dumpfen Schlägen den Teppich ausklopfte.

Nach einem letzten Tritt knurrte er Molly an: »Worauf wartest du noch? Schaff den Drecksack raus.«

Man konnte sehen, dass Molly nicht wusste, wo sie zupacken sollte. Wie immer trug Matt ein kurzärmeliges weißes Hemd und eine Krawatte aus der Zeit, als Jimmy Carter noch im Weißen Haus saß. Das Hemd war blutgetränkt, und an den Armen klafften neue Wunden, wo Smith zugetreten hatte. Die frischen Verletzungen hatten eine seltsam violette Farbe und bluteten nicht.

Smith stieß Molly mit dem Stiefel an. Molly wich verängstigt zurück. Sie versuchte Matt am Hemd zu packen, doch es riss. Die Knöpfe sprangen klimpernd über den Fußboden, und Matts weißer Fischbauch quoll über den Hosenbund. Schließlich griff Molly ihm unter die Achseln und zog.

Die Leiche bewegte sich keinen Zentimeter, und gerade als Smith ihr wieder einen Tritt geben wollte, sagte Molly: »Nein.«

Smith schien seinen Ohren nicht zu trauen. »Was hast du da gesagt?«

»Tut mir leid«, sagte Molly und blickte an sich hinunter. Ihr Kittel war mit schwarzem Blut verschmiert. Sie sah Lena an: »Um Himmels willen, hilf mir doch endlich.«

Lena sah sich um, als wüsste sie nicht, wo sie den Karton abstellen sollte. Sie wollte Matt nicht anfassen. Sie konnte seine Leiche nicht anfassen.

Smith richtete die Wingmaster auf sie. »Mach schon.«

Lena stellte die Kiste ab. Ihre Lunge rasselte beim Atmen. Sie presste die Kiefer zusammen, damit ihre Zähne nicht klapperten. In ihrem ganzen Leben hatte sie noch nie solche Angst gehabt. Warum? Es hatte Zeiten gegeben, als sie den Tod begrüßt, sich sogar nach ihm gesehnt hatte. Doch in diesem Moment hatte sie panische Angst zu sterben.

Irgendwie schaffte sie es, sich vor Matts Füße zu knien. Sie starrte die billigen schwarzen Halbschuhe an, den ausgefransten Saum seiner alten Hose, die schmutzig grauen Sportsocken, die einmal weiß gewesen waren. Molly zählte bis drei, dann hoben sie die Leiche an. Ein Hosenbein rutschte hoch und legte den Knöchel frei. Lena starrte auf die bleiche Haut, die Falten warf, als sich der Fuß in ihren Bauch drückte. Sie dachte an das Baby in ihr und fragte sich, ob es spürte, wie nah es dem Tod gerade war. Sie fragte sich, ob der Tod ansteckend war.

Ein Stück von der Eingangstür entfernt legten sie Matt auf den Bürgersteig. Smith beobachtete jede ihrer Bewegungen. Er grinste zufrieden, und Lena musste gegen den Drang ankämpfen wegzulaufen, als sie Molly in die Wache zurück folgte. Erst als sie wieder drin waren, begriff sie, was gerade passiert war. Smith hatte Wasser und Lebensmittel. Er hätte ihnen einfach die Tür vor der Nase zuschlagen können. Er hätte ihnen in den Kopf schießen können oder sie zum Teufel jagen, doch er tat nichts dergleichen.

»Schon besser«, sagte Smith. »Tolliver hat die Luft verpestet.«

Molly riss mit offenem Mund den Kopf herum.

»Was?«, fragte Smith und hielt ihr die Sig an die Schläfe. »Willst du was sagen, Schlampe? Hast du noch was zu meckern?«

»Nein«, mischte sich Lena ein. Sie war selbst überrascht, dass sie die Sprache wiedergefunden hatte.

Smiths Grinsen hinter der Maske war grauenhaft. Lena spürte, wie er den Blick über ihren Körper gleiten ließ und an ihren Brüsten hängen blieb. Dem Funkeln seiner Augen entnahm sie, dass ihm gefiel, was er sah. Noch einmal drückte er die Mündung seiner Pistole an Mollys Schläfe, dann wandte er sich an Lena. »Dachte ich mir.« Er bedeutete ihr, sich umzudrehen. »Hände an die Wand.«

Das Telefon begann zu klingeln, sein Schrillen zerschnitt die Stille wie mit einem Messer.

Smith wiederholte: »Dreh dich um.«

Lena legte die Hände zwischen zwei gerahmte Fotos der Polizeitruppe von Grant County aus dem Jahr 1970. Es waren ausschließlich Männer in blauen Uniformen mit zottigen Schnurrbärten. Nur Ben Walker, der Polizeichef, fiel mit seinem militärischen Bürstenschnitt und dem glatt rasierten Gesicht aus dem Rahmen. Weiter unten hing ein Foto, auf dem auch Lena zu sehen war. Sie hielt die Luft an und betete, dass Smith es nicht entdeckte.

»Versteckst du was?« Smiths Hände klopften ihren Körper ab wie ein Presslufthammer. Er stieß sie gegen die Wand und drückte sich an sie. »Versteckst du was?«, wiederholte er und knöpfte ihr mit einer Hand die Bluse auf.

Sie schwieg mit klopfendem Herzen. Sie versuchte, das Foto einen halben Meter unter ihrem Gesicht nicht anzusehen. Damals war sie so jung gewesen, hatte voller Hoffnung in die Zukunft geblickt, auf das, was das Leben für sie bereithielt. Seit sie denken konnte, wollte Lena zur Polizei, wie ihr Vater. Der Tag, an dem das Foto aufgenommen wurde, war der schönste Tag ihres Lebens gewesen, doch jetzt brachte das Foto sie vielleicht ins Grab.

Smith ließ die Hand in ihr offenes Hemd gleiten und betatschte ihre Brust. »Hast du da was für mich versteckt?«, fragte er. »Oder warum schlägt dein Herz so schnell?«

Sie versuchte, sich nicht zu bewegen, und kniff die Augen

zu, als er auch ihre andere Brust befummelte. Sein Atem ging schwer, offensichtlich erregte ihn die Sache.

Lena hätte wahnsinnige Angst haben müssen, doch jetzt hatte sie keine mehr. Es war ihr auf unheimliche Art vertraut, wie er seinen Körper gegen ihren presste.

Smith war klein und athletisch. Sie spürte, wie sich die Muskeln an seinen Armen und seiner Brust wölbten, und wenn sie es zuließ, erinnerte er sie an Ethan. Lena wusste, wie sie mit Ethan umgehen musste, wie sie ihn auf dem schmalen Grat zwischen Wut und Beherrschung in Schach halten konnte. Ihren Liebhaber anzustacheln war fast wie ein Spiel für sie. Das einzige Problem war, dass sie manchmal eine Runde verlor. Lenas aufgeplatzte Lippe sprach Bände.

Smith flüsterte: »Hast du da was für mich?« Sie spürte seinen heißen Atem an ihrem Ohr. Er drückte sich hart an sie, seine Absichten waren deutlich.

Dann hörte Lena eine Stimme, die sie nicht kannte. Der zweite Bewaffnete murrte: »Hör auf«, nicht sehr autoritär, doch Smith wich zurück. Er ließ ihre Brüste erst im letzten Moment los.

Smith knurrte: »Zieh die Schuhe aus.« Dann befahl er Molly: »Du bist die Nächste. An die Wand.«

Molly hatte sichtlich Angst, doch sie gehorchte und lehnte sich mit den Händen an die Wand mit den Fotos. Lena knöpfte sich das Hemd zu und beobachtete im Augenwinkel, wie Smith Molly durchsuchte, ohne sich an ihr zu vergreifen. Lena ging von den Fotos weg und setzte sich auf den Boden, um sich die Schuhe auszuziehen. Sie hatte das Messer schließlich mit Klebeband unter dem Knöchel festgeklebt und den Strumpf darüber gezogen. Ihre Sehne pochte, und Lena versuchte, sich die Nervosität nicht anmerken zu lassen, als sie Smith ihre Schuhe zeigte. Als er Lena abgetastet hatte, hatten die Hightops ihre Knöchel bedeckt. Solange er sie jetzt nicht noch einmal abtastete oder sie dazu zwang, die Strümpfe auszuziehen, wäre alles gut.

Smith drehte die Schuhe um, sah sich die Sohlen an und spähte hinein. Das Gleiche tat er mit Mollys Schuhen, dann ließ er sie auf den Boden fallen. Als Molly ihre Schuhe wieder anziehen wollte, hielt er sie davon ab.

Er durchsuchte die Kartons nach Schmuggelware und sagte: »Bringt die Kisten nach hinten.«

Lena bückte sich nach dem Karton und knöpfte sich dabei die Bluse zu. Sie wartete, bis sich Molly die Kiste mit dem Wasser aufgeladen hatte, dann drückte sie die Schwingtür zum Mannschaftsraum auf. Lena hatte es geschafft, die Turnschuhe wieder anzuziehen, nur zugebunden hatte sie sie nicht. Sie schwitzte an den Füßen, doch noch hielt das Klebeband. Wie konnte sie das Messer unbemerkt jemandem zustecken? Wo konnte sie es so deponieren, damit es jemandem etwas nutzte?

Doch fürs Erste musste sie sich auf die Dinge konzentrieren, auf die sie Einfluss hatte. In der ganzen Wache herrschte Chaos, doch Lena stellte erleichtert fest, dass die Karte, die Frank und Pat gezeichnet hatten, im Großen und Ganzen stimmte. Die Luftschächte waren mit Kleidungsstücken verstopft, und die Aktenschränke und Schreibtische waren vor die Türen geschoben worden. Brad stand in Boxershorts und einem weißen Unterhemd in der Mitte des Raums, seine haarlosen weißen Beine steckten wie Streichhölzer in den schwarzen Socken und Polizeischuhen. Neben ihm auf dem Boden saß Marla mit den drei Mädchen, die sich wie Küken unter ihre Fittiche drängten. Weiter hinten saß Sara mit dem Rücken an der Wand. Ein Mann lag mit dem Kopf in ihrem Schoß, seine Schuhsohlen zeigten in Lenas Richtung. Lena stolperte und ließ den Karton fallen. Der Mann war Jeffrey.

»Ich helfe Ihnen.« Brad hob die Sandwiches auf und legte sie in den Karton zurück. Er riss die Augen weit auf und sagte mit übertriebener Betonung: »Matt ist an der Schulter getroffen worden.«

»Was?«

»Matt«, sagte Brad und nickte in Jeffreys Richtung. »Es hat ihn an der Schulter erwischt.«

Ihre Lippen bewegten sich, sie sagte: »Ah«, doch ihr Hirn ratterte fast hörbar, bis sie verstand.

Sara flüsterte heiser, voller Sorge: »Er verliert immer wieder das Bewusstsein. Ich weiß nicht, wie lange er noch durchhält.«

Molly fragte: »Können wir irgendwas tun?«

Sara konnte kaum sprechen. Sie räusperte sich, dann sagte sie: »Sie könnten ihn hier rausbringen.«

»Nichts da«, mischte sich Smith ein. Er durchwühlte die Sandwiches und las die Etiketten. »Was für eine Scheiße, Mann.« Lena hatte das Gefühl, er tat sich extra dicke, und das vermutlich ihretwegen. Sie wurde immer mehr zu der Art Frau, die sie als Polizistin so verachtete. Frauen, die die Polizei riefen, weil ihr Freund ausflippte, und dann flehten und bettelten, damit das Schwein nicht in den Knast kam. Es war etwas an ihnen, an ihrem Verhalten, ihrer Haltung, als warteten sie nur auf die nächste Tracht Prügel. Als sonderten sie einen Duftstoff ab, der die Sorte Männer anzog, die Frauen schlugen.

Sara sagte: »Er braucht medizinische Versorgung.«

Molly nahm das Stethoskop und ging nach hinten.

Smith rief: »Wo willst du hin?«

»Ich wollte nur …«

»Meinetwegen.« Smith trat mit einer leichten Verbeugung zur Seite. Sein Blick traf Lena, und er zwinkerte ihr zu.

Lena wusste, was von ihr erwartet wurde, und ohne weiter nachzudenken, sagte sie: »Danke.«

Dann begann sie die Sandwiches auszupacken. Sie verteilte sie an die Kinder und fragte jedes einzelne, ob es ihm gut ging. Immer noch hatte sie das seltsame Gefühl, jemand anders stand hier unten und verteilte Sandwiches, während sie, Lena, an der Decke schwebte und alles nur beobachtete.

Das Telefon klingelte unaufhörlich, und Smith ging hinüber, nahm den Hörer ab und knallte ihn zurück auf die Gabel.

Eins der Mädchen erschrak und schrie: »Ich will zu meinem Daddy.«

Lena beruhigte das Kind. »Schon gut. Es dauert nicht mehr lange.«

Das Mädchen brach in Tränen aus, und Lena gab ihm eine Flasche Wasser. Sie fühlte sich hilflos und wütend zugleich. »Nicht weinen«, sagte sie fast flehentlich. Lena hatte nie besonders gut mit Kindern umgehen können. Doch jetzt versuchte sie es. »Alles wird gut.«

Marla stöhnte leise und starrte Lena mit glasigem Blick an.

Lena redete der alten Frau zu. »Wie geht es Ihnen?« Sie versuchte, sich wie ein Sanitäter zu verhalten, und legte die Hand auf Marlas Schulter. »Ist alles in Ordnung?«

Smith stellte sich zu Molly und Sara. Offensichtlich gefiel ihm nicht, was er hörte, denn schließlich sagte er: »Das reicht. Jetzt haut ab. Und nehmt die Alte mit.«

Molly sagte: »Er braucht Hilfe.«

»Und was ist mit mir?« Smith zeigte auf seinen Arm, der mit einem Streifen Stoff verbunden worden war. Der ehemals weiße Stoff war fast ganz von Blut durchtränkt.

Wieder begann das Telefon zu klingeln. Wagner war wahrscheinlich ausgerastet, als Molly und Lena Matt rausgetragen hatten.

»Wir haben Medikamente im Wagen«, sagte Molly. »Lassen Sie Matt gehen, und ich bleibe hier und kümmere mich um Sie.«

»Wir haben hier wohl zwei Helden«, sagte Smith zu seinem Partner, und Lena fiel auf, dass er auch sie meinte.

Lena kniete bei Marla, und Smith stolzierte förmlich auf sie zu. Ohne ein Wort riss er eins der Mädchen am Handgelenk hoch und zerrte es mit nach vorne. Die Kleine schrie, doch er verdrehte ihr den Arm, bis sie still war. Dann nahm er das wimmernde Kind mit und redete mit seinem Partner. Immer noch auf Knien, drehte sich Lena um. Sie behielt die beiden

Männer im Auge. Dann fasste sie sich langsam an den Knöchel und betastete das Taschenmesser. Plötzlich spürte sie eine Hand auf ihrer, doch sie wagte nicht, sich umzudrehen. Brad stand rechts von ihr, er konnte es also nicht sein. Die Kinder waren viel zu verängstigt, um sich zu bewegen. Marla. Es musste Marla sein, die jetzt mit geschickten Fingern das Klebeband löste und das Taschenmesser an sich nahm.

Smith sagte gerade: »Wir haben eine Ärztin und zwei Sanitäter. Warum nicht?«

Sein Partner schüttelte genervt den Kopf, doch er schien sich mit allem abzufinden, was Smith vorhatte.

Jetzt kam Smith wieder nach hinten zu Lena, das Mädchen im Schlepptau. »Hol deine Tasche aus dem Krankenwagen.«

»Was?« Lena verstand nicht.

Er sah auf die Uhr. Er trug eine Armbanduhr, die Lena aus der Werbung kannte, angeblich benutzten die Navy-SEAL-Teams solche. Smith sagte: »Hol deine Tasche, und komm wieder rein.« Dann drückte er dem kleinen Mädchen die Sig an die Schläfe. »Du hast dreißig Sekunden.«

»Ich kann nicht …«

»Neunundzwanzig.«

»Scheiße«, fluchte Lena. Sie richtete sich auf und rannte auf die Tür zu, das Herz schlug ihr bis zum Hals. Am Krankenwagen riss sie die Hecktür auf und suchte nach irgendwas, das wie ein Arztkoffer aussah.

»Officer«, rief ein Mann. Sie wusste, es war einer der Polizisten, die bei den Streifenwagen standen, doch Lena hatte keine Zeit zu antworten. »Officer?«

»Alles in Ordnung!«, rief sie, Panik schwang in ihrer Stimme mit. »Alles in Ordnung!« Sie entdeckte einen großen Plastikkoffer, der an der Wagenwand festgezurrt war. Das war der Koffer, den die Notärzte immer als Erstes zum Unfallort mitnahmen, wie Lena aus jahrelanger Berufserfahrung wusste. Sie fummelte an der Schnalle herum und murmelte: »Scheiße,

Scheiße, Scheiße.« Sie wusste nicht, wie viel Sekunden schon vergangen waren.

Der Streifenpolizist ließ nicht locker. »Brauchen Sie Hilfe?«

»Lassen Sie mich!«, schrie Lena und riss den Koffer auf. Ein Haufen Medikamente und Schachteln waren darin. Sie hoffte, es war alles, was sie brauchten. In letzter Minute griff sie nach einer zweiten Tasche und dem Defibrillator.

Als sie durch die Eingangstür gerannt kam, fuhr Smiths Komplize zusammen. Er hatte die Waffe angelegt, doch er schoss nicht. Lena hastete nach hinten, wo Smith dem Mädchen immer noch die Waffe an den Kopf drückte. Grinsend sah er auf die Uhr, und plötzlich wallte eine rasende Wut in Lena auf. Sie ließ die Ausrüstung fallen und riss Smith das Mädchen aus den Armen.

Die Mündung seiner Waffe traf Lena am Kopf. Einen Moment lang sah sie nur Sterne. Sie sank in die Knie, und er trat ihr gegen die Brust. Lena fiel nach hinten, bevor Brad sie auffangen konnte. Jetzt richtete Smith die Sig auf Brad und stellte den Fuß auf Lenas Brust.

Er sagte: »Wusst ich's doch, dass du hier die Heldin spielen willst.«

»Nein«, stöhnte Lena. Der Stiefel erdrückte sie fast.

Smith erhöhte das Gewicht noch. »Willst du hier die Heldin sein?«

»Nein«, sagte sie. »Bitte.« Sie versuchte, seinen Fuß wegzustemmen, doch er drückte immer stärker zu. »Bitte«, keuchte sie und dachte an das Kind in ihr.

Smith schnaubte, als wäre er enttäuscht. »Schön«, sagte er und nahm den Fuß weg. »Lass dir das eine Lehre sein.«

Brad half Lena aufzustehen. Ihre Knie waren weich, und ihr war speiübel. Hatte Smith mit seinem Gewicht irgendwelche inneren Verletzungen verursacht?

Mit dem Fuß schob Smith Sara den Plastikkoffer hin. »Das muss reichen«, sagte er. »Notoperation, wie im Fernsehen.«

Sara schüttelte den Kopf. »Das ist zu gefährlich. Wir schaffen es nicht …«

»Ihr müsst.«

»Er muss in den OP.«

»Hier oder gar nicht.«

»Er stirbt vielleicht.«

Smith fuchtelte mit der Waffe herum. »Vielleicht stirbt er so oder so.«

»Was wollt ihr …« Sara brach ab, versuchte, ihre Gefühle zu beherrschen. Aber es gelang ihr nicht. »Was habt ihr gegen uns? Was haben wir euch getan?«

»Es geht nicht um euch«, erklärte Smith. Er nahm das Telefon ab und schrie: »Was zum Teufel wollt ihr?«

»Oder Jeffrey«, brachte Sara stockend hervor. Smith sah sie nicht an, und so wandte sie sich an seinen Komplizen. »Was hat Jeffrey euch getan?«

Der Komplize drehte sich zu Sara um, das Gewehr weiter auf die Tür gerichtet.

»Halt die Fresse«, bellte Smith ins Telefon. »Wir machen hier eine kleine Notoperation. Dafür habt ihr die Sanitäter doch reingeschickt!«

Sara ließ nicht locker. »Was?«, fragte sie. »Was wollt ihr? Warum tut ihr das?«, flehte sie verzweifelt. »Warum?«

Der Komplize starrte sie an. Smith hielt sich das Telefon an die Brust, als wäre er gespannt, was sein Partner antworten würde. Der Mann sprach leise, aber deutlich, als er antwortete: »Weil Jeffrey sein Vater war.«

Sara riss die Augen auf, als hätte sie einen Geist gesehen. Mit zitternden Lippen fragte sie: »Jared?«

SIEBZEHN

Montag

Sara zählte das Tuten, bis der Anrufbeantworter ihrer Eltern dran war. Eddie Linton hasste Anrufbeantworter, doch er hatte schließlich einen angeschafft, als Sara aus Atlanta zurückgekehrt war, damit sie sich sicherer fühlte. Nach dem sechsten Tuten schaltete sich sirrend das Band ein, und die schroffe Stimme ihres Vaters befahl dem Anrufer, eine Nachricht zu hinterlassen.

Sara wartete auf den Piepton, dann sagte sie: »Mama, ich bin's …«

»Sara?«, meldete sich Cathy. »Einen Moment.« Sara wartete, bis ihre Mutter den Anrufbeantworter abschaltete, der oben im Schlafzimmer ihrer Eltern stand. Es gab nur zwei Telefone im Haus: eins in der Küche mit einer zwanzig Meter langen Schnur und eins im Elternschlafzimmer, das für Sara und Tessa seit ihrer Teenagerzeit tabu war.

Sara ließ den Blick über das Skelett auf dem Untersuchungstisch gleiten, wo heute Morgen noch Luke Swan gelegen hatte. Hoss hatte drei Pappkartons dabeigehabt, um die Knochen abzutransportieren, und auch wenn Sara von seiner Ignoranz schockiert war, war sie nicht in der Position, seine Methoden zu kritisieren. Mühevoll hatte sie das Skelett wieder zusammengesetzt und nach Hinweisen auf die Identität der Frau gesucht. Das Ganze hatte Stunden gedauert, doch jetzt war sie sich zumindest einer Sache sicher: Das Mädchen war definitiv ermordet worden.

Cathy war wieder am Apparat. »Geht es dir gut?«, fragte sie. »Ist was passiert? Wo bist du?«

»Es geht mir gut, Mama.«

»Ich habe gerade Puderzucker für die Muffins gekauft.«

Sara hatte ein schlechtes Gewissen. Ihre Mutter backte nur Muffins, wenn sie Sara trösten wollte.

Cathy fuhr fort. »Dein Daddy ist zu Chorskes gerufen worden. Der kleine Jack hat eine Handvoll Wachsmalstifte das Klo runtergespült.«

»Schon wieder?«

»Schon wieder«, wiederholte ihre Mutter. »Kommst du rüber und hilfst mir mit den Muffins?«

»Tut mir leid«, sagte Sara. »Ich bin noch in Sylacauga.«

»Oh.« Der Ausruf drückte zugleich die Enttäuschung und die Missbilligung ihrer Mutter aus.

»Wir hatten hier ein Problem«, begann Sara, aber sie wusste nicht, was sie sagen sollte. Heute früh hatte sie ihrer Mutter von Robert und der Schießerei erzählt, doch sie hatte ihren Verdacht verschwiegen, wer wirklich den Finger am Abzug hatte. Jetzt merkte sie, dass sie es nicht mehr für sich behalten konnte, und so erzählte sie ihrer Mutter alles, angefangen bei den Schmauchspuren, über Reggies Warnungen, bis hin zu ihrer Beobachtung, dass Jeffrey am Fundort des Skeletts etwas hatte mitgehen lassen.

»Ein Armband oder so was?«, fragte Cathy.

»Ich weiß es nicht«, sagte Sara. »Es sah aus wie ein Goldkettchen.«

»Warum sollte er so etwas tun?«

»Gute Frage«, sagte Sara. »Ich habe mir die Knochen den ganzen Tag lang angesehen.«

»Und?«

»Die Knochennähte an ihrem Schädel sind noch nicht vollständig verwachsen.« Sara lehnte sich an den Tisch und betrachtete die junge Frau. Sie fragte sich, was ihr kurzes Leben so tragisch hatte enden lassen. »Außerdem sind die Wachstumsfugen der langen Röhrenknochen noch nicht ganz geschlossen.«

»Und das bedeutet?«

»Sie war wahrscheinlich noch ein Teenager, höchstens Anfang zwanzig.«

Cathy schwieg einen Moment, dann seufzte sie: »Die arme Mutter.«

»Ich habe beim Sheriff nach Vermissten gefragt.«

»Und?«

»Ich habe noch nichts von ihm gehört. Den ganzen Tag habe ich von überhaupt niemandem etwas gehört.« Sogar Deacon White hatte kaum ein Wort mit ihr gewechselt, seit sie mit dem Skelett gekommen war. Schließlich sagte Sara: »In einem so kleinen Ort kann ich mir kaum vorstellen, dass die Liste der vermissten Personen besonders lang ist.«

»Glaubst du, es ist in letzter Zeit passiert?«

»Nein, ich schätze, es ist zehn, vielleicht fünfzehn Jahre her«, sagte Sara. »Ich habe fünf Stunden gebraucht, um die Knochen wieder zusammenzusetzen. Ich glaube, ich weiß, wie sie gestorben ist.«

»Musste sie leiden?«

»Nein«, log Sara. Sie hoffte, sie klang überzeugend. »Ich weiß nicht, was jetzt passiert. Ich weiß nicht einmal, ob wir morgen schon heimkommen können.«

»Du bleibst also bei Jeffrey?«

Sara biss sich auf die Unterlippe. Jetzt war sie schon so weit gegangen, da konnte sie auch gleich alles sagen. »Anscheinend will ich, je mehr Leute schlecht über ihn reden …«

»Dich um ihn kümmern?«

»So würde ich es nicht unbedingt sagen.«

»Ihn verteidigen?«

»Mama …«, fing Sara an, doch sie brach ab. »Ich weiß es nicht«, sagte sie dann, und es war die Wahrheit. »Es stört mich, dass ihr so gegen uns eingenommen seid.« Sie dachte an ihren Vater. »Es stört mich, dass Daddy ihn nicht leiden kann.«

»Ich weiß noch«, sagte Cathy, »als du vier oder fünf Jahre alt warst.«

Sara presste die Lippen zusammen und wartete auf die Anekdote, die ihre Mutter zum Besten geben wollte.

»Wir waren alle zusammen unten am Golf von Mexiko, und dein Vater ist mit dir angeln gegangen, um dem ganzen Trubel zu entfliehen. Weißt du noch?«

»Nein«, sagte Sara, auch wenn sie so viele Fotos von dem Urlaub gesehen hatte, dass sie dachte, sie müsste sich erinnern.

»Ihr habt mit Gummiwürmern geangelt, aber dauernd haben Krebse an den Ködern gehangen, weil sie sie natürlich für echt hielten.« Sie lachte. »Ich weiß noch, wie dein Daddy getobt hat. Er hat die Krebse angebrüllt, dass sie loslassen sollen, ihr verbeißt euch in billige Attrappen, hat er gerufen.« Sie wartete einen Moment ab, ob Sara verstand. »Er hat alles versucht. Er hat sogar mit dem Hammer nach den Viechern geschlagen. Schließlich hat er die Schnur gekappt, und hat den Krebsen ihren Willen gelassen.«

Sara atmete langsam aus. »Bin ich der sture Krebs oder der billige Köder?«

»Du bist unser Mädchen«, sagte Cathy. »Und irgendwann kommt dein Vater zur Vernunft. Dann kappt er die Schnur und lässt dir deinen Willen.«

»Und du?«

Cathy lachte. »Ich bin der Hammer.«

Sara konnte ein Lied davon singen. Doch sie sagte nur: »Ich höre auf mein Gefühl.«

»Und was sagt dir dein Gefühl?«

»Dass ich …« Sie wollte sagen, dass sie Jeffrey liebte, doch sie brachte es nicht über die Lippen.

Cathy verstand auch so. »So viel also zum Herumvögeln.«

Sara fand keine Worte, um zu erklären, was in der Höhle geschehen war, doch sie versuchte es. »Ich weiß nicht, warum, aber trotz allem, was hier passiert, habe ich Vertrauen zu ihm. Bei ihm fühle ich mich sicher.«

»Das ist nicht wenig.«

»Ja«, stimmte Sara zu. »Du kennst mich wohl besser, als ich dachte.«

»Das tu ich«, sagte Cathy und seufzte resigniert. »Aber ich sollte mehr Vertrauen zu dir haben.«

Sara schwieg.

»Ich kann dich nicht vor der Welt beschützen.«

»Das brauchst du auch nicht«, sagte Sara. »Manchmal wäre es vielleicht schön, aber ich komme allein zurecht.« Um ihre Worte abzumildern, fügte sie hinzu: »Trotzdem hab ich dich lieb, weil du für mich da bist.«

»Ich hab dich auch lieb, Schätzchen.«

Jetzt seufzte Sara. Normalerweise wollte sie, wenn etwas schiefging, nur eins: bei ihrer Mutter in der Küche sitzen und ihr zuhören. Doch jetzt hätte sie sich am liebsten an Jeffreys Schulter gelehnt und wäre eingeschlafen. Das war neu. So hatte sie noch nie für einen Mann empfunden. Selbst als Teenager, mit Steve Mann, als alles so aufregend und neu war, hatte Sara nicht dieses brennende Verlangen gehabt, an seiner Seite zu sein. Jeffrey war wie eine Droge, von der sie nicht genug kriegen konnte. Sie war ihm verfallen und konnte nichts tun als abzuwarten, was als Nächstes kommen würde.

Sara sagte: »Ich muss los, Mama. Ich rufe dich morgen an, ja?«

»Pass auf dich auf«, sagte Cathy. »Ich heb dir ein paar Muffins auf.«

Sara wartete, bis ihre Mutter auflegte. Als auch sie auflegen wollte, hörte sie ein Geräusch in der Leitung – jemand atmete –, dann klickte es ein zweites Mal.

Jemand hatte ihre Unterhaltung belauscht.

Sara ging an die Tür und sah durch das Fenster auf den Korridor. Die Lichter waren schon vor Stunden ausgegangen, als Deacon White Feierabend gemacht hatte. Sie wusste, dass ein Praktikant namens Harold in dem Apartment über der Garage wohnte, doch man hatte ihr gesagt, dass er abends gerne für sich war, außer wenn eine Leiche abzuholen war.

Sie hob den Hörer ab und drückte den Knopf, auf dem »Apt.« stand.

Es klingelte sechsmal, bevor der Mann mit einem verschlafenen »Hallo?« abhob.

»Waren Sie gerade am Telefon?«

»Was?«

Sara versuchte es noch einmal. »Hier ist Sara Linton. Ich bin in der Leichenhalle.«

»Oh ... richtig ...«, brachte er heraus. »Mr. White sagte, dass sie noch da sind.« Er schwieg, und sie glaubte zu hören, dass er gähnte. »Tut mir leid«, sagte er, und leiser: »Himmel.«

Sara zog die Telefonschnur lang und ging wieder zum Fenster. Ein Wagen wendete auf dem Parkplatz, und Scheinwerfer erhellten den Korridor. Sie beschirmte die Augen und versuchte zu erkennen, wer es war. Der Wagen stand mit aufgeblendeten Scheinwerfern auf dem Behindertenparkplatz neben ihrem BMW.

Harold klang mürrisch. »Hallo?«

»Entschuldigen Sie«, sagte Sara. »Ich wollte gerade gehen und ...«

»Ach so«, sagte er. »Ich komme runter und mache Ihnen auf.«

»Nein, ich ...«, wehrte sie ab, doch er hatte bereits aufgelegt.

Sara sah wieder in den Korridor. Mit zusammengekniffenen Augen versuchte sie auszumachen, ob jemand zur Tür kam. Es dauerte ein paar Minuten, dann tauchte eine Gestalt im Licht auf. Harold stand im Flur und beschirmte sich die Augen, genau wie Sara es getan hatte. Er hatte einen Pyjama an und gähnte, als Sara sich neben ihn stellte.

»Wer zum Teufel ist das?«, fragte Harold und ging zur Eingangstür.

»Ich wollte gerade …« Sara brach ab. Der Wagen war ein Truck, und sie sah, wie Jeffrey vom Fahrersitz kletterte. Aus dem Radio plärrte Countrymusik, und sie unterdrückte einen Fluch, dann bedankte sie sich bei dem Praktikanten.

»Schon gut«, sagte er und gähnte wieder, dass Sara seine Backenzähne sehen konnte. Er schob den Riegel zurück und öffnete die Tür.

Als Sara die Leichenhalle verließ, konnte sie sich die Frage nicht verkneifen: »Ist sonst noch jemand in dem Gebäude?«

Harold sah sich über die Schulter um. »Keiner, der noch atmet.« Er gähnte wieder. Einmal zu oft. Sara fragte sich, ob er wirklich geschlafen hatte, als sie anrief.

Sie wollte gerade etwas sagen, doch er winkte ihr zu, während er die Glastür abschloss und noch einmal gähnte.

Sara konnte Jeffrey aus fünf Meter Entfernung riechen, er stank wie eine ganze Brauerei. Und sie sah, dass er torkelte. Sara war schockiert. Dass Jeffrey kein Abstinenzler war, das war ihr klar, doch sie hatte ihn nie mehr als ein Glas Wein oder ab und zu ein Bier trinken sehen. Das passte auch zu dem, was sie inzwischen über seine Mutter wusste. Die Tatsache, dass er ausgerechnet heute Abend sturzbetrunken war, ließ bei Sara alle Alarmglocken schrillen.

Argwöhnisch sagte sie: »Hallo.«

Er grinste albern und legte sich den Finger an die Lippen, als im Radio Elvis Presleys »Wise Men Say« spielte.

»Jeffrey …«

Er fasste sie um die Hüfte und zog sie an sich, allerdings machte er sich beim Führen nicht besonders gut.

Sie warf einen Blick auf den Truck, der wahrscheinlich älter war als sie. Vorn gab es nur eine durchgehende Sitzbank, wie die in der Höhle. Der dürre Arm des Schaltknüppels ragte in der Mitte aus dem Fußboden.

»Bist du etwa gefahren?«

»Schsch«, machte er.

»Wie viel hast du getrunken?« Sie wedelte sich mit der Hand frische Luft zu.

Er summte das Lied mit und sang die Zeile: »Falling in love ... with ... you ...«

»Jeff.«

»Ich liebe dich, Sara.«

»Das ist nett«, sagte sie und schob ihn sanft von sich. »Bringen wir dich lieber heim, ja?«

»Ich kann nicht zu Possum.«

Sie legte ihm die Hände auf die Schultern, und er lehnte sich gegen sie. »Doch, du kannst.«

»Sie haben Robert festgenommen.«

Sara schluckte, doch sie sagte nichts. »Lass uns morgen sprechen, wenn du nüchtern bist.«

»Ich bin jetzt nüchtern.«

»Jaja«, sagte sie und sah sich um, ob Harold sie vielleicht beobachtete.

»Komm, wir fahren irgendwohin«, sagte Jeffrey und versuchte kopfüber in den Truck zu klettern.

»Warte.« Sara hielt ihn fest, als er abrutschte. Dann legte sie ihm die Hände auf den Hintern und schob ihn hinein.

Er lallte: »V-v-verdammt langer Tag heute.«

»Ich fasse es nicht, dass du in dem Zustand gefahren bist.«

»Wer sperrt *mich* schon ein?«, fragte er zurück. »Hoss hätte Robert nie eingesperrt. Ich bin dran schuld.« Er legte die Hände ans Steuer. »Mann, ich bringe wirklich Unglück. Kaum dass ich hier auftauche, geht die ganze Stadt vor die Hunde.«

»Rutsch rüber«, sagte sie und gab ihm einen Schubs.

»Männer ham's nicht gern, wenn Frauen fahren.«

Sie lachte und schob ihn mit Gewalt rüber. »Komm schon, du großer Junge. Morgen früh bist du wieder ein Mann.«

Auf dem Boden klirrten Bierflaschen, als er auf die Beifahrerseite rutschte. Er beugte sich vor und ging die Flaschen durch. »Scheiße«, sagte er. »Wir brauchen mehr Bier.«

»Wir besorgen welches«, sagte sie, stieg ein und schlug die Tür zu, dass das Führerhaus zitterte. Sie griff zum Zündschloss, doch der Schlüssel steckte nicht.

»Wahrscheinlich kriegt er die Spritze«, sagte Jeffrey, und sie hörte den Kummer in seiner Stimme. »O Gott, o Gott …« Er legte sich die Hand über die Augen.

Sara starrte den Eingang zur Leichenhalle an. Sie wusste nicht, was sie sagen sollte. Während der Zeit in der Notaufnahme des Grady Hospital hatte sie mit vielen Betrunkenen zu tun gehabt. Man konnte nicht mit ihnen diskutieren, wenn sie nicht mehr logisch dachten.

Sie fragte: »Wo sind die Schlüssel?«

Jeffrey lehnte den Kopf gegen das Fenster und schloss die Augen. »In meiner Hosentasche.«

Sara starrte ihn an, sie wusste nicht, ob sie ihn ohrfeigen oder ihn trösten sollte. Schließlich sagte sie: »Rück ein Stück rüber.« Sie griff ihm in die Hosentasche.

Er lächelte und schob ihre Hand in seinen Schritt. In Anbetracht seines Vollrauschs war Sara überrascht, dass seine Libido noch funktionierte.

»Hey«, protestierte er, als sie die Schlüssel fand und die Hand wegzog.

»Sorry«, sagte sie unbeeindruckt und suchte den Zündschlüssel heraus.

»Wie wär's mit 'nem Blowjob?«

Sie lachte. »Du bist derjenige, der betrunken ist, vergessen? Nicht ich.« Sie ließ den Motor an und war erleichtert, als sie beim ersten Versuch Erfolg hatte. »Schnall dich an.«

»Hier gibt's keine Gurte«, sagte er und rutschte wieder näher an sie heran.

Sara trat auf die Kupplung und legte den Rückwärtsgang

ein. Jeffrey saß jetzt so, dass er den Schaltknüppel zwischen den Beinen hatte. Sie fragte: »Wie viel hast du getrunken?«

»Zu viel«, sagte er und rieb sich die Augen.

Der Schein eines Neonschilds erleuchtete das Wageninnere, als Sara zurücksetzte, und sie zählte mindestens acht leere Bierflaschen, die auf dem Boden herumrollten. Jeffrey trug schwarze Stiefel, die sie noch nie gesehen hatte, ein Hosenbein war hochgerutscht und entblößte seine haarige Wade.

Als sie auf der Straße waren, fragte sie: »Wann wurde Robert verhaftet?«

»Kurz nachdem ich dich allein gelassen habe«, sagte er und schlug den Kopf gegen die Scheibe. »Er wollte mit mir reden. Ich war so froh, dass er mit mir reden wollte.«

Dann schwieg er, und Sara musste nachhaken. »Was hat er gesagt?«

»Dass er es getan hat«, sagte Jeffrey und warf resigniert die Arme in die Luft. »Ich stand da in ihrem gottverdammten Empfangszimmer, und er hat mir in die Augen gesehen und gesagt, dass er's getan hat.«

Sara konnte der ganzen Geschichte nur schwer folgen. Trotzdem sagte sie: »Es tut mir leid.«

»Kommt vom Supermarkt zurück und knallt ihn einfach ab. Ohne ein Wort zu sagen.«

Sara konnte sich nur wiederholen. »Es tut mir leid.«

»Du hattest recht.«

»Ich wollte nicht recht haben.«

»Meinst du das ehrlich?«

Sie sah ihn an. Langsam wurde er wieder er selbst, nur seine Fahne war immer noch so stark, dass sie sich lieber wieder der Straße zuwandte. »Natürlich meine ich das ehrlich.« Sie legte ihm die Hand aufs Bein. »Es tut mir leid, dass alles so gekommen ist. Ich weiß, dass du getan hast, was du konntest.«

»Du wirst mir nicht glauben«, sagte er. »Ich weiß, dass du vorher gesagt hast, dass Robert lügt, und ich hab dir gesagt, dass es nicht stimmt, aber jetzt glaube ich, dass du recht hast. Ich meine – ich glaube, dass er jetzt lügt.«

Sara starrte auf die Straße.

»Du denkst, ich sage das, weil er mein Freund ist, aber das stimmt nicht. Ich weiß, wie verworren das alles ist. Ich weiß, dass seine Geschichte irgendwie einen Sinn ergibt, aber er ist ein Cop. Er hatte Zeit zum Nachdenken, er hätte die Geschichte so hinbiegen können, dass alles zusammenpasst.« Er tippte sich an die Stirn, wobei er beim ersten Anlauf danebentippte. »Hier oben weiß ich es. Ich bin lange genug Cop gewesen, ich weiß, wann einer lügt.«

»Wir sprechen morgen drüber«, sagte sie. Sie wusste, jetzt war es sinnlos.

Er legte ihr den Kopf auf die Schulter. »Ich liebe dich, Sara.«

Das erste Mal hatte sie es ignoriert, doch diesmal musste sie antworten. »Du hast zu viel getrunken.«

»Nein«, widersprach er, sein Atem warm an ihrem Hals. »Du weißt nicht, wie es ist.«

Sie drückte sein Bein, bevor sie in den vierten Gang schaltete. »Schlaf jetzt lieber.«

»Ich will aber nicht schlafen«, sagte er. »Ich will mit dir reden.«

»Wir reden morgen.« An der Kreuzung nahm sie den Fuß vom Gas und versuchte sich zu erinnern, wo es langging. Das Schild einer Bank kam ihr bekannt vor, und sie bog links ab.

Sie fragte: »Sind wir hier richtig?«

»In vino veritas«, erklärte er. »Wenn man blau ist, sagt man nichts, was man nicht auch so meint.«

»Das wär mir neu«, sagte sie und erkannte erleichtert die Tankstelle von heute Morgen wieder. Der Laden war dunkel und wie alles andere in dieser Stadt wahrscheinlich schon seit Stunden geschlossen.

»Ich liebe dich.«

Sara lachte, mehr fiel ihr dazu nicht ein.

»Bieg hier ab«, sagte er plötzlich. Als sie nicht schnell genug reagierte, griff er ihr ins Lenkrad.

»Jeffrey!«, schrie sie. Ihr blieb fast das Herz stehen. Sie waren abgebogen und auf einer Schotterpiste gelandet.

»Immer geradeaus«, sagte er und zeigte nach vorn.

Sara fuhr langsamer. »Wo sind wir?«

»Noch ein Stück.«

Sie beugte sich über das Lenkrad und versuchte die Straße vor ihnen auszumachen. Dann blockierte ein umgefallener Baum den Weg und sie hielt an. »Hier geht's nicht weiter.«

»Noch ein kleines Stück«, sagte er.

Sara nahm den Gang raus und zog die Handbremse an, dann drehte sie sich zu ihm um. »Jeffrey, es ist spät. Ich bin müde, und du bist total be…«

Er küsste sie, aber es fühlte sich ganz anders an als sonst. Seine Küsse waren stürmisch und feucht, und er fummelte ungeschickt am Bund ihrer Jeans herum.

»Warte.«

»Ich will dich so sehr.«

Sie spürte ihn hart an ihrem Schenkel, doch obwohl Sara merkte, dass ihr Körper auf ihn reagierte, war Sex jetzt das Letzte, was sie im Sinn hatte.

»Sara«, stöhnte er und küsste sie so heftig, dass sie kaum Luft bekam.

Sie schaffte es, ihn ein wenig zu bremsen, und als er die Lippen in ihren Nacken drückte, flüsterte sie: »Sachte.«

»Ich will in dir sein«, sagte er. »So wie gestern Nacht.«

»Wir sind hier mitten in der Wildnis.«

»Wir tun so«, sagte er, »wir tun so, als wären wir am Strand.« Er schob ihr die Hände unter den Hintern, und sie quiekte überrascht, als er sie mit einem Handgriff in der Horizontalen hatte, die Füße an der einen Tür, während sie sich an der anderen den Kopf anschlug. Seit der zehnten Klasse hatte Sara nicht mehr in einem geparkten Truck auf der Sitzbank auf dem Rücken gelegen.

Jeffrey versuchte, den Kopf zwischen ihre Beine zu bekommen, doch angesichts der Tatsache, dass hier zwei Menschen von überdurchschnittlicher Körpergröße im Führerhaus eines Kleintransporters steckten, war der Versuch zum Scheitern verurteilt.

»Liebling«, sagte sie und versuchte es mit Vernunft. Als sie seinen Kopf zu sich nach oben zog, bestürzte sie der Anblick der nackten Not in seinen Augen.

»Ich liebe dich«, sagte er und lehnte sich auf sie, um sie wieder zu küssen.

Sara küsste ihn zurück und versuchte sein Tempo zu drosseln. Diesmal kam die Botschaft an, und sein Kuss wurde weniger forsch. Beim Luftholen seufzte er: »Ich liebe dich.«

»Ich weiß«, sagte sie und streichelte ihm den Nacken.

Als er sie diesmal anblickte, konnte sie zusehen, wie er sie zum ersten Mal an diesem Abend scharf ins Auge fasste. Er wirkte dabei so verloren, als wäre Sara die letzte Hoffnung, die ihm auf Erden blieb. »Ist es okay?«

Sie nickte. Sie wusste nicht, was sie sagen sollte.

Er wiederholte: »Ist es okay?«

»Ja«, sagte sie und half ihm, ihr die Jeans auszuziehen.

Obwohl ihr Körper bereit war, biss sie sich auf die Lippen, als er in sie eindrang. Sie griff nach hinten und versuchte zu verhindern, dass sie jedes Mal mit dem Kopf gegen die Tür schlug, wenn er sich in ihr bewegte. Ihr Blick fiel auf etwas, was in der Sonnenblende klemmte. Es war eine hastig von Frauenhand gekritzelte Einkaufsliste, und zwischen den Stößen las Sara im Stillen die Posten. *Eier … Milch … Saft … Klopapier …*

Sie drehte sich zur Seite, damit ihr der Schaltknüppel nicht in den Rücken stieß, und diese Bewegung reichte schon, dass Jeffrey zum Ende kam und wie ein Sack Mehl auf ihr zusammensackte.

Sara fasste sich an die Stirn und fragte sich, in welchem Film sie hier war. Dann flüsterte sie: »Na, das war romantisch!«

Jeffrey antwortete nicht, und als sie ihm die Hand auf den Rücken legte, drehte er schnaufend den Kopf.

Er war eingeschlafen.

Sara wachte mit rasenden Kopfschmerzen auf, die sich vom Nacken bis zur Stirn zogen. Sie wollte gar nicht wissen, wie sich Jeffrey heute Morgen fühlte, aber irgendwie hatte er es verdient, wenn er Qualen litt. Weiß Gott, sie hatte in ihrem Leben schon mal schlechten Sex gehabt, aber letzte Nacht rangierte ganz weit oben auf der glücklicherweise kurzen Liste.

Als sie sich auf der Couch aufrichtete, suchte sie nach ihren Schuhen und fragte sich, wie viel Uhr es sein mochte. Dem Stand der Sonne nach, die durchs Fenster fiel, hätte sie kurz vor zehn geschätzt, doch die Uhr auf dem Kamin belehrte sie eines Besseren. Es war fast Mittag.

»Mist«, murmelte sie und streckte sich. Ihr Rücken war total verspannt. Sie dehnte den Rücken und bewegte die Schultern und machte sich dann auf die Suche nach Nell. Die Küche war leer, Töpfe und Pfannen trockneten im Waschbecken. Durchs Fenster entdeckte sie Nell im Nachbargarten, eine Axt über dem Kopf erhoben. Im nächsten Moment ließ sie die Axt auf die Kette sausen, mit der die Hunde an den Baum gefesselt waren.

»Was war das denn?«, meldete sich eine Stimme hinter Sara. Als sie sich umdrehte, stand ein kleiner dunkelhaariger Junge in der Tür. Er trug nichts als Shorts, seine nackte Brust wölbte sich nach innen.

»Jared?«

»Ja, Ma'am«, sagte er und sah sich um. »Wo ist meine Ma?«

»Sie ist draußen.« Sara fragte sich, ob es in Nells Sinne wäre, dass ihr Sohn wusste, was sie da tat. Doch ehrlich gesagt war Sara selbst neugierig.

Jared trottete mit schlurfenden Turnschuhen zur Hintertür. Dieses seltsame Phänomen war Sara mehr als vertraut – es schien, als ob Jungs erst mit zwanzig lernten, dass man beim Gehen die Füße hochhob.

Sie folgte ihm mit einem Sicherheitsabstand, um den Staubwolken zu entgehen, die er aufwirbelte. Jared erinnerte sie an Pig Pen von den Peanuts.

Nell stand auf der Veranda des Nachbarn und legte den Hunden Leinen an. Als sie Jared sah, rief sie: »Du solltest doch im Bett sein.«

»Mir ist langweilig.«

»Das hättest du dir überlegen können, bevor du behauptet hast, du wärst zu krank für den Ausflug.« Nell lächelte Sara an. »Hast du dich Frau Dr. Linton vorgestellt?«

»Doktor?«, fragte er mit einem Anflug von Unbehagen.

Nell sagte: »Geh lieber schnell ins Bett, bevor sie kommt und Fieber misst.«

Irgendetwas kam Sara an seiner Reaktion vertraut vor – die Art, wie er den Mund verzog, der Unmut, der in seinen Augen aufflackerte –, und sie ertappte sich, wie sie den Jungen mit offenem Mund anstarrte.

»Was ist?«, fragte Jared und warf ihr noch einen vertrauten Blick zu.

Sara schüttelte den Kopf, sie wagte nicht zu sprechen. Die Ähnlichkeit mit Jeffrey war verstörend.

Nell sah ihr Gesicht und scheuchte Jared davon. »Abmarsch. Und nimm Mamas Axt mit rein.«

Er schlurfte zurück ins Haus, die Axt hinter sich herschleifend, und Sara biss die Lippen zusammen und versuchte, sich die Frage zu verkneifen, die auf der Hand lag.

Nell schnalzte mit der Zunge und riss an den Leinen. Die Hunde machten Platz. »Du guckst, als hättest du was zu sagen.«

»Das geht mich nichts an.«

»Hat mich noch nie abgehalten.« Nell führte die Hunde ums Haus herum, dann sagte sie zu Sara: »Jeffrey weiß nichts davon.«

Sara nickte. Sie wusste immer noch nicht, was sie sagen sollte.

Mit einem Seufzer ließ sich Nell auf der Bank vor dem Nachbarhaus nieder. »Ich habe Possum ein paar Wochen nachdem Jeffrey nach Auburn gegangen ist, geheiratet.«

»Und du hast Jeffrey nichts gesagt?«

»Damit er zurückkommt und mich ehelicht?«, fragte sie zurück und streichelte einen der Hunde. »Das hätte doch nichts gebracht. Wir hätten uns nach einer Woche gegenseitig umgebracht. Ich bin ihm auf die Nerven gegangen, weil ich immer an ihm rumgemeckert habe, und er ist mir auf die Nerven gegangen, weil er nicht zugeben wollte, dass ich recht hatte.«

Sara starrte vor sich hin.

»Er hätte mich geheiratet, weil er anständig ist«, sagte Nell. »Aber ich wollte nicht, dass mich jemand aus Anstand heiratet.« Der Hund rollte sich auf den Rücken, und Nell kraulte ihm den Bauch. »Ich liebe Possum. Am Anfang fand ich ihn nur nett, doch als Jeffrey weg war, hat er zu mir gestanden, und wir hatten Jared und später Jen – nicht viel später.« Sie lächelte vor sich hin. »Aber jetzt haben wir eine Familie, ein gemeinsames Leben. Possum ist ein guter Mann. Er arbeitet ein paar Schritte von hier entfernt und ruft immer noch an, wenn es später wird. Es macht ihm nichts aus, mir Aspirin oder Tampons aus der Drogerie mitzubringen, und er hat nie zu mir gesagt, ich sei fett geworden, selbst als ich nach Jens Geburt drei Jahre lang in Latzhosen rumgelaufen bin. Ich weiß den ganzen Tag, wo er ist, und wenn ich in der Kirche furzen würde, würde er behaupten, er sei es gewesen.« Sie sah Sara scharf an. »Mir gefällt mein Leben genau so, wie es ist.«

»Findest du nicht, Jeffrey hat ein Recht, es zu erfahren?«

»Wozu?«, fragte sie. »Possum ist Jareds Vater. Er hat ihm die Windeln gewechselt und ist mit ihm im Zimmer auf und ab gelaufen, wenn ich vor Erschöpfung halb ohnmächtig war. Er unterschreibt seine Zeugnisse und ist Trainer bei der Little League. Keinem von beiden fehlt irgendwas, und es gibt keinen Grund, schlafende Hunde zu wecken.«

»Ich verstehe.«

»Wirklich?«

»Ich werde ihm nichts sagen«, erklärte Sara und fragte sich, ob sie ein solches Geheimnis für sich behalten konnte.

»Es ist nicht gut, dass Jeffrey hier ist«, sagte Nell. »Ich war weiß Gott sauer auf ihn, weil er so lange weggeblieben ist, aber hier ist einfach zu viel passiert.« Sie schlüpfte aus der Sandale und kraulte den Hund mit den Zehen. »Aus Jeffrey ist am Ende doch noch was geworden. Er hat ein gutes Herz, genau wie Possum, man muss nur ein bisschen tiefer graben, bis man es findet. Ich habe von Jeffrey nichts anderes erwartet; ich habe immer gedacht, dass aus ihm noch was wird, wenn er nur hier rauskommt ...« Sie zeigte auf die Straße. »Raus hier, wo jeder glaubt, alles über jeden zu wissen, und alle dir ihre Meinung auf die Nase binden.«

»Reggie Ray hat mir eine Kostprobe davon gegeben.«

»Hör nicht auf den Hinterwäldler«, schimpfte sie. »Er ist der Schlimmste von allen. Nennt sich Wiedertäufer. Aber der muss sich noch ein paar Mal mehr taufen lassen, bis ein anständiger Mensch aus ihm wird.«

»Er schien ganz nett.«

»Dann hast du nicht genau hingeguckt«, warnte Nell. »Zwei Sachen musst du über diese Stadt wissen, Sara: Die Rays glauben, ihre Scheiße stinkt nicht, und die Kendalls sind das letzte asoziale Gesindel.« Sie zeigte auf ihren Vorgarten. »Ich will den Mund nicht zu voll nehmen, mit dem ganzen Trödel, den Possum vors Haus stellt, aber wenigstens gehen meine Kinder in sauberen Klamotten in die Schule.«

»Wer sind die Kendalls?«

»Die Leute vom Obststand draußen vor der Stadt«, sagte sie. »Fieses Pack, jeder Einzelne von ihnen.« Sie setzte nach: »Versteh mich nicht falsch, ich hab nichts gegen arme Leute – ich und Possum bestimmt nicht. Aber arm sein heißt noch lange nicht, dass du deine Kinder mit schmutzigen Gesichtern und schwarzen Fingernägeln losgehen lässt. Wenn die in den Laden kommen, muss man sich die Nase zuhalten, so ungewaschen sind sie.« Nell schwieg und schüttelte fassungslos den Kopf. »Vor ein paar Jahren ist einer von ihnen mit Läusen in die Schule gekommen. Es hat die ganze neunte Klasse erwischt.«

»Sagt denn keiner beim Jugendamt Bescheid?«

Nell schnaubte. »Hoss versucht seit Jahren, die ganze Familie aus der Stadt zu werfen. Der Alte war ein Schwein. Hat seine Frau geschlagen, die Kinder geschlagen, die Hunde geschlagen. Das einzig Gute, das er je zustande gebracht hat, war, dass er beim Mähen hinter der Sämerei tot umgefallen ist.« Sie schüttelte den Kopf. »Hat vorher seiner Frau noch einen Braten in die Röhre geschoben, und der Kleine ist der Schlimmste von allen. Gott sei Dank ist er nicht in Jareds Klasse. Jeden zweiten Tag fliegt er von der Schule, weil er sich prügelt, stiehlt oder sonst was. Vor einer Woche hat er ein Mädchen geschlagen. Das Balg ist genau wie sein Vater.«

Sara sagte: »Klingt grauenhaft«, doch trotz allem tat ihr das Kind leid. Sie fragte sich oft, ob aus solchen Kindern noch etwas werden konnte, wenn sie zu besseren Eltern kamen. Sie glaubte nicht an die Theorie von der schlechten Veranlagung, auch wenn wahrscheinlich jeder hier mit Nell der Meinung war, dass der Apfel nicht weit vom Stamm fällt.

Nell wechselte das Thema. »Ihr seid gestern Abend ziemlich spät heimgekommen.«

»Ich hoffe, ich habe dich nicht geweckt.«

»Ach was. Ich war wegen Possum sowieso wach«, sagte sie. »Der Dummkopf hat sich das Kinn an der Ladentheke angehauen. Frag mich nicht wie, jedenfalls hatte er die ganze Nacht Zahnschmerzen. Er hat sich rumgewälzt, dass ich ihn am liebsten erwürgt hätte.«

Auf der Straße fuhr ein Auto vorbei. Drinnen saßen eine Frau und ein kleiner Junge. Sie hatte einen Zettel in der Hand, als versuchte sie, eine Wegbeschreibung zu lesen.

Sara sagte: »Jeffrey hatte ein bisschen zu viel getrunken.«

Nell war sichtlich erstaunt. »Ich hab ihn noch nie trinken sehen.«

»Ich glaube nicht, dass er es öfter tut.«

Nell sah sie forschend an. »War es wegen Julia?«

»Wer ist Julia?«

Nell sah hinaus auf die Straße, der Wagen, der eben vorbeigefahren war, kam jetzt zurück und stellte sich in die Auffahrt.

»Wer ist Julia?«, wiederholte Sara. »Nell?«

Nell stand auf. »Darüber musst du mit Jeffrey reden.«

»Worüber?«

Nell winkte die Frau herbei, die aus dem Wagen stieg. »Sie haben es gefunden.«

Die Frau lächelte, als ihr Sohn zu den Hunden rannte und sie in die Arme schloss. »Sie sehen genau aus wie auf den Fotos.«

»Der hier ist Henry«, sagte Nell, »und das ist Lucinda. Aber ehrlich gesagt hört sie nur auf Lucy.« Sie drückte dem Jungen die Leinen in die Hand, der sie glücklich entgegennahm.

Die Frau wollte protestieren, doch Nell holte ein Geldbündel heraus. »Hier, das sollte für den Tierarzt reichen. Mein Mann und ich haben es nicht geschafft, sie kastrieren zu lassen.«

»Vielen Dank«, sagte die Frau, der das Geld offensichtlich bei ihrer Entscheidung half. »Was fressen sie am liebsten?«

»Alles«, sagte Nell. »Sie lieben Futter, und sie lieben Kinder.«

»Sie sind toll!«, rief der Junge mit dem Enthusiasmus, mit dem Kinder ihre Eltern überzeugen wollen, dass sie einmal Astronaut oder Präsident werden, solange sie nur jetzt diesen einen Wunsch erfüllt bekommen.

»So.« Nell blickte Sara an und dann wieder die Frau. »Ich muss los. Kisten packen. Der Möbelwagen kommt um zwei.«

Die Frau lächelte. »Wie traurig für Sie, dass Sie die Hunde nicht mit in die Stadt nehmen können.«

»Der Vermieter hat's verboten«, erklärte Nell und streckte ihr die Hand entgegen. »Danke, dass Sie sie aufnehmen.«

»Ich danke Ihnen«, sagte die Frau und schüttelte Nell die Hand. Dann schüttelte sie auch Sara die Hand und sagte zu dem Kind: »Schätzchen, sag Danke.«

Der Junge nuschelte ein »Danke«, doch er hatte nur noch Augen für die Hunde. Sara sah ihnen nach, als die vier zum Auto zurückgingen. Der Junge musste rennen, um mit den ungestümen Tieren mitzuhalten.

Sara wartete, bis die Frau im Wagen saß, doch bevor sie etwas sagen konnte, hob Nell die Hand. »Hab eine Anzeige in die Zeitung gesetzt«, sagte sie. »Ich konnte die Hunde da drüben doch nicht verrecken lassen, wenn es Leute gibt, die sich um sie kümmern.«

»Was sagst du dem Nachbarn, wenn er heimkommt?«

»Schätze, sie haben sich losgerissen.« Nell zuckte die Achseln. »Ich sollte mal nach Jared sehen.«

»Nell ...«

»Stell mir keine Fragen, Sara. Ich weiß, ich rede zu viel, aber es gibt ein paar Dinge, die muss Jeffrey dir selbst sagen.«

»Es scheint ihm nicht viel dran zu liegen, mir bestimmte Dinge zu erzählen.«

»Er ist bei seiner Mutter«, sagte Nell. »Keine Angst, sie ist den ganzen Tag nicht zu Hause. Dienstags isst sie immer im Krankenhaus zu Mittag.«

»Nell ...«

Doch Nell hob die Hand und ging davon.

Als Sara zweimal die Straße auf und ab gelaufen war, fiel ihr ein, dass sie einfach die Namen auf den Briefkästen lesen könnte, statt zu versuchen, sich zu erinnern, wie Jeffreys Elternhaus aussah. Sie entdeckte den Namen »Tolliver« schließlich fünf Häuser von Nells und Possums Haus entfernt. Sie hoffte nur, dass keiner sie beobachtete, wie sie hier herumirrte. Besonders dämlich kam sie sich vor, als sie vor dem Haus Roberts Truck entdeckte.

Jetzt, bei Tageslicht, sah Sara erst, wie heruntergekommen das Haus wirklich war. Mehrere Farbschichten hatten der Fassade über die Jahre eine runzlige Oberfläche gegeben. Der Rasen war vernachlässigt und braun, und der dürre Baum im Vorgarten sah aus, als würde er jeden Moment umfallen.

Die Eingangstür stand sperrangelweit auf, und die Fliegentür war nicht abgeschlossen. Trotzdem klopfte Sara und rief: »Jeffrey?«

Als sie keine Antwort bekam, trat sie ein. Im gleichen Moment hörte sie die Hintertür ins Schloss fallen.

»Jeffrey?«, rief sie noch einmal.

»Sara?« Er kam gerade ins Wohnzimmer. In einer Hand hielt er einen Schweißbrenner, in der anderen einen Schraubenschlüssel.

»Nell hat mir gesagt, dass du hier bist.«

»Ja«, sagte er, ohne ihr in die Augen zu sehen. Er hielt den Schweißbrenner hoch. »Das Abflussrohr in der Küche ist kaputt, schon seit Jahren. Seitdem spült sie das Geschirr im Bad.« Als sie nicht antwortete, winkte er sie in die Küche. »Ich mache das hier fertig, dann gehe ich zum Gefängnis und sehe nach Robert. Seine Geschichte von gestern kaufe ich ihm einfach nicht ab. Ich weiß, dass er mir was verschweigt.«

»Man hört ja so einiges«, murmelte Sara.

»Was?«

Sie zuckte die Schultern und sah sich die Unordnung auf dem Küchenboden an. Er hatte den ganzen Siphon auseinandergenommen. Sie fragte: »Hast du das Wasser abgestellt?«

»Deswegen war ich gerade draußen«, sagte er und setzte sich auf den Boden. Er nahm ein Stück Sandpapier und schmirgelte mit der Übergenauigkeit eines Laien an einem Kupferrohr herum.

Sara setzte sich ihm gegenüber und versuchte, nicht an seiner Arbeit herumzukritteln. Ihr Vater hätte Jeffrey für ein Mädchen gehalten.

Stolz erklärte Jeffrey: »Ich habe alles ausgetauscht.«

»Hm«, murmelte sie. »Brauchst du Hilfe?«

Seinem pikierten Blick entnahm sie, dass das hier, wie Autofahren, Männersache war. Ihr Vater hatte Sara und Tessa den sicheren Umgang mit Propan- und Azetylengasbrennern beigebracht, bevor sie die Worte aussprechen konnten.

Doch sie schwieg. Stattdessen sagte sie: »Ich habe dir gestern nicht gesagt ...«

»Ach das«, unterbrach er sie. »Tut mir wirklich leid. Ich schwöre dir, ich trinke sonst nie so viel.«

»Das habe ich auch nicht gedacht.«

»Und das andere ...« Er brach ab. Sara griff nach der Dose Lötwasser, um etwas in den Fingern zu haben.

»Keine Angst, ich werde es nicht gegen dich verwenden.«

»Was meinst du?«

Sie zuckte die Achseln. »Was du gesagt hast.«

»Was habe ich denn gesagt?«, fragte er irritiert.

»Nichts«, sagte sie und versuchte, die Dose zu öffnen.

»Ich meinte, was wir getan haben«, sagte er, dann berichtigte er sich. »Ich meine, was *ich* getan habe.«

»Schon gut.«

»Nein, ist es nicht.« Er nahm ihr das Lötwasser aus der Hand und machte es für sie auf. »Ich ...« Er suchte nach Worten. »Normalerweise bin ich nicht so egoistisch.«

»Vergiss es«, sagte sie, doch irgendwie tröstete sie seine tölpelhafte Entschuldigung. Sie tauchte den Pinsel in das Lötwasser und bestrich damit das Knie, das Jeffrey abgeschmirgelt hatte. »Ich muss mit dir über das Skelett sprechen.«

Plötzlich änderte sich seine Miene. Sie konnte förmlich zusehen, wie er eine Schutzmauer aufbaute. »Was ist damit?«

»Es ist eine Frau. Eine junge Frau.«

Er sah sie an. »Bist du dir sicher?«

»Der Schädel weist darauf hin. Männer haben größere Schädel.« Sie nahm den Zollstock und maß die Distanz vom Waschbecken zu dem abgesägten Rohr im Boden. »Außerdem sind männliche Schädel schwerer und haben meistens stark ausgeprägte Augenbrauenbogen.« Sie maß die Länge des Rohrs ab und spannte es an der richtigen Stelle in den Rohrabschneider. »Männer haben längere Eckzähne und breitere Wirbel«, fuhr sie fort und drehte das Schneidrädchen, bis das Rohr durch war. »Dann das Becken. Frauen haben breitere Becken, um zu gebären.« Sie schmirgelte das Ende des Rohrs ab. »Und dann gibt es noch den Schambeinwinkel. Der ist bei Männern unter neunzig Grad, bei Frauen liegt er darüber.«

Er strich Lötwasser auf das Rohr, während sich Sara die Schutzbrille aufsetzte. Ohne die Miene zu verziehen, schob er das Knie auf das Rohr und wartete, dass Sara den Brenner mit einem Streichholz anzündete. Dann fragte er: »Woher weißt du, dass sie noch jung war?«

Sara stellte die Flamme ein, dann hielt sie den Brenner an das Rohr und erhitzte es, bis das Lötwasser Blasen schlug. »Das Becken. Die Schambeine treffen sich vorne. Bei jungen Menschen ist die Oberfläche der Knochen noch uneben. Alte Leute haben glattere Knochen.«

Sie stellte den Brenner ab, hielt das Lötmittel dagegen und sah zu, wie es verschmolz. Dann fuhr sie fort. »Am Schambein ist eine Vertiefung. Wenn eine Frau ein Kind bekommt, entsteht an der Stelle, wo sich die Knochen für den Kopf des Babys auseinanderschieben, eine Einkerbung.«

Jeffrey schien die Luft anzuhalten. Als Sara nicht weitererzählte, fragte er: »Hatte sie ein Kind?«

»Ja«, sagte sie. »Sie hatte ein Kind.«

Jeffrey legte das Rohr vor sich auf den Boden.

»Wer ist Julia?«

Er atmete langsam aus. »Hat Nell es dir nicht gesagt?«

»Sie hat gesagt, ich soll dich fragen.«

Jeffrey lehnte sich gegen den Küchenschrank und ging in die Hocke. Er sah ihr nicht in die Augen. »Es ist lange her.«

»Wie lange?«

»Zehn Jahre, schätze ich. Vielleicht länger.«

»Und?«

»Und sie war ... Ich weiß nicht. Es klingt vielleicht schlimm, aber sie war so etwas wie die Dorfnutte.« Er wischte sich über den Mund. »Sie hat alles gemacht. Du weißt schon, die Jungs angefasst.« Er sah sie kurz an, dann sah er wieder weg. »Es ging das Gerücht, dass sie einem einen bläst, wenn man ihr was spendierte. Kleider, Mittagessen, irgendwas. Sie hatte nicht viel und ...«

»Wie alt war sie da?«

»So alt wie wir«, sagte er. »Sie war bei Robert und mir in der Klasse.«

Sara dämmerte, worauf es hinauslief. »Hast du ihr mal was spendiert?«

Er sah gekränkt aus. »Nein«, sagte er. »Ich musste für so was nicht bezahlen.«

»Natürlich nicht.«

»Willst du die Geschichte hören oder nicht?«

»Ich will, dass du mir sagst, was passiert ist.«

»Irgendwann war sie einfach weg«, sagte Jeffrey mit einem Achselzucken. »An einem Tag war sie noch da, am nächsten war sie fort.«

»Da steckt doch mehr dahinter.«

»Ich …« Er brach ab. »Das hier habe ich gestern in der Höhle gefunden«, sagte er dann und griff in die Hosentasche. Sara sah die Kette mit dem Medaillon.

»Warum hast du mir gestern nichts davon gesagt?«

Er öffnete das Medaillon und sah hinein. »Ich weiß nicht. Ich habe einfach …« Er hielt inne. »Ich wollte nicht, dass du noch mehr miese Gerüchte über mich hörst.«

»Was für miese Gerüchte?«

»Gerede«, sagte er, und ihre Blicke trafen sich. »Es ist nur Gerede, Sara. Der ewige alte Mist, der an mir klebt. Wenn man hier einmal einen Fehler macht, schieben einem die Leute einfach alles in die Schuhe.«

»Und was für einen Fehler hast du gemacht?«

Jeffrey hielt ihr die Kette hin. »Als ich Hoss das hier gezeigt habe, wollte er nichts davon wissen.«

Sara sah sich das billige goldene Herz mit den Fotos an. Die Kinder waren noch Säuglinge, wahrscheinlich erst ein paar Wochen alt.

Jeffrey sagte: »Sie hat es immer getragen. Jeder wusste das, nicht nur ich.« Er lachte bitter. »Niemand wusste, was sie dafür getan hatte. Keiner wollte es gewesen sein, verstehst du? Einmal kam sie mit einem neuen Kleid zur Schule, und wir haben uns das Maul darüber zerrissen, wer es ihr gekauft und was sie dafür getan hatte. Das hier«, er zeigte auf die Kette, »sie hat es überall rumgezeigt. Sie wusste es nicht besser. Sie dachte, es wäre teuer. Es ist nicht mal echtes Gold, nur vergoldet.« Er ließ die Schultern hängen. »Keine Ahnung, was sie dafür getan hat.«

»Es sieht alt aus«, sagte Sara.

Er zuckte die Achseln.

»Was ist mit den Fotos?«

Er nahm das Medaillon und sah sich die Fotos an. »Keine Ahnung.«

»Also hast du gestern in der Höhle gewusst, dass sie es war?« Sara fragte sich, warum er nicht gleich etwas gesagt hatte.

»Ich wollte nicht glauben, dass sie es ist«, sagte Jeffrey. »Ich habe mich ein Leben lang wegen Sachen geschämt, für die ich nichts konnte.« Er seufzte. »Meine Eltern, das Haus, in dem ich wohnte, die Klamotten, die ich anhatte. Ich wollte besser sein als die Verhältnisse, aus denen ich kam.« Er ließ den Blick durch die Küche schweifen. »Deswegen bin ich weggegangen, deswegen wollte ich unbedingt fort von hier und nie wiederkommen. Ich hatte es satt, Jimmy Tollivers Sohn zu sein. Ich hatte es satt, dass mich die Leute auf der Straße anstarrten und nur darauf warteten, dass ich was falsch machte.«

Sara wartete.

»Du hast erkannt, dass in mir was Gutes steckt.«

Sie nickte.

»Warum?«, fragte er. Er suchte offenbar wirklich eine Antwort auf diese Frage.

»Ich weiß nicht …« Sie brach ab und zuckte die Achseln. »Ich wünschte, ich wüsste es. Mein Kopf sagt mir alles Mögliche …« Was, führte sie nicht näher aus. »Aber ich fühle es hier drinnen.« Sie tippte sich an die Brust. »Ich fühle es an der Art, wie du Liebe mit mir machst, und daran, dass du deine Schuhe mit einem Doppelknoten schnürst, damit die Schleife nicht aufgeht, und daran, wie du zuhörst – genau wie jetzt – und wirklich hören willst, was ich zu sagen habe, weil du ehrlich wissen willst, was ich denke.« Sie dachte an den Brief des Soldaten, den er ihr vorgelesen hatte. Es schien eine Ewigkeit her zu sein. Besser konnte sie es nicht erklären. »Und ich glaube, dass du mich auch so siehst.«

Er legte seine Hand auf ihre. »Diese Sache mit den Knochen. Es wird mächtig Wirbel geben.«

»Was meinst du?«

»Julia«, sagte er. Offensichtlich fiel es ihm schwer, den Namen über die Lippen zu bringen. »Ich brauche dich hier, Sara. Ich brauche dich, weil nur du siehst, wer ich wirklich bin.«

»Sag mir, was los ist.«

»Ich kann nicht«, sagte er. Sie glaubte, Tränen in seinen Augen zu sehen, doch er wandte den Kopf ab. »Es ist ein einziges Chaos«, sagte er. »Ich dachte, Robert hat vielleicht ...«

»Robert hat was?«

Sie sah, wie sich sein Adamsapfel bewegte, als er schluckte. »Robert sagt, er hätte sie umgebracht.«

Sara fasste sich ans Herz. »Was?«

»Das hat er gestern gesagt.«

»Gestern Morgen?«

»Nein. Nachdem wir die Knochen gefunden haben.« Sara wollte ihn darauf hinweisen, dass die Reihenfolge unlogisch war, doch Jeffrey fuhr fort. »Ich habe ihm die Kette gezeigt, und er hat gesagt, er hätte ihr mit einem Stein den Kopf eingeschlagen.«

Sara lehnte sich zurück. Sie versuchte zu verstehen, was er da sagte. »Hast du ihm von dem Schädelbruch erzählt?«

»Nein.«

»Woher kann er das gewusst haben?«

»Vielleicht von Hoss. Warum?«

»Weil es nicht die Todesursache war«, sagte Sara. »Das mit dem Schädelbruch war mindestens drei Wochen vor ihrem Tod.«

»Bist du dir sicher?«

»Natürlich bin ich mir sicher«, erklärte Sara. »Knochen sind lebendiges Gewebe. Der Bruch heilte bereits, als sie ermordet wurde.«

»Es sah aus, als hätte ihr jemand den Schädel eingeschlagen.«

»Das war noch mal was anderes. Vielleicht ein Stein aus der Höhle oder ein Tier ...« Sie wollte ihm nicht erzählen, was die

Tiere noch alles mit ihr angestellt hatten. »Kopfhaut und Gewebe sind fort. Es ist nicht zu erkennen, ob sie kurz vor ihrem Tod auf den Kopf geschlagen wurde. Aber selbst wenn, das Zungenbein war gebrochen.«

»Das was?«

»Das Zungenbein«, sagte sie und fasste sich an die Kehle. »Hier, ein u-förmiger Knochen in der Mitte. Und der bricht nicht einfach so. Man muss ordentlich zudrücken. Mit roher Gewalt. Erwürgt.« Sie beobachtete Jeffreys Reaktion. »Das Zungenbein war nicht nur angeknackst, es war in zwei Teile gebrochen.«

Er richtete sich auf. »Bist du dir ganz sicher?«

»Wenn du willst, zeig ich dir den Knochen.«

»Nein«, sagte er und steckte die Kette in die Tasche zurück. »Warum hat er gesagt, dass er sie umgebracht hat, wenn es gar nicht stimmt?«

»Das frage ich mich auch.«

»Wenn er in dieser Sache lügt, vielleicht lügt er dann auch bei der anderen Geschichte.«

»Warum?«, fragte Sara. »Warum sollte er überhaupt lügen?«

»Ich weiß es nicht«, sagte Jeffrey. »Aber ich muss es rausfinden.« Er zeigte auf die Spüle. »Kannst du das fertig machen?«

Sara sah sich das Durcheinander an. »Wenn's sein muss.«

Er stand auf, dann drehte er sich noch einmal um.

»Sara, ich habe es ernst gemeint.«

Sie sah zu ihm auf. »Was hast du ernst gemeint?«

»Was ich gestern Abend gesagt habe«, erklärte er. »Ich liebe dich.«

Zum ersten Mal nach den schrecklichen Ereignissen der letzten beiden Tage lächelte Sara. »Geh und rede mit Robert«, sagte sie. »Ich mach das hier fertig, und dann sehen wir uns später bei Nell.«

ACHTZEHN

Dienstag

Jeffrey saß in Roberts Truck und klappte die Sonnenblende herunter, um im Gegenlicht etwas zu sehen. Er hatte keinen schlimmen Kater. Eins hatte er von May Tolliver und ihrem Mann Jimmy geerbt, für das er dankbar war: Solange er sich nicht völlig die Birne zuknallte, bekam er keinen Kater. Diese Gabe konnte jedoch auch ein Fluch sein. Im College trank Jeffrey alle unter den Tisch und absolvierte am Morgen trotzdem das Footballtraining mit links. Und während die meistens Jungs die Sauferei nach einem Semester aufgaben, damit sie nicht aus der Mannschaft flogen, brauchte Jeffrey ein paar Jahre länger, um sich zu mäßigen. Erst als er irgendwann mit einer Hand in Gips und einem Filmriss in der Nähe von Tuscaloosa im Krankenhaus aufwachte, beschloss er endlich, dass die wilden Tage vorbei waren.

Reggie Ray saß am Schreibtisch, als Jeffrey die Wache betrat. Er fragte: »Was willst du denn hier?«

Jeffrey hatte für Höflichkeiten keine Zeit. »Leck mich.«

Reggie war so schnell auf den Beinen, dass sein Stuhl umfiel. »Sag mir das ins Gesicht ...«

Jeffrey war schon an ihm vorbei, doch jetzt drehte er sich um: »Ich dachte, das hätte ich gerade getan.«

Beide ließen sich auf das kindische Kräftemessen ein, aus dem Männer in ihrem Alter längst heraus sein sollten. Jeffrey war das wohl bewusst, trotzdem gab er keinen Millimeter nach. Er hatte es satt, so behandelt zu werden. Nein, es war noch mehr. Er hatte es satt, dass er sich so behandeln ließ. Nach all den Jahren hatte ihm das Gespräch mit Sara endlich klargemacht, dass er mitverantwortlich war für seine ewigen Schuldgefühle. Sara hatte ihn nie als Sohn seines Vaters betrachtet. Selbst heute, nachdem sie die schlimmsten Geschichten über ihn gehört hatte, blieb sie dabei. Obwohl sie ihn erst so kurz kannte, schien sie ihn viel besser zu durchschauen als alle anderen hier, Nell eingeschlossen.

Jeffrey verschränkte die Arme vor der Brust. »Ist noch was?«

»Wie kommt es, dass jedes Mal, wenn du hier aufkreuzt, irgendeine Sauerei passiert?«

»Muss Zufall sein.«

»Ich kann dich nicht leiden«, sagte Reggie.

»Ist das alles, was du zu sagen hast?«, fragte Jeffrey. »Dann sag ich dir mal was, du kleines Arschloch, ich kann dich auch nicht leiden. Ich kann dich nicht leiden seit dem Tag, an dem du in die Garage deines Vaters reingeplatzt kamst, wo mir deine Schwester einen geblasen hat.«

Reggie holte aus, doch Jeffrey fing seine Faust in der Luft ab. Jeffrey drückte Reggies Faust zusammen, bis der Mann in die Knie ging.

»Dreckskerl«, zischte Reggie und versuchte sich loszureißen.

Jeffrey riss den Mann nach vorn und stieß ihn gegen den Tisch, bevor er ihn losließ. In diesem Moment ging die Tür auf, und Possum kam herein. Er warf einen Blick auf Reggie, der sich krümmte, dann lächelte er Jeffrey freundlich an, als wäre zwischen ihnen nie etwas vorgefallen.

»Possum«, begann Jeffrey. Er kam sich vor wie ein Schwein, als er die violette Beule an Possums Kinn sah.

Doch wie immer war Possum die Ruhe selbst. »Keine große Sache, Slick«, sagte er und klopfte Jeffrey auf die Schulter. »Du kriegst noch dein Wechselgeld von gestern. Erinner mich dran.«

»Nein, vergiss es, hörst du?«

Possum ging weiter. »Hast du mit Robert gesprochen?«

»Ich wollte gerade zu ihm.«

»Heute Morgen haben sie die Kaution festgesetzt«, sagte Possum und zog einen dicken Umschlag aus der Tasche.

Als Jeffrey das Bündel Geldscheine sah, zog er Possum ein paar Meter weiter in den Gang. Zwar konnte Reggie Ray immer noch mithören, aber Jeffrey war es wohler, wenn zwischen ihnen ein gewisser Abstand war.

Er sagte: »Possum, wo hast du so viel Geld her?«

»Ich hab eine Hypothek auf den Laden aufgenommen«, erklärte er. »Nell hätte fast einen Herzinfarkt bekommen, aber wir können Robert doch nicht in einer Zelle sitzen lassen.«

Wieder schämte sich Jeffrey. Er war überhaupt nicht auf die Idee gekommen, dass Robert auf Kaution freikommen könnte, geschweige denn auf die Idee, selbst Geld aufzutreiben. »Jessies Familie hat Geld wie Heu«, sagte er. »Die sollten das übernehmen.«

»Die weigern sich«, erklärte Possum, und ausnahmsweise machte er ein grimmiges Gesicht. »Ich sag dir eins, Slick, mir tut es im Herzen weh, wie sie ihn behandelt. Egal, was hier los ist, er ist immer noch ihr Mann.«

»Hast du mit ihr geredet?«

»Ich komme gerade von ihr.« Er senkte die Stimme. »Sie war sternhagelvoll, und es ist noch nicht mal Mittag.«

»Was hat sie gesagt?«

»Sie meint, was sie angeht, soll er in der Hölle schmoren. Ist das zu glauben? Sie sind eine Ewigkeit zusammen, und dann schreibt sie ihn einfach ab.«

»Sie hatte was mit einem anderen, vergiss das nicht.«

»Und seit wann?«, fragte Possum, und Jeffrey musste zugeben, dass das eine gute Frage war. »Ich meine, das ergibt doch überhaupt keinen Sinn. Egal, wie zickig sie manchmal ist, wie sollte sie hier mitten in der Stadt mit einem Typen rummachen können, ohne dass es jemand mitkriegt und Robert was steckt?«

»Vielleicht hat ja jemand Robert was gesteckt«, sagte Jeffrey und blickte zu Reggie. Der Hilfssheriff starrte ihn hasserfüllt an.

Auch Possum schien zu merken, was los war. Er stellte sich zwischen die beiden Männer und fragte Reggie: »Wo kann ich die Kaution bezahlen?«

»Hinten«, sagte Reggie. »Ich bring dich hin.«

Reggie rückte seinen Pistolengurt zurecht, als er auf Jeffrey zukam, die rechte Hand auf dem Kolben. Er rempelte Jeffrey mit der Schulter an, doch diesmal reagierte Jeffrey nicht. Er hatte in letzter Zeit schon genug Streit angefangen. Kaum waren die beiden Männer fort, klopfte er an Hoss' Tür und ging gleichzeitig hinein.

»Hallo«, sagte Hoss und stand von seinem Schreibtisch auf. Robert saß in der orangefarbenen Knastuniform vor ihm, die Hände auf dem Schoß, mit hängenden Schultern. Von hinten sah er aus, als wartete er auf seinen Henker.

»Possum zahlt deine Kaution«, erklärte Jeffrey.

Robert ließ die Schultern noch tiefer sinken. »Das soll er nicht.«

»Er hat eine Hypothek auf den Laden aufgenommen.«

»O Gott«, stöhnte Robert. »Warum hat er das getan?«

»Er konnte nicht mit ansehen, wie du hier drin sitzt«, sagte Jeffrey und versuchte, Hoss' Blick aufzufangen. Doch der Alte starrte hinaus auf den Parkplatz. Jeffrey hatte das Gefühl, er hatte die beiden bei irgendetwas unterbrochen. »Ich muss sagen, ich bin auch nicht gerade begeistert davon.«

Robert sagte: »Mir geht's gut.«

Jeffrey wartete, dass er sich umdrehte, aber Robert rührte sich nicht. »Bobby?«

Endlich warf er Jeffrey einen kurzen Blick über die Schulter zu, doch es reichte, um zu sehen, dass er ein blaues Auge und eine aufgeplatzte Lippe hatte. Jeffrey kam zu ihm, um ihn sich genauer anzusehen. Robert war grün und blau geprügelt worden, und am linken Arm trug er einen dicken Verband. Jeffrey ballte die Fäuste. »Wer war das?«

Hoss antwortete: »Ist ein bisschen wild zugegangen gestern Nacht.«

»Warum war er nicht in einer Einzelzelle?«, bellte Jeffrey.

»Er wollte keine Sonderbehandlung.«

»Sonderbehandlung?«, wiederholte Jeffrey fassungslos. »Gott im Himmel, das ist keine Sonderbehandlung, das ist Menschenverstand.«

»Mir brauchst du das nicht zu sagen, Junge«, warnte Hoss und zeigte mit einem Finger auf Jeffrey. »Ich kann niemanden zwingen, wenn er sich weigert.«

»So ein Quatsch«, gab Jeffrey zurück. »Er ist ein verdammter Häftling. Wenn du willst, kannst du ihn in seiner eigenen Scheiße schlafen lassen.«

»Ich war aber nicht hier!«, brauste Hoss auf. »Gottverdammt, ich war doch gar nicht hier.« Er wischte sich über den Mund, und Jeffrey konnte seinen Kummer förmlich greifen. Egal, wie mies sich Jeffrey fühlte, Hoss ging es schlimmer.

»Wer war es?«, fragte er Robert. »War es Reggie Ray? Wenn er es war, dann …«

Doch Robert unterbrach ihn: »Reggie Ray kann nichts dafür.«

»Wenn er …«

»Ich habe darum gebeten, zu den anderen zu kommen«, sagte Robert. »Ich wollte wissen, wie es ist.«

Jeffrey fiel dazu nichts mehr ein.

Hoss rückte sich den Pistolengurt zurecht, genau wie Reggie es getan hatte. »Ich geh raus. Sieh zu, dass du dich wieder beruhigst«, sagte er zu Jeffrey. Sein Ton war deutlich genug, doch er unterstrich seine Botschaft, indem er die Tür zuschlug.

Jeffrey musste der Sache auf den Grund gehen. »Was ist passiert?«

Robert zuckte die Achseln, dann verzog er vor Schmerz das Gesicht. »Ich habe geschlafen. Irgendwann haben sie mich geweckt und in die große Zelle gesteckt.«

Jeffrey konnte es nicht fassen, dass Polizisten einem von ihnen so etwas antaten. Es gab einen Ehrenkodex, und Robert hielt sich sogar jetzt, nach dem, was die Schweine ihm angetan hatten, noch daran.

»Warum hast du nicht um Hilfe gerufen?«

»Wen denn?«, fragte Robert traurig. »Sie haben doch alle nur darauf gewartet, dass so etwas passiert.« Er nickte mit dem Kopf in Richtung der Hilfssheriffs. »Es ist noch genauso wie früher, Jeffrey. Nichts hat sich verändert. Alle haben nur darauf gewartet, dass ich Scheiße baue, damit sie mich den Löwen zum Fraß vorwerfen können.« Er lachte verbittert. Jeffrey wagte kaum sich vorzustellen, wie fürchterlich die Nacht gewesen sein musste. Für die anderen Häftlinge war es wahrscheinlich wie Weihnachten, dass sie ihre Aggressionen eine ganze Nacht lang an einem Polizisten auslassen durften.

Robert fuhr fort: »All die Jahre … ich habe wirklich gedacht, ein paar von ihnen wären meine Freunde … dass ich mich bewährt hätte.« Er hielt inne, rang um Fassung. »Ich hatte eine Frau. Ich hatte eine Familie. Verdammt, ich war Trainer bei der Little League. Wusstest du das? Wir haben es letztes Jahr bis zu den Juniormeisterschaften geschafft. Wir hätten fast gewonnen, aber einer der Thompson-Jungs hat einen Rückpass versiebt.« Er lächelte bei der Erinnerung. »Wusstest du das? Wir haben es bis ins große Stadion in Birmingham geschafft.«

Jeffrey schüttelte den Kopf. Mit diesem Mann war er aufgewachsen, er hatte jeden Tag seiner Jugend mit ihm verbracht, doch von seinem Leben als Erwachsener wusste er nichts.

»Man weiß eben nie, was die Leute von einem halten, oder?«, sagte Robert. »Du gehst zu ihren Spielen und Picknicks, siehst ihre Kinder heranwachsen, hörst von Scheidungen und Affären, doch das alles ist einen Scheißdreck wert. Sie lachen dir ins Gesicht, während sie dir von hinten den Dolch in den Rücken rammen.«

»Du hättest Hoss gestern Nacht anrufen sollen«, sagte Jeffrey. »Er wäre runtergekommen und hätte alles geklärt.«

»Dann wäre es beim nächsten Mal nur noch schlimmer gewesen.«

»Schlimmer?«, fragte Jeffrey. »Was kann schlimmer sein, als dass sie dir die Seele aus dem Leib prügeln?« Doch dann fielen ihm selbst Antworten auf seine Frage ein. Mit weichen Knien ließ er sich neben Robert in den Stuhl sinken. »Sie haben dich doch nicht ...«

Mit erloschener Stimme wehrte Robert ab. »Nein.«

Jeffrey legte sich die Hand auf den Bauch, ihm war speiübel. »Himmel ...«, flüsterte er.

Roberts Hände begannen zu zittern, und erst jetzt sah Jeffrey, dass er Handschellen trug.

»Warum hast du Handschellen an?«

»Ich bin ein gefährlicher Verbrecher«, erinnerte ihn Robert. »Ich habe zwei Menschen getötet.«

»Das hast du nicht«, widersprach Jeffrey. »Robert, ich weiß, dass du es nicht warst. Warum lügst du?«

»Ich kann das nicht«, sagte Robert. »Ich dachte, ich wäre stark genug, aber das bin ich nicht.«

Jeffrey legte Robert die Hand auf die Schulter, doch er nahm sie wieder weg, als er merkte, wie sein Freund zusammenzuckte.

»Wir besorgen dir einen Anwalt.«

»Ich habe kein Geld«, entgegnete Robert. »Jessies Leute

lassen mich lieber verrecken, als dass sie einen Dollar lockermachen.«

»Ich zahle«, sagte Jeffrey und dachte fieberhaft nach, wo er das Geld auftreiben könnte. »Das Haus ist noch nicht abbezahlt, aber ich habe die Rentenversicherung. Viel ist es nicht, aber für den Vorschuss reicht es. Possum und ich finden schon einen Weg. Ich kann bei einem Sicherheitsdienst anheuern, einen Nebenjob annehmen.« Er versuchte, überzeugend zu klingen. »Ich ziehe zurück nach Birmingham und komme an den Wochenenden her.«

»Das kann ich nicht zulassen.«

»Du hast keine Wahl«, sagte Jeffrey. »Du wirst nicht noch eine Nacht im Knast verbringen.«

Robert schüttelte den Kopf. »Ich hatte nie eine Wahl, Jeffrey. Ich hab dieses Leben so satt. Ich hab einfach die Nase voll, von allem und jedem.« Er schloss die Augen. »Jessie ist fertig mit mir. Schon ewig.«

»Ist es wegen der Fehlgeburt?«, fragte Jeffrey. Er verstand, dass so etwas eine Belastung für eine Beziehung sein konnte. Es musste einen Grund geben, dass Jessie ihren Mann betrog. Menschen betrügen einander nicht einfach so.

»Viel, viel länger«, sagte Robert. »Alles fing an, als Julia in die Schule kam und überall rumerzählte, ich hätte sie vergewaltigt. Jessie hat mir nie vertraut. Seit dem Tag nicht mehr.«

Jeffrey horchte auf. »Hast du Jessie gesagt, was passiert ist?«

»Sie hat mich nie gefragt«, sagte Robert. »Sie glaubt ja, alles schon zu wissen. Warum fragen die Leute einen nicht wenigstens?«

»Vielleicht wollen sie die Antworten nicht hören«, sagte Jeffrey. Er war auch nicht besser als Jessie. Trotzdem sagte er: »Jessie hat die Gerüchte nie geglaubt. Keiner, der dich kannte, hat es geglaubt.«

»Bei dir haben sie es geglaubt«, gab Robert zurück. Er

blickte Jeffrey mit feuchten Augen an. »Und ich hab sie die ganze Zeit in dem Glauben gelassen.«

»In welchem Glauben?«

»Dass du Julia vergewaltigt hast«, erklärte er. Er schlug die Augen nieder. »Ich hab sie in dem Glauben gelassen, dass du mit ihr im Wald warst. Dass du sie vergewaltigt hast.«

Jeffreys Mund wurde trocken.

»Ich wollte mich selbst schützen«, sagte Robert. »Du warst weg, und ich musste hierbleiben. Ich musste damit leben, dass sie alle auf mich herabsahen und dachten, sie hätten mein wahres Wesen durchschaut.« Er sah weg. »Jeden Sonntag in der Kirche konnte ich spüren, wie mir Lane Kendall Löcher in den Rücken starrte, als ob sie wüsste, was an jenem Tag passiert war.«

»Was ist denn passiert, Robert?« Jeffrey wartete, doch er bekam keine Antwort. »Sag mir, was passiert ist«, wiederholte er. »Ich habe dich nie gefragt, weil ich an deine Unschuld geglaubt habe. Wenn du jetzt sagst, du wärst schuldig, dann musst du mir erzählen, was passiert ist.«

Robert räusperte sich ein paar Mal, dann griff er mit beiden Händen nach dem Glas Wasser, das auf dem Schreibtisch stand. Er trank einen Schluck und zuckte vor Schmerz, als sein Adamsapfel hüpfte. Jeffrey sah die blauen Flecken an seinem Hals. Jemand hatte versucht, ihn zu erwürgen. Oder hatten sie ihm die Kehle zugedrückt, um ihn am Schreien zu hindern?

»Robert«, flüsterte Jeffrey heiser. »Sag mir, was passiert ist.«

Er schüttelte den Kopf. »Geh nach Hause, Slick.«

»Ich lasse dich nicht hier.«

»Geh zurück nach Grant County und heirate Sara. Gründe eine Familie. Werde glücklich.«

»Das werde ich nicht tun, Robert. Ich werde dich nicht ein zweites Mal alleinlassen.«

»Du hast mich beim ersten Mal nicht alleingelassen«, sagte Robert. Wut flammte in seinen Augen auf. »Hör zu, ich hab sie vergewaltigt. Genau das werde ich aussagen: Ich hab sie mit in die Höhle genommen und sie vergewaltigt, und als sie geschrien und gedroht hat, sie würde es allen erzählen, hab ich Angst bekommen, genau wie ich neulich abends Angst bekam. Ich hab einen Stein genommen und ihn mit voller Kraft auf ihren Schädel geschlagen.« Er sah Jeffrey tief in die Augen. »Reicht dir das?«

»Auf welcher Seite?«, fragte Jeffrey. »Auf welcher Seite hast du ihr den Schädel eingeschlagen?«

»Gott, keine Ahnung. Schau dir ihren verdammten Schädel an. Die Seite, die kaputt ist.«

»Du hast sie nicht umgebracht«, sagte Jeffrey. »Sie ist erwürgt worden, nicht erschlagen.«

»Oh.« Robert konnte seine Überraschung nicht verbergen, doch er fand die Fassung schnell wieder. »Stimmt, ich hab sie auch erwürgt.«

»Das hast du nicht.«

»Doch«, beharrte er. »Ich habe sie einfach erwürgt«, sagte er. Die Handschellen klirrten, als er die Hände um einen imaginären Hals legte.

»Das hast du nicht«, widersprach Jeffrey.

Robert ließ die Hände sinken, doch er gab noch nicht auf.

»Zuerst hab ich nur mit ihr geredet, hab versucht, nett zu sein«, sagte er. Seine Stimme wurde leiser. Er starrte ins Leere, als wäre er in Gedanken weit weg. Er sprach so leise, dass Jeffrey sich anstrengen musste, ihn zu verstehen. »Als sie den Kopf wegdrehte, hab ich ihr auf den Kopf geschlagen, und als sie hinfiel, hab ich mich auf ihren Rücken gesetzt. Sie hat geschrien, und ich hab sie gewürgt, damit sie aufhört.« Wieder zeigte er mit den Händen, was er getan hatte. »Aber sie hat einfach nicht aufgehört, und das Geschrei hat mich wütend gemacht, und irgendwie hat es mich auch scharfgemacht – ich weiß auch nicht. Ich hatte eine Hand auf ihrem Hinterkopf.« Er ließ die Hand sinken, als wäre er dort. »Ich wusste, dass sie Angst hatte –

Todesangst. Ich hatte auch Angst. Ich dachte, wenn jetzt jemand kommt, mich so sieht, wie ein Tier … Aber ich konnte nicht aufhören. Keiner hat mir geholfen. Meine Kehle …« Er legte sich die Hände an den Hals. »Meine Kehle hat sich angefühlt, als hätte ich eine Handvoll Nägel verschluckt. Ich konnte nicht mehr atmen. Ich konnte keinen Mucks mehr machen, nur noch wimmern, aber in meinem Kopf hörte ich, wie sie lachten, mich anstachelten, als wäre es eine Art Spiel für sie – als wollten sie sehen, wie lange es dauert, bis ich zusammenbreche.« Er ließ die Hände in den Schoß fallen, sein Atem ging schnell und stoßweise. Jeffrey wusste nicht mehr, ob er von Julia sprach oder von dem, was ihm letzte Nacht passiert war. »Ich wollte nur weg, an einen sicheren Ort, wo alles gut war, aber es war alles so schrecklich, ich konnte nichts tun, außer mir auf die Zunge zu beißen und zu Gott zu beten, dass es bald vorbei war.« Seine Lippen zitterten, aber er weinte nicht.

»Robert«, sagte Jeffrey und streckte die Hand nach ihm aus.

Robert zuckte zurück, als hätte Jeffrey ihn geohrfeigt. Er machte sich ganz klein. »Lass mich«, flüsterte er. »Bitte fass mich nicht an.«

»Robert«, wiederholte Jeffrey. Er versuchte, seine Stimme fest klingen zu lassen. Hätte er eine Waffe bei sich gehabt, er wäre rüber ins Gefängnis gegangen und hätte jedes gottverdammte Schwein dort abgeknallt. Mit Reggie hätte er angefangen und sich dann bis nach oben gearbeitet, bis – was? – bis er sich die Knarre an den eigenen Kopf gehalten und abgedrückt hätte? Er selbst trug genauso viel Schuld an der Sache wie alle anderen.

Trotzdem, er musste es wissen. »Warum lügst du mich wegen Julia an?«

»Ich lüge nicht«, sagte Robert, wieder flackerte Wut in seinen Augen auf. »Ich hab sie vergewaltigt.« Er sah Jeffrey in die Augen. »Ich hab sie vergewaltigt, und dann hab ich sie umgebracht.«

»Du hast Julia nicht umgebracht«, gab Jeffrey zurück. »Hör auf, das zu sagen. Du hast ja nicht mal gewusst, wie sie gestorben ist.«

»Was spielt das für eine Rolle?«, fragte Robert. »Ich bekomme sowieso die Todesspritze.«

»Nein«, widersprach Jeffrey. »Nicht, wenn du auf Totschlag plädierst. Dann bist du in sieben Jahren draußen. Dann kannst du immer noch dein Leben führen.«

»Was für ein Leben?«

»Ich helfe dir, ein neues Leben anzufangen«, sagte Jeffrey, und in diesem Moment glaubte er fest daran. »Du kannst zu mir nach Grant County kommen. In die Truppe eintreten.«

»Nicht mit dem Strafregister.«

»Dann finden wir eben was anderes«, sagte Jeffrey. »Wir holen dich raus aus diesem Drecknest. Du kannst noch mal ganz von vorne anfangen, ein neues Leben.«

»Was für ein Leben?«, wiederholte Robert. Er hob die Hände. »Was für ein Leben kann ich danach noch führen?«

»Darum kümmern wir uns, wenn es so weit ist«, sagte Jeffrey. »Ab jetzt sagst du kein Wort mehr, okay? Nicht mal zu Hoss. Du redest nur noch mit deinem Anwalt. Wir besorgen den besten, den wir kriegen können. Wenn's sein muss, gehen wir nach Atlanta.«

»Ich will keinen Anwalt«, sagte Robert. »Ich will nur meinen Frieden haben.«

»In Gefängnistracht wirst du nie Frieden haben, Robert. Das solltest du jetzt wissen.«

»Es ist mir egal«, sagte er. »Wirklich.«

»Das sagst du jetzt nur«, widersprach Jeffrey. »Denk an letzte Nacht.«

»Letzte Nacht ist nichts passiert«, wehrte Robert ab. »Es gab ein kleines Handgemenge, mehr nicht. Sie haben sich nicht mehr getraut, nachdem ich mit ihnen fertig war.«

Jeffrey lehnte sich in seinem Stuhl zurück.

»Ich habe die Scheiße aus ihnen rausgeprügelt.« Robert versuchte zu lächeln, doch es wirkte eher wie ein Zähnefletschen. »Drei gegen einen, und ich habe ihnen die gottverdammte Scheiße aus dem Leib geprügelt.«

»Sehr gut«, sagte Jeffrey. Er wusste, er konnte nicht widersprechen. Drei zu eins. Robert hatte überhaupt keine Chance gehabt.

Doch Robert hörte nicht auf. »Dem einen habe ich die Visage poliert, dass er nach seiner Mama gewinselt hat.«

»Hut ab, mein Freund«, sagte Jeffrey. Es brach ihm fast das Herz. »Denen hast du's gezeigt, Bobby. Denen hast du's richtig gezeigt.«

Robert atmete tief ein, richtete sich auf und drückte die Schultern durch. »Genau«, sagte er. »Genau. Ich schaffe das.«

»Du bist nicht allein«, sagte Jeffrey. »Ich bin bei dir. Possum ist bei dir.«

»Nein«, sagte Robert, als hätte er einen Entschluss gefasst. »Ich werde das hier allein durchziehen, Jeffrey. Das ist das Mindeste, was ich tun kann.«

»Das Mindeste wofür?«

»Für dich«, sagte er und sah Jeffrey wissend an. »Ich weiß, was wirklich passiert ist.«

Jeffrey fühlte sich plötzlich in die Ecke getrieben, doch er wusste nicht, warum. »Was meinst du damit?«, fragte er.

»Ich hab dich an dem Tag mit Julia im Wald gesehen. Ich hab gesehen, wie ihr beide in die Höhle gegangen seid.«

Jeffrey schüttelte den Kopf. Sie waren damals absolut allein gewesen. Er hatte sich vergewissert.

»Ich nehme alles auf mich«, sagte Robert. Tränen standen ihm in den Augen. Als er sprach, zitterte seine Stimme: »Ich sage, dass ich es war. Ich nehme alles auf mich, damit du gehen kannst. Aber sag mir nur eins, Slick. Sag mir die Wahrheit. Hast du sie umgebracht?«

NEUNZEHN

Sara saß bei Nell auf der Veranda, als Jeffrey auf die Auffahrt fuhr. Er hatte Roberts Truck stehen lassen und ihren BMW genommen, und sie war erleichtert, dass ihr Wagen noch heil und ganz war. Sie kam Jeffrey entgegen, als er ausstieg, doch etwas in seinem Ausdruck ließ sie innehalten.

»Ist etwas nicht in Ordnung?«, fragte sie.

»Alles klar«, sagte er nicht sehr überzeugend. »Lass uns noch einmal zu Roberts Haus gehen.«

»Okay«, sagte sie. »Ich sag nur schnell Nell Bescheid.« Aber er nahm sie bei der Hand und zog sie auf die Straße. »Sie wird schon von allein draufkommen.«

»Okay«, sagte Sara wieder und fragte sich, was los war. Er ließ ihre Hand nicht los, als sie die Straße hinuntergingen. Eine leichte Brise wehte und machte die Hitze etwas erträglicher, doch der schwarze Asphalt glühte noch immer. Sara musste daran denken, wie sie vorletzte Nacht auf dieser Straße vor Jeffrey davongerannt war. Vielleicht dachte er das Gleiche, denn jetzt drückte er ihre Hand. Sie fragte: »Geht es dir gut?«

Er schüttelte den Kopf, ohne eine Erklärung abzugeben.

»Was willst du noch mal bei Robert und Jessie?«

»Irgendwas stimmt nicht«, sagte er. »Irgendwas ist da faul.«

»Was hat Robert gesagt?«

»Nichts Neues«, erklärte Jeffrey. »Er sagt immer noch, er sei es gewesen. Er will alles auf sich nehmen.« Er biss die Zähne zusammen und schwieg einen Moment. »Er lügt, was Julia betrifft. Und ich frage mich, was sonst noch alles gelogen war.«

»Was zum Beispiel?« Sara fand, es lag auf der Hand, was in der Nacht im Schlafzimmer passiert war. »Alle Spuren stützen seine Aussage.«

»Ich will einfach noch mal nachschauen«, sagte er.

»Was meinst du damit, es ist was faul?«

Er antwortete nicht. Als sie Roberts Haus erreichten, ließ er ihre Hand los. Die gelben Schindeln waren frisch gestrichen, und mit dem strahlend weißen Lattenzaun sah das Haus irgendwie surreal aus, wie aus einem Hollywoodfilm.

An der Tür klebte der knallgelbe Klebestreifen der Polizei. Jeffrey holte das Taschenmesser raus und klappte es auf. »Er wurde letzte Nacht verprügelt.«

»Im Gefängnis?«

Er nickte.

»Von wem?«

Jeffrey schnitt den Klebestreifen durch. »Er sagt es nicht.«

»Wie hat Hoss das zulassen können?«

»Es war nicht Hoss«, knurrte Jeffrey und klappte das Messer wieder zu. »Robert wollte nicht sagen, wer ihn in die große Zelle gesteckt hat, aber ich habe den Verdacht, dass es Reggie war.«

»Genauso gut hätte man Robert eine Zielscheibe auf den Rücken malen können.«

»Wenn mir dieser miese Hinterwäldler noch einmal vor die Augen kommt, reiße ich ihm eigenhändig den Kopf ab …«

Sara konnte sich einerseits kaum vorstellen, dass Reggie an so einer Sache beteiligt war. Andererseits hatte auch Nell sie gewarnt, dass man ihm nicht trauen konnte.

Sie fragte: »Geht es Robert so weit gut?«

Jeffrey öffnete die Tür und trat beiseite, um Sara den Vortritt zu lassen. »Ich habe versucht, aus ihm herauszubekommen, was passiert ist, aber er macht den Mund nicht auf.«

»Wurde er schwer verprügelt?«

»Das ist es nicht allein«, erklärte er und sein Gesicht sprach Bände.

»O nein«, sagte sie und griff sich ans Herz. »Wie schlimm?«

Er schloss die Tür hinter sich. »Er sagt, es gehe ihm gut.«

»Jeffrey«, sagte sie und legte ihm die Hand auf die Schulter. Er starrte in den Flur, ohne sie anzusehen, und sie spürte, wie viel Kraft es ihn kostete, die Fassung zu bewahren.

»Possum war heute Morgen auf dem Revier, um die Kaution zu stellen«, brachte er dann hervor. »Ich bin nicht einmal auf die Idee gekommen.«

»Er ist auf Kaution draußen?«

»Wahrscheinlich hat Hoss ein paar Strippen gezogen«, erklärte Jeffrey. »Immerhin besteht keine Fluchtgefahr. Wo sollte er schon hin?«

»Es tut mir so leid.« Sara konnte seinen Kummer mitfühlen.

Jeffrey nahm sie in die Arme, und sie hielt ihn fest, versuchte ihm ein wenig Trost zu spenden, denn sie wusste, sonst konnte sie nichts tun.

»Ach, Sara«, seufzte er und legte seinen Kopf auf ihre Schulter. Sein Körper entspannte sich, und trotz all der Ereignisse spürte sie ein überwältigendes Glück, dass sie ihm mit ihrer Umarmung solchen Frieden schenken konnte.

»Ich will einfach nur mit dir hier weg.«

»Ich weiß«, sagte sie und streichelte seinen Nacken.

»Ich will mit dir tanzen gehen«, sagte er, und sie lachte, denn sie wussten beide, dass sie in etwa das Rhythmusgefühl eines neugeborenen Fohlens hatte. »Ich will mit dir am Strand spazieren gehen und Piña Colada aus deinem Bauchnabel trinken.«

Wieder lachte sie und zog die Arme zurück, doch er ließ sie noch nicht los. Sara küsste seinen Nacken und ließ die Lippen auf seiner Haut verweilen. Er schmeckte salzig, ein bisschen nach Meer, und sie roch den männlichen Duft seines Aftershaves. »Ich bin ja da.«

»Ich weiß«, sagte er und löste schließlich die Umarmung. Er seufzte tief, dann machte er eine müde Handbewegung. »Bringen wir es hinter uns.«

»Wonach suchen wir?«, fragte sie, als sie ihm ins Wohnzimmer folgte.

»Ich weiß es nicht.« Er zog die Schubladen des Couchtischs auf, wühlte kurz darin herum und schloss sie wieder. »Wo hatte er seine Ersatzwaffe?«

»Hat er nicht gesagt, im Wohnzimmer?« Sara erinnerte sich nicht mehr genau.

»Irgendwo muss der Waffensafe sein«, sagte er. »Wenn er die Wahrheit gesagt hat.«

Sara wusste nicht, was man Robert überhaupt noch glauben konnte, doch sie öffnete den Fernsehschrank. Bis auf ein großes Fernsehgerät und ein paar Videokassetten fand sie nichts. Sie bückte sich zu den Schubladen und sagte: »Sie haben keine Kinder. Vielleicht hatte er die Waffe einfach in der Schublade.«

»Dafür ist Robert zu erfahren«, entgegnete Jeffrey und ließ sich auf alle viere nieder, um unter der Couch nachzusehen. »Hoss hat uns beiden eingetrichtert, Waffen immer sicher zu verwahren.« Er hockte sich auf die Fersen und sah traurig zu Boden. »Robert hat die Little League trainiert«, sagte er. »Wahrscheinlich waren öfter Kinder hier. Er hätte nie eine Waffe rumliegen lassen.«

»Und Jessie«, überlegte Sara. »Nell hat mir erzählt, dass sie nach der Fehlgeburt zu viele Pillen geschluckt hat.«

»Noch ein Grund, die Waffe wegzuschließen«, stellte Jeffrey fest.

Sara fand einen Stapel Gebrauchsanweisungen von jedem Elektrogerät im Haus. Daneben lagen ein paar ausgediente

Fernbedienungen, alte Batterien und eine Nagelfeile. Alles, nur kein Waffensafe. »Wo bewahrst du eigentlich deine Ersatzpistole auf?«

»Neben dem Bett«, antwortete er. »Zu Hause lasse ich die Dienstwaffe in der Küche.«

»Warum gerade dort?«

»Ich habe nie drüber nachgedacht«, sagte er und tastete die Unterseite des Couchtischs ab. »Irgendwie war es einleuchtend. Eine oben, eine unten.«

»Wo in der Küche?«, fragte Sara und ging den Flur hinunter.

»Im Schrank über dem Herd«, rief er ihr nach, und dann: »Verdammt.«

»Was ist?«

»Splitter im Finger.«

»Sei vorsichtiger«, rief sie vom Flur aus. Die Küche lag genau gegenüber vom Schlafzimmer, doch sie warf keinen Blick dort hinein. Der Geruch nach getrocknetem Blut war unerträglich, und Sara wusste aus Erfahrung, dass der Gestank auch nach einem radikalen Hausputz nicht wegging. Sie glaubte nicht, dass Jessie nach allem, was passiert war, weiter hier leben würde.

Sara öffnete den Schrank über dem Herd und fand einen Stapel Tupperware-Schüsseln, die Deckel ordentlich daneben aufgeschichtet. Sie stellte sich auf die Zehenspitzen und spähte in das Fach, doch da war nichts, was auch nur entfernt wie eine Waffe aussah. Sie ging die ganze Küche durch, öffnete und schloss jede Schranktür, mit dem gleichen Ergebnis. Sogar im Kühlschrank sah sie nach, wo sich eine volle Milchtüte, Saft und die üblichen Grundnahrungsmittel befanden, doch keine Waffe.

»Irgendwas gefunden?«, fragte Jeffrey. Er stand in der Küchentür und hielt sich die Hand.

»Tut es weh?«, fragte Sara.

»Nicht schlimm«, sagte er und streckte ihr die Hand hin. Sie knipste das Licht an und sah sich den großen Holzsplitter in seiner Handfläche an.

»Irgendwo müssen sie eine Pinzette haben«, sagte sie und zog die Schubladen auf, doch die flüchtige Suche ergab nur ganz normale Küchengeräte. »Ich sehe mal im Bad nach.«

Auf dem Weg zum Bad fiel ihr Blick auf einen Nähkorb auf der Anrichte im Esszimmer.

»Komm rüber, hier ist das Licht besser«, rief sie Jeffrey zu und durchsuchte den Korb. »Damit wird es gehen.« Zwischen Stecknadeln und Nähnadeln hatte sie eine Pinzette gefunden.

»Soll ich mehr Licht reinlassen?«, fragte Jeffrey und drehte an der Jalousienstange. Er sah hinaus in den Garten. »Schön hier, nicht wahr?«

»Ja«, sagte sie und griff nach seiner Hand. Bei der Arbeit trug sie eine Brille, aber sie war natürlich zu eitel gewesen, die Brille mit auf die Reise zu nehmen. »Es tut vielleicht ein bisschen weh.«

»Ich werde es aushalten«, sagte er, dann: »Au! Verdammt.« Er zuckte mit der Hand zurück.

»Tut mir leid.« Sara versuchte, ein Lächeln zu unterdrücken. Sie hielt seine Hand ins Licht. »Denk an was anderes.«

»Kinderleicht«, sagte er ironisch und kniff die Augen zusammen, als sie mit der Pinzette näher kam.

»Ich berühre dich noch nicht mal«, sagte sie.

»Bist du zu den Kindern auch so gemein?«

»Die sind meistens tapferer.«

»Vielen Dank.«

»Komm schon«, neckte sie. »Wenn du brav bist, bekommst du einen Lutscher.«

»Ich würde *dir* lieber einen Lutscher geben.«

Sie zog die Brauen hoch, doch sie sagte nichts. Langsam bearbeitete sie den Splitter.

Jeffrey fragte: »Ist dir nichts Komisches an Swan aufgefallen?«

»Was meinst du mit komisch?« Sie seufzte, als der Splitter abbrach.

»Ich meine ...« Er zischte durch die Zähne, als sie mit der Pinzette in sein Fleisch zwickte. »Er ist das genaue Gegenteil von Robert.«

Sie zuckte die Achseln. »Vielleicht war das genau der Punkt. Sie wollte was anderes. Eine Abwechslung.«

»Bin ich anders als die Männer, mit denen du normalerweise zusammen bist?«

Sara versuchte, sich auf den Splitter zu konzentrieren und gleichzeitig eine gute Antwort zu geben. »Ehrlich gesagt, habe ich mir darüber keine Gedanken gemacht.« Als sie den Splitter draußen hatte, lächelte sie. »So.«

Er saugte an seiner Hand, genau wie die Kinder in ihrer Praxis, als wären sie durch einen genetischen Zwang davon überzeugt, dass Spucke jeder Wunde guttat.

»Lass uns im Schlafzimmer nachsehen«, sagte er.

»Glaubst du, er hat gelogen, als er sagte, die Waffe wäre im Wohnzimmer gewesen?«

»Ich weiß es nicht.«

»Vielleicht hatte er sie in seinem Truck.«

»Vielleicht.«

»Was hast du noch auf dem Herzen?« Diesmal beschloss sie, hartnäckig zu bleiben. »Ich bin nicht dumm, Jeffrey. Irgendwas hast du doch. Entweder du sagst es mir oder nicht, aber tu nicht so, als wäre nichts.«

Er legte die Hand auf die Fensterbank. »Ja, ich habe etwas auf dem Herzen. Aber ich kann nicht darüber reden.«

»Also gut«, sagte sie. Wenigstens gab er es zu. »Lass uns die Sache hier zu Ende bringen. Vielleicht können wir dann zurück zu Nell und noch einmal alles durchgehen.«

Die Schlafzimmertür stand einen Spalt offen, und die Tür quietschte in den Angeln, als sie sie aufdrückten. Durch die

Fenster fiel Licht, und Sara war überrascht, wie anders das Zimmer am Tag aussah als in der Nacht, in der Luke Swan erschossen wurde. In ihrem Kopf war alles voller Blut gewesen. Tatsächlich war das Zimmer jedoch bis auf die Spritzer an der Tür und der Decke und die Blutlache, wo Swan gelegen hatte, sauber.

Jeffrey öffnete den Schrank und durchsuchte die Fächer, während Sara zum Nachttisch ging. Die Spurensicherung hatte das ganze Zimmer eingestäubt, und das schwarze Pulver machte auf den Oberflächen nicht nur die Fingerabdrücke sichtbar, sondern auch alle Flecken und Kratzer. Sara nahm an, dass Reggie die brauchbaren Abdrücke bereits abgenommen hatte, trotzdem versuchte sie, nicht mit dem Pulver in Berührung zu kommen. Sie wusste, wie schwer es wieder abging. Sie fasste die Tür des Schränkchens an der oberen Kante an und trat einen Schritt zurück, als ihr ein himmelblauer Vibrator vor die Füße fiel.

Jeffrey sah ihr über die Schulter. »Das erklärt einiges«, sagte er, als wüsste er, wovon er sprach.

»Was soll es denn erklären?«, fragte Sara. Sie fasste das Gerät mit einem Taschentuch an und legte es wieder zurück an seinen Platz. »Jede Frau, die ich kenne, hat so was.«

Er schien überrascht. »Du auch?«

»Ich doch nicht, Schätzchen«, witzelte sie. »Du bist Manns genug für mich.«

»Das ist nicht lustig, Sara.«

»Was?«, fragte sie und warf einen Blick in den Nachttisch. Es war auch eine kleine Tube Gleitcreme da, doch die erwähnte sie lieber gar nicht erst. Stattdessen sagte sie: »Das hat überhaupt nichts zu bedeuten. Oft werden sie auch von Paaren benutzt. Nach was für einem schlagenden Beweis suchen wir hier eigentlich?«

»Ich weiß es nicht«, sagte er kleinlaut. »Er hat mir nicht die Wahrheit gesagt. Entweder müssen wir beweisen, dass er lügt oder dass er nicht lügt.« Er zuckte die Achseln. »So oder so, ich werde hinter ihm stehen.«

»Wenn Menschen lügen, streuen sie manchmal ein wenig Wahrheit mit ein, damit es glaubhafter klingt.«

»Wie meinst du das?«

»Vielleicht hat uns Robert Informationen gegeben, die wir einfach nicht gehört haben.« Sara schlug vor: »Fangen wir noch mal ganz von vorn an und gehen durch, was Robert und Jessie zuerst gesagt haben.«

»Du meinst, als Luke erschossen wurde?«

Sie nickte.

»Gut«, sagte er und sah sich um. »Also von vorn. Wir waren draußen auf der Straße. Als ich die Schüsse hörte, bin ich durch den Garten gerannt, bis hierher.« Er stand in der Tür. »Ich habe gesehen, was los war, also, zumindest den Toten. Robert stöhnte, und ich habe mich zu ihm umgedreht. Er stand hier«, Jeffrey zeigte hinter die Tür. »Jessie war da drüben«, sagte er und zeigte zum Fenster.

»Was ist dann passiert?«

»Ich habe Robert gefragt, ob er okay sei, dann bin ich dich holen gegangen.«

»Also schön«, sagte Sara und setzte die Geschichte fort. »Ich kam, und du hast die Polizei gerufen. Ich habe Swans Puls gefühlt, dann habe ich mich um Robert gekümmert.«

»Er wollte dich die Wunde nicht sehen lassen«, erinnerte sich Jeffrey. »Jessie hat ihn immer wieder unterbrochen, als ich versuchte, Sinn in das zu bringen, was er sagte.«

»Nämlich«, führte Sara fort, »dass Robert und Jess im Bett gelegen hätten. Dass Swan durchs Fenster eingestiegen sei.«

Jeffrey ging zum Fenster. Er schaute auf den Hinterhof hinaus. »Jemand könnte hierdurch hereingekommen sein.«

»Hat Robert je gesagt, dass er das Fliegenfenster eingedrückt hat?« Sie wurde genauer: »Bei seiner neuen Version sagt er, er sei es gewesen. Hat er am Anfang auch gesagt, er hätte das Fliegengitter eingedrückt?«

»Nein.«

Sara sah sich um und versuchte sich zu erinnern, wie es in jener Nacht ausgesehen hatte.

»Swan hat also eine Waffe«, sagte Jeffrey und versuchte, Roberts erster Erklärung zu folgen. »Er schleicht sich zum Bett. Jessie wacht auf und schreit. Als Robert sich bewegt, schießt Swan auf ihn.«

»Er schießt daneben«, fuhr Sara fort. »Robert rennt zum Schrank und holt seine Waffe.« Sie stand vor dem Schrank. »Er schießt auf Swan, aber seine Pistole hat eine Ladehemmung.«

Jeffrey schloss: »Swan schießt noch einmal, dann geht Roberts Pistole los, und er schießt Swan in den Kopf.«

Sara sah nach unten. Die Blutspritzer auf dem Boden zeigten nicht zum Schrank.

Sie sagte: »Er hätte hier stehen müssen.« Sie ging zur Tür. »Schau mal da.« Sie zeigte auf das Blut auf dem Teppich, wo Swan gelegen hatte. »Robert hätte hier stehen müssen.«

»Warum?«

»Er schießt«, sagte sie und imitierte mit Daumen und Zeigefinger eine Pistole. »Die Kugel trifft Swan in den Kopf, und das Blut spritzt zurück. Sieh dir das Muster der Spritzer an.«

Jeffrey stand neben ihr und sah sich den Teppich an. »Okay«, sagte er. »Jetzt sehe ich es. Er stand also hier.«

»Warte mal«, sagte Sara und war draußen, bevor er fragen konnte. Dann kam sie mit dem Nähkorb zurück. »Das ist vielleicht nicht ganz lehrbuchmäßig …«

»Was hast du vor?«

Sie fand eine Rolle gelben Faden, der ihr am besten geeignet schien. »Blut folgt den Regeln der Schwerkraft, genau wie alles andere auch.«

»Und?«

»Und«, sie nahm eine Schachtel Stecknadeln heraus, »man kann an der Tropfenform erkennen, woher das Blut kam. Ob es schräg spritzte oder senkrecht herunterfiel.« Sie zeigte auf das Loch in der Tür, wo die Kugel eingeschlagen war. »Siehst du?«, sagte sie. »An dem Muster sieht man, dass Robert bei der Tür stand, als die Kugel aus seinem Körper ausgetreten ist. Die Blutstropfen sind fast kreisrund, außer ganz oben, wo sie tränenförmig sind. Das bedeutet, dass die Kugel von unten nach oben flog.«

»Aber es ist alles verschmiert«, Jeffrey zeigte auf die feinen roten Linien, die von jedem der kreisrunden Tropfen ausgingen.

»Das Blut ist waagerecht auf die Wand getroffen und dann zurückgespritzt.« Sie steckte eine Nadel horizontal in die Wand. »Hier hat der stärkste Aufprall stattgefunden.«

»Also gut«, sagte er, auch wenn sie ihm anmerkte, dass er noch nicht ganz überzeugt war. »Und was sagt uns das?«

»Schau her«, sagte sie und zupfte am Ende des Fadens. Sie wickelte ein paar Meter ab, dann hockte sie sich auf den Teppich und legte den Faden neben das Blut. »Ich versuche den Winkel einzuschätzen und muss natürlich die parabolische Flugbahn mit einrechnen, wahrscheinlich von unten nach oben, aber …«

»Wovon redest du?«

»Einfache Trigonometrie«, antwortete sie wie selbstverständlich. »Ich habe nicht die richtige Ausrüstung und mache das hier Pi mal Daumen, aber die Formel geht ungefähr so: Das Verhältnis zwischen Breite und Länge des Blutflecks entspricht dem Winkel des Aufpralls …« Doch Jeffrey kam nicht mit, und so sagte sie einfach nur: »Besorg mir Klebeband.«

»Kreppband? Gewebeband? Tesafilm?«

»Irgendwas, das klebt.«

Während Jeffrey sich auf die Suche machte, ordnete Sara mehrere Fäden an. Mit Stecknadeln pinnte sie die Enden am Teppich fest und wickelte jeweils ein paar Meter Faden ab.

»Funktioniert es damit?«, fragte Jeffrey und reichte ihr eine Rolle Isolierband.

»Bestimmt.« Sie pulte ein Stück Klebestreifen herunter und klebte es sich auf den Arm. Die größten Spritzer befanden sich neben dem Nachttisch, und sie musste aufpassen, nicht an die Gehirnmasse zu kommen, die dort klebte. Sara wünschte, sie hätte ein Paar Handschuhe dabei, aber jetzt war es zu spät.

Zu Jeffrey sagte sie: »Stell dich da hin« und zeigte zum Fußende des Betts.

»Was hast du vor?«

»Ich habe nichts, wo ich die anderen Enden festmachen kann«, sagte sie. »Du musst sie festhalten.«

»Okay«, willigte er ein. Sara ging zu den anderen Enden der Fäden zurück und versuchte, jeweils den Winkel so genau zu bestimmen wie möglich. Dann folgte sie dem Winkel und steckte das andere Ende des Fadens mit einer Stecknadel an Jeffreys Kleidung fest. Am Ende benutzte sie das Isolierband, um den Punkt zu markieren, wo sich die gelben Fäden kreuzten. Sara war schweißgebadet, als sie fertig war, doch die Mühe hatte sich gelohnt.

»Sein Kopf befand sich also hier«, sagte Jeffrey und zeigte auf den Punkt, wo die Fäden zusammenliefen. Wie eine Spinne im Netz zeigte das schwarze Isolierband die Stelle an, wo die Kugel in Luke Swans Kopf eingedrungen war und Blut, Knochen und Gehirn unter dem Einschlag explodierten.

Auch wenn Saras Jeans längst schmutzig waren, weil sie über den blutigen Teppich gerobbt war, zögerte sie jetzt, bevor sie den Platz einnahm, wo Luke Swan gekniet hatte, als er starb. Er war kaum einen Meter vom Bett entfernt gewesen, als ihn die Kugel traf. Sie sagte: »Er war ein bisschen kleiner als ich, aber sein Kopf muss ungefähr hier gewesen sein, ein paar Zentimeter mehr oder weniger, wenn man die Messfehler mit einrechnet.«

»Jessie lag im Bett«, sagte Jeffrey. Mit den Fäden am Leib konnte er sich nicht bewegen. »Swan muss also vor ihr gekniet haben.«

Sara entdeckte etwas, das aussah wie ein Handabdruck. »Hier«, sagte sie. »Siehst du das?«

»Ja«, er nickte. »Swan hat sich hier aufgestützt. Vielleicht hat er sich ans Bett gelehnt.«

»Er hat jedenfalls in die Richtung gesehen«, sagte Sara und zeigte aufs Bett. »Die Kugel ist hier seitlich eingetreten«, sie legte den Finger auf den Bereich über ihrem Ohr. »Auf der anderen Seite ist sie wieder ausgetreten.« Sie zeigte ein Stück Gewebe, das noch am Nachttisch klebte. »Da ist sein Ohrläppchen.«

»Es passt also alles«, sagte Jeffrey. »Robert stand ungefähr da, wo ich jetzt stehe, und Swan kniete neben dem Bett, was immer er da getan hat.«

»Er hat Jessie angesehen.«

Jeffrey ließ die Schultern sinken, und die Fäden bewegten sich. »Robert hat also die Wahrheit gesagt. Nicht mal gewarnt hat er ihn. Er hat ihn einfach kaltblütig erschossen.«

»Komm, ich befreie dich«, sagte Sara und begann, ihm die Nadeln abzunehmen. »Wir wissen immer noch nicht, warum.«

»Warum, ist sonnenklar«, sagte er und half ihr mit den Nadeln. »Er hat gesehen, wie ein anderer seine Frau gevögelt hat. Ich hätte genauso reagiert.«

»Aber du hättest niemanden erschossen.«

»Ich weiß nicht, was ich getan hätte«, sagte Jeffrey. »Wenn ich dich mit einem anderen erwischen würde ...«

»Erst hat er sie entdeckt«, sagte Sara. »Er hatte die Waffe aber nicht dabei, als er ins Zimmer kam.«

»Nein«, bestätigte Jeffrey. »Er muss noch mal rausgegangen sein, zu seinem Truck oder wo zum Teufel er das Ding hatte.«

»Dann kam er zurück«, fuhr Sara fort. »Das bedeutet vorsätzlicher Mord.«

»Ich weiß«, sagte Jeffrey und ließ die Nadeln in die Plastikschachtel fallen.

Sie wickelte den Faden wieder auf und fragte sich, was sie jetzt tun sollten. Robert hatte schon ein Geständnis abgelegt. Eigentlich waren sie hergekommen, um seine Geschichte zu widerlegen. Doch das Einzige, was sie zustande brachten, war zu beweisen, dass er den Mann mit Vorsatz erschossen hatte. Worum es ging, waren zehn Jahre mit der Chance auf frühzeitige Entlassung oder die Todesstrafe.

Vor dem Haus quietschten Reifen, als Jeffrey begann: »Ich frage mich, was ...«, dann schlug eine Autotür zu. Sie gingen nach vorn, um nachzusehen. Jeffrey riss die Tür auf. Die Frau vor der Tür wollte gerade anklopfen.

»Du!«, schrie sie hysterisch. »Du dreckiges Schwein! Ich hab gewusst, dass du hier bist!«

Jeffrey versuchte, ihr die Tür vor der Nase zuzuschlagen, doch sie war schon drin. Zuerst schlug Sara der Gestank entgegen, ein metallischer Geruch nach Menstruationsblut, obwohl die Frau längst in den Wechseljahren sein musste. Sie war ungeheuer fett, hatte wahrscheinlich einen Zentner Übergewicht, und ihr Gesicht war eine Maske schierer Wut.

»Du verdammtes Dreckschwein!«, schrie sie und schlug mit den Fäusten auf Jeffrey ein.

»Lane ...«, begann er und versuchte sie abzuwehren.

»Du hast meine Tochter umgebracht, du verfluchter Mörder!«, brüllte sie. »Du und dein verdammter Freund. Damit kommt ihr nicht durch!«

Jeffrey versuchte, sie zur Tür hinauszuschieben, aber sie widerstand ihm mit ihrem vollen Gewicht. Wieder schlug sie nach Jeffrey, diesmal fest genug, dass er rückwärtstaumelte. Die Tür schwang gegen die Wand, und er stürzte zu Boden.

Sara ging zu ihm, und bevor sie sich bremsen konnte, herrschte sie die Frau an: »Halt!«

Jetzt drehte sich die Frau zu Sara um und musterte sie voll Abscheu. »Ich hab von dir gehört«, sagte sie. »Du kleine Hure. Du weißt nicht mal, mit was für Abschaum du dich da eingelassen hast.«

Jeffrey schaffte es, sich aufzurichten, doch er atmete schwer, und Sara fürchtete, die Frau könnte ihm eine Rippe gebrochen haben.

»Wer ist das?«, zischte sie.

»Eric!«, schrie die Frau nach draußen. »Komm her. Und du auch, Kleiner.«

Jeffrey lehnte an der Wand, als könnte er sich allein nicht auf den Beinen halten. Sara wollte fragen, was hier los war, da sah sie die zwei kleinen Jungs, die zur vorderen Veranda kamen. Es waren bemitleidenswerte Kreaturen, sie waren unterernährt und starrten vor Dreck. Sara musste an zwei junge Vögel denken, die aus dem Nest gefallen und von ihrer Mutter im Stich gelassen worden waren. Allein der Anblick machte sie wütend. Wer ließ seine Kinder so verwahrlosen?

Die Frau packte einen der Jungen im Nacken und schubste ihn zu Jeffrey. »Begrüß deinen Papa, du Bankert.«

Sara fing den Jungen auf, bevor er hinfiel. Unter dem dreckigen grauen T-Shirt spürte sie die Rippen.

Die Frau sagte: »Das ist das Arschloch, das deine Mama vergewaltigt hat.«

Sara blieb die Luft weg. Sie sah Jeffrey an, doch er wich ihrem Blick aus.

»Vergewaltigt?«, stotterte Sara, das Echo hallte in ihrem Kopf nach.

»Hier, du Schwein«, schrie die Frau Jeffrey an. »Sei ein Mann, und übernimm einmal in deinem miesen Leben die Verantwortung für deine Taten.«

»Bitte«, Sara versuchte, irgendwie die Regie an sich zu reißen. »Nicht vor den Kindern.«

»Was?«, kreischte die Frau. »Ein Junge muss seinen Vater kennen. Stimmt's nicht, Eric? Du willst doch sicher den Mann kennenlernen, der deine Mama vergewaltigt und dann umgebracht hat?«

Neugierig sah Eric zu Jeffrey hoch, doch Jeffreys Miene war wie versteinert, und er würdigte das Kind keines Blickes.

»Alles in Ordnung?«, fragte Sara und strich dem Jungen das schmutzige Haar aus den Augen. Er musste etwa in Jareds Alter sein, doch irgendwie sah er kränklich aus. An den Armen und Beinen hatte er seltsame blaue Flecken. Sie fragte: »Bist du krank?«

Die Frau antwortete für ihn. »Er hat schlechtes Blut«, sagte sie. »Genau wie das Schwein von seinem Vater.«

»Raus hier«, knurrte Jeffrey drohend. »Sie haben hier nichts zu suchen.«

»Und jetzt lässt du Robert dafür bezahlen«, sagte sie. »Du verfluchter Feigling.«

»Sie wissen gar nichts.«

»Ich weiß, dass ich in Arztrechnungen ersaufe«, schrie sie zurück. »Keiner aus meiner Familie hat diese Scheißkrankheit je gehabt.« Sie sah den Jungen hasserfüllt an, als könne sie seine Nähe nicht ertragen. »Glaubst du etwa, ich hab zu viel Geld? Glaubst du, ich kann's mir leisten, den Kleinen jedes Mal ins Krankenhaus zu bringen, damit er 'ne Transfusion kriegt, wenn er mal wieder hingefallen ist?«

Jeffrey warnte: »Raus hier, verflucht noch mal, oder ich ruf Hoss.«

Doch sie gab nicht nach. »Hol ihn doch! Hol ihn her, dann können wir die Sache ein für alle Mal erledigen.«

»Es gibt nichts zu erledigen«, gab Jeffrey zurück. »Nichts hat sich verändert, Lane. Sie können gar nichts tun.«

»Zum Teufel mit dir«, zischte sie. »Jeder weiß, dass du sie vergewaltigt hast.«

»Die Sache ist seit drei Jahren verjährt«, sagte er, und die Tatsache, dass er genau wusste, wovon er sprach, machte Sara Gänsehaut. »Selbst wenn es Beweise gäbe, können Sie mir nichts anhaben.«

Die Frau streckte Jeffrey ihren dicken Finger ins Gesicht. »Dann bringe ich dich eben selbst um, du gottverdammter Bastard.«

»Ma'am«, versuchte es Sara, ohne Eric loszulassen. Er schien in Gedanken weit weg zu sein, als wäre er es gewohnt, dass Erwachsene sich so benahmen. Der andere Junge, der draußen geblieben war, spielte mit einem Plastiklaster und machte die Motorengeräusche nach. Sara wiederholte: »Nicht vor den Kindern.«

»Wer zum Teufel sind Sie?«, lachte ihr die Frau ins Gesicht. »Für wen halten Sie sich eigentlich?«

Sara hielt es nicht mehr aus. Sie musste ihrem Ärger Luft machen. »Ich weiß, dass der Junge krank ist. Und er ist schmutzig. Wie können Sie zulassen, dass er so verdreckt herumläuft?« Sie zeigte auf den anderen Jungen. »Und er genauso. Ich werde Sie beim Jugendamt anzeigen.«

»Machen Sie nur«, gab die Frau zurück. »Glauben Sie vielleicht, das kümmert mich? Zwei Mäuler weniger zu stopfen.« Doch während sie es sagte, streckte sie die Hand aus und winkte Eric zu sich. Der Junge folgte ihrem Befehl. Als Sara ihn zurückhalten wollte, spürte sie die Beulen auf seiner Haut.

Die Frau sagte zu Sara: »Ihr Freund hat meine Tochter vergewaltigt.«

Sara war schwindelig. Sie musste sich an der Wand festhalten.

»Er hat sie vergewaltigt und geschwängert, und am Ende, als sie um Hilfe gebettelt hat, hat er sie umgebracht, und ich musste den kleinen Bankert von einem Sohn selber großziehen.« Sie streckte Jeffrey wieder den Finger ins Gesicht. »Es ist noch nicht vorbei.«

»Doch«, sagte er. »Das ist es.«

»Sag deinem verfluchten Kumpel, wenn ich ihn auf der Straße erwische, ist er tot.«

»Ich kann Sie wegen Morddrohung anzeigen.«

»Du verfluchter Feigling«, sagte sie, dann räusperte sie sich mit einem höhnischen Grinsen. Bevor Jeffrey ausweichen konnte, hatte sie ihm ins Gesicht gespuckt.

»Es ist noch nicht vorbei«, wiederholte sie und packte Eric am Handgelenk. Seine Arme waren voller blauer Flecke, doch er ließ sich alles gefallen. Der andere Junge trottete zum Wagen zurück, als wenn nichts gewesen wäre und seine Mutter ihm gerade ein Eis versprochen hätte.

Jeffrey zog ein Taschentuch heraus und faltete es sorgfältig auseinander. Dann wischte er sich die Spucke aus dem Gesicht.

Sara brauchte ein paar Minuten, bis sie ihre Stimme wiedergefunden hatte. Die Anschuldigungen der Frau hallten noch immer in ihrem Kopf nach. Schließlich brachte sie heraus: »Willst du mir erklären, worum es hier geht?«

»Nein.«

Sie warf die Arme in die Luft. »Jeffrey, sie hat gesagt, du hättest ihre Tochter vergewaltigt.«

»Glaubst du ihr?«, fragte er und sah ihr in die Augen. »Glaubst du, ich hätte jemanden vergewaltigt? Ich hätte jemanden umgebracht?«

Sie war viel zu schockiert, als dass sie ernsthaft hätte darüber nachdenken können. Die Anschuldigungen hatten sie getroffen wie ein Hammer, sie konnte nicht klar denken.

»Sara?«

»Ich …« Sie schüttelte den Kopf. »Ich weiß nicht mehr, was ich glauben soll.«

»Dann haben wir uns wohl nichts mehr zu sagen«, sagte er und ging davon.

»Warte«, rief sie und folgte ihm auf die Straße. »Jeffrey.« Er drehte sich nicht um, und sie musste laufen, um ihn einzuholen. »Sprich mit mir.«

»Wozu? Du hast dich doch schon entschieden.«

»Warum willst du mir nicht sagen, was passiert ist?«

Er blieb stehen und drehte sich zu ihr um. »Warum lässt du es nicht einfach, Sara? Warum kannst du mir nicht einfach vertrauen?«

»Es geht hier nicht um Vertrauen«, sagte Sara. »Mein Gott, die Frau behauptet, du hättest ihre Tochter vergewaltigt. Sie sagt, du hast einen Sohn.«

»Das ist Bockmist«, zischte er. »Glaubst du etwa, ich könnte ein Kind haben, von dem ich nichts weiß? Das geht doch gar nicht.«

Sara dachte an Jared und widerstand dem Drang, ihm Nells Geheimnis ins Gesicht zu schleudern.

»Was ist?« Er wertete ihr Zögern als Misstrauen. »Weißt du was? Scheiß drauf.« Aufgebracht lief er weiter. »Ich dachte, du wärst anders. Ich dachte, ich könnte dir vertrauen.«

»Vertrauen ist hier nicht der springende Punkt.«

»Der springende Punkt«, wiederholte er. »Was für eine Scheiße.«

»Oh, wie erwachsen von dir«, sagte sie und imitierte ihn. »›Was für eine Scheiße‹.«

Sie griff nach seiner Schulter, um ihn zurückzuhalten, doch er schüttelte sie ab und riet ihr: »Du lässt mich jetzt besser allein.«

»Warum?«, fragte sie. »Willst du mich vielleicht auch vergewaltigen? Mich erwürgen?«

Sie hatte ihn schon wütend, fuchsteufelswild erlebt, doch als sie jetzt sah, wie sehr sie ihn verletzte, bereute sie die Worte sofort.

Sara versuchte sie zurückzunehmen, doch er schüttelte nur den Kopf. Er hielt einen Finger hoch, als wollte er etwas sagen, doch er sagte nichts. Schließlich schüttelte er noch einmal den

Kopf und ging davon. Er wollte anscheinend zum Haus seiner Mutter.

»Scheiße«, flüsterte Sara und stemmte die Hände in die Hüften. Warum war es nur immer so schwierig zwischen ihnen? Jedes Mal, wenn es mal eine Minute gut ging, kam ihnen etwas – meistens *jemand* – in die Quere und machte alles kaputt. Vergewaltigt. Alles, was von ihm behauptet wurde, konnte sie verkraften, nur das nicht. Warum hatte er ihr nichts davon erzählt? Warum hatte er ihr nicht vertraut? Wahrscheinlich aus demselben Grund, weshalb sie ihm nicht hundertprozentig vertraute.

Nell saß auf der vorderen Treppe. Als Sara kam, stand sie auf und streckte ihr die Hand entgegen. »Ich hab Lane Kendalls Wagen vor Roberts Haus gesehen. Was hat die alte Ziege gewollt?«

Sara wollte den Mund aufmachen, doch zu ihrer eigenen Überraschung brach sie in Tränen aus.

»Ach, Schätzchen«, sagte Nell und führte sie ins Haus. »Komm.« Sie zog Sara auf die Couch. »Setz dich her.«

Sara setzte sich und ließ sich von Nell in die Arme nehmen. Es war ihr peinlich, doch gleichzeitig war sie dankbar, und zwischen den Schluchzern brachte sie in unzusammenhängenden Fetzen all das heraus, was sie Jeffrey hatte sagen wollen.

»Die armen Kinder.«

»Ich weiß.«

»Sie waren so verdreckt, so hungrig.«

Seufzend schüttelte Nell den Kopf.

»So was darf es doch gar nicht geben.«

Nell strich ihr tröstend über das Haar. »Schsch …«

»Was ist passiert?«, flehte sie. »Bitte, sag mir einfach, was damals passiert ist.«

»Komm«, Nell reichte ihr ein Tuch aus einer Kleenexschachtel. »Putz dir erst mal die Nase.«

Sara schnäuzte sich die Nase und kam sich albern vor. Sie setzte sich auf, nahm sich noch ein Tuch und wischte sich über die Augen. »O Gott, es tut mir so leid.«

»Ein Wunder, dass das nicht schon viel früher passiert ist«, sagte Nell und nahm sich auch ein Tuch.

»Die Kinder …«, murmelte Sara. »Diese armen Kinder.«

»Ich weiß. Mir tut es jedes Mal in der Seele weh, wenn ich sie sehe.«

»Warum kann man denn gar nichts *tun?*«

»Frag mich nicht«, sagte sie. »Ich würd noch eine Anzeige in die Zeitung setzen, wenn ich das Gefühl hätte, dass sie jemand nimmt.«

Sara versuchte zu lachen, aber sie konnte nicht. »Was ist mit dem Jugendamt?«

»Weißt du, was der beste Witz ist?«

Sara wartete.

»Lane Kendall hat früher selbst beim Jugendamt gearbeitet.«

»Nein«, sagte Sara. Sie konnte es nicht glauben.

»Doch«, beharrte Nell. »Vor ungefähr fünfzehn Jahren war sie Sachbearbeiterin beim Jugendamt. Bis sie auf dem Weg zu einem Hausbesuch einen Autounfall hatte. Sie hat das County und den Staat verklagt und was weiß ich wen noch. Egal was für einen Schaden sie davongetragen hat, nach der außergerichtlichen Einigung ist sie zumindest nicht arm.«

»Und wofür gibt sie das Geld aus?«

»Jedenfalls nicht für die Kinder«, antwortete Nell grimmig. »Das Problem ist, dass sie weiß, wie der Hase läuft. Sie schafft es jedes Mal, dass ihr die Kinder doch nicht weggenommen werden. Beim Jugendamt haben sie Angst vor ihr. Wenn Hoss nicht ab und zu nach dem Rechten schauen würde, würde sie die zwei Jungs wahrscheinlich in den Schrank sperren und den Schlüssel wegwerfen.«

»Was hat der Kleine für eine Krankheit?«

»Irgend so eine Blutkrankheit«, sagte Nell. »Er kriegt ständig Transfusionen.«

»Ein Bluter?« Sara nahm an, Nell meinte Infusionen. Selbst in einer so kleinen Stadt wie Sylacauga müssten die Ärzte Bescheid wissen.

»Nein, was anderes, ein Bluter ist er nicht«, widersprach Nell. »Aber ich bin sicher, dass der Staat für die Rechnungen aufkommt.«

Sara ließ sich in die Couch sinken. Sie war schrecklich erschöpft. Die zwei Frauen saßen schweigend da, bis es plötzlich aus Sara herausbrach: »Ich bin vergewaltigt worden.«

Zum ersten Mal hatte Nell keine Antwort parat.

»Ich habe es noch nie laut gesagt«, sagte Sara. »Ich meine, dieses Wort. Ich sage immer, dass ich überfallen wurde oder angegriffen ...« Sie presste die Lippen zusammen. »Ich bin vergewaltigt worden.«

Nell ließ ihr Zeit, sich zu sammeln.

»Es ist damals passiert, als ich in Atlanta arbeitete«, sagte Sara. »Jeffrey weiß nichts davon.« Sie zupfte einen Faden aus dem Sofakissen.

Nell wartete einen Moment, dann sagte sie: »Da haben wir wohl beide unsere Geheimnisse vor ihm.«

»Ich habe noch nie so für einen Mann empfunden«, sagte Sara. »Für niemanden.« Sie versuchte, die richtigen Worte zu finden. »Ich habe das Gefühl, es ist nichts mehr unter meiner Kontrolle. Egal was mein Kopf mir rät, tief in mir ist etwas, das sagt: ›Hör nicht auf die Leute. Du kannst ohne ihn nicht leben.‹«

Nell sagte: »Diese Wirkung hat er auf Frauen.«

»Ich will nur ...« Sie drehte die Handflächen nach oben. »Ich weiß nicht, was ich will.« Dann zupfte sie wieder an dem Faden. »Ich kann ihm noch nicht mal ins Gesicht sagen, dass ich ihn liebe, aber jedes Mal, wenn ich ihn sehe, wenn ich nur an ihn denke ...«

Nell gab ihr noch ein Tuch. »Ich hab es nie geglaubt«, sagte sie. »Das Gerücht über ihn und Julia.«

»Welches Gerücht?«

»Es hieß, dass Jeffrey und Robert sie im Wald vergewaltigt hätten.«

Sara biss sich auf die Unterlippe. Nell sagte die Worte ganz nüchtern, doch sie taten ihre Wirkung. Das kleine Wort »vergewaltigt« war so unerhört profan.

»Sie war eine Schlampe«, sagte Nell. »Nicht dass das irgendwas entschuldigt. Gott, meine Schwester Marinell war schlimmer, aber sie prahlte wenigstens nicht damit.«

»Erzähl mir alles«, bat Sara. »Jeffrey will mir nichts sagen.«

Nell zuckte die Achseln. »Sie hat Dinge mit den Jungs gemacht. Ich weiß nicht, heute klingt es lächerlich, aber damals hat man so was einfach nicht getan.« Sie berichtigte sich. »Na ja, man hat's getan, aber man hat es eben für sich behalten.«

»Ich weiß es noch gut«, sagte Sara. Aus Angst hatte sie am Anfang nicht mit Steve Mann geschlafen, und später schämte sie sich so, dass sie es nicht genießen konnte.

»Julia war nicht hübsch«, sagte Nell. »Auch nicht hässlich, aber die Sorte Mädchen hat was an sich, das sie unansehnlich macht. Die Art, wie sie sich an jeden klammern, der ihnen ein bisschen Bestätigung gibt.« Sie starrte auf die Familienfotos an der Wand. »Wenn ich mir Jen ansehe, wird mir manchmal ganz anders, weil ich das Gefühl hab, ich sehe diese Abhängigkeit auch bei ihr. Sie ist noch nicht mal ein Teenager, aber sie hat jetzt schon diesen übertriebenen Drang nach Bestätigung.«

»Die meisten Mädchen sind so.«

»Wirklich?«

»Ja«, sagte Sara. »Manche können es nur besser verbergen.«

»Ich sage ihr ständig, dass sie hübsch ist. Possum ist sowieso verrückt nach ihr. Letztes Jahr ist er mit ihr zum Vater-Tochter-Ball gegangen. Gott, sieht mein Mann in seinem himmelblauen Smoking toll aus.«

Sara lachte, als sie versuchte, sich Possum im Smoking vorzustellen.

»Jetzt hat sie angefangen, Sport zu treiben«, sagte Nell. »Sie spielt Basketball und Softball. Das hilft.«

Sara nickte. Mädchen, die Sport trieben, hatten mehr Selbstbewusstsein – wissenschaftlich erwiesen. »Wenn ich zurückblicke, danke ich Gott für meine Mutter.« Sara lachte vor sich hin. »Nicht dass ich je ein Wort geglaubt habe, das sie gesagt hat, aber sie hat mir immer eingeredet, ich könnte alles erreichen, was ich will.«

»Offensichtlich hast du ihr doch geglaubt«, stellte Nell fest. »Schließlich bist du nicht nur wegen deines hübschen Gesichts Ärztin geworden.«

Sara wurde rot.

»Egal«, fuhr Nell fort und faltete ihr Papiertuch auf und zu. »Julia war eben leicht zu haben. Und sie machte kein Geheimnis draus. Sie dachte, es hätte was zu bedeuten, wenn Jungs mit ihr mitgingen. Als würde sie das zu was Besonderem machen. Als würden die Jungs sie lieben. Als wäre sie was Besonderes, weil sie ihnen nach der Schule hinter der Turnhalle einen blies. Sie hat sogar damit angegeben.«

»Ist Jeffrey mit ihr mitgegangen?«

»Die Wahrheit?«, fragte Nell.

Sara konnte nur nicken.

»Die Wahrheit ist, ich weiß es nicht. Ich weiß nicht, warum er es getan haben sollte. Schließlich hat er es damals regelmäßig von mir bekommen.« Sie lachte leise. »Aber bei Jungs in dem Alter weiß man ja nie. Würde ein Sechzehnjähriger eine Gelegenheit sausen lassen? Teufel, selbst erwachsene Männer können sich nicht zurückhalten. Sex ist eben Sex, und sie tun fast alles dafür.«

»Hast du ihn je gefragt, was passiert ist?«

»Den Mumm hatte ich nicht«, sagte Nell. »Heute hätte ich kein Problem mehr damit, aber du weißt doch, wie es ist, wenn man jung ist. Du hast Angst, dass er dich dafür hasst, was du sagst, und die nächste Mieze liegt schon auf der Lauer.«

»Wer war denn die nächste Mieze?«

»Ich dachte, Jessie, aber im Nachhinein weiß ich, dass er Robert das nie angetan hätte.« Nell zog die Füße unter ihren Hintern. »Ich glaube nicht, dass er es getan hat, sagt mir mein Bauchgefühl. Schon damals hatte Jeffrey diesen Kompass in sich, der ihm den Unterschied zwischen richtig und falsch zeigte.«

»Ich dachte, er hätte ständig Ärger gehabt?«

»O ja«, sagte Nell. »Aber er wusste genau, was er anstellte. Deswegen hab ich mich ja immer so aufgeregt. Er wusste, dass er Dummheiten machte. Aber er war noch nicht an dem Punkt, an dem er beschloss, auf seinen Bauch zu hören.« Sie fügte hinzu: »Der Bauch ist viel schlauer, als man meint.«

Sara dachte an die Unterhaltung mit ihrer Mutter gestern. »Mein Bauch sagt mir, dass ich ihm vertrauen kann.«

»Meiner auch«, stimmte Nell zu. »Ich weiß noch, als Julia am Tag nach der Vergewaltigung zur Schule kam. Es war furchtbar. Sie hat es jedem erzählt, der es hören wollte. Bis zum Mittagessen hatte die Geschichte in allen Einzelheiten die Runde gemacht, und wir konnten uns alle ausmalen, wie übel zugerichtet sie sein musste.« Sie hielt inne. »Dann habe ich sie auf dem Flur gesehen. Sie hat weiß Gott nicht so ausgesehen, als wenn sie wer weiß wie fertig gewesen wäre. Eher so, als ob sie die ganze Aufmerksamkeit genoss.« Nell zuckte wieder die Achseln. »Das Problem war, sie hat sowieso ständig gelogen. Sie hat gelogen, weil sie Aufmerksamkeit wollte, weil sie Mitleid wollte. Keiner glaubte ihr. Höchstwahrscheinlich war ihr selbst der Unterschied zwischen Wahrheit und Lüge gar nicht bewusst.«

»Was hat sie denn erzählt?«

»Dass Robert sie mit in die Höhle genommen hat und ihr Bier eingeflößt hat, um sie willig zu machen.«

»Und wann ist Jeffrey aufgetaucht?«

»Später«, erklärte Nell. »Die Geschichte hat ein Eigenleben entwickelt, so ist es bei solchen Sachen doch immer. Jeffrey hat Stein und Bein geschworen, dass er in der Zeit, als es passiert sein soll, mit Robert zusammen war, und dann hat sie wie beiläufig gesagt, ach ja, übrigens, Jeffrey war auch dabei. Sie hat gesagt, die beiden hätten sich abgewechselt.«

»Sie hat ihre Geschichte verändert?«

»Das hab ich gehört, aber es gibt eben verschiedene Gerüchte. Vielleicht hat sie auch von Anfang an gesagt, dass es beide waren, und ich hatte es nur falsch verstanden. Es ging alles drunter und drüber. Am Ende hieß es sogar, sie wäre von einer Bande aus Comer vergewaltigt worden. Ein paar Jungs von der Footballmannschaft wollten sich die Kerle schon vorknöpfen. Wenn so was passiert, drehen die Leute immer durch.«

»Und die Polizei ...« Sara brach ab. »Hoss.«

»Ja, klar. Hoss kam. Irgendein Lehrer hat Julia in der Schule herumheulen hören und hat Hoss gerufen.«

»Was hat er getan?«

»Sie befragt, schätze ich. Himmel, keiner wusste so gut wie er, wo sie wohnte. Kurz bevor ihr Vater starb, war er jedes Wochenende da draußen, wenn der Alte und Lane sich gekloppt haben.«

»Hat er auch Jeffrey und Robert befragt?«

»Wahrscheinlich«, sagte Nell, doch sicher war sie offensichtlich nicht. »Julia hat ihre Geschichte ziemlich schnell zurückgenommen, nachdem Hoss mit ihr geredet hatte. Sie hat aufgehört, an der Schule damit anzugeben und so zu tun, als wäre sie das Opfer gewesen. Die Leute wollten, dass sie was erzählte – nicht aus Anteilnahme, sondern weil es ein toller Skandal war –, doch sie sagte nichts mehr. Kein Wort. Einen Monat später oder so ist sie fort.«

»Fort?«

»Wahrscheinlich, um das Baby zu kriegen, keine Ahnung«, sagte Nell. »So fett, wie Lane ist, hat sich damals keiner was gedacht, als sie erzählte, sie wäre wieder schwanger.« Nell schwieg. »Es war ein Segen, dass der Alte abgekratzt ist. Er war ein Monster, tausendmal schlimmer als Lane. Schlimmer als Jeffreys Dad, wenn du mich fragst. Ein gemeiner, bösartiger Widerling.«

»Wie viele Kinder hatte sie?«

»Der letzte Stand war sechs.«

»Ist der Kleine, den ich heute gesehen habe – Sonny –, ist er ihr Jüngster?«

»Das ist ein Neffe. Keine Ahnung, warum sie ihn angenommen hat. Wahrscheinlich kriegt sie Geld vom Staat dafür.«

»Das ist unglaublich«, sagte Sara und fragte sich, wie jemand dieser Frau ein Kind anvertrauen konnte, geschweige denn zwei.

»Julia ist dann neun oder zehn Monate später zurückgekommen, und da war dann auch Eric da, ihr neuer Bruder.«

»Hat keiner was zu dem Timing gesagt?«

»Was hätte man schon sagen sollen?«, fragte Nell. »Und ein paar Wochen später war sie wieder fort. Es war einfacher zu glauben, dass Lane die Mutter des Babys war und Julia abgehauen ist. Dan Phillips, einer der Jungs aus der Footballmannschaft, ist zur gleichen Zeit abgehauen. Es gab wieder eine Menge Gerüchte, aber die legten sich bald. Es war für alle einfacher so, schätze ich.«

Nell richtete sich auf und holte ein Fotoalbum unter dem Couchtisch hervor. Sie blätterte die Seiten durch, bis sie fand, was sie suchte. »Hier, das ist sie, dahinten.«

Sara sah ein Foto von Possum, Robert und Jeffrey auf der Tribüne eines Stadions. Sie trugen ihre Letterman-Jacken, auf denen jeweils über der Spielernummer der Nachname eingestickt war. Jeffrey hatte den Arm um Nell gelegt, und sie schmiegte sich an ihn wie ein verliebter Backfisch. Unsinnigerweise spürte Sara einen Anflug von Eifersucht.

»Der Fiesling wollte mir nie seine Jacke geben«, beschwerte sich Nell, und Sara lachte, insgeheim erleichtert. Es war eine Ehre, in der Highschool die Letterman-Jacke eines Jungen tragen zu dürfen oder seinen Mannschaftsring. Dabei ging es meistens weniger um einen Beweis seiner Liebe als darum, die anderen Mädchen eifersüchtig zu machen.

Als hätte sie ihre Gedanken gelesen, fragte Nell: »Wessen Ring hast du getragen?«

Sara wurde rot. Steve Manns Ring war ein fetter Goldklumpen gewesen mit einem unglaublich hässlichen Schachkönig darauf – sehr viel uncooler als die Ringe, die die Sportler trugen. Sara hatte den Ring gehasst und ihn abgenommen, kaum dass sie nach Atlanta zog. Drei Monate brauchte sie, bis sie den Mut zusammengekratzt hatte, Steve den Ring mit einem Abschiedsbrief zurückzuschicken. Wenigstens hatte sich Sara Jahre später dafür bei ihm entschuldigt. Wenn sie ehrlich war, hätte sie wohl nie wieder einen Gedanken an ihn verschwendet, wenn die Ereignisse in Atlanta sie nicht zur Rückkehr nach Grant County gezwungen hätten.

Nell fasste ihr Schweigen falsch auf, wahrscheinlich glaubte sie, jemand wie Sara hätte in der Highschool keinen Freund gehabt. Sie sagte: »Na ja, es ist ein blöder Brauch. Jeffrey hatte keinen Mannschaftsring – konnte sich keinen leisten –, aber die anderen Mädchen trugen ihre Ringe am Finger, als wären sie verheiratet.« Sie lachte. »Dabei mussten sie den Ring mit Heftpflaster bekleben, damit er überhaupt hielt.«

Sara lächelte. Das Gleiche hatte sie auch getan.

Nell beugte sich wieder über das Fotoalbum. »Hier«, sagte sie und legte den Finger auf das verschwommene Bild eines jungen Mädchens, das auf einem Foto, das Possum und Robert zeigte, im Hintergrund stand. »Das ist Julia.«

Nach Nells Beschreibungen hätte Sara eine kleine Hexe erwartet, doch Julia sah genauso aus wie jeder andere Teenager damals. Das Haar hing ihr glatt bis zu den Hüften, und sie trug ein schlichtes Kleid mit Blumenmuster. Wenn, dann sah sie traurig aus, und statt der Eifersucht von eben empfand Sara nun unerwartet Sympathie für das Mädchen.

Nell sah näher hin. »Wenn ich sie mir jetzt so ansehe, war sie gar nicht so schlimm. Aber auf einem Foto kann man den Charakter eben nicht erkennen, nicht?«

»Nein«, stimmte Sara zu. Das Mädchen war recht hübsch. Und doch hatte das nicht ausgereicht, um Julia vor ihrem familiären Umfeld zu retten. Sie fragte: »Wurde sie von ihrem Vater missbraucht?«

»Er hat sie windelweich geprügelt.«

»Nein«, sagte Sara. »So meine ich es nicht.«

»Ach das …« Nell schien nachzudenken. »Ich habe keine Ahnung, aber zuzutrauen wäre es ihm.«

»Kannst du dir vorstellen, wer der Vater des Kindes gewesen sein könnte?«

»Keine Ahnung«, sagte Nell. »Wenn du eine Liste von allen aufstellen würdest, die mit ihr zusammen waren, da stünde die halbe Stadt drauf.« Sie sah Sara verächtlich an. »Auch Reggie Ray.«

»Er war doch viel jünger.«

»Na und?«

Sara gab ihr recht. Dann sagte sie: »Lane hat behauptet, dass Eric oft ins Krankenhaus muss. Es klingt nach einer Blutgerinnungsstörung.« Sie ging die Möglichkeiten durch. »Und die werden autosomal-rezessiv oder dominant vererbt.« Als sie Nells verwirrten Gesichtsausdruck sah, erklärte sie: »Entschuldige bitte. Das heißt, dass solche Störungen genetisch sind. Eins der zwei Proteine, die für die Blutgerinnung zuständig sind, ist defekt.«

»Muss ich das verstehen?«

»Bluterkrankheiten werden von den Eltern an die Kinder weitergegeben.«

»Aha.«

»Hast du eine Ahnung, ob Julia Probleme mit der Blutgerinnung hatte?«

»Nein«, sagte Nell. »Aber einmal hat Julia sich in Handarbeiten mit der Schere geschnitten, ziemlich tief. Keine Ahnung, ob es ein Unfall war. Jedenfalls hat sie nicht länger geblutet als jeder normale Mensch.«

»Wenn sie so was wie das Willebrand-Syndrom hätte, wäre es lebensgefährlich gewesen, wenn sie nicht medizinisch behandelt worden wäre«, sagte Sara. »Außerdem wären außer ihr noch andere in der Familie betroffen, und Lane hat eben selbst gesagt, dass das nicht der Fall ist.«

»Also denkst du, dass die Krankheit vom Vater kommt?«, fragte Nell. »Ich kenne niemanden in der ganzen Stadt, der so was hat.« Sie setzte nach: »Vor allem Robert nicht. Er wurde auf dem Sportplatz regelmäßig übel zugerichtet, und es hat ihm nie etwas ausgemacht.«

»Für Jeffrey gilt das Gleiche«, sagte Sara. Sie erinnerte sich, wie sie ihm einmal Blut abgenommen hatte. Er hatte nicht stärker geblutet als normal. Plötzlich schämte sich Sara allein für den Gedanken. Sie hatte nie geglaubt, dass Jeffrey für eins der beiden Verbrechen verantwortlich sein könnte, doch tief in ihrem Innern war sie erleichtert, einen unanfechtbaren Beweis zu haben.

»Ich könnte mich mal umhören«, schlug Nell vor.

»Es gibt graduelle Unterschiede«, sagte Sara. »Manche haben es und wissen es gar nicht. Bei Frauen ist es wegen der Monatsblutung leichter festzustellen. Normalerweise wissen sie, dass etwas nicht in Ordnung ist. Es muss also vom Vater kommen.«

»Eine Nadel im Heuhaufen«, sagte Nell. »Wer weiß, vielleicht hatte es Dan Phillips.« Sara sah sie fragend an.

»Der, der zur gleichen Zeit abgehauen ist wie Julia.« Sie griff nach dem Album und blätterte weiter. »Hier«, sagte sie und zeigte auf einen jungen Mann, der in der hinteren Reihe des Mannschaftsfotos stand.

»Er sieht gar nicht wie ein Footballspieler aus«, bemerkte Sara. Phillips war schmal und trug das schwarze Haar nach hinten gekämmt.

»Er war beim Training dabei. Den Kerlen ging es doch nur darum, im Team zu sein und die Letterman-Jacke zu tragen. Wenn du in den Heimwerkerladen gehst, hörst du sie heute noch von damals reden, als hätten sie den verdammten Superbowl gewonnen.«

»Die gute alte Zeit«, seufzte Sara. In Grant County war es dasselbe. Sie blätterte die Seite um und sah sich die anderen Fotos an. Sie entdeckte einen Schnappschuss in Schwarz-Weiß von Jared vor ein paar Jahren. »Er wird mal ein hübscher Mann.«

»Du wirst es Jeffrey doch nicht erzählen, oder?« Nell lächelte gezwungen. »Du brauchst nicht zu antworten.« Nell legte das Album zurück in das Fach unter dem Couchtisch. »Willst du immer noch abfahren?«

»Ich weiß nicht.«

»Bleib noch.« Nell tätschelte ihr das Bein. »Ich backe heute Abend Maisbrot.«

»Wo ist Robert?«

»Possum ist mit ihm Klamotten kaufen gegangen«, sagte sie. »Robert wollte nicht ins Haus zurück, und wer weiß, was Jessie bei ihrer Mutter mit seinem Zeug gemacht hat.«

»Was ist mit ihm?«

»Er wird schon wieder.«

»Nein«, sagte Sara, »ich meine, was ist mit Robert? Wir haben die ganze Zeit von Jeffrey gesprochen. Hast du je geglaubt, Robert könnte etwas mit Julia zu tun gehabt haben?«

Nell dachte nach, bevor sie antwortete. »Er hatte immer seine Geheimnisse.«

»Inwiefern?«

»Vielleicht ist ›Geheimnis‹ das falsche Wort. Er ist einfach sehr zurückhaltend. Redet nicht viel über seine Gefühle.«

»Jeffrey auch nicht.«

»Das ist was anderes. Robert lässt niemanden näher an sich ran.« Sie sank in die Couch zurück. »Alle haben immer gedacht, dass Possum der Außenseiter war, aber ich glaube, eigentlich war es Robert. Er war immer ein bisschen anders. Nicht dass Jeffrey ihn so behandelt hätte. Robert hat immer abgewartet, was Jeffrey tat, bevor er gehandelt hat.«

»Aber das ist bei Teenagern doch ganz normal.«

»Es war mehr als das«, sagte Nell. »Wenn Jeffrey in Schwierigkeiten geriet, nahm Robert die Schuld auf sich. Er war Jeffreys Sicherheitsnetz, und Jeffrey hat es akzeptiert.« Sie sah Sara an. »Kaum dass Jeffrey weg war, hat Robert das Gleiche für Hoss gemacht. Er würde für beide jederzeit den Kopf hinhalten, und das ist nicht übertrieben.«

Sara zögerte, dann sagte sie: »Robert sagt, er hätte Julia umgebracht.«

Irgendwas an Nells Ausdruck veränderte sich, doch Sara kam nicht drauf, was es war. Auch ihre Stimme klang plötzlich anders. »Das kann ich mir nicht vorstellen.«

»Nein«, sagte Sara. »Ich mir auch nicht.«

ZWANZIG

Jeffrey entdeckte den Impala seiner Mutter vor dem Krankenhaus. Sie hätte genauso gut zu Fuß zur Arbeit gehen können, doch May Tolliver wollte ihren ersten Drink nach der Schicht in der Krankenhaus-Cafeteria nicht unnötig hinauszögern.

Wie immer hatte sie die Fenster offen gelassen, damit sich der Wagen nicht in einen Backofen verwandelte. Jeffrey roch schalen Zigarettenrauch, als er die Tür öffnete. Seine Mutter bewahrte einen Zweitschlüssel im Handschuhfach auf. Er fand ihn unter einem Stoß kirchlicher Flugblätter und Hochglanzpamphlete, die wohl mal unter dem Scheibenwischer geklemmt hatten. May mochte eine kettenrauchende Alkoholikerin sein, doch sie warf keinen Müll auf die Straße.

Der Motor sprang an, nachdem er ein paar Mal das Gaspedal gepumpt hatte. Jeffrey fegte die Zigarettenasche von der Mittelkonsole, dann legte er den Gang ein. Die Fenster waren von einem Nikotinschleier überzogen, und Jeffrey wischte die Windschutzscheibe mit einem Taschentuch sauber, bevor er den Parkplatz verließ. Falls seine Mutter Feierabend machte, bevor er zurück war, würde sie eins und eins zusammenzählen und sich denken, dass Jeffrey sich den Wagen geborgt hatte. Als Teenager hatte er sich das Auto oft genug »geborgt«, und May hatte nie etwas gesagt. Die beiden Male, als Jeffrey von einem Hilfssheriff angehalten worden war, hatte May sogar darauf beharrt, sie habe ihrem Sohn die Erlaubnis gegeben.

Jeffrey fuhr ziellos durch die Straßen. Er fühlte sich, als wäre jemand gestorben. Vielleicht war es auch so. Auf einmal war da wieder das alte Gefühl, keine Kontrolle über sein Leben zu haben. Jeffrey befand sich im Auge eines Orkans, der alles verwüstete.

Er konnte es nicht fassen, dass Robert all die Jahre auch nur eine Minute geglaubt hatte, dass Jeffrey Julia Kendall getötet haben könnte. In Hoss' Büro war Jeffrey fast ausgerastet, als Robert diese Frage gestellt hatte. Doch selbst, als er es abgestritten hatte und Robert zu erklären versucht hatte, was wirklich passiert war, hatte der nur den Kopf geschüttelt, als wollte er nicht hören, was für Lügen Jeffrey ihm diesmal auftischte, um seine Tat zu vertuschen.

»Es spielt keine Rolle«, hatte Robert gesagt. »Ich nehme es auf mich.«

Jeffrey stellte fest, dass er ganz in der Nähe des Bestattungsinstituts war. Spontan machte er einen unerlaubten U-Turn und fuhr auf den Parkplatz. Er parkte hinter dem Haus und hoffte, Deacon White würde den Wagen nicht abschleppen lassen. Jeffrey hatte es so satt, dass er sich ständig alles borgen musste, Autos, Schuhe. Er wollte nach Hause, in seine Stadt, in sein Bett. Er wollte allein sein. Die Höhle war der einzige Ort, der ihm einfiel, der ein wenig Frieden versprach.

Als niemand aus dem Gebäude kam, um sich zu beschweren, stieg Jeffrey aus und lief über den Friedhof. Irgendwo hier lag sein Großvater, aber Jimmy Tolliver hatte seinen Namen nie erwähnt. Jeffrey nahm an, dass Jimmy alles, was er über das Thema Elternschaft wusste, von seinem Vater hatte, und das war nicht sehr viel.

Jeffrey hatte nie das Bedürfnis verspürt, unbedingt ein Kind zeugen und seine Gene weitergeben zu müssen. Vielleicht berichtigte die Natur mit ihm einen Fehler. Manche Menschen sollten ihr Blut nicht weitergeben.

Als er in den Wald lief, musste Jeffrey an Sara denken. Offensichtlich glaubte sie Lane Kendall jedes Wort, egal was für eine Lügnerin diese Frau war. Jeffrey spürte das brennende Schamgefühl noch genau wie damals, als Lane ihn vor der ganzen Stadt verleumdet hatte. Als sie behauptete, er habe ihre Tochter vergewaltigt, obwohl Julia ihre Geschichte so oft umgemodelt hatte, dass sie schon bald selbst die Übersicht verlor.

Was war Vergewaltigung eigentlich? Die Leute dachten immer an einen brutalen Akt, an einen verrückten Psychopathen, der eine Frau unter Mordandrohung zwingt, die Beine breit zu machen. Julia war mit einer Menge Jungs zusammen gewesen, und Jeffrey war überzeugt, dass sie keinen davon wirklich gewollt hatte. Sie hatte sich Liebe und Bestätigung erkaufen wollen, und Sex war ihre Währung. Und wahrscheinlich hatten die meisten Jungs, die mit ihr gegangen waren, das genau gewusst, doch in dem Alter fiel es schwer, darauf Rücksicht zu nehmen. Wenn sich ein Mädchen nur ein bisschen willig zeigte, war man schon fast am Ziel. Nett zu Julia zu sein, bevor sie den Rock hob, und sie danach ein paar Minuten im Arm zu halten, war ihr Preis. Manche Jungs machten sogar Witze darüber, wer was getan hatte, um in ihr Höschen zu kommen. An dem Tag, als Julia mit der verdammten Kette auftauchte und glaubte, sie hätte endlich jemanden gefunden, der sie liebte, hatten sich alle das Maul zerrissen. Der arme Trottel hatte sich wahrscheinlich ins Hemd gemacht, als sie anfing, damit hausieren zu gehen.

Vielleicht hatte der Kerl Mitleid mit ihr bekommen, als ihm auffiel, dass sie nicht so viel Spaß hatte wie er, wenn er in ihrem Mund kam. Aber wer konnte schon von sich behaupten, noch nie mit einer Frau geschlafen zu haben, die nicht gerade wahnsinnig scharf darauf war? Trotz seines Vollrauschs neulich Nacht hatte Jeffrey gewusst, dass Sara keine Lust hatte, aber er hatte sie doch dazu überredet. So verzweifelt hatte er die Erlösung gebraucht – diesen Moment, in dem alles gut zu sein schien –, dass ihm egal gewesen war, ob sie ihm nur einen Gefallen tat.

So hatte es Julia Kendall immer genannt, einen Gefallen. Jeffrey erinnerte sich noch an ihren Blick, als sie mit der billigen Kette herumspielte und fragte: »Hey, Slick, soll ich dir einen Gefallen tun?«

Vor dem Höhleneingang blieb Jeffrey stehen. Die Bretter waren rausgerissen worden, wahrscheinlich als Hoss das Skelett rausgeholt hatte. Julias Skelett. Jeffrey zögerte. Die Höhle war nun ein Grab und nicht mehr das Refugium seiner Jugend. Er ging hinein, denn im Moment konnte er sich keinen passenderen Ort für sich vorstellen.

In der Höhle setzte er sich auf die Bank und dachte wieder an Sara. Sie hielt ihn für schuldig, und warum auch nicht? Die Dinge, die sie von den Leuten hier hörte, waren schrecklich – und manches davon war wahr. Gott allein wusste, was Nell ihr im Moment für neue Flausen in den Kopf setzte. Damals, als Julia verschwand, war Nell plötzlich anders zu ihm gewesen. Sie hatte sich zurückgezogen, als vertraue sie ihm nicht mehr. Drei Wochen vor der Abschlussfeier hatte sie dann in der Turnhalle mit ihm Schluss gemacht. Sie hatte ihn angeschrien wie einen Hund. Mann, wie hatte sie ihn gehasst an jenem Tag. Jeffrey wusste bis heute nicht, was er eigentlich verbrochen hatte.

Er war aus der Turnhalle gestürmt und mit Julia zusammengestoßen. Sie war erst seit Kurzem zurück und sollte ihrer Mutter mit dem neugeborenen Baby helfen. Lane Kendalls Mann war tot, und Lane brauchte jede Hilfe, die sie kriegen konnte. Trotz der Verleumdungen im Jahr zuvor hatte Julia ihn nach dem Zusammenstoß vor der Turnhallentür gefragt, ob sie ihm einen Gefallen tun solle. »Warum nicht«, hatte er gesagt.

Die Vergewaltigungsgerüchte waren verebbt, nachdem Julia zum ersten Mal die Stadt verlassen hatte. Es hatte ohnehin keiner daran geglaubt. Julia hatte mit zu vielen Jungs hier geschlafen, als dass sich die Leute vorstellen konnten, jemand hätte sie dazu zwingen müssen. Warum sollte jemand Gewalt anwenden, wenn er das Gleiche auch auf die sanfte Tour kriegen konnte?

»Tut mir leid wegen damals«, erklärte Julia, als sie ihm durch den Wald zur Höhle folgte. »Ich wollte euch nicht in Schwierigkeiten bringen.«

»Du hast uns nicht in Schwierigkeiten gebracht.«

Sie lachte. »Das glaube ich«, sagte sie. »Der alte Hoss kann es nicht ausstehen, wenn euch jemand was anhängen will.«

Jeffrey antwortete nicht. Sie hatten die Höhle erreicht, und er schob die Ranken vor dem Eingang weg.

»Da drin ist es aber dunkel.«

»Willst du, oder willst du nicht?«, sagte er und gab ihr einen Schubs. Mit siebzehn hatte Jeffrey die hohe Kunst der Verführung noch nicht erlernt. Verdammt, er hatte nicht mal gelernt, sein Gehirn zu benutzen, wenn sich das Blut in seinem Körper an der einen Stelle staute. Damals vor der Höhle, mit der Aussicht, dass Julia in wenigen Minuten die eine Sache machen würde, die Nell nicht machte, war seine Hose so eng, dass er sich kaum rühren konnte.

»Bist du noch böse auf mich?«, fragte sie und musterte seine Hose mit einem neugierigen Lächeln. »Vielleicht sollte ich lieber nicht da reingehen.«

»Wie du willst«, sagte er und ging voraus. Seine Erektion war so schmerzhaft gewesen, dass er überrascht war, noch sprechen zu können.

Jetzt sah sich Jeffrey in der Höhle um und versuchte daran zu denken, wie es mit Sara hier gewesen war. Auf jeden Fall schöner als mit Julia. Julia war ihm schließlich in die Höhle gefolgt, doch nach ein paar Minuten brach sie in Tränen aus und sagte, sie habe ihr Leben versaut. Sie entschuldigte sich noch mal dafür, was sie über Jeffrey und Robert erzählt hatte. Doch Jeffrey wurde wütend, er hatte einen Blowjob gewollt und nicht ihre verdammte Lebensgeschichte.

Julia wollte ihn küssen, doch Jeffrey weigerte sich. Ihr Mund kam ihm plötzlich hässlich vor, und er konnte nur noch daran denken, wie viele Kerle schon vor ihm da gewesen waren. Schließlich schickte er sie weg. Als sie sich weigerte, war er gegangen. Und als er sie das nächste Mal wiedersah, waren nur noch die Knochen von ihr übrig. Sie lag auf der Felsbank, als wäre sie an jenem Tag eingeschlafen, während sie auf Jeffreys Rückkehr wartete.

Die Frage war, hatte Robert Julia wirklich umgebracht? Gott, er hatte sie gehasst dafür, dass sie das Gerücht von der Vergewaltigung verbreitet hatte. Anders als Jeffrey, der die Sache damit abgetan hatte, dass Julia nur Aufmerksamkeit wollte, hatte in Robert ein tödlicher Hass gebrodelt. Vielleicht war es für Jeffrey einfacher gewesen, weil er wusste, dass er im Herbst nach Auburn ging – oder auch, weil er wusste, wie unbegründet die Anschuldigungen waren. Jedenfalls hatte er sich die Sache nicht so zu Herzen genommen wie Robert. Vielleicht war Robert so wütend gewesen, weil er schuldig war. Jemand musste das Baby gezeugt haben.

Jeffrey holte tief Luft und atmete langsam wieder aus. Robert konnte sie nicht umgebracht haben. Er wusste nicht einmal, wie sie gestorben war. Doch irgendjemand war es gewesen. Jemand, der mit Julia in der Höhle gewesen war. Vielleicht war es zum Streit gekommen, oder vielleicht hatte der Typ einfach die Nase voll von ihr. So was hatte Jeffrey bei der Polizei in Birmingham andauernd erlebt. Es war deprimierend, aus erster Hand die erbärmlichen Ausreden zu hören, mit denen Leute begründeten, warum sie jemandem das Leben genommen hatten. Gab es einen Mann in Sylacauga, der sonntags zur Kirche ging, nach Feierabend mit den Kindern im Garten Baseball spielte und sich einredete, er sei trotz allem ein braver Mann, denn Julia Kendall hätte es nicht anders gewollt? Bei dem Gedanken wurde Jeffrey schlecht.

Er stellte den Fuß auf den Couchtisch und sah sich in der feuchten Höhle um. Damals, als sie die Höhle entdeckt hatten, war es der beste Ort der Welt gewesen. Jetzt war es nur noch ein feuchtes Loch. Schlimmer. Es war ein Grab.

Er richtete sich so weit wie möglich auf und ging hinaus in den Sonnenschein. Langsam machte er sich auf den Weg zurück zum Bestattungsinstitut und überlegte, was als Nächstes zu tun war. Er wollte Antworten, wollte die Sache ein für alle Mal klären. Robert würde ihm nicht helfen, doch als Cop war es Jeffrey gewohnt, dass vom Hauptverdächtigen keine Hilfe zu erwarten war. Vielleicht war das die Lösung – vielleicht sollte Jeffrey den Fall endlich als Polizist betrachten und nicht als Roberts Freund. So gesehen, hatte er einen wichtigen Schritt übersprungen: Er hatte nicht mit der Familie des Opfers gesprochen.

Ein paar Jahre bevor er nach Grant County zog, hatte sich Jeffrey zwei Wochen freigenommen und war mit dem Wagen durch den alten Süden gefahren, um all die historischen Stätten zu besichtigen, über die er als Heranwachsender gelesen hatte. Er hatte sich spontan zu der Reise entschieden, weil er für eine Weile aus Birmingham verschwinden musste, nachdem er einer gewissen Assistentin der Bezirksstaatsanwaltschaft, mit der er eine Zeit lang gegangen war, erklärt hatte, dass er sie auf keinen Fall heiraten würde. Aus heutiger Sicht waren diese zwei Wochen die schönsten seines Lebens gewesen.

Unter anderem hatte er das Biltmore House, Belle Monte und Monticello, den Landsitz von Thomas Jefferson, besucht. Er hatte Kriegsschiffe und historische Schlachtfelder besichtigt und war den Weg abgeschritten, den General Grant nach Atlanta genommen hatte. In Atlanta hatte er die alte Villa besucht, wo Margaret Mitchell den größten Teil von *Vom Winde verweht* geschrieben hatte, von ihr liebevoll, aber durchaus treffend, »die Bruchbude« genannt.

Und dann war Jeffrey per Zufall in einem klassizistischen Prachtbau gelandet, der »Swan House« hieß. Wie alle, die es in Georgia zu etwas gebracht hatten, waren die Inmans mit Baumwolle reich geworden, und ihr Haus sollte diesen Reichtum gebührend zum Ausdruck bringen. Sie heuerten den örtlichen Architekten Philip Trammell Shutze an, der einen meisterhaften Entwurf vorlegte: Swan House hatte die prächtigsten Zimmer, die Jeffrey je gesehen hatte, darunter ein Bad aus rosa Marmor, der kunstvoll gestrichen wurde, um wie weißer Marmor auszusehen, weil die Dame des Hauses es sich anders überlegt hatte. Am Ende der Besichtigung hatte sich Jeffrey in die riesige Bibliothek geschlichen und stundenlang die Bücher in den Regalen bestaunt. Ehrfurcht und Demut erfüllten ihn, der noch nie etwas Vergleichbares gesehen hatte, damals.

Im krassen Gegensatz zu Swan House war Luke Swans Haus ein so abgewrackter Schuppen, dass die Swans kurzerhand in einen Wohnwagen in der Einfahrt gezogen waren. Auf der Veranda stapelten sich Zeitungen und Zeitschriften und warteten nur auf die brennende Zigarettenkippe, die dem Ganzen den Rest geben würde. Es stank nach Armut und Hoffnungslosigkeit, und Jeffrey dachte nicht zum ersten Mal, dass große Teile des ländlichen Südens sich immer noch nicht von der Zeit nach dem Bürgerkrieg erholt hatten.

Als Jeffrey auf der Schotterpiste vor dem Haus parkte, rannten sechs oder sieben Hunde auf das Auto zu – die typische Alarmanlage der Hinterwäldler. Vor der Einfahrt reckte sich ein majestätischer Briefkasten mindestens einen Meter fünfzig in die Höhe, auf dem in verschnörkelter Schrift die Hausnummer stand. Jeffrey verglich die Nummer noch einmal mit der Seite aus dem Telefonbuch, die er aus der Telefonzelle vor dem *Yonders Blossom* herausgerissen hatte. Das Telefonbuch war mindestens zehn Jahre alt, aber in Sylacauga zogen die Leute nicht allzu häufig um. Es gab nur zwei Swans in der Stadt, und Jeffrey hatte geraten, dass Luke nichts mit den Swans zu tun hatte, die in der Nähe des Country Club wohnten.

»Haut ab!«, schrie eine Frau die Hunde an, als Jeffrey aus dem Wagen stieg. Die Tiere trollten sich, und die alte Frau trat auf die provisorische Terrasse aus Waschbetonplatten vor dem Wohnwagen hinaus. Sie stützte sich schwer auf einen Stock, und ihre Wangen waren eingefallen, wahrscheinlich hatte sie ihre Zähne in einem Glas im Wohnwagen gelassen.

Sie fragte: »Kommen Sie wegen dem Kabel?«

»Äh …« Jeffrey warf einen Blick auf den Wagen seiner Mutter und fragte sich, was die Frau dachte. »Nein, Ma'am. Ich bin gekommen, um mit Ihnen über Luke zu sprechen.«

Mit einer knorrigen alten Hand zog sie den Morgenmantel enger um sich. Als er näher kam, begriff er, dass sie kaum etwas sah.

Als hätte sie seine Gedanken erraten, erklärte sie: »Ich hab grauen Star.«

Sie sprach mit so breitem Dialekt, dass Jeffrey sie kaum verstand. »Das tut mir leid.«

»Sie können ja nix dafür«, sagte sie resigniert. »Kommen Sie rein. Obacht, Stufe. Mein Enkel wollte sie reparieren, aber, na ja, Sie wissen ja, was passiert is.«

»Ja, Ma'am«, sagte Jeffrey und trat vorsichtig auf die unterste Stufe. Der Stein bewegte sich, und er sah, dass der Regen die Erde unter dem Wohnwagen wegspülte. Mit dem Fuß schob er ein wenig Erde und Steine unter den Ziegel, dann folgte er der Frau in den Wohnwagen.

»Hab nicht viel zu bieten«, sagte die alte Frau, die Untertreibung des Jahrhunderts. Der Wohnwagen war ein Saustall, und man hatte das Gefühl, von den Wänden erdrückt zu werden. Auch hier stapelten sich überall Zeitungen und Zeitschriften, und Jeffrey fragte sich, warum sie den ganzen Kram aufbewahrte.

»Mein Mann, Gott hab ihn selig, war'n großer Leser.« Sie deutete auf die Zeitschriftenstapel. »Hab's nicht übers Herz gebracht, das Zeug wegzuschmeißen, als er gestorben is.« Sie fügte hinzu: »Hatte'n Emphysem. Sie rauchen doch nich, oder?«

»Nein, Ma'am«, sagte er und versuchte, ihr in den Hauptraum zu folgen, eine Kombination aus Küche, Wohnzimmer und Esszimmer auf kaum einem Quadratmeter Fläche. Es stank nach Hühnerfett und Schweiß mit der leicht medizinischen Note älterer Menschen, die nicht mehr auf sich achten.

»Das is gut«, sagte sie und tastete sich zu ihrem Sessel vor. »Rauchen is schlimm. Schrecklicher Tod.«

Neben sich entdeckte Jeffrey einen Stapel der Zeitschrift *Guns & Ammunition*, daneben lagen Heftchen mit noch weniger jugendfreiem Inhalt. Jeffrey sah die alte Frau an und fragte sich, ob sie wusste, dass sie weniger als einen Meter neben der Penthouse-Weihnachtsausgabe von 1978 stand.

Sie sagte: »Setzen Sie sich nur, wenn Sie 'n Platz finden. Das Zeug können Sie einfach wegschieben. Mein Luke hat immer hier gesessen und mir vorgelesen.« Sie tastete hinter sich nach dem Sessel. Jeffrey nahm sie am Ellbogen und half ihr, sich zu setzen. »Ich mag das *National Geographic.* Das *Reader's Digest* wird mir auf die alten Tage 'n bisschen zu freizügig.«

Er fragte: »Kommt denn jemand zu Ihnen, der Ihnen hilft?«

»Nur Luke«, sagte sie. »Seine Mutter is mit 'nem Vertreter abgehauen. Sein Daddy, Ernest, das war mein Jüngster. Na ja, aus dem is nie was geworden. Is im Gefängnis gestorben.«

»Das tut mir leid«, sagte Jeffrey und stakste über den klebrigen Teppich. Als er den Stuhl sah, blieb er lieber stehen.

»Sie entschuldigen sich aber für 'ne Menge, wofür Sie nix können«, sagte die Frau und tastete auf dem Tisch herum. Jeffrey sah den Teller mit Keksen und fragte sich, wie sie die ohne

Zähne aß. Als sie sich einen Keks in den Mund steckte, begriff er, dass sie sie lutschte.

Mit dem Mund voll Krümel redete sie weiter. »Seit zwei Tagen geht das Kabelfernsehen nich mehr. Ich bin fuchsteufelswild gewesen – mitten in meiner Lieblingssendung hat das Ding den Geist aufgegeben.«

Jeffrey wollte wieder sagen, dass es ihm leidtat, aber er beherrschte sich. »Können Sie mir von Ihrem Enkel erzählen?«

»Oh, er war 'n guter Junge«, sagte sie, ihr stoppeliges Kinn zitterte. »Is er noch beim Bestatter?«

»Ich weiß nicht. Ich glaube schon.«

»Weiß nich mal, wo ich das Geld für seine Beerdigung hernehmen soll. Ich hab doch nur die Sozialhilfe und das bisschen von der Spinnerei.«

»Haben Sie dort gearbeitet?«

»Bis ich nix mehr sehen konnte«, sagte sie und schnalzte mit der Zunge. Sie schwieg einen kurzen Moment, dann schluckte sie den aufgeweichten Keks hinunter. »Das war vor vier, fünf Jahren, schätz ich.«

Sie sah aus, als ob sie achtzig wäre, aber wenn sie bis vor Kurzem in der Spinnerei gearbeitet hatte, konnte sie noch nicht so alt sein.

»Luke wollte, dass ich mich operieren lass«, sie zeigte auf ihre Augen. »Aber ich hab kein Vertrauen zu den Ärzten. Ich war noch nie im Krankenhaus. Bin nich mal in einem geboren«, erklärte sie stolz. »Ich sag immer, nimm hin, was Gott für dich bereithält.«

»Das ist eine gute Einstellung«, sagte Jeffrey, auch wenn er nicht überzeugt war, ob das auch für grauen Star galt.

»Hat sich um mich gekümmert, der Junge, o ja«, sagte die alte Frau. Sie nahm sich noch einen Keks. Jeffrey betrachtete die kleine Küchenzeile und fragte sich, ob das alles an Lebensmitteln war, was die Frau im Haus hatte.

»Sagen Sie, war Luke vielleicht in irgendwas verwickelt? Vielleicht hatte er mit den falschen Leuten zu tun?«

»Hat bei den Leuten die Dachrinnen sauber gemacht und die Fenster geputzt. So hat er sein Geld verdient. Mit ehrlicher Arbeit.«

»Verstehe.«

»Er hatte auch schon mal Schwierigkeiten mit dem Gesetz, aber welcher Junge hat das nich? War immer irgendwas, aber der Sheriff is immer fair gewesen. Luke hat es den Leuten zurückgezahlt, und damit hatte es sich.« Sie steckte sich den Keks in den Mund. »Ich hätt so gern gesehen, wenn er 'n nettes Mädchen gefunden hätte, mein Luke. Das Einzige, was ihm gefehlt hat, war eine, die sich um ihn kümmert.«

Jeffrey vermutete, Luke Swan hatte sehr viel mehr gefehlt als das, aber er behielt seine Meinung für sich.

»Ich hab gehört, dass er was mit der Frau von diesem Hilfssheriff hatte.«

»Ja, das sagt man.«

»Hat immer ein Händchen für Frauen gehabt.« Aus irgendeinem Grund fand sie die Tatsache urkomisch. Sie klopfte sich auf die Knie, und Jeffrey sah ihr blankes Zahnfleisch und den Keks in ihrem Mund, als sie lachte.

Als sie fertig war, fragte er: »Hat er hier bei Ihnen gewohnt?«

»Dahinten. Ich hab hier auf dem Sofa geschlafen oder manchmal im Sessel. Ich kann überall schlafen. Als ich klein war, hab ich da draußen auf dem Baum geschlafen. Mein Daddy is manchmal rausgekommen und hat gebrüllt: ›Mädel, komm endlich vom Baum runter‹, aber davon bin ich nich mal aufgewacht.« Sie schmatzte. »Wollen Sie sein Zimmer sehen? Das wollte der andere Hilfssheriff auch.«

»Welcher Hilfssheriff?«

»Reggie Ray«, sagte sie. »Guter Junge. Manchmal singt er im Kirchenchor. Ich schwör's, der Junge hat 'ne Stimme wie 'n Engel.«

Jeffrey fragte sich, warum Reggie nicht erzählt hatte, dass er bei Luke Swan zu Hause gewesen war. Reggie arbeitete für den Sheriff und der Besuch war Routine, aber Jeffrey wunderte sich doch.

Er fragte: »Hat Reggie was gefunden?«

»Nich dass ich wüsste«, sagte sie. »Sie können gerne selbst nachschauen.«

»Vielen Dank«, sagte Jeffrey und tätschelte ihren Arm, bevor er in den hinteren Teil des Trailers ging.

Er musste die Schiebetür zum Bad schließen, um nach hinten zu kommen, doch zuvor blickte Jeffrey in das schmutzigste Klo, das er je gesehen hatte. Die Wände waren aus Spritzplastik, das wie Kacheln aussehen sollte, und der winzige Raum war von oben bis unten verschmiert. Hier hätte man nur noch mit dem Flammenwerfer sauber machen können.

Die alte Frau rief: »Was gefunden?«

»Noch nicht«, sagte Jeffrey und versuchte, durch den Mund zu atmen. Er öffnete die nächste Schiebetür. Wenigstens konnte der Gestank nicht schlimmer werden, dachte er. Doch er hatte sich geirrt. In Luke Swans Zimmer stank es wie in einem Schweinestall. Die Decke war zurückgeschlagen, und in der Mitte des Betts prangte ein verkrusteter Fleck. Über dem Bett baumelte eine nackte Glühbirne an einem Kabel. Jeffrey konnte nicht glauben, dass sich Jessie für einen Mann interessiert hatte, der so lebte. Sie war viel zu anspruchsvoll. Er gab es nicht gerne zu, aber Jessie hatte wahrlich mehr Klasse als das hier.

Zwei Plastikkisten am Ende des Bettes schienen seine Klamotten zu enthalten. Die Kisten waren durchsichtig, und Jeffrey war dankbar, dass er nichts anfassen musste, um hineinzusehen. Spinnweben und Staub vieler Jahre sammelte sich unter dem Bett, doch bis auf eine schmutzige weiße Socke war sonst nichts zu sehen.

Im Wandschrank war ein Spind untergebracht, wie man ihn aus Turnhallen kennt. Fleckige Unterhosen und Socken lagen im oberen Fach, T-Shirts und Jeans darunter. Jeffrey versuchte hineinzuspähen, ohne etwas anzufassen. Ein Blick genügte, und es juckte ihn am ganzen Körper. Doch dann riss er sich zusammen und griff in den Haufen Kleider hinein. Bis auf eine Badehose mit einem Riss im Schritt fand er nichts.

Jeffrey drehte sich um und sah sich noch einmal im Zimmer um. Um nichts in der Welt würde er die Matratze anfassen, selbst wenn ein Brief mit einem ausführlichen Geständnis darunter gelegen hätte. Außerdem hatte Reggie das wahrscheinlich erledigt. Falls er irgendetwas Belastendes gefunden hätte, hätte er es Robert längst unter die Nase gerieben.

Mit dem Fuß schob Jeffrey Swans Kleider zurück in den Wandschrank. Doch dann kam ihm eine Idee, und er riss die Kleider noch einmal heraus. Er packte den Spind an beiden Seiten und wuchtete ihn aus dem Einbauschrank heraus.

Metall kreischte auf Metall, der Wohnwagen wackelte und die alte Frau rief: »Alles in Ordnung bei Ihnen?«

»Ja, Ma'am«, antwortete Jeffrey, doch als sein Blick hinter den Spind fiel, war plötzlich nichts mehr in Ordnung.

»Was …«, begann er, doch er brachte die Frage nicht über die Lippen. Er sackte auf das schmutzige Bett, während er sich das Gehirn zermarterte nach irgendeiner Erklärung oder Geschichte – irgendwas, das Robert entlastete, statt mit dem Finger direkt auf ihn zu zeigen. Doch Jeffrey kam immer wieder zu dem gleichen Schluss, und jetzt wollte er einen Drink, mehrere Drinks, so dringend, dass er bereits zu spüren glaubte, wie der Alkohol in seiner Kehle brannte.

»Nein«, sagte er, als könnte er damit alles rückgängig machen. »Nein«, wiederholte er, doch er musste die Frage stellen: »Robert, was hast du nur getan?«

EINUNDZWANZIG

15.09 Uhr

»Jared?«, fragte Smith und knallte den Hörer auf die Gabel. »Wer ist Jared?«

Sara sah sich panisch um, und Lena versuchte ihn abzulenken. »Sie haben gesagt, Sie würden Marla gehen lassen.«

»Halt den Mund«, bellte Smith und ging auf Sara zu. »Wer ist Jared?«, wiederholte er. »Wer ist das?«

Sara schwieg.

Smith drückte ihr die Mündung der Schrotflinte ans Ohr. »Ich frage ein letztes Mal«, sagte er. Sein Akzent wurde stärker, und seine Stimme war jetzt ein paar Oktaven tiefer. »Wer ist Jared?«

Jeffrey meldete sich mit schmerzverzerrter Stimme: »Jeffreys Sohn.« Selbst Lena hörte ihm die Unsicherheit an. Es war keine Aussage, er stellte Sara eine Frage.

»Er wusste nichts davon«, sagte Sara zu Smith und drückte Jeffreys gesunde Schulter. »Jared hatte einen Vater, mit dem er aufwuchs.«

Smith riss die Flinte zurück und legte sich den Lauf auf die Schulter. »Arschloch«, spuckte er aus, dann drehte er sich zu seinem Komplizen um. »Hast du das gehört, Sonny? Er hat noch 'n Kind.«

Lena sah, wie Saras Gesicht krampfartig zuckte. Sie weiß es, dachte Lena. Sie weiß, wer die beiden sind.

Sonny war wütend, dass er verraten worden war, und zischte: »Vielen Dank, *Eric.*«

Smith lief zu seinem Partner, und die beiden flüsterten aufgebracht miteinander. Lena versuchte etwas aufzuschnappen, doch sie waren zu leise. Als Lena einen Blick auf Marla riskierte, sah sie das Funkeln in den Augen der alten Frau. Marla hatte sich ganz offensichtlich die ganze Zeit verstellt. Lena versuchte zu erkennen, was Marla mit dem Messer gemacht hatte, wo sie es versteckt hatte.

»Leck mich am Arsch!«, schrie Smith, und Sonny versetzte ihm einen Stoß, dass Smith strauchelte und stürzte.

Glas und Schutt flogen durcheinander, als Smith versuchte, wieder auf die Füße zu kommen. Er riss sich die Maske herunter, und jetzt wurde Lena von Angst ergriffen, als umklammerte eine kalte Faust ihr Herz. Smith packte Sonny am Kragen und beschimpfte ihn, und Lena hatte nur noch den einen Gedanken, dass sie nun alle sterben würden. Er hatte sein Gesicht gezeigt. Es war ihm egal, wer ihn sah, was nur bedeuten konnte, dass keiner hier überleben sollte.

Sara schrie: »Schaut auf den Boden! Seht ihn nicht an!«

Molly gehorchte, doch bei Lena war es zu spät. Smith wirbelte auf dem Absatz herum, seine Stiefel knirschten in den Glasscherben. Ihre Augen trafen sich, und Lena dachte, dass sie noch nie im Leben Augen gesehen hatte, die so tot aussahen. Smith stürzte mit erhobener Flinte nach hinten. Lena versuchte ihn festzuhalten, doch er schüttelte sie ab wie eine Fliege.

»Seht ihm nicht ins Gesicht!«, wiederholte Sara, dann traf sie Smiths Schlag, und sie sackte zur Seite. Trotzdem flehte sie Molly noch einmal an: »Sieh ihn nicht an. Mach die Augen zu.«

Smith trat Sara gegen ein Schienbein, das sofort aufplatzte. Er brüllte: »Was soll das?«

»Sie hat Sie nicht gesehen!«, schrie sie zurück und setzte sich auf. »Molly hat Sie nicht gesehen! Mach die Augen zu!«

Sie streckte die Hand nach Molly aus, doch Smith riss die beiden auseinander.

»Sie hat zwei Kinder«, winselte Sara. »Zwei Jungs zu Hause. Lassen Sie sie gehen. Sie hat Sie nicht gesehen.«

Molly saß an derselben Stelle, an der sie die ganze Zeit gesessen hatte. Sie hielt Jeffreys Hand und hatte die Augen fest geschlossen. Sie sah aus, als betete sie.

»Sie hat Sie nicht gesehen«, wiederholte Sara mit zitternder Stimme. »Sie hat Sie nicht gesehen. Lassen Sie sie gehen.«

Smith starrte die Frauen an, seine Augen zuckten von einer zur anderen, und Lena sah, wie er mit sich kämpfte. Dann warf er einen Blick über die Schulter zu seinem Partner, doch nach seiner Meinung fragte er nicht.

Lena sagte: »Sie sollten Molly gehen lassen. Sie kann Marla wegbringen.«

Smith schien darüber nachzudenken. »Was ist mit meinem Arm?«, fragte er. Er wandte sich wieder an Molly, die mit geschlossenen Augen dasaß. »Du hast gesagt, du nähst die Wunde.«

»Ich brauche das Lidocain«, sagte sie. »Ich brauche ...« Sie drehte sich um und sah Lena seltsam an. »Gib mir fünfzehn Kubik Lidocain, zweiunddreißig Prozent.« Sie sprach jedes Wort überdeutlich aus. »Fünfzehn Kubik, zweiunddreißig Prozent.«

Sara konnte ihre Verwirrung nicht schnell genug verbergen. Lena sah, wie sie die Brauen runzelte, doch Smith kannte sich offensichtlich gut genug aus; er sagte: »Wollt ihr mich einschläfern?« Er trat sie mit der Stiefelspitze. »Oder was?«

»Nein«, gab Molly zurück. Ohne Smith anzusehen, riskierte sie einen Blick auf die Uhr und erinnerte Lena so daran, dass um 15.32 Uhr gestürmt werden sollte. Lena nickte kaum merklich, um ihr zu signalisieren, dass sie verstanden hatte. Sie hatten noch zwanzig Minuten Zeit.

Smith drückte Molly die Flinte ins Gesicht, er wurde sichtlich nervöser. »Raus mit dir«, sagte er. »Ich vertrau dir nicht. Nimm die Alte mit.«

Molly stand auf, und Sara mit ihr.

»Was machst du da?«, fragte Smith.

»Sie ist eine Freundin«, sagte Sara und umarmte die Krankenschwester. »Richte meiner Familie aus …«, begann Sara, dann versagte ihr die Stimme.

Molly ging zu Marla und versuchte, ihr beim Aufstehen zu helfen, aber die alte Frau war zu verängstigt.

»Kommen Sie«, sagte Lena und nahm Marla unter dem Arm. Sie zuckte zusammen, als Marla ihr plötzlich an den Po griff, doch dann begriff sie, dass sie ihr das Messer in die hintere Hosentasche gesteckt hatte.

Lena riskierte einen Blick, doch Smith hatte nichts mitbekommen. Auch Sonny wirkte ahnungslos.

»Also schön«, sagte Smith und zeigte auf die Tür. »Bewegt euch.« Er wedelte mit der Flinte in Richtung Marla. »Mach schon, bevor ich es mir noch mal anders überlege.«

Molly hielt den Kopf gesenkt, als sie mit Marla nach vorn ging. Lena sah, dass sie am ganzen Körper vor Angst zitterte. Anscheinend war ihr klar geworden, dass ihr Rücken so lange eine Zielscheibe darstellte, bis sie sicher auf der anderen Straßenseite wäre.

Smith schlenderte träge hinter den beiden her. Er flüsterte etwas, als er an Lena vorbeikam, doch sie war froh, dass sie ihn nicht verstanden hatte. Mit undurchdringlicher Miene fragte sie sich, wie sie das Messer aus der Hosentasche bekäme, um es Smith ins Herz zu rammen.

»Psst«, machte Brad. Sie hob das Kinn. »Was hat sie gemeint?«

Lena versuchte, so leise wie möglich zu sprechen. »Die Zeit.«

Brad dachte einen Moment nach. »Fünfzehn Uhr zweiunddreißig?«, flüsterte er, und sie nickte. »Auf dein Signal.«

»Los«, bellte Smith seinen Partner an, woraufhin Sonny sich auf den Tresen lehnte und die Schrotflinte in Position brachte. »Jetzt!«

Als Lena begriff, was sie vorhatten, stürzte sie los und schrie: »Nein!« Im selben Moment löste sich der Schuss.

Sie war ein paar Meter weg gewesen, und Smith hatte reichlich Zeit, ihren Angriff abzuwehren. Er sah genervt aus, und wie vorher stieß er sie weg wie eine lästige Fliege. Lena stand schnell wieder auf, doch diesmal nicht, um ihn anzugreifen. Durchs Fenster sah sie, wie sich Molly über Marla beugte. Sonny hatte der alten Frau in den Rücken geschossen. Die Männer vom Sondereinsatzkommando schwärmten aus, sie gaben den beiden Frauen Feuerschutz und zerrten sie in die Reinigung.

»Marla.« Lena starrte aus dem Fenster. »Sie haben Marla erschossen.« Dann stürzte sie sich mit erhobenen Fäusten auf Smith. »Du verdammtes Schwein!«, schrie sie und schlug auf ihn ein. Doch er war genau wie Ethan – ein einziges Paket aus Muskeln.

»He«, rief Smith und trat einen Schritt zurück. Mit Leichtigkeit hielt er ihre Hände fest und lachte über ihren Zorn. »Nicht so stürmisch.« Er packte sie am Hintern und zog Lena an sich. »Na, gefällt dir das, Lady? Gefällt dir mein großer dicker Schwanz?«

Lena biss die Zähne zusammen. »Sie haben sie umgebracht«, zischte sie und krallte die Fingernägel in seinen Arm. »Sie haben die alte Frau umgebracht.«

Er kam mit dem Mund dicht an ihr Ohr. »Vielleicht bring ich dich auch um, Schätzchen. Aber keine Sorge, davor haben wir noch ein bisschen Spaß.«

Sie zuckte zurück und riss dabei den Verband los, den er sich um den Bizeps geschlungen hatte. Sie warf das blutige Stück Stoff auf den Boden, dann wischte sie sich die Hände angeekelt an der Hose ab. »Du Schwein«, sagte sie. »Du verdammter Mörder.«

Er hielt sich den Arm, und sie sah Blut zwischen seinen Fingern durchsickern. »Das ist nicht gut«, sagte er.

Sonny legte die Flinte hin und zog ein Stofftaschentuch aus der Hosentasche. »Hier«, sagte er und gab Smith das Taschentuch.

»Verbind mir den Arm«, befahl Smith und hielt es Lena hin.

»Leck mich am Arsch«, sagte Lena und kassierte eine Ohrfeige dafür, die sie zu Boden warf.

»Mach schon«, er gab ihr das Taschentuch.

Lena stand auf und nahm das Stück Stoff. Sein Arm blutete stark, obwohl die Wunde nicht tief war, soweit sie sehen konnte. Trotzdem legte sie ihm einen Druckverband an, den sie fest anzog. Sie wünschte, sie würde ihm damit die Gurgel zuschnüren.

»Was guckst du so?«, fragte Smith Sara. Er schob Lena weg und durchquerte den Raum. Sonny hatte das Gewehr wieder im Anschlag und sah Lena warnend an, bevor er sich der Tür zuwandte.

Smith wiederholte: »Was ist?«

»Nichts«, erklärte Sara, die wieder bei Jeffrey kniete. Sie legte ihm die Hand auf die Stirn, und Lena sah, dass er sich bewegte, doch er war nicht mehr bei Bewusstsein. »Er muss ins Krankenhaus.«

»Wir machen das hier«, sagte Smith und schob mit dem Fuß den Verbandskasten zu ihr rüber. Zu Lena sagte er: »Du nimmst den anderen Kram.«

Lena griff nach dem Defibrillator und dem Infusions-Kit und warf einen Blick über die Schulter. Brad arbeitete sich in Sonnys Richtung vor, aber er war noch nicht nahe genug dran.

»Ich bin kein Gefäßchirurg«, sagte Sara.

»Das schaffst du schon«, sagte Smith und nahm Lena die Tasche ab.

Sara ließ nicht locker. »Die Achselschlagader ist getroffen. Ich kann überhaupt nichts sehen.«

»Mir egal«, sagte er und kniete sich neben Jeffrey.

»Ich kann unter diesen Umständen keinen Eingriff vornehmen«, erklärte sie. »Ich bin keine Anästhesistin.«

»Wenn du dir noch mehr Ausreden ausdenkst, bekomme ich das Gefühl, dass du ihm gar nicht helfen willst.« Smith leerte das Infusions-Kit auf dem Boden aus.

»Was machen Sie da?«

»Wir geben ihm eine Chance«, sagte Smith und knöpfte Jeffrey die Manschetten auf.

»Lassen Sie mich das machen«, widersprach Sara, doch Smith winkte ab.

Sara fragte: »Warum tun Sie das?«

»Warum nicht?« Er zuckte die Achseln und rollte Jeffrey den Ärmel hoch. »Hab sonst nichts zu tun.« Dabei warf er Lena über die Schulter einen Blick zu. Sie wusste immer noch nicht, ob er vor ihr angeben wollte oder einfach gerne Spielchen spielte.

»Sie sollten die Kanüle ...« Doch Smith brachte Sara mit einem warnenden Blick zum Schweigen.

Lena sah zu, wie er Jeffrey den Gummischlauch um den Oberarm schlang. Er war kein Experte, doch beim dritten Versuch traf er mit der Nadel die Vene.

Smith lachte über seine Fehlversuche. »Gut, dass er bewusstlos ist.«

»Sie scheinen zu wissen, wie man das macht«, sagte Sara. »Wie oft brauchen Sie Infusionen?«

Er blickte sie an, und Lena sah erst den Schreck in seinen kristallblauen Augen, dann wirkte er plötzlich geradezu erfreut. Sara und er starrten einander sekundenlang an, dann lachte Smith.

»Du hast ganz schön lange gebraucht.«

»Sie haben es falsch verstanden«, sagte Sara, und Lena wünschte, sie wüsste, wovon zum Henker Sara sprach. »Sie haben alles völlig falsch verstanden.«

»Vielleicht«, sagte er und warf seinem Komplizen einen Blick zu. Der andere stand am Fenster und sah hinaus, als ob ihn das alles nichts anginge. Und doch wusste Lena, dass er sie beobachtete. Sonny, oder wie er hieß, hatte Augen im Hinterkopf.

Smith legte die Infusion, dann rief er Lena zu: »Halt das.« Er gab ihr den Infusionsbeutel. »Mach dich nützlich.«

Lena setzte sich mit dem Rücken zur Wand. Sie legte eine Hand hinter den Rücken, mit der anderen hielt sie den Beutel hoch. Smith stand weniger als dreißig Zentimeter von ihr entfernt, und doch hatte Lena keine Ahnung, was sie tun sollte.

Smith öffnete den Arztkoffer. »Sag mir, was du brauchst.«

Sara sagte: »Ich kann das nicht.«

»Lady«, sagte Smith. »Du hast keine Wahl.«

Sie setzte sich zurück und schüttelte den Kopf. »Ich kann nicht.«

»Für jede Minute, die du dich weigerst, erschieße ich ein Kind«, sagte er. Als sie nicht reagierte, nahm er die Pistole aus seinem Gürtel, hielt sie hoch und richtete die Mündung auf eins der Mädchen.

Brad stellte sich ihm in den Weg, doch Smith sagte nur: »Dich erschieß ich auch.«

»Und dann?«, fragte Sara. »Wenn Sie alle erschossen haben und nur ich noch übrig bin?«

Er nickte in Lenas Richtung, ohne sie anzusehen. »Mir fallen noch ein paar Sachen ein, die ich tun könnte«, sagte er. »Was hältst du davon, Frau Doktor? Willst du zugucken?«

»Das würden Sie nicht tun!«, sagte Sara, obwohl sie genau wusste, dass er es täte.

Er fragte sie: »Meinst du, so was liegt in der Familie?«

Sara sah zu Boden, ihr Gesicht färbte sich dunkelrot.

Lena konnte sich nicht mehr beherrschen. »Wovon redet ihr überhaupt?«

»Du weißt es nicht?«, gab Smith zurück. »Natürlich nicht. Er wird nicht jedem verraten haben, dass er ein Vergewaltiger ist.«

»Wer?«, fragte Lena, während Sara im gleichen Moment sagte: »Nein.«

»Das gefällt dir nicht, was?«, fragte Smith. Er zielte immer noch in Brads Richtung. »Und du, Skippy? Wie gefällt dir das?«

Brad schüttelte den Kopf. »Das ist nicht wahr.«

»Was ist nicht wahr?«, fragte Lena.

Smith wandte sich an Sara. »Sag's ihnen, Doc. Sag ihnen, warum wir alle hier sind.«

»Nein«, beharrte Sara. »Sie haben alles ganz falsch verstanden.«

Smith verzog die Lippen zu einem schrecklichen Grinsen, als er zu Lena sagte: »Dein Boss, der große Chief Tolliver, der mit weggeschossener Birne da draußen liegt? Er hat meine Mutter vergewaltigt, und ich bin derjenige, der dafür bezahlen musste.«

ZWEIUNDZWANZIG

Dienstag

Sara erwachte aus einem tiefen Schlaf. Diesmal hatten sie keine Träume geängstigt. Sie lag in Jareds kleinem Bett und blickte zu einem lebensgroßen Gummiadler, dem Maskottchen des Auburn College, empor, der an einem Draht über ihr an der Decke hing. Wie der Junge schlafen konnte mit diesem Vieh über der Nase, das aussah, als würde es sich jeden Moment auf einen stürzen, war ihr ein Rätsel. Doch kleine Jungs waren seltsame Geschöpfe, das belegte auch der glupschäugige Leguan, der sie aus seinem Glaskäfig hungrig anstarrte.

Sie setzte sich auf und rieb sich den Schlaf aus den Augen. Obwohl die Klimaanlage an war, schwitzte sie. Eigentlich machte sie nicht gerne Nachmittagsschläfchen, und wie um sie daran zu erinnern, machte sich jetzt ein pochender Schmerz in ihren Schläfen bemerkbar.

In der Küche fand sie Cola und eine Aspirin. Mit dem Koffein und der Tablette hoffte sie, die sich ankündigende Migräne noch abwehren zu können. Vielleicht spien die Schlote der Baumwollspinnereien oder beim Steinbruch irgendeinen Dreck in die Luft. Jedenfalls hatte Sara seit dem Moment, als sie in Sylacauga angekommen war, Kopfschmerzen.

Wie ein Zombie wankte sie durchs Haus. Mit dem Mittagsschlaf hatte sie Kräfte sammeln wollen, doch jetzt war sie vollkommen gerädert.

Nell hatte sie vor dem Kinderbad gewarnt, und nachdem sie einen flüchtigen Blick hineingeworfen hatte, wusste Sara auch warum. Handtücher und Kleider lagen auf dem Boden verstreut, und wenn man bedachte, wie alt Jen und Jared waren, tummelte sich in der Wanne eine erschreckende Anzahl von Gummitieren.

Sara durchquerte das Elternschlafzimmer und stellte fest, dass Nell einen überraschend guten Geschmack hatte. Ein großes, altes, massives Ehebett mit einem handgemachten Quilt stand schräg in einer Ecke und bot einen wunderschönen Ausblick auf den sonnigen Garten. Die andere Ecke nahm ein antiker Schaukelstuhl ein, der Fernseher stand auf einer schönen alten Kommode.

Wie das Schlafzimmer war auch das Bad sauber und ordentlich. Die Handtücher waren farblich auf den Quilt abgestimmt, und auch die Fußmatten passten zum Ensemble. Sara stellte die Colaflasche auf den Wannenrand und setzte sich aufs Klo. Mit dem Handrücken verbarg sie ein Gähnen. Sie wollte gerade ein Stück Klopapier von der neuen Rolle abwickeln, als sie plötzlich ein Geräusch vorn im Haus hörte. Wie ein Bauerntölpel hatte Sara die Badezimmertür offen stehen lassen, und jetzt spülte sie hastig und zog sich die Hose hoch. Aus den vorderen Zimmern kam ein lautes Krachen. Sara wollte schon rufen, ob jemand Hilfe brauchte, doch dann hielt sie inne. Irgendwas kam ihr verdächtig vor.

Vorsichtig schlich sie sich ins Schlafzimmer zurück, als es wieder laut krachte. Jemand war in der Küche und durchsuchte die Schränke, genau wie es Sara am Vortag bei Jessie getan hatte.

Als sie sich umsah, stellte sie fest, dass sie in der Falle saß. Vom Bad kam man nur ins Schlafzimmer, und bis auf das Fenster war der einzige Ausgang die Tür zum Flur. In diesem Moment näherten sich Schritte, und Sara stürzte zurück ins Bad, sprang in die Wanne und zog den Duschvorhang zu.

Wer immer es war, ganz offensichtlich suchte er etwas. Schranktüren wurden aufgerissen, und der Inhalt der Regalfächer flog auf den Boden. Sara spürte, wie ihr eine Schweißperle über die Stirn rann, als der Eindringling das Bad betrat.

Sie sah den Schatten eines großen Mannes, der neben der Toilette stand, nur wenige Zentimeter von ihrem Versteck. Im Gegenlicht konnte sie nichts erkennen, und obwohl er sie nicht sehen konnte, fühlte sie sich bloßgestellt, als würde sie jede Sekunde entdeckt. Der Mann beugte sich vor und nahm etwas vom Wannenrand. Die Colaflasche. Sie war noch kalt vom Kühlschrank.

Er fragte: »Wer ist da drin?«

Sara tastete die Wand hinter sich ab, spürte die kühlen Fliesen unter den Händen. Plötzlich musste sie an Atlanta denken, an den Toilettenraum, wo ihr Vergewaltiger sie mit Handschellen an ein Rohr gefesselt und in einer Kabine zurückgelassen hatte. Sie würde den Schmerz ihrer nackten Knie auf den kalten Fliesen nie vergessen. Stundenlang hatte sie die Kacheln angestarrt, bis sie endlich jemand rettete. Ihr Mund war mit Klebeband zugeklebt gewesen, damit sie nicht schreien konnte, sie konnte nichts tun, nur zusehen, wie sie immer mehr Blut verlor.

Jetzt wurde der Duschvorhang zurückgerissen. Entsetzt zuckte sie zusammen und drückte sich gegen die Fliesen.

Vor ihr stand Robert mit der Colaflasche in der Hand.

Er war sichtlich wütend, dass er sie hier fand. »Was machst du hier?«

Sara griff sich ans Herz, Erleichterung machte sich in ihr breit. Doch die Erleichterung währte nicht lange, als ihr auffiel, dass nicht sie hier am falschen Ort war. Warum war Robert hier? Was suchte er?

Sie stammelte: »Ich habe …«

Robert sah sich um, als würde er nach einer Erklärung für ihre Anwesenheit suchen. »Raus hier, Sara.«

Sie wollte tun, was er sagte, doch ihre Glieder gehorchten ihr nicht.

»Was willst du?«, fragte er. Als sie nicht antwortete, stellte er die Flasche auf den Waschtisch und durchstöberte den Badezimmerschrank.

»Nell kommt gleich zurück«, stammelte Sara, während er Handtücher und Schachteln auf den Boden warf.

Er warf einen Blick über die Schulter. »Possum hat alle ins Kino eingeladen, und danach wollen sie essen gehen.«

Endlich schaffte es Sara, sich zu bewegen. Robert würde ihr nichts tun, er war Jeffreys Freund. Sie stieg mit einem Bein über den Wannenrand. »Jeffrey ist ...«

»Er kommt nicht so bald wieder«, sagte Robert, und dann: »Bleib, wo du bist, Sara.«

Doch sie hörte nicht auf ihn, sondern ging in Richtung Tür. »Ich will nur ...«

»Nicht bewegen!«, schrie er, seine Stimme hallte von den Wänden wider. Seine Augen funkelten wild, und langsam dämmerte Sara, wie verzweifelt er war.

Sie versuchte, gegen die Panik anzukämpfen. »Ich muss gehen.«

Er richtete sich auf und versperrte ihr den Weg. »Wohin?«

»Jeffrey wartet auf mich.«

»Wo?«

»Auf dem Revier.«

Seine Blicke durchbohrten sie. »Du lügst, Sara. Warum lügst du mich an?« Als sie nicht sofort antwortete, schrie er: »Was machst du hier, gottverdammt noch mal? Was hast du hier ...«

»Ich ... ich ...«, stammelte sie, doch sie fand keine Worte. Sie hatte bisher noch keine Angst vor Robert gehabt, doch jetzt fiel ihr schlagartig ein, dass er wegen Mordes angeklagt wurde. Wenn sie Robert so ansah, fragte sie sich, ob Jeffrey sich irrte. Wenn Robert sich in die Ecke gedrängt fühlte, war er vielleicht tatsächlich in der Lage, jemanden umzubringen.

»Komm mit.« Er packte Sara am Arm und schob sie in Richtung Schaukelstuhl. »Setz dich.«

Sara wollte sich weigern, doch ihre Knie gaben nach, und sie sank auf den Stuhl.

Robert durchsuchte die Schubladen der Kommode unter dem Fenster – ohne sie aus den Augen zu lassen. Auf dem Fernseher war ein mit Alufolie umwickelter Drahtbügel als Antenne befestigt. Als Robert die oberste Schublade aufzog, gab die Alufolie ein trockenes Knistern von sich.

»Was suchst du?«, fragte Sara. »Geld? Brauchst du Geld? Ich kann dir …«

Doch er baute sich vor ihr auf, packte die Armlehnen rechts und links und hielt das Gesicht dicht vor ihrs. »Ich will dein Scheißgeld nicht! Glaubst du, Geld kann mich retten?«

»Ich …«

»Verdammt!« Er drückte sich ab, und der Schaukelstuhl wippte heftig. Er setzte die Durchsuchung der Schubladen fort. Als er die unterste Schublade aufzog, nahm er eine kleine schwarze Kiste heraus, die Sara sofort als Waffensafe erkannte. Sie sprang auf, doch sie erstarrte, als er sich zu ihr umdrehte, mit wutverzerrtem Gesicht. Gegen die Wand gedrückt, versuchte sie sich zur Tür vorzuarbeiten, während er die Kombination des Zahlenschlosses einstellte. Sie musste sich beeilen. Warum rannte sie nicht einfach los? Warum konnte sie sich nicht bewegen?

Jetzt, nachdem er gefunden hatte, was er suchte, wirkte er ruhiger. »Wo willst du hin?«

»Wofür brauchst du eine Waffe?«

»Ich verlasse die Stadt«, sagte er und stellte mit dem Daumen die Zahlen ein. Der Behälter sprang auf, und er nahm die Pistole heraus. »Sechs-dreizehn, das Ergebnis von unserem letzten Spiel gegen Comer.«

»Ich muss …«

Er richtete die Waffe auf sie. »Bleib stehen, Sara.«

Wieder musste sie an die Qualen denken, die sie im Waschraum des Grady Hospital durchgestanden hatte. Am ganzen Körper blutend, ohne sich rühren zu können, ohne um Hilfe rufen zu können. Sie würde es nicht zulassen, dass sie noch einmal in eine ähnliche Situation geriete. Das würde sie nicht überleben.

Er zeigte auf den Schaukelstuhl und befahl: »Setz dich.«

Sie versuchte sich zu beruhigen, doch ihr Herz raste. »Ich werde niemandem was sagen«, keuchte sie und stellte fest, dass sie bettelte.

»Ich kann dir nicht vertrauen«, widersprach er und winkte sie mit der Pistole zurück zum Schaukelstuhl. »Los, setz dich.« Er wartete, doch als sie sich weigerte, fügte er hinzu: »Es tut mir leid wegen vorhin. Ich hätte dich nicht anschreien dürfen.«

Sie starrte die Pistole an. »Sie ist nicht geladen.« Sara wünschte, ihre Worte wären wahr.

Es klickte dumpf, als er den Schlitten zurückzog. »Jetzt schon.«

Sie rührte sich nicht vom Fleck. »Was hast du vor?«

»Nichts«, sagte er, und dann: »Ich muss dich fesseln.«

Saras Herz schlug bis zum Hals. Sie konnte sich nicht fesseln lassen. Sie würde verrückt werden, wenn sie sich nicht bewegen könnte. Sie schnappte nach Luft, aber das war das Problem. Sie atmete zu viel, zu schnell.

»Ich brauche einen Vorsprung«, erklärte er. Wieder richtete er die Pistole auf sie. »Geh von der Tür weg, Sara. Ich würde schießen.«

»Warum?«, fragte sie. Sie betete, dass er endlich wieder zur Vernunft kam, doch gleichzeitig fragte sie sich, ob das auch Luke Swans letzter Gedanke war, bevor sein Kopf explodierte.

»Ich will dir nicht wehtun«, sagte Robert, als könnte sie das über die auf ihre Brust gerichtete Pistole hinwegtrösten. »Aber du würdest es Jeffrey sagen, und er würde mich finden.«

Saras Hände begannen zu zittern. Wenn sie nicht bald ihre Atmung in den Griff bekäme, würde sie hyperventilieren. »Ich weiß nicht, wo Jeffrey ist.«

»Er ist bestimmt bald wieder da«, sagte er. Er hielt die Pistole auf sie gerichtet, während er noch einmal den Schrank durchging. Dann schob er mit dem Fuß eine kleine Werkzeugkiste heraus. »Er kann die Finger nicht von dir lassen. So was habe ich bei ihm noch nie gesehen.«

Sara versuchte, die Strecke zum Flur abzuschätzen. Robert war immer noch ein sportlicher Mann. Er wäre mindestens so schnell an der Tür wie sie. Und eine Kugel wäre noch schneller. Doch sie musste es versuchen. Sie machte einen kleinen Schritt nach vorn.

Mit einer Hand klappte Robert die Werkzeugkiste auf. Er ließ Sara nicht aus den Augen, als er eine Rolle silbernes Gewebeband herausnahm.

Sie öffnete den Mund, doch sie konnte nicht atmen. Genau das gleiche Klebeband hatte der Vergewaltiger benutzt, um sie zum Schweigen zu bringen, während er sie schändete. Sie hatte nicht einmal schreien können.

»Ich hätte lieber was anderes genommen«, sagte Robert. »Das hier tut weh, wenn man es abzieht.«

»Bitte«, flehte Sara mit zitternder Stimme. »Schließ mich im Schrank ein.«

»Dann schreist du.«

»Nein«, versprach sie. Ihre Knie zitterten so stark, dass sie fürchtete, sie würden nachgeben. »Ich schwöre, ich schreie nicht«, wiederholte sie. Tränen liefen ihr über das Gesicht, wenn sie nur an das Klebeband auf ihrer Haut dachte. Irgendwie schaffte sie es, noch einen Schritt in Richtung Tür zu machen. Sie streckte ihm die Hände entgegen. »Ich verspreche, ich bin still. Ich sage kein Wort.«

Die Tatsache, dass sie die Fassung zu verlieren begann, schien ihn noch ruhiger zu machen, und jetzt sprach er ganz vernünftig mit ihr. »Ich kann dir nicht vertrauen.«

Sie schluchzte laut. »Bitte, Robert. Ich flehe dich an. Bitte tu das nicht. Bitte …«

»Hör auf …«

Sara stürzte zur Tür. Robert sprang aus der Hocke auf, und sie spürte seine Fingerspitzen, als sie an ihm vorbeisprintete. Sie wagte nicht, sich umzusehen, als sie ins Wohnzimmer rannte. Als sie fast an der Haustür war, hatte Robert sie eingeholt. Er riss sie an der Hüfte zurück und schleuderte sie gegen den Couchtisch. Possums Fanartikel flogen zu Boden und gingen zu Bruch, die dicke Glasplatte des Couchtischs zersprang unter dem Gewicht der beiden Körper. Sara bekam keine Luft mehr.

»Verflucht noch mal«, brüllte Robert und riss sie hoch. Ihre Arme flogen durch die Luft und ihre Füße pflügten durch die Scherben am Boden, als Robert sie zurück ins Schlafzimmer schleifte.

»Bitte …«, flehte sie und versenkte die Fingernägel in seiner Hand. Sie griff nach allem, was sie zu fassen bekam, hielt sich an Vorhängen fest, riss Bilder und Pflanzen herunter. Sie packte den Türrahmen und spürte, wie ihre Fingernägel abbrachen, als Robert sie schließlich mit einem Ruck ins Schlafzimmer zerrte.

»Herrgott«, schrie Robert und warf sie zu Boden. Sara rappelte sich hoch, wollte schreien, doch es kam kein Laut aus ihrem Mund. Ihre Hände bluteten, aber sie würde weiterkämpfen.

»Hör auf!«, warnte er und riss ihr die Beine weg. Als sie auf allen vieren weiter in Richtung Tür kroch, packte er sie an der Taille.

Schließlich schaffte sie es zu schreien. »Lass mich gehen!« Doch in diesem Moment warf Robert sie auf den Rücken, und sie schlug mit dem Kopf auf den Boden, dass sie Sternchen sah, ihr wurde übel.

»Sara«, sagte er und half ihr, sich aufzusetzen. Er bettete ihren Kopf auf seinem Schoß. »Hör auf. Ich will dir doch nicht wehtun.«

»Bitte, Robert ...«, bettelte sie. Sie kämpfte gegen den Brechreiz an. Sie versuchte aufzustehen, doch sie hatte keine Kraft mehr. Ihre Muskeln gehorchten ihr nicht, und sie sah alles verschwommen.

Robert legte ihren Kopf auf den Boden und zog den Schaukelstuhl vom anderen Ende des Zimmers heran. »Ich wollte dir nicht wehtun«, sagte er und hob sie hoch. Ihre Arme und Beine hingen herab wie bei einer Puppe, als er sie auf den Stuhl setzte. Sie schmeckte Erbrochenes in der Kehle, und im nächsten Moment begann sich alles im Zimmer zu drehen.

»Nicht bewusstlos werden«, sagte Robert, doch sie fragte sich, wie er sie daran hindern wollte. Sara hatte noch nie das Bewusstsein verloren, aber es drehte sich alles in ihrem Kopf, vermutlich hatte sie eine Gehirnerschütterung.

Sie atmete tief ein und aus. Nach einer Weile konnte Sara wieder scharf sehen, und ihr Magen beruhigte sich.

»Geht's wieder?«, fragte Robert. Er hielt sie noch eine Weile im Arm, bis er sicher war, dass sie allein sitzen konnte. Er ließ sie nicht aus den Augen, während er ein Stück Klebeband abriss. Dann zog er ihren Strumpf nach unten und befestigte ihren Knöchel am Stuhlbein.

Sara beobachtete ihn, doch sie konnte nichts tun, um ihn daran zu hindern.

»Ich kann nicht ins Gefängnis«, sagte er. »Ich dachte, ich könnte es, aber ich kann einfach nicht. Noch so eine Nacht überlebe ich nicht.«

Er fesselte ihr zweites Bein, der Stuhl begann zu schaukeln. Saras Magen fing wieder zu rumoren an, doch Robert hielt den Stuhl fest. Dann hockte er sich vor sie hin und sah sie an. »Sag Possum, dass ich ihm Geld schicke, sobald ich in Sicherheit bin. Er hat sich für seinen Laden abgerackert, und ich lasse nicht zu, dass er ihn verliert, nur weil ich die Kaution in den Sand gesetzt habe.«

Sara ruckelte an ihren Fesseln, das Klebeband schnitt ihr das Blut ab. »Robert, bitte, tu das nicht.«

Er riss ein weiteres Stück Klebeband ab. »Leg die Hand auf die Armlehne.«

Als Sara sich nicht bewegte, nahm er ihren Arm am Handgelenk und legte ihn auf die Lehne.

»Ich kann das nicht«, hauchte sie. »Ich kann nicht.«

Er musterte sie neugierig, als würde sie überreagieren. Dann schlug er vor: »Wenn du versprichst, dass du nicht schreist, klebe ich dir den Mund nicht zu.«

Sie brach wieder in Tränen aus. Für das kleine Zugeständnis war sie so dankbar, dass sie alles für ihn getan hätte.

»Nicht weinen. Bitte«, sagte er und trocknete ihr mit seinem Taschentuch die Tränen. Sie dachte an Jeffrey und sein Taschentuch, wie zärtlich er zu ihr war. Und musste noch mehr weinen.

»Nein«, flüsterte Robert, als wollte Sara ihn bestrafen. »Es wird nicht lange dauern. Hör auf, Sara. Ich tu dir doch nicht weh.« Er sah sie bestürzt an. »Du bist am Auge verletzt.«

Sie blinzelte und merkte erst jetzt, dass sie Blut im Auge hatte.

»Verdammt, es tut mir so leid«, sagte er und tupfte das Blut ab. »Ich wollte nicht, dass das passiert. Ich wollte nicht, dass irgendjemand verletzt wird.«

Sie schluckte. Langsam kehrten ihre Kräfte zurück. Vielleicht würde sie doch noch vernünftig mit ihm reden können. Vielleicht konnte sie ihn überreden, mit dem Irrsinn aufzuhören. Sie würde ihm versprechen, nicht zu schreien, niemanden zu rufen, und er würde ihren Arm freilassen.

Robert faltete das Taschentuch zu einem ordentlichen Quadrat. Sie überlegte, wie sie ihm klarmachen könnte, dass sie keine Bedrohung darstellte. »Ich sage Possum, dass du ihm das Geld schickst«, sagte sie. »Was noch? Wem kann ich noch was ausrichten? Was ist mit Jessie?«

Er steckte das Taschentuch wieder ein und griff nach dem Klebeband. »Ich habe versucht, ihr einen Brief zu schreiben, aber ich bin noch nie gut gewesen in solchen Sachen.«

»Sie wird wissen wollen, was los ist«, hakte Sara nach. »Sag mir, was ich ihr sagen soll.«

»Jessie liebt mich nicht.«

»Doch, das tut sie«, beharrte Sara. »Ich weiß, dass sie dich liebt.«

Er seufzte, dann riss er mit den Zähnen ein Stück Klebeband ab.

Sara biss sich auf die Lippe, bis sie Blut schmeckte.

»Ich wollte, dass alles gut wird«, sagte er und nahm ihr Handgelenk. Sara versuchte sich loszureißen, doch er drückte ihre Hand auf die Armlehne.

Sie starrte seine Finger an, während er sie fesselte, und spürte Verzweiflung in sich aufwallen, bis sie kaum Luft bekam.

Er lehnte sich wieder zurück. »So schlimm ist es doch gar nicht.« Dann streckte er die Hand aus und berührte ihren Mund. »Du hast dir auf die Lippe gebissen«, stellte er fest. Sara zuckte unter seiner Berührung unwillkürlich zurück.

»Ich bin nicht der, für den du mich hältst«, sagte er. »Ich habe sie wirklich geliebt.«

»Bitte, lass mich gehen«, flehte Sara.

Er rieb sich mit den Händen die Oberschenkel. Die Pistole lag neben ihm auf dem Boden. Wie zu sich selbst wiederholte er: »Ich habe sie wirklich geliebt.«

Sie starrte die Pistole an, als könnte sie sie mit bloßer Willenskraft in ihre Gewalt bekommen. Beim Sprechen versuchte sie, das Zittern in ihrer Stimme zu unterdrücken: »Das klingt, als ob du sie nicht mehr liebst.«

»Ich weiß nicht, was schiefgegangen ist.« Er lächelte sie müde an. »Was sagt dir, dass du Jeffrey liebst?«

»Ich weiß es nicht«, antwortete Sara. Sie konnte den Blick nicht von der Pistole wenden. Schließlich zwang sie sich, Robert in die Augen zu sehen. »Robert, bitte. Lass mich nicht so zurück. Ich ertrage das nicht. Ich halte das nicht aus.«

»Du schaffst das schon.«

»Nicht so«, sagte sie. »Bitte. Ich flehe dich an.«

»Sag mir, woher du weißt, dass du Jeffrey liebst«, verlangte er, als würde er sich auf einen Deal einlassen. »Was macht dich so sicher?«

»Ich weiß nicht.«

»Komm schon«, sagte er, und Sara begriff, dass er versuchte, sie zu beruhigen, um es sich leichter zu machen.

»Ich weiß es nicht«, wiederholte sie. »Robert …«

»Da muss doch was sein«, sagte er und lächelte sie gezwungen an, als wären sie beide gute Menschen, die sich unter ungünstigen Umständen kennengelernt hatten. »Aber sag jetzt nicht, es ist sein Sinn für Humor und sein guter Charakter.«

Sie zermarterte sich das Gehirn. Sie musste die richtige Antwort finden, die Antwort, die ihn dazu brachte, sie loszubinden und freizulassen, aber es fiel ihr einfach nichts ein.

»Du weißt es nicht?«

Dann sagte Sara das Einzige, das ihr in den Sinn kam. »Es sind die kleinen Dinge. Genau das hat Nell auch über Possum gesagt – die kleinen Dinge.«

»Ja?«

»Ja«, wiederholte sie. Sie versuchte, die Panik hinunterzuschlucken, versuchte sich zu erinnern, was Nell gesagt hatte.

Sie hörte ihre eigene Stimme gedämpft, als würde sie unter Wasser sprechen. »Er kommt immer pünktlich nach Hause, und es macht ihm nichts aus, für sie einzukaufen.«

Robert lächelte traurig, als er aufstand. »Vielleicht hätte ich für Jessie auch mal einkaufen gehen sollen.«

Irgendwo klingelte es in Saras Hirn, doch sie kam nicht darauf, was es war. Trotzdem redete sie weiter. »Das hast du doch bestimmt manchmal getan.«

Robert zog ein längeres Stück Klebeband von der Rolle und riss es mit den Zähnen ab, die Rolle ließ er fallen. »Nie.« Er klebte ihr das Band über Brust und Oberarme und fesselte sie aufrecht an die Rückenlehne. »Sie hat gesagt, sie geht gern einkaufen. Das hat ihr das Gefühl gegeben, sie kümmere sich um mich.«

»Du warst nie einkaufen?«, fragte Sara. Etwas, das Jeffrey gestern Abend zu ihr gesagt hatte, fiel ihr wieder ein, und sie spürte, wie eine unheimliche Ruhe über sie kam.

Er sah sich nach dem Klebeband um. »Verdammt.« Als er sich vor das Bett kniete, verzog er das Gesicht, die Hand auf der Schussverletzung an seinem Bauch. »Unters Bett gerollt«, murmelte er und hielt sich an der Matratze fest, während er sich tief nach unten beugte.

»Du bist nie für sie in den Laden gefahren?« Sie sah ihn an, wie er vor dem Bett kniete. Er hatte die eine Hand noch auf der Matratze, und ihr schoss das Bild des Handabdrucks durch den Kopf, den Luke Swan auf dem Bett hinterlassen hatte.

»Nein, nie«, sagte er, dann setzte er sich auf und holte Luft. »Scheiße, das hat wehgetan.«

Sara hatte das Gefühl, dass sie langsam wieder die Kontrolle über die Situation gewann. »Ist sie öfter mit deinem Truck gefahren?«

»Komische Frage«, sagte er. »Ja. Sie kann den Truck nicht leiden, aber wenn ich hinter ihr auf der Auffahrt stehe, nimmt sie ihn lieber, bevor sie ihn umparken muss.«

Sara bewegte das Handgelenk, um zu sehen, ob ihr die Fessel irgendeinen Spielraum ließ. »Du warst es gar nicht, der an dem Abend einkaufen war, Robert. Es war Jessie. Jessie ist mit deinem Truck gefahren.«

Er zog noch ein langes Stück Band von der Rolle. Er sah sie nicht an, doch sie spürte es – er wollte, dass sie weiterredete.

»An dem Abend, als Luke erschossen wurde«, sagte sie. Sie fürchtete sich selbst vor der Antwort. »Am Sonntag. Hat Jessie da deinen Truck benutzt?«

Der Streifen war zu lang, und das Band verklebte sich. Er versuchte, es auseinanderzuzupfen. »Ich weiß nicht, wovon du redest.«

»Jessie ist mit deinem Truck gefahren«, erklärte Sara, von Minute zu Minute gewann sie an Selbstsicherheit. »*Sie* ist an dem Abend zum Supermarkt gefahren. In eurem Kühlschrank war nur Milch und Saft. Ich habe die Einkaufsliste in deinem Truck gesehen.«

Er zupfte immer noch an dem Klebeband herum.

»Wenn Jessie einkaufen war, dann war es Jessie, die nach Hause kam. Du hast die Wahrheit gesagt, Robert, nur ein paar Fakten hast du vertauscht. Es war Jessie, die nach Hause kam, und du warst es …« Verblüfft hielt sie inne. »Du warst im Schlafzimmer«, sagte sie dann. »Du warst mit Luke Swan zusammen, nicht Jessie.«

Robert lachte gekünstelt, er knüllte den Klebestreifen zusammen.

Sara fuhr fort, sie war sich jetzt ganz sicher. »Du warst auf dem Boden, du hast vor dem Bett gekniet.«

»Vielleicht reicht eins«, sagte Robert und hob das Klebeband auf.

»War Luke hinter dir, als er erschossen wurde?«

Er riss einen zehn Zentimeter langen Streifen ab. »Ich muss dir den Mund zukleben.«

Sie kämpfte gegen die Angst. Sie musste jetzt einfach die Wahrheit wissen. »Sag mir, was passiert ist, Robert. Du hast ihn nicht umgebracht. Ich weiß, dass du ihn nicht umgebracht hast. War es Jessie? Hat sie euch erwischt? Robert, du musst es jemandem sagen. Du kannst nicht einfach so gehen.«

Er machte sich daran, ihr den Mund zuzukleben, doch im letzten Moment hielt er inne. Sara starrte ihn an, als er noch einmal ansetzte, doch aus irgendeinem Grund brachte Robert es nicht übers Herz, sie zu knebeln.

Er ging ein paar Schritte zurück und setzte sich wie benommen aufs Bett. Das Klebeband hielt er noch in den Händen, vorsichtig, als hätte er Angst, es würde explodieren.

Sara zwang sich, sanft zu sprechen, sie wusste nicht, wie weit sie ihn drängen durfte. »Du warst an dem Abend mit Luke zusammen, nicht wahr?«

Robert starrte nur auf seine Hände, doch sein Schweigen war Antwort genug.

»Hat Jessie es vorher gewusst?« Sie wartete, dann fragte sie: »Robert?«

Langsam schüttelte er den Kopf. »Ich wollte so sehr, dass es mit uns klappt«, sagte er schließlich. »Sie war die einzige Frau auf der Welt, mit der ich mir eine Ehe hätte vorstellen können.« Er sah aus dem Fenster in den Garten. Sara fragte sich, ob er an die Barbecues und die Picknicks dachte, an die Ballspiele, die er nie mit seinem Sohn spielen würde. »Sie wollte eine Weile weg sein«, fuhr Robert fort. »Sie hat gesagt, sie fährt bei ihrer Mutter vorbei und dann zum Supermarkt, wie jeden Sonntagabend.«

»Was ist passiert?«

»Sie hat sich mit ihrer Mutter gestritten.« Er seufzte resigniert. »Sie ist früher heimgekommen und hat die Lebensmittel eingeräumt. Ich bin ein toller Cop, was? Ich hab nicht mal gehört, dass sie in der Küche war.«

»Sie hat euch erwischt?«

»Sie dachte, ich wäre noch bei Possum, um mir das Spiel anzusehen.«

»Hat sie euch erwischt?«, wiederholte Sara.

»Ich habe es verheimlicht«, sagte er, ohne auf ihre Frage zu antworten. »Ich habe es all die Jahre verheimlicht.« Er rieb sich die Augen. »Ich habe eine Abmachung mit Gott getroffen. Ich habe ihm versprochen, ich würde aufhören, und er sollte Jessie dafür ein Baby schenken.« Er ließ die Hände sinken. »Das war das Einzige, was uns gefehlt hat, um eine Familie zu sein, verstehst du? Ich wäre ein guter Vater gewesen.«

Offenbar wollte er eine Bestätigung von ihr hören, denn er wandte sich ab, als Sara schwieg. »Doch Gott hatte andere Pläne. Vielleicht wusste er, dass ich mein Versprechen nicht halten würde.«

»Gott lässt nicht mit sich verhandeln.«

»Nein«, sagte er. »Nicht mit Männern wie mir.«

»Schwul sein bedeutet nicht, dass du ein schlechter Mensch bist.«

Er zuckte zusammen, als er das Wort hörte.

Sara bewegte ihr Bein unter dem Klebeband, um zu sehen, ob sie sich nicht doch befreien könnte.

»Alles, was ich für sie tat, ging den Bach runter.« Auf einmal erschien ein seltsames Lächeln auf seinen Lippen. »Weißt du, wie es sich anfühlt, wenn man das erste Mal im Leben verliebt ist?«

Sara antwortete nicht.

»Dan Phillips«, sagte er. »Gott, war er schön. Unfassbar, dass ein Junge so hübsch sein konnte. Er hatte himmelblaue Augen, die …« Er legte sich die Hand auf den Mund, dann ließ er sie sinken. »Wird dir nicht schlecht davon?«

»Nein.«

»Mir ist schlecht geworden«, sagte er. »Julia hat uns hinter der Turnhalle erwischt. Verdammt, ich hab mich nie mit ihr eingelassen. Dan auch nicht. Wir haben nicht mal gewusst, dass das die Stelle war, wo sie mit den Jungs hinging.« Er lachte bitter. »Es war unser erstes Mal. Das erste und letzte Mal.«

»Was hat sie getan?«

»Sie hat Zeter und Mordio geschrien«, sagte er. »Ich hab mich noch nie im Leben so geschämt. Von dem Blick, mit dem sie uns ansah, war mir wochenlang schlecht. Als wären wir der letzte Dreck. Verdammt, wir waren der letzte Dreck. Dan ist abgehauen. Hat einfach die Stadt verlassen. Er konnte mein Gesicht nicht mehr sehen.«

»Hast du sie deswegen umgebracht?«

Er sah verletzt aus, als hätte sie ihn beleidigt. »Wenn du das glauben willst, bitte.«

»Ich will die Wahrheit wissen.«

Er starrte sie an. »Nein«, sagte er dann. »Ich habe sie nicht umgebracht. Eine Zeit lang dachte ich, Jeffrey ist es vielleicht gewesen, aber …« Er schüttelte den Kopf. »Jeffrey hat es auch nicht getan. Hier in der Stadt gibt es wahrscheinlich eine ganze Reihe von Typen, die sie aus dem einen oder anderen Grund gehasst haben, aber er nicht.«

»Vergewaltigt hast du sie auch nicht.«

»Nein. Sie wollte mich nur quälen mit dem verdammten Gerücht. Sie dachte wohl, um mich zu verteidigen, müsste ich die Wahrheit sagen.« Er machte ein grimmiges Gesicht. »Aber das hätte ich niemals getan. Lieber wäre ich gestorben.«

Sara musste fragen. »Und Jeffrey?«

»Sie dachte, wenigstens für ihn würde ich mich outen. Ein schöner Freund bin ich gewesen, was? Hab die Leute glauben lassen, Jeffrey hätte sie vergewaltigt, nur um mein schmutziges Geheimnis zu bewahren.« Er schwieg kurz, dann sagte er eindringlich: »Es ist mein Ernst, Sara. Ich würde lieber sterben, als dass es rauskommt.«

Er sah ihr in die Augen, und Sara verstand die Drohung.

Sie musste dafür sorgen, dass er weiterredete. »Hast du deswegen behauptet, du hättest Luke getötet?«

Robert starrte sie schweigend an. Dann sagte er: »Es ist alles wieder von vorn losgegangen.«

»Was meinst du damit?«

»Er hat es gewusst«, sagte er. »Der eine sieht es dem anderen wohl an.«

»Luke?«

»Eines Nachts hatte ich ihn hinten im Wagen. Er hatte im Bowlingcenter Ärger bekommen.« Robert sah wieder aus dem Fenster. »Es war kalt, und ich habe ihm meine Jacke gegeben. Dann hat eins zum anderen geführt. Ich weiß nicht mehr genau, wie es passiert ist … Nur dass es sich gut angefühlt hat. Am nächsten Tag habe ich mich dafür umso beschissener gefühlt.«

Sara sah ihm die Qualen an. Trotz ihrer Lage tat er ihr leid.

»Ich weiß nicht, wie, aber irgendwie hat er meine Letterman-Jacke behalten. Vielleicht hat er sie aus dem Wagen geklaut, als ich nicht aufgepasst habe. Egal, jedenfalls steht da mein Name drauf, dick und fett. Am nächsten Morgen hat er mich auf dem Revier angerufen. Er hat gesagt, er würde sie tragen und jedem erzählen, dass er meine Freundin wäre.« Robert schnaubte entrüstet. »Er ist mir nachgelaufen, hat kokettiert wie ein verfluchtes Mädchen.« Verkniffen starrte er auf seine Hände.

»Du hättest ihm nur sagen müssen, dass er dich in Ruhe lassen soll«, warf Sara ein. »Keiner hätte ihm geglaubt.«

»So läuft das hier nicht«, entgegnete er, und tief im Innern verstand sie, dass er recht hatte. Klatsch war das Lebenselixier in einer kleinen Stadt wie Sylacauga. Selbst das absurdeste Gerücht war mehr wert als die langweilige Wahrheit des grauen Alltags.

Sie fragte: »Was ist passiert, Robert?«

Er ließ sich Zeit mit der Antwort. Die Wahrheit musste für ihn viel schrecklicher sein als die Lüge, die er seit Tagen erzählte. »Ich war schwach. Ich sehnte mich nach jemandem, der mich tröstete, bei dem ich mich normal fühlte.« Er sah Sara wieder in die Augen, als erwartete er jeden Moment, dass sie ihn beschimpfte. »Ich habe ihn angerufen, ihn gebeten vorbeizukommen. Ich habe gesagt, ich will, dass er mich vögelt. Wie gefällt dir das? Du weißt, was wir getan haben, oder? Uns in den Arsch gevögelt, wie zwei verdammte Tunten.«

Sara blieb ruhig.

»Ich habe ihn gehasst«, sagte er, und sie hörte seiner Stimme an, dass er es ernst meinte. »Es war, als würde ich mich selbst im Spiegel sehen. Die hässliche Wahrheit.« Dann flüsterte er in sich hinein: »Verfluchte Tunte. Schwuchtel.«

»Und deshalb hast du ihn umgebracht?«

Draußen parkte ein Wagen, und sie warteten ab, während die Autotür zuschlug. Sekunden später hörten sie, wie Nells Nachbar nach Hause kam. Falls er merkte, dass seine Hunde fort waren, schien es ihn nicht zu kümmern.

Sara fragte: »Robert?«

Wieder schwieg Robert, bevor er antwortete. »Jessie hat uns erwischt«, sagte er schließlich. »Sie hatte uns gehört. Unser Stöhnen.« Er blickte wieder auf, als wollte er Saras Reaktion sehen. »Sie hat meine Pistole mitgenommen, weil sie dachte, es wäre vielleicht ein Einbrecher. Hat nicht mal die Polizei gerufen.« Plötzlich wechselte er das Thema. »Deswegen hat sie sich auch mit Faith in die Haare gekriegt. Deswegen war sie so früh zu Hause.«

Sara schwieg. Sie verstand nicht.

»Der Streit mit ihrer Mutter. Sie haben sich gestritten, weil Jessie mal wieder vollkommen high war. Besoffen, auf Pillen, egal. Ihre Mutter hat mir die Schuld dafür gegeben, obwohl sich Faith selber jeden Tag die Kante gibt. Draußen im Garten, wenn sie die Blumen gießt, holt sie den Flachmann raus. Und genauso macht es Jessie, wenn sie das Leben mit mir nicht mehr aushält. So kommt sie mit meinem Versagen zurecht. Sie nimmt Pillen, um den Schmerz zu betäuben.«

Sara hörte, wie der Nachbar die Tür wieder zuschlug. Sie wartete, hoffte, er käme vorbei, um nach den Hunden zu fragen, aber dann hörte sie, wie er den Motor anließ und den Rückwärtsgang einlegte.

»Jessie wollte mich erschießen«, erklärte Robert und blickte zum Fenster hinaus, wahrscheinlich sah er dem Nachbarn hinterher. »Sie war völlig geschockt, und da hat sie den Abzug gedrückt. Sie hat die Sache nicht durchdacht, aber eigentlich wollte sie mich erschießen, nicht ihn. Das hat sie mir zumindest gesagt. Sie sagte, sie wäre so betrunken gewesen, dass sie im ersten Moment dachte, sie würde doppelt sehen. Dachte, ich hätte es endlich geschafft, mich selbst zu ficken.« Er leckte sich die Zähne. »Ich habe nicht mal mitgekriegt, dass sie da war. Plötzlich hat Luke gerufen: ›Hey, was ist? Willst du mitmachen?‹ Ich wusste nicht, was er da redet. Erst dann habe ich kapiert, dass er mit Jessie gesprochen hat. Er hat sie provoziert, obwohl sie eine Knarre in der Hand hielt. So war er immer. Er hat die Leute immer gereizt, bis sie explodiert sind.«

»Sie hat ihn erschossen.«

»Ich hatte mein T-Shirt an, aber …« Seine Stimme verlor sich und er schluckte, bevor er weitersprach. »Ich habe was auf meinem Rücken gespürt, es hat sich plötzlich feucht angefühlt. Den Schuss habe ich erst danach gehört, zwei oder drei Sekunden später. Es muss natürlich viel schneller gegangen sein, aber mein Gehirn hat es langsamer verarbeitet. Kennst du das?«

Sara nickte. Sie wusste aus Erfahrung, dass traumatische Erlebnisse verzögert wahrgenommen wurden, als wollte der Organismus den Schmerz voll auskosten.

»Es gab einen Knall, wie wenn ein Luftballon platzt.« Er holte tief Luft. »Und dann ist er auf meinem Rücken zusammengesackt, alles war nass …« Er schüttelte den Kopf. »Er ist an mir abgerutscht.«

Sara erinnerte sich, wie Robert in jener Nacht mit dem Rücken zur Wand gestanden hatte, die Finger in das T-Shirt gekrallt. Er musste voller Blut gewesen sein.

»Danach ging alles so schnell.«

»Was ist dann passiert?«

»Jessie hat auf mich geschossen.«

»Sie hat danebengeschossen«, sagte Sara und dachte an das Einschussloch in der Wand.

»Ich habe meine andere Pistole aus dem Schrank geholt. Der Safe war nicht mal abgeschlossen. Nachdem wir das Baby verloren haben …« Er schüttelte den Kopf, offensichtlich wollte er nicht darüber sprechen. »Ich habe überhaupt nicht nachgedacht. Mein einziger Gedanke war, dass ich wünschte, sie hätte mich getroffen.« Robert schwieg. »Sie hat es nicht noch einmal versucht, als könnte sie mich nicht erschießen, obwohl sie sah, was mit mir los war. Ich stand eine Sekunde lang einfach nur da, und plötzlich hatte ich alles vor Augen – wie die Leute rausfinden, was passiert ist, rausfinden, was mit mir los ist, und da habe ich mir die Mündung auf den Bauch gehalten und abgedrückt.«

»Du hattest Glück, dass nicht mehr passiert ist.«

»Es ging so schnell«, sagte er noch einmal. »Ich hatte keine Zeit nachzudenken. Es war wie …« Er schnippte mit den Fingern.

Sara schwieg, das Schnippen hallte in ihren Ohren wie ein Schuss.

»Es hat gar nicht wehgetan«, sagte er dann. »Ich hatte erwartet, dass es wehtut, aber den Schmerz habe ich erst viel später gespürt.«

»War es Jessies Idee zu behaupten, dass du es getan hättest?«

»Nein«, knurrte er, doch sie war sich nicht sicher, ob er die Wahrheit sagte. »Sie ist zum Nachttisch gegangen und hat eine Handvoll Pillen geschluckt. Die meisten sind auf dem Boden gelandet. Ich habe mich nur umgesehen und gedacht: ›Scheiße, was kann ich tun?‹«

»Und was hast du getan?«

»Als ich den Abzug drückte, muss ich wohl gewusst haben, was ich vorhatte, aber mein Hirn hat erst später wieder eingesetzt. Ich habe die Pistole aufgehoben und die Hülsen und habe sie abgewischt. Ein paar Sekunden später hörte ich, wie jemand die Hintertür eintrat. Ich habe alles auf den Boden geworfen und die Pistole neben seine Hand gelegt. Jeffrey kam rein und schrie: ›Was ist passiert?‹ Dann ist er wieder raus, dich holen, und ich habe zu Jessie gesagt, sie soll das Fenster aufmachen und das Fliegengitter eindrücken. Zum ersten Mal in ihrem Leben hat sie getan, was ich wollte, ohne zu fragen.«

»Was war mit der Kugel?«, fragte Sara. Robert hatte Reggie eine Kugel gegeben, als er gestanden hatte.

»Jessie hat sie später aufgehoben. Ich weiß nicht, wann, aber sie hat sie mir gegeben. Sie hat mir genau beschrieben, wo im Kopf sie gesteckt hatte. Hat gesagt, die Kugel wäre meine Trophäe.«

Sara überlegte, dass Jessie nur zu einem Zeitpunkt allein mit der Leiche gewesen sein konnte, und zwar während Sara mit Jeffrey auf der Veranda auf Hoss wartete. Sie musste sich reingeschlichen haben, als Sara und Jeffrey sich gestritten hatten.

»Jessie ist schlauer, als man denkt«, sagte Robert. »Als ihr kamt, hat sie einfach ihre Rolle gespielt und so getan, als wäre sie zu high, um zu kapieren, was vor sich geht. Ich war es, der ausgerastet ist. Die Worte sind mir einfach so aus dem Mund gesprudelt, ich habe irgendeine Geschichte zusammengeschustert, ohne auf widersprüchliche Details zu achten. Sie hat nur zugehört, stand einfach da und sah zu, wie ich ins offene Messer rannte.«

»Warum hast du gelogen?«, fragte Sara, die immer noch nicht verstand. »Warum hast du das getan?«

»Weil ich lieber ein kaltblütiger Mörder bin als eine Schwuchtel.«

Die Endgültigkeit seiner Worte hing schwer im Raum. Er tat ihr unendlich leid.

»Ich bin einfach nicht normal, Sara.« Er hielt inne, als bräuchte er Zeit, sich zu sammeln. »Wenn ich diesen Trieb mit einem Messer aus mir rausschneiden könnte, ich würde es tun. Ich würde mir das verfluchte Herz rausschneiden, um normal zu sein.«

»Du *bist normal*«, beharrte sie.

»Es ist zu spät.«

»Komm doch zur Vernunft«, sagte sie. »Du musst nicht fliehen. Du bist unschuldig, Robert. Du hast nichts von alldem getan. Es ist nicht deine Schuld.«

»Es ist alles meine Schuld«, gab er zurück. »Ich habe gesündigt, Sara. Ich habe gegen Gott gesündigt. Ich habe meinen Schwur gebrochen. Ich bin mit einem Mann zusammen gewesen. Wie oft habe ich mir gewünscht, er wäre tot! Jessie hatte den Finger am Abzug, aber ich habe sie so weit gebracht. Ich hab ihn mit in unser Haus genommen. Es gibt kein Zurück mehr.«

»Du bist, wer du bist«, sagte sie, auch wenn sie längst begriffen hatte, dass er nicht mit sich reden ließ. »Du hast keinen Grund, dich zu schämen.«

»Doch«, sagte er und griff nach der Pistole. »Doch, das habe ich.«

»Oh Gott …«

Mit ruhiger Hand hielt er ihr die Pistole an den Kopf. Sara schloss die Augen und dachte an all die Dinge, die sie in ihrem Leben versäumt hatte. Sie fragte sich, wie ihre Eltern darüber hinwegkämen. Tessa brauchte sie noch, und Jeffrey … Es gab so viel, das Sara ihm nicht gesagt hatte. Sie hätte alles gegeben, um jetzt bei ihm zu sein, seine Arme um sich zu spüren.

»Du bist kein Mörder«, sagte sie mit erstickter Stimme.

»Es tut mir so leid«, gab Robert zurück. Er stand so nah bei ihr, dass sie seinen Schweiß roch. Sara spürte das kalte Metall der Waffe an ihrer Stirn, und jetzt begann sie richtig zu weinen. Sie riss die Augen auf. Dann entsicherte er die Waffe und stammelte noch eine Entschuldigung.

»Bitte«, wimmerte sie. »Bitte, tu das nicht. Bitte.« Schließlich griff sie zu einem allerletzten Strohhalm. »Ich bin schwanger.«

Die Pistole verharrte ein paar lange Sekunden an ihrer Stirn, dann ließ Robert sie sinken und fluchte.

Sara schloss die Augen. Als sie sie wieder öffnete, hatte Robert ihr den Rücken zugekehrt. Seine Schultern bebten, und sie dachte, er weinte, doch dann drehte er sich um. Sie erschrak, als sie sah, dass er lachte.

»Schwanger?«, wiederholte er, als hätte sie gerade den besten Witz des Jahres gerissen.

»Robert.«

»Verdammt. Ihm fällt wohl alles in den Schoß.«

Im gleichen Moment ging Sara auf, dass sie einen Fehler gemacht hatte. »Ich habe nicht …«

»Herrgott«, zischte er und hielt ihr wieder die Pistole an den Kopf. Diesmal zitterte seine Hand, er stockte und fluchte. »Scheiße.«

»Jeffrey weiß nichts davon«, sagte sie und suchte verzweifelt nach den richtigen Worten. »Er weiß es nicht!«

Robert hielt die Pistole ruhig. »Er wird es nie erfahren.«

»Das wird er doch!«, schrie Sara. »Bei der Obduktion!« Robert biss die Zähne zusammen, und sie versuchte, so schnell wie möglich zu reden. »Willst du, dass er es so rausfindet? Willst du, dass er es rausfindet, wenn ich tot bin? Und er wird es rausfinden, Robert. Genau so.«

»Hör auf«, befahl er und drückte ihr die Pistolenmündung ins Fleisch. »Halt endlich den Mund!«

»Es ist ein Junge!«, schrie sie, fast hysterisch vor Angst. »Es ist ein Junge, Robert. Sein Sohn. Jeffreys Sohn.«

Wieder ließ er die Pistole sinken, doch diesmal lachte er nicht.

»Du weißt, wie es sich anfühlt, ein Kind zu verlieren«, fuhr sie fort. Sie zitterte so stark, dass der Schaukelstuhl zu wippen anfing. »Du weißt, wie es ist.«

Er ging nicht darauf ein, sondern nickte langsam, als führte er ein Selbstgespräch. Sara sah, wie er die Lippen bewegte, doch es kamen keine Worte heraus. Er sicherte die Pistole, steckte die Waffe in die Hose und hob die Rolle Klebeband wieder auf.

Sara sah zu, wie er an dem Band zerrte. Sie wusste, er würde ihr den Mund zukleben und sie dann erschießen.

»Er liebt mich.« Sara umklammerte die Armlehnen und versuchte sich loszureißen.

Robert riss einen Streifen ab.

»Das willst du ihm nehmen«, rief sie. »Das und das Kind willst du ihm nehmen, Robert. Sein ungeborenes Kind.« Saras Stimme versagte. Sie wusste, diese Worte würde sie niemals in ihrem Leben wirklich sagen können. »*Unser* Kind.« Es fühlte sich wunderschön an. »*Unser* Baby.«

Offensichtlich ging Robert die Leidenschaft in ihrer Stimme unter die Haut, denn er brach mitten in der Bewegung ab.

»Ich trage sein Kind unter dem Herzen«, wiederholte Sara und spürte, wie sich alle Spannung in ihr löste. Sie war im Frieden mit sich und allem, was passieren würde. Es war mit Vernunft nicht zu erklären, und doch war sie plötzlich vollkommen ruhig. »Unser Baby.«

»Er wird dir wehtun«, sagte Robert. »Jedem, der ihn liebt, tut er am Ende weh.«

»Wenn man jemanden liebt«, erklärte Sara, »muss man das Risiko eingehen.«

Er legte den Finger auf ihre Unterlippe und strich über die Wunde. Bevor sie wusste, was geschah, hatte sich Robert vorgebeugt und berührte ihren Mund mit seinen Lippen. Es war der zärtlichste Kuss, den Sara je bekommen hatte, und sie war zu bestürzt, um sich abzuwenden.

Er sagte: »Es tut mir leid«, dann klebte er ihr den Mund zu, bevor sie noch etwas sagen konnte. Mit verschränkten Armen stand er vor ihr. »Es tut mir leid, dass ich dir wehgetan habe«, sagte er. »Ich habe in meinem Leben schon genug Menschen wehgetan.« Er machte ein trotziges Gesicht, als rechnete er mit ihrem Einspruch. »Jeffrey wird denken, ich wäre in ihn verliebt gewesen«, sagte er. »Sag ihm, dass das nicht stimmt, ja? Ich habe nie solche Gefühle für ihn gehabt – nie.«

Sara nickte, das war alles, was sie tun konnte.

»Sag ihm, dass er ein fantastischer Vater sein wird und dass ich ihm das niemals nehmen würde.« Roberts Stimme brach. »Sag ihm, er war der beste Freund, den ich je hatte, und nichts sonst.«

Sara nickte wieder, sie versuchte, die neue Situation zu begreifen.

»Es tut mir leid, dass ich dir den Mund zugeklebt habe. Ich weiß, ich hatte versprochen, es nicht zu tun.«

Sara sah ihm nach, als er ging. Sie war völlig hilflos. Sekunden später hörte sie eine Wagentür, dann wurde ein Motor gestartet. Sie erkannte den kaputten Auspuff von Roberts Truck, als er aus der Einfahrt fuhr.

Er war fort.

Wieder begann Sara zu weinen, diesmal vor Erleichterung. Sie konnte sich nicht erinnern, dass sie je schon so viel geweint hatte wie hier. Ihre Nase lief, und sie schniefte. Durch das Klebeband bekam sie keine Luft. Schnell legte sich das Hochgefühl, und als sie um Atem rang, geriet sie in Panik. Es dauerte Sekunden, bis sich der klaustrophobische Anfall legte. Sie musste aus dem Schaukelstuhl kommen. Sie konnte nicht einfach hier sitzen und warten, bis Nell oder Possum oder Jeffrey irgendwann kamen, um sie zu retten. Sie konnte nicht zulassen, dass einer von ihnen – vor allem Jeffrey – sie so fand: hilflos, verängstigt. Keiner durfte sie je wieder so sehen.

Sara suchte nach irgendetwas, das ihr helfen würde, hier rauszukommen. Wenn sie vorwärts schaukelte, würde sie mit dem Gesicht voraus auf dem Boden landen, also lehnte sie sich seitwärts, bis sie den Stuhl zum Kippen brachte.

Sie krachte mit dem Kopf auf die Dielen, und wieder wurde ihr schwindelig. Ein heftiger Schmerz schoss durch ihre Schulter, aber auch die Armlehne hatte sich durch den Aufprall gelockert. Sie riss mehrmals an dem Holz, doch die Lehne hielt. Der Schaukelstuhl war wahrscheinlich älter als sie alle zusammen, von Nells Vorfahren für die Ewigkeit gebaut.

Sara holte Luft und versuchte nachzudenken. Wegen der Kufen des Schaukelstuhls konnte sie sich nicht einfach auf alle viere drehen und in den Flur kriechen. Robert hatte ihre Handgelenke gefesselt, doch nicht die Finger. Wenn sie nicht vom Stuhl loskam, konnte sie wenigstens versuchen, sich das Band vom Mund zu reißen. Dann könnte sie schreien. Wenn sie nur schreien könnte – selbst wenn sie niemand hörte –, wäre alles gut.

Mit aller Kraft versuchte Sara, mit der Hand an ihren Mund zu kommen. Nach ein paar Minuten hatte sich das Klebeband in einen dünnen Streifen verwandelt, der ihr ins Fleisch schnitt, doch Sara zerrte weiter und dehnte das Band bis zum Äußersten. Als das Band nicht mehr nachgab, rieb sie den Arm hin und her. Sie schürfte sich die Haut auf, der Klebstoff formte schwarze Krümel, doch Sara schaffte es, den Arm noch ein paar Zentimeter mehr zu bewegen. Doch jetzt riss die Haut auf, Blut begann unter der Fessel hervorzusickern.

Sara versuchte, die Situation wie eine Mathematikaufgabe anzugehen. Sie bedachte die Variablen und kalkulierte ihre Schmerzgrenze ein. Dann versuchte sie, den Oberkörper freizubekommen, drückte den Rücken durch, so weit es das Klebeband erlaubte, und verrenkte sich, bis ihre Schulter vor

Schmerz raste. Doch sie gab nicht auf, sondern wand sich, zerrte und riss, bis sie es schaffte, die Hand bis auf wenige Zentimeter an den Mund heranzuführen. Ihre Finger waren schon ganz weiß, weil kein Blut mehr zirkulierte, doch schließlich schaffte Sara es, den Knebel mit dem Mittelfinger zu berühren.

Sie genehmigte sich eine kurze Erholungspause und zählte bis sechzig, ihr Arm und die Schulter pochten dumpf. Sie hatte das Klebeband berührt. Das reichte, damit sie nicht aufgab. Jetzt versuchte Sara es noch einmal mit aller Kraft. Schweiß und Blut und Speichel hatten dem Klebstoff zugesetzt, und mit letzter Anstrengung schaffte sie es, ein Ende des Klebebands zwischen die Finger zu bekommen und zu ziehen.

Aber ihre Kraft reichte nicht.

Das Atmen wurde schwerer, und wieder hatte sie das Gefühl, dass sich der Raum um sie drehte. Doch sie zwang sich, nicht aufzugeben, so nah vor dem Ziel. Trotz der Schmerzen schaffte sie es, ein letztes Mal all ihre Kräfte zusammenzunehmen. Diesmal gelang es ihr, das Klebeband abzuziehen. Sie riss den Mund auf, schnappte nach Luft wie ein Ertrinkender.

»Ha!«, schrie sie in den leeren Raum, als hätte sie gerade einen übermächtigen Feind besiegt. Vielleicht hatte sie das auch. Vielleicht hatte sie ihre Angst besiegt. Doch sie war immer noch an einen Stuhl gefesselt, lag noch immer mit dem Gesicht auf den Dielen.

Nicht aufgeben, dachte Sara. Dieses Motto hatte sie durch das Medizinstudium gebracht.

Sie konzentrierte sich auf ihren Arm und überlegte, ob sie das Klebeband zwischen die Zähne bekommen könnte. Das Band schnitt ihr in die Brust, sie wollte gar nicht daran denken, wie die Quetschungen aussehen würden. Doch Sara wusste, dass blaue Flecken irgendwann wieder verschwanden.

Plötzlich hörte sie ein Geräusch vorn im Haus. Sie öffnete den Mund, um zu schreien, doch dann zögerte sie. Hatte

Robert seine Meinung geändert? Kam er zurück, um sein Werk zu vollenden?

Schritte knirschten auf dem Glas des zerbrochenen Couchtischs, aber keiner rief. Wer auch immer ins Haus gekommen war, er ließ sich Zeit. Langsam ging er von Zimmer zu Zimmer. Sie hörte ein Geräusch aus der Küche. Hatte Robert nur etwas vergessen? Hatte er noch etwas anderes holen wollen außer Possums Pistole?

Wenn es jemand war, der hierhergehörte, hätte er doch sicher gerufen.

Sara biss die Zähne zusammen und versuchte den Schmerz zu unterdrücken, als sie an ihrer Hand riss. Sie wälzte und wand sich, so gut sie konnte, und hinterließ dabei tiefe Kratzer auf Nells schönen Dielen. Immer noch versuchte sie, das Klebeband zwischen die Zähne zu bekommen.

»Sara?« In der Tür stand Jeffrey, Nells Axt in der Hand. »Großer Gott«, rief er und sah sich im Zimmer nach dem Eindringling um, der das Haus verwüstet hatte.

»Er ist fort«, keuchte Sara, die immer noch an ihrer Hand riss.

Jeffrey ließ die Axt fallen und rannte zu ihr. »Bist du verletzt?« Er berührte ihr Auge. »Du blutest.« Er sah sich um. »Wer hat dir das angetan? Wer zum Teufel ...«

»Mach mich los«, ächzte sie. Wenn sie noch eine Sekunde länger an diesen Stuhl gefesselt bliebe, würde sie zu schreien anfangen und nie wieder aufhören.

Jeffrey holte sein Taschenmesser heraus und schnitt das Klebeband auf.

»O Gott«, stöhnte Sara, als sie sich aus dem Stuhl rollte. Kraftlos blieb sie auf dem Rücken liegen. Ihre Schulter tat höllisch weh, ihr ganzer Körper fühlte sich geschunden und zerschlagen an.

»Alles in Ordnung«, sagte Jeffrey und massierte ihr die Hände, um die Durchblutung anzuregen.

»Robert.«

Jeffrey schien nicht allzu überrascht von der Nachricht, dass sein Freund Sara das angetan hatte. »Hat er dir wehgetan?« Seine Miene verfinsterte sich. »Hat er …«

Sara dachte an alles, was geschehen war, was Robert so weit getrieben hatte. Dann sagte sie: »Er wollte mir nur Angst einjagen.«

Jeffrey berührte ihr Gesicht, untersuchte die Wunde über ihrem Auge und die aufgeplatzte Lippe. Er küsste sie auf die Stirn, die Lider, den Nacken, als würde er sie mit seinen Küssen heilen können. Und irgendwie fühlte es sich auch so an. Ohne weiter nachzudenken, merkte Sara, wie sich all ihr Widerstand auflöste, und sie hielt sich mit aller Kraft an ihm fest.

»Alles wird gut«, sagte er und streichelte ihr den Rücken. »Alles wird gut«, sagte er immer wieder.

»Es geht mir gut«, sagte sie dann und spürte tief in ihrem Innern, dass es stimmte.

DREIUNDZWANZIG

15.17 Uhr

Smith sah sie grinsend an und wartete auf ihre Reaktion. »Er hat meine Mutter vergewaltigt«, wiederholte er. »Und dann hat er sie umgebracht, um ihr das Maul zu stopfen.«

Lena war weder schockiert noch entsetzt. »Nein, das hat er nicht«, sagte sie. Noch nie war sie sich einer Sache so sicher gewesen. »Ich kenne die Art von Männern, die zu so was in der Lage sind, und Jeffrey gehört nicht dazu.«

»Was weißt du schon?«, fragte Smith.

»Genug.« Mehr sagte sie nicht.

Smith schnalzte mit der Zunge. »Du hast doch keine Ahnung«, sagte er trotzig. Dann bellte er Sara an: »Lass uns anfangen.«

»Ich kann keine Nervenblockade durchführen«, entgegnete Sara. »Der Plexus brachialis ist viel zu kompliziert.«

»Du musst auch keine Blockade durchführen«, erklärte Smith. »Er ist bewusstlos.«

»Seien Sie nicht albern.«

»Pass auf, Lady«, warnte er. Er durchsuchte den Koffer, den Lena aus dem Krankenwagen mitgebracht hatte. »Nimm das«, sagte er und hielt ihr eine Ampulle Lidocain hin. Er fand auch eine Taschenlampe und leuchtete sich damit ins Gesicht. »Damit du was siehst.«

Sara bewegte sich nicht.

»Mach schon«, befahl er, sein Gesicht wirkte im Schein der Taschenlampe noch abschreckender.

Sara schien sich weigern zu wollen, doch dann gab sie auf. Vielleicht war Jeffreys Zustand so ernst, dass sie nicht länger warten konnten. Vielleicht wollte sie Zeit schinden. So oder so, Sara sah nicht besonders zuversichtlich aus.

Sie nahm ein paar Handschuhe aus dem Karton und zog sie an. Lena sah, dass sie Angst hatte, und sie fragte sich, ob Sara in der Lage war, eine Kugel aus Jeffreys Arm zu entfernen, wenn ihr Selbstvertrauen so erschüttert war.

Doch Saras Hände wurden ruhiger, sobald sie nach der Schere griff und Jeffreys Hemd aufschnitt. Falls er wach war, bewegte er sich nicht. Lena hoffte, er bekam nicht mit, was vor sich ging.

»Lena«, sagte Sara. »Ich muss wissen, ob das das richtige Lidocain ist.«

Lena war die Brisanz der Frage durchaus bewusst. »Keine Ahnung«, sagte sie.

»Warum hat Molly so viel Aufhebens darum gemacht?«

»Ich weiß es nicht«, erklärte Lena. »Vielleicht dachte sie, sie könnte ihn damit ausschalten.« Sie meinte Smith.

Sara nahm das Fläschchen und öffnete die Kappe. Dann griff sie nach einer Spritze und zog sie auf.

Zu Smith sagte sie: »Säubern Sie die Wunde mit Betadin.«

Smith protestierte nicht, er tupfte Jeffreys Arm sogar mit Watte ab. Als die Wunde einigermaßen vom Blut befreit war, entdeckte Lena ein kleines Loch an Jeffreys Oberarm in der Nähe der Achsel.

Sara nahm die Spritze und hielt sie über die Wunde. Zu Lena sagte sie: »Bist du sicher?«

»Ich weiß nicht«, wiederholte Lena demonstrativ, doch sie versuchte, Sara mit Blicken zu sagen, dass alles in Ordnung war. Smith ließ sie nicht aus den Augen.

Sara stach die Nadel direkt in die Wunde, und unwillkürlich atmete Lena durch die Zähne ein. Sie spürte den Schmerz in ihrem eigenen Arm und zwang sich wegzusehen. Im Augenwinkel sah sie, dass Brad sich Sonnys Position näherte. Er leckte sich die Lippen, den Blick auf eine Stelle über ihrem Kopf gerichtet. Lena erriet, dass er die Wanduhr im Auge hatte, und plötzlich stieg Panik bei dem Gedanken in ihr auf, dass ihnen die Zeit davonlief.

Da Smith Sara mit der Taschenlampe leuchtete, hatte Lena seine Navy-Uhr voll im Blick. Die Uhr hatte alle möglichen Knöpfe und Anzeigen, und Lena fiel ein, dass es in der Werbung hieß, die Uhr sei mit der Atomuhr in Colorado synchronisiert. Die Uhr war riesig, ein dicker Metallklotz an Smiths Handgelenk. In der Mitte war ein Digitaldisplay, das die Zeit auf die Sekunde genau angab.

15:19:12.

Zwölf Minuten. Doch zeigte die Uhr dieselbe Zeit an wie ihre? Wie Mollys und Nicks? Lena wagte es nicht, auf ihre eigene Uhr zu sehen oder auf die Uhr an der Wand. Smith würde sofort kapieren, was los war, und dann würden sie alle sterben.

»Skalpell«, sagte Sara und streckte die Hand aus.

Smith drückte ihr das Skalpell in die Hand, und Sara schnitt die Haut ein, dem Weg der Kugel folgend. Nach und nach injizierte sie den ganzen Inhalt der Spritze in die offene Wunde. Lena versuchte, nicht hinzusehen, doch sie war wie hypnotisiert vom Innenleben von Jeffreys Arm. Sara schien zu wissen, was sie tat, und Lena war es ein Rätsel, wie sie es schaffte, ruhig zu bleiben. Es war, als wäre sie ein anderer Mensch geworden.

»Ich brauche mehr Licht«, sagte Sara zu Smith, und er hielt die Taschenlampe näher an die Wunde, während sie nach der Kugel suchte. »Noch näher«, sagte sie, aber Smith bewegte sich nicht. Sara fluchte leise und wischte sich mit dem Handrücken den Schweiß von der Stirn. Sie beugte sich hinunter, um besser sehen zu können, und verrenkte sich fast den Hals.

Jeffrey stöhnte leise, doch er schien nicht aufzuwachen.

Sara sagte zu Lena: »Achte darauf, ob er atmet.«

Lena legte eine Hand auf Jeffreys Brust und spürte, dass sich sein Brustkorb sanft hob und senkte. Ganz langsam drehte sie das Handgelenk und versuchte, einen Blick auf ihre Uhr zu erhaschen. Es war heiß, und Schweiß rann ihr den Arm hinunter. Das Metallband war verrutscht, und die Uhr hing jetzt auf der Innenseite ihres Handgelenks, sodass sie das Display nicht lesen konnte.

Sara zuckte zurück, als ihr ein Blutstrahl entgegenspritzte. Sie wischte sich mit dem Handrücken das Blut aus dem Gesicht und arbeitete weiter. »Zange«, verlangte sie.

Smith suchte mit einer Hand nach der Zange, mit der anderen hielt er die Lampe. Sara wischte das Blut mit Gaze ab und sagte: »Ich sehe nichts.«

»Das tut mir aber leid«, feixte Smith.

»Ich kann die Kugel nicht rausziehen, wenn ich nichts sehe.«

»Nur die Ruhe«, sagte Smith und hielt ihr eine Zange hin, die aussah wie eine überdimensionale Pinzette. »Hier«, sagte er und wedelte damit in der Luft herum.

Sara griff nach der Zange, doch sie benutzte sie nicht.

»Sei kein Spielverderber«, sagte Smith und tupfte die Haut um die Wunde mit Gaze ab. »Du schaffst das schon«, schmeichelte er. »Ich vertraue dir.«

»Ich könnte ihn töten.«

»Dann weißt du ungefähr, wie ich mich fühle«, sagte er und grinste hässlich. »Mach schon.«

Für einen Moment sah es aus, als würde Sara sich weigern, doch dann steckte sie den Daumen und den Zeigefinger durch die Griffe der Zange und führte das Instrument in die Wunde ein. Wieder schoss Blut heraus und sie rief: »Klemme.« Als

Smith nicht schnell genug reagierte, schrie sie: »Schnell! Die Klemme!«

Smith hielt ihr ein Instrument hin, und Sara ließ die Zange auf den Boden fallen. Es schepperte und eine verbeulte Kugel sprang über den Boden. Sara führte die Klemme ein, während das Blut weiter aus der Wunde sprudelte. Dann plötzlich versiegte das Blut.

Lena sah auf Smiths Uhr.

15:30:58.

»Nicht schlecht«, sagte er. Er leuchtete mit der Taschenlampe in die Wunde und grinste wie ein Kind, das gegen einen Erwachsenen gewonnen hatte.

»Er hat zwanzig Minuten«, sagte Sara und bedeckte die offene Wunde mit Gaze. »Wenn er dann nicht ins Krankenhaus kommt, verliert er den Arm.«

»Er hat andere Probleme«, sagte Smith. Er legte die Taschenlampe auf den Boden, dann ließ er die Hand auf dem Schenkel liegen, sodass Lena die Uhr genau im Blick hatte.

15:31:01.

15:31:02.

»Was meinen Sie damit?«, fragte Sara. Im Augenwinkel verfolgte Lena, wie Brad sich dem zweiten Bewaffneten näherte. Auch Brad hatte die Uhr im Blick, und Lena wusste, dass sie sich beide dieselbe Frage stellten: Sie wussten nicht, ob die Zeit mit den synchronisierten Uhren übereinstimmte. Was, wenn sie zu früh loslegten? Was, wenn Lena Brad zum falschen Zeitpunkt ein Zeichen gab und beide tot wären, bevor das Sondereinsatzkommando die Wache stürmte?

»Nein«, flüsterte Lena. Zu spät wurde ihr klar, dass sie das Wort laut gesagt hatte.

Smith grinste sie an. »Sie hat's kapiert«, sagte er. »Oder, Schätzchen?«

Lena schüttelte den Kopf, griff nach hinten und fühlte das Messer in ihrer Tasche. Sie musste nachdenken. Wichtig war, dass sie und Brad gleichzeitig handelten. Wichtig war das Überraschungsmoment.

Smith sagte zu Sara: »Siehst du, manche Leute hier halten mich nicht für so dumm, wie du denkst.«

»Ich halte Sie nicht für dumm«, gab Sara zurück.

Lena sah wieder nach Smiths Uhr. Noch dreißig Sekunden. Brad war in Sonnys Nähe, er begann im vorderen Teil des Raums auf und ab zu laufen, als würde ihm der Stress zusetzen. Vielleicht war es so. Vielleicht verlor er gerade die Nerven.

»Ich weiß, was du von mir denkst«, sagte Smith zu Sara.

Lena bewegte sich so langsam wie möglich, ihre Finger glitten in die Hosentasche. Das Herz schlug ihr bis zum Hals. Brads Schritte hallten auf den Fliesen, während er vorn auf und ab lief.

»Ich denke, dass Sie ein junger Mann in Schwierigkeiten sind«, erklärte Sara. »Ich glaube, Sie brauchen Hilfe.«

»Du hast mich vom ersten Augenblick an für Abschaum gehalten.«

»Das ist nicht wahr.«

»Du hast alles getan, um mein Leben zu zerstören.«

»Ich wollte Ihnen helfen«, sagte Sara. »Das wollte ich wirklich.«

»Ihr hättet mich aufnehmen können«, sagte Smith. »Ich hab dir Briefe geschrieben. Ich hab ihm Briefe geschrieben.«

Er deutete auf Jeffrey, doch Sara schien es nicht zu bemerken. »Wir haben keine Briefe bekommen«, gab sie zurück. Das Rauschen in Lenas Ohren war so laut, dass sie kaum verstand, was Sara sagte. Smith hatte auf Jeffrey gedeutet. Er wusste, wer Jeffrey war.

Lena zog das Messer heraus und öffnete es mit dem Daumen. Sie drückte es gegen den Absatz und hörte das Klicken, als die Schneide aufklappte.

Sie hielt die Luft an, wartete ab, ob Smith etwas gehört hatte, doch er war vollkommen auf Sara konzentriert. Seit wann wusste er, dass es Jeffrey war? Wann war er darauf gekommen, dass da nicht Matt auf dem Boden vor ihm lag, sondern der Mann, den zu töten er geschworen hatte?

Smith sagte: »Ich hab die ganze Zeit auf euch gewartet. Ich hab gewartet, dass ihr kommt und mich von ihr wegholt.« Er klang wie ein Kind. »Weißt du, was sie mit mir gemacht hat? Weißt du, wie weh sie mir getan hat?«

Innerlich schrie Lena: »Er weiß, dass es Jeffrey ist«, doch sie biss die Zähne zusammen. Welches kranke Spiel Smith auch trieb, es musste noch ein bisschen weitergehen. Noch ein paar Sekunden, dann wäre alles vorbei.

Lena starrte auf seine Uhr.

15:31:43.

»Wir konnten dir nicht helfen«, sagte Sara. »Eric, Jeffrey ist nicht dein Vater.«

Lena sah Brad an. Er hob die Braue, als wolle er sagen: »Ich bin so weit, wenn du es bist.«

Smith knurrte: »Du verfluchte Lügnerin.«

»Ich lüge nicht«, sagte Sara, sie klang jetzt vollkommen sicher. »Ich sage dir, wer dein Vater ist, aber du musst sie gehen lassen.«

»Gehen lassen?«, zischte Smith. Er zog die Sig Sauer aus dem Gürtel, seine andere Hand lag immer noch auf seinem Schenkel.

15:31:51.

Lena schluckte, obwohl ihr Mund völlig ausgetrocknet war. Im Hintergrund sah sie, wie Brad auf Sonny zuging.

»Wen soll ich gehen lassen?«, fragte Smith langsam, offensichtlich machte ihm das Spiel Spaß. Er grinste zu Jeffrey hinunter. »Meinst du ihn hier? Matt?« Wieder betonte er das T so, dass Spucke aus seinem Mund spritzte.

Sara zögerte einen Moment zu lang.

»Das ist nicht *Matt*«, sagte Smith und spannte den Hahn. »Das ist *Jeffrey*.«

»Jetzt!«, schrie Lena und stürzte sich auf Smith. Sie stieß ihm das Messer in die Kehle, spürte, wie ihre Finger an der Klinge abrutschten und das Metall tief in ihre Haut schnitt.

Sara war Sekunden nach Lena aufgesprungen und wand Smith die Sig Sauer aus der Hand, während weiter vorn im Raum ein Schuss fiel. Die drei kleinen Mädchen begannen zu kreischen, als das Glas der Eingangstür zerbarst.

GBI-Agenten stürmten das Revier. Brad stand über Sonny und hielt ihm die Mündung der Flinte ins Gesicht, einen Fuß auf seiner Brust.

»Steh auf«, sagte Sara zu Lena und stieß sie von Smith weg. Lena rutschte in einer Blutlache aus, während Sara ihn auf den Rücken legte.

»Einen Krankenwagen«, rief Sara. Mit beiden Händen drückte sie auf die Wunde an Smiths Hals, um die Blutung zu stillen. Es war ein aussichtsloser Kampf. Überall war Blut, es schoss aus der Schlagader wie aus einem Springbrunnen. Lena hatte noch nie so viel Blut gesehen. Es spritzte immer weiter.

»Helft mir«, japste Smith.

»Du schaffst das«, beruhigte ihn Sara. »Halt durch.«

»Er hat Menschen getötet«, protestierte Lena. Sara musste verrückt geworden sein. »Er hat versucht, Jeffrey umzubringen.«

»Hol den Krankenwagen«, wiederholte Sara. »Bitte«, flehte sie, während sie die Hände auf die klaffende Wunde drückte. »Bitte. Er braucht Hilfe.«

VIERUNDZWANZIG

Dienstag

Jeffrey ließ sich auf einen der Stühle fallen, die draußen vor Hoss' Büro standen. Nach den vergangenen Tagen wusste er, was mit dem Ausdruck gemeint war, einem laste das Gewicht der ganzen Welt auf den Schultern. Jeffrey hatte das Gefühl, auf seinen Schultern lasteten zwei Welten, und auf keiner von beiden ging es besonders zivilisiert zu.

Sara setzte sich neben ihn. »Wird Zeit, dass wir wieder nach Hause kommen, was?«

»Ja.«

Seit er hier war, hatte Jeffrey nur noch fortgewollt aus dieser Stadt. Und doch hatte er das Gefühl, dass alles, was er zum Leben brauchte, hier bei ihm war. Wie immer schien Sara zu wissen, was er dachte, und als sie die Hand auf sein Bein legte, verschränkte er die Finger mit ihren und fragte sich, wie sein Leben gleichzeitig so kaputt und so schön sein konnte.

»Hat er gesagt, wie lange es dauert?«, fragte Sara.

»Ich glaube, er wartet immer noch darauf, dass ich sage, es war alles nur ein übler Scherz.«

»Es wird schon gut gehen«, sagte sie und drückte seine Hand.

Jeffrey sah über den dunklen Flur, der zu den Gefängniszellen führte, und hoffte, dass er sich nicht von seinen Gefühlen übermannen lassen würde. Sara war so gut darin, vernünftig zu handeln, dass es ihm manchmal Angst machte. Er kannte niemanden, der so wie sie mit allem fertigwurde, was sich ihr in den Weg stellte, und er fragte sich, welchen Platz in ihrem Leben er einnehmen könnte.

Sara unterbrach seinen Gedankengang. Sie sprach die Frage aus, die er sich nicht zu stellen wagte. »Denkst du jetzt anders über ihn, jetzt wo du weißt, dass er schwul ist?«

Er zuckte die Achseln.

»Jeff?«

Er küsste ihre Finger und versuchte vom Thema abzulenken. »Du kannst dir nicht vorstellen, wie ich mich gefühlt habe, als ich dich unter dem Schaukelstuhl fand. Was mir alles durch den Kopf gegangen ist.«

Sie wartete auf seine Antwort.

»Ich weiß nicht, wie ich dazu stehe«, sagte er dann. »Ich würde ihn am liebsten verprügeln für das, was er dir angetan hat.« Wieder packte ihn die Wut. »Das ...«, er schüttelte den Kopf, versuchte sich zu beruhigen. »Ich schwöre, wenn ich ihn je in die Finger kriege, wird er dafür büßen.«

»Er war verzweifelt«, entgegnete sie. Jeffrey verstand nicht, wie sie Robert noch entschuldigen konnte. »Was ist schlimmer?«, fragte sie. »Was er mir angetan hat oder die Tatsache, dass er schwul ist?«

Jeffrey wusste nicht, was er antworten sollte. »Ich weiß nur, dass er mich all die Jahre angelogen hat.«

»Hättest du dich denn noch mit ihm abgegeben?«

»Das werden wir jetzt wohl nicht mehr rausfinden, oder?«

Sara ließ seine Worte im Raum stehen.

»Als ich Roberts Jacke bei Swan gefunden habe ...«

Er lehnte sich zurück, ließ ihre Hand los und verschränkte die Arme vor der Brust. Seine eigene Letterman-Jacke hatte Jeffrey ganz hinten in seinem Schrank verstaut, und selbst wenn er sie nie trug, brachte er es nicht übers Herz, sie zur Altkleidersammlung zu geben. Er war schlimmer als die Freizeit-Quarterbacks im Heimwerkermarkt und hing an der Jacke, als könnte er damit seine Jugend festhalten.

Er sagte zu Sara: »Ich weiß es nicht. Als ich seine Jacke sah, kam mir der Gedanke, ob da vielleicht mehr zwischen ihm und Swan war. Doch nur für einen Sekundenbruchteil. Dann dachte ich: So ein Quatsch. Robert ist doch keine ...« Jeffrey seufzte tief. Er würde das Wort nie wieder verwenden. Wahrscheinlich hätte er es nie benutzen sollen. »Ich bin aufs Revier gegangen, um mit Hoss zu sprechen, aber er war nicht da.«

Jeffrey verschwieg, dass er nach dem Besuch bei der alten Mrs. Swan instinktiv zu Sara wollte und den Umweg zum Revier nur gemacht hatte, um sich zu beweisen, dass er sie nicht brauchte. Wäre er nur nicht so stur gewesen, dann hätte er Robert aufhalten können, bevor die Dinge außer Kontrolle gerieten. Er hätte sie beschützen können.

Sara wusste davon nichts, als sie weiterbohrte. »Stört es dich, dass er schwul ist?«

»Ich kann die Dinge nicht so sauber auseinanderhalten, Sara, das ist das Problem. Ich bin wütend auf ihn, dass er dir das angetan hat. Ich bin wütend auf ihn, weil er Jessie nicht angezeigt hat, weil er zugelassen hat, dass sich diese ganze Scheiße zusammenbraut, ohne etwas zu unternehmen. Ich bin wütend auf ihn, weil er abgehauen ist und Possum mit der Kaution sitzen lässt.«

»Er hat gesagt, er schickt das Geld.«

»Schön, aber trotzdem muss ich mich erkundigen, ob ich meine Rentenversicherung auflösen kann, sobald wir wieder zu Hause sind.« Er dachte an Possums geschwollenen Kiefer und wie er abgewinkt hatte, als Jeffrey sich für den Schlag entschuldigen wollte. Jeffrey würde Possum mit der finanziellen Belastung nicht alleinlassen.

»Was noch?«, fragte sie. »Weshalb bist du noch wütend auf ihn?«

Er stand auf, er musste sich bewegen. »Dass er mir nichts gesagt hat.« Er blickte den Gang hinunter, in einer der Zellen hörte man einen Häftling fluchen. »Wenn du nicht gewesen wärst, dann würden jetzt alle denken, er ist auf der Flucht, weil er einen Mann ermordet hat. Wir würden weder von Jessies Schuld wissen noch von seiner Beziehung zu Swan, oder wie man das nennt. Wir wüssten nur, dass er ein Mörder auf der Flucht ist.« Jeffrey blieb stehen und drehte sich zu Sara um. »Er hätte mir vertrauen sollen.«

Sie sah ihn eine Weile an, wählte ihre Worte mit Bedacht. »Mein Vetter Hare hatte Probleme am College«, begann sie. »Gestern war er noch bei allen auf dem Campus beliebt gewesen, heute bekam er plötzlich Morddrohungen.«

Jeffrey hatte bei alldem nicht an Saras Vetter gedacht, und jetzt fragte er sich, ob Sara sich auf Roberts Seite stellte, um bei Hare etwas gutzumachen. »Was ist passiert?«

»Es kam raus«, sagte sie. »Er hatte diesen Freund, seinen Mitbewohner. Sie waren unzertrennlich. Als die Leute anfingen zu reden, hat Hare es gar nicht erst geleugnet. Er war völlig überrascht, dass jemand ein Problem damit haben könnte.«

»Ziemlich naiv.«

»So ist Hare eben«, erklärte sie. »Ich fürchte, wir sind in einer ziemlich heilen Welt aufgewachsen. Unsere Eltern haben uns das Gefühl gegeben, dass es keine Rolle spielt, ob man schwul oder hetero oder weiß oder schwarz oder sonst was ist. Hare war schockiert, als seine sogenannten Freunde sich von ihm abwandten.«

Jeffrey konnte sich denken, was passiert war, doch er wollte es von ihr hören. »Was haben sie getan?«

»Es war am Ende seines vierten Semesters an der University of Georgia, als es rauskam, kurz vor den Sommerferien.«

Sie stockte, und er wusste, dass sie die Erinnerung immer noch erschütterte. Für Sara war die Familie das Allerwichtigste, und dass jemand aus der Familie zu Schaden kam, war die einzige Sache auf der Welt, die Sara nicht ertrug.

Dann fuhr sie fort. »Wir haben alle gehofft, dass in den Ferien Gras über die Sache wachsen würde, aber das tat es natürlich nicht. Am ersten Tag nach den Ferien haben sie versucht, ihn zusammenzuschlagen, aber er war immer ein guter Kämpfer und hat dafür gesorgt, dass sich ein paar Leute blutige Nasen geholt haben. Ich weiß, dass er zu dir gesagt hat, er hätte wegen irgendwelcher Knieprobleme mit dem Football aufgehört, aber das stimmt nicht. Er wurde aus dem Team geschmissen.«

Jeffrey setzte sich wieder. »Ich kann nicht beschwören, dass ich mich damals nicht ähnlich verhalten hätte.«

»Und jetzt?«

»Jetzt ...« Er schüttelte den Kopf. »Verdammt, ich will nur, dass Robert in Sicherheit ist. Ich weiß nicht, wie es ist, wenn alle Leute dich für jemanden halten, der du nicht bist.«

»Mir scheint, als hättest du die ersten Jahre deines Lebens auch so verbracht.«

»Ja.« Er lachte. So hatte er die Sache noch gar nicht gesehen.

»Was hat Hoss am Telefon gesagt?«

»Nichts«, sagte er, dann fügte er hinzu: »Er klang nicht allzu überrascht.«

»Glaubst du, er hat es gewusst?«

»Vielleicht hatte er einen Verdacht. Wer weiß.« Er sah sie vielsagend an. »Glaub mir, so was sieht man nicht, solange man nicht danach sucht.«

»Was passiert als Nächstes?«

»Jessie wird verhaftet.« Er schnaubte. »Ein Festtag. Reggie Ray wird sich prächtig amüsieren.«

»Das sollte dir egal sein.«

»Wenn er jetzt hier durch die Tür käme, ich würde ihn krankenhausreif prügeln.«

»Was ist mit Julia Kendall?«

»Was soll mit ihr sein?«

»Ich muss mit dir reden«, begann Sara und griff wieder nach seiner Hand. »Ich muss mit dir über das reden, was Lane Kendall gesagt hat.«

»Sie ist eine …«

»Nein«, unterbrach Sara. »Nicht das. Ich muss dir erklären, warum ich so reagiert habe, als sie dich beschuldigte … dass du Julia vergewaltigt hättest.«

»Ich habe es nicht getan«, sagte er abwehrend. »Ich schwöre dir, Sara, das Kind ist nicht von mir.«

»Ich weiß«, antwortete sie, doch ihr Blick war so seltsam, dass er ihr nicht glaubte.

Er stand wieder auf. »Ich sage dir, ich habe es nicht getan. Ich habe mit der ganzen Sache nichts zu tun.«

»Ich weiß, dass du es nicht warst«, wiederholte sie.

»Du siehst nicht so aus, als ob du mir glaubst.«

»Es tut mir leid, wenn du so denkst«, sagte sie kühl, und er spürte, wie sie sich in sich zurückzog.

Wieder lief er auf und ab, er fühlte sich in die Ecke gedrängt und schuldig, obwohl er wusste, dass er nichts getan hatte. Sein einziger Gedanke war, dass sie Sara doch noch auf ihre Seite gezogen hatten. Am Ende hatte Sara doch noch angefangen, an ihm zu zweifeln, genau wie alle anderen. Es gab keinen Weg zurück.

»Jeff«, sagte Sara. »Hör auf, so herumzurennen.«

Er blieb stehen, doch innerlich arbeitete es in ihm. »So kommen wir nicht weiter«, sagte er. »Entweder du vertraust mir oder nicht, aber ich werde nicht …«

»Hör auf«, unterbrach sie ihn.

»Glaubst du, ich bin zu so was fähig?«, fragte er. »Glaubst du wirklich, ich könnte …« Er fand keine Worte. »Herrgott, Sara, wenn du denkst, ich könnte jemanden vergewaltigen, was zum Teufel willst du dann von mir?«

»Ich glaube das nicht, Jeffrey. Das versuche ich dir die ganze Zeit zu sagen.« Sie wirkte aufgebracht, und ihr Ton wurde noch schärfer. »Aber selbst wenn ich es denken würde – was ich nicht tue –, medizinisch kommt es überhaupt nicht in Betracht, dass Eric Kendall dein Kind ist.«

Schweigend blieb er stehen, er wartete auf eine Erklärung.

»Gibt es in deiner Familie einen Fall von Blutgerinnungsstörungen?«, fragte sie in einem Tonfall, als hätte sie einen Dreijährigen vor sich.

»Wovon redest du?«

»Blutgerinnungsstörung«, wiederholte sie, als erklärte das alles. »Lane Kendall sagt, Eric hat eine Blutungsstörung.«

Jeffrey verstand nicht, worauf sie hinauswollte. Er hatte versucht, das unselige Treffen mit Lane Kendall, so gut es ging, zu verdrängen und wollte das Ganze nicht noch einmal durchkauen.

Sie sagte: »Ich habe ihn nicht untersucht, aber nach dem, was mir Nell erzählt hat, klingt es nach dem Willebrand-Syndrom.«

Er wartete.

»Sein Blut gerinnt nicht.«

»Wie bei einem Bluter?«

»So ähnlich«, antwortete sie. »Das Willebrand-Syndrom ist eine abgemilderte Form der Bluterkrankheit. Manche Leute wissen nicht mal, dass sie es haben. Sie denken, sie haben einfach dünne Haut. Erics blaue Flecken waren geschwollen, er hatte Beulen. Das ist ein Symptom.«

Jeffrey spürte, wie sich ihm die Nackenhaare aufstellten.

Sein Ausdruck schien ihn zu verraten, denn Sara fragte: »Was ist?«

Er schüttelte den Kopf. Wahrscheinlich hatte ihn das ganze Drama um Robert etwas paranoid gemacht. »Könnte die Krankheit nicht aus Lanes Familie kommen? Oder von Julias Vater?«

»Theoretisch«, antwortete sie, doch ihr Ton machte klar, dass sie es für unwahrscheinlich hielt. »Frauen wissen es normalerweise, wenn sie es haben. Ihre Menstruation ist extrem stark. Oft wird eine Hysterektomie vorgenommen, obwohl es gar nicht nötig wäre. Es ist keine leichte Diagnose, die wenigsten Ärzte denken daran.« Sie fügte hinzu: »Bei so vielen Kindern hätte Lane gewusst, wenn sie es hätte. Schwangerschaften können für Frauen mit Blutungsstörungen ein großes Risiko darstellen.«

Jeffrey starrte sie an, in seinem Kopf arbeiteten die Synapsen. Er hatte das Gefühl, jemand ramme ihm eine Faust in den Bauch. »Was, wenn jemand häufiger Nasenbluten hat?«

Sie runzelte die Brauen. »An wen denkst du?«

»Antworte einfach, Sara. Bitte antworte.«

»Könnte sein«, sagte sie. »Nasenbluten, Zahnfleischbluten. Wunden, die nicht verheilen wollen.«

»Und du bist sicher, dass es vererblich ist?«

»Ja.«

»Scheiße«, flüsterte er. So desolat die Lage bis vor fünf Minuten gewesen war, jetzt war alles schlimmer geworden, als er es je für möglich gehalten hätte.

»Woran denkst ...«

Beide blickten auf, als die Eingangstür aufging.

»Tut mir leid, dass ich so lange gebraucht hab«, erklärte Hoss und kramte in der Tasche nach seinem Schlüssel.

Jeffrey bewegte sich nicht.

Hoss sah Sara an und musterte ihre Wunden und blauen Flecken. »Ich hätte nie gedacht, dass Robert in der Lage ist, einer Frau so etwas anzutun«, sagte er. »Aber ich schätze, er war eben einfach nicht der Mensch, für den ich ihn gehalten habe.«

»Es geht schon wieder«, sagte Sara und lächelte matt.

»Na gut«, sagte Hoss und schloss die Tür seines Büros auf. Er knipste das Licht an, ging zu seinem Schreibtisch und sah die Papiere durch, die dort bereitlagen. »Kommt rein, bringen wir's hinter uns.«

Sara sah Jeffrey forschend an, und er beantwortete die stumme Frage mit einem Nicken.

Als Hoss merkte, dass Jeffrey immer noch in der Tür stand, fragte er: »Slick? Gibt es ein Problem?«

Sara legte Jeffrey die Hand auf die Schulter. »Soll ich mit reinkommen oder draußen warten?«

»Schon gut«, sagte Hoss, der offensichtlich dachte, sie hätte ihn gefragt.

»Ich warte draußen.« Sie drückte Jeffreys Schulter, und irgendwie gab ihm ihre Zuversicht, dass er das Richtige tat, die Kraft, in das Büro des Sheriffs zu gehen.

Die Tür schloss sich mit einem Klicken, als er sich auf den Stuhl vor Hoss' Schreibtisch setzte.

»Das Ganze hat ihr wohl ordentlich zugesetzt, was?«, sagte Hoss. Er nahm einen Bericht in die Hand und überflog ihn. »Ich habe Reggie losgeschickt, Jessie zu holen. Mein Gott, was für ein Durcheinander. Sie wird sich sicher mit Händen und Füßen wehren.«

»Wir wissen immer noch nicht, was mit Julia geschehen ist.«

»Robert hat gestanden.«

»Robert hat eine Menge Dinge gestanden, die er nicht getan hat.«

»Ich weiß nicht, ob wir ihm jetzt noch trauen können, nach dem, was wir von ihm wissen.«

»Sie glauben, weil er schwul ist, macht ihn das fähig, einen Mord zu begehen?«

»In meinen Augen macht ihn das zu allem fähig«, sagte Hoss und drehte das Blatt um, um die Rückseite zu lesen. »Vielleicht sollten wir ein paar seiner Fälle wieder aufrollen und herausfinden, was er wirklich getrieben hat.«

Das reichte, um Jeffreys Wut zum Überkochen zu bringen. »Robert war ein guter Cop.«

»Er war eine verdammte Tunte«, sagte Hoss, ohne den Blick von dem Bericht zu nehmen. Er nahm einen Stift in die Hand und unterschrieb das Papier. »Wer weiß, was er noch so auf dem Kerbholz hat. Vor ein paar Jahren ist hier ein Junge verschwunden. Robert hat sich in den Fall reingehängt, als ginge es um seinen eigenen Sohn.«

Jeffrey schaffte es, durch zusammengebissene Zähne zu sprechen. »Wollen Sie behaupten, er ist auch noch ein Kinderschänder?«

Hoss griff nach dem nächsten Bericht. »Das gehört doch alles zusammen.«

Jeffreys Augen funkelten.

»Er hat die Little League trainiert«, sagte Hoss. »Ich hab schon bei ein paar Eltern angerufen.«

»Das ist doch ein Riesenblödsinn«, zischte Jeffrey. »Robert liebt Kinder.«

»Eben«, stimmte Hoss zu, »sie *lieben* Kinder.«

Jeffrey schnaubte: »Er ist also ein Pädophiler, steht auf Jungs, und trotzdem hat er Julia umgebracht, als wir Teenager waren?«

»Man weiß nie, was sich so ein krankes Hirn alles ausdenkt«, sagte Hoss. »Ein unschuldiges Mädchen erwürgen, einen Mann töten, weil er seine Frau vögelt …«

Hoss' Worte hallten in Jeffreys Kopf wider, und langsam schienen sich alle Puzzleteile zusammenzufügen. »Ich kann mich gar nicht erinnern, Ihnen erzählt zu haben, dass sie erwürgt wurde, Sir«, sagte er leise.

Hoss schoss ihm einen irritierten Blick zu. »Dann hat es mir wohl deine Lady erzählt.«

»Ach ja?«, fragte Jeffrey und schickte sich an aufzustehen. »Soll ich sie reinholen und fragen?«

Hoss stockte. »Vielleicht hab ich's irgendwo aufgeschnappt.«

Jeffrey konnte nicht fassen, wie still es plötzlich in dem Büro war. Alles passte zusammen. »Sie wissen, dass er es nicht war.«

Hoss ließ seinen Bericht sinken. »Was sagst du da, Junge?«

»Eric Kendall hat eine Blutkrankheit.«

Er senkte den Blick wieder, als suchte er etwas auf dem Papier. »Ist das so?«

»Er ist Ihr Kind, nicht wahr?«

Hoss antwortete nicht, aber Jeffrey sah, wie der Bericht, den er in der Hand hielt, leicht zitterte.

»Sie haben mir mal erzählt, dass Sie zur Armee wollten, nachdem Ihr Bruder gefallen war, aber man hat Sie aus gesundheitlichen Gründen ausgemustert.«

»So?«

»Warum sind Sie ausgemustert worden?«

Hoss zuckte die Achseln. »Plattfüße. Das weiß jeder.«

»Sind Sie sich sicher, dass es nicht doch etwas anderes war? Etwas, womit Sie nicht mal bei der Polizei sein dürften, wenn es rauskäme?«

»Jetzt reicht's aber, Junge«, sagte er in einem Ton, der verriet, dass er das Gespräch beenden wollte.

Jeffrey gab nicht nach. »Sie hatten ständig Nasenbluten. Und Zahnfleischbluten, einfach so. Ich hab gesehen, wie Sie sich an einem Blatt Papier geschnitten haben, es hat zwei Tage lang geblutet.«

Hoss lächelte müde. »Das heißt nicht ...«

»Lügen Sie mich nicht an«, knurrte Jeffrey, Wut brodelte in seinem Bauch. »Sie können alles sagen, und niemand außer uns soll es je erfahren. Aber wagen Sie es nicht, mich anzulügen.«

Hoss zuckte die Achseln, als wäre nichts dabei. »Sie war eine Nutte. Das weißt du doch.«

»Sie war erst sechzehn.«

»Siebzehn«, berichtigte Hoss. »Ich habe kein Gesetz gebrochen.«

Er widerte Jeffrey an, und vielleicht war es ihm anzusehen, denn Hoss versuchte es über eine andere Schiene.

»Hör mal zu«, sagte er. »Es sind schwierige Zeiten gewesen,

damals. Das Mädchen hat jemanden gebraucht, der sich um sie kümmert.«

Jeffrey wurde übel. Als Polizist hatte er diese Ausrede bereits von tausend schmutzigen alten Männern gehört, doch die Worte aus Hoss' Mund zu hören, traf ihn wie ein Schlag in den Magen. »Sich um sie kümmern, heißt nicht, sie zu vögeln.«

»Pass auf, was du sagst«, warnte Hoss, als sei Jeffrey ihm noch immer Respekt schuldig. »Komm schon, Slick, ich hab mich um sie gekümmert.«

»Wie?«

»Ich hab dafür gesorgt, dass ihr Daddy sie nicht anrührt, zum Beispiel«, erklärte Hoss. »Und glaubst du etwa, ihre Mutter hat das Geld dafür rausgerückt, dass sie weggeht und das Baby kriegt?«

»*Ihr* Baby, Sir.«

Er zuckte die Achseln. »Wer wusste das schon? Hätte meins sein können, hätte deins sein können.«

»So ein Dreck.«

»Es hätte von jedem sein können, will ich damit nur sagen. Sie hat es mit der gottverdammten halben Stadt getrieben.« Er zog ein Taschentuch heraus und putzte sich die Nase. »Hätte auch von ihrem Daddy sein können, soweit ich weiß.«

Jeffrey starrte den verräterischen Blutstropfen an, der aus Hoss' Nase rann. Er wirkte immer so überlegen, doch wenn Jeffrey zurückdachte, hatte der alte Mann immer, wenn er unter Druck stand, Nasenbluten bekommen.

Jeffrey sagte: »Sie haben ihr das Medaillon gegeben, nicht wahr?«

Hoss betrachtete das Taschentuch, bevor er es sich wieder an die Nase hielt. »Es hat meiner Mutter gehört. Schätze, ich hatte meinen großzügigen Tag.«

Jeffrey fragte sich, was Hoss für das Mädchen empfunden hatte. Wenn man ein Mädchen nur benutzte, schenkte man ihr keinen Schmuck, vor allem nicht, wenn er von der eigenen

Mutter war. Er hakte nach. »Warum haben Sie sie nicht einfach geheiratet?«

Hoss lachte über den Vorschlag, und ein paar winzige Blutstropfen spritzten auf das Taschentuch. »Wach auf, Slick. So jemanden heiratet man doch nicht.« Er zeigte auf die Tür, in Richtung Sara. »Das ist eine Frau zum Heiraten.« Er ließ die Hand sinken. »Jemand wie Julia, das ist die Art von Frau, die du vögelst, und hinterher betest du, dass du dir nichts eingefangen hast.«

»Wie können Sie nur so über sie sprechen? Sie ist die Mutter Ihres Kindes.«

»Das sagst ausgerechnet du.«

»Was soll das heißen?«

»Nichts«, antwortete er, doch Jeffrey hatte das Gefühl, er hielt etwas zurück. »Hör zu, wir hatten einfach ein bisschen Spaß miteinander.«

»Sie war viel zu jung, um zu wissen, was Spaß ist.« Jeffrey stand auf. »Haben Sie sie umgebracht?«

»Das fragst du doch nicht im Ernst.«

Jeffrey schwieg. Er hatte die Antwort in Hoss' Augen gelesen. Seine ganze Welt stand plötzlich Kopf. Der Mann, den er für gut und anständig gehalten hatte, war tatsächlich ein mieser Dreckskerl. Hätte er Hoss im Befragungsraum in Grant County gehabt, er hätte sich beherrschen müssen, um das Schwein nicht windelweich zu prügeln.

»Du weißt nicht, wie es war«, versuchte es Hoss. »Ich hab dieser Stadt dreißig Jahre lang treu gedient.«

»Sie haben ein siebzehnjähriges Mädchen ermordet«, sagte Jeffrey. »Oder wollen Sie mir erklären, das war okay, weil sie inzwischen achtzehn war?«

Hoss warf das Taschentuch auf den Boden und stand auf. »Ich hab versucht, Robert zu schützen.«

»Robert?«, fragte Jeffrey ungläubig. »Was hat Robert damit zu tun?«

Hoss legte die Hände auf den Tisch und beugte sich zu Jeffrey vor. »Sie hat überall rumerzählt, er hätte sie vergewaltigt. Ich konnte nicht zulassen, dass die kleine Schlampe sein Leben zerstört.«

»Das Gerücht war nach einer Woche vergessen«, entgegnete Jeffrey. »Nach weniger als einer Woche.«

Hoss sah auf den Tisch hinunter. »Die Leute reden weiter. Die ganze Stadt besteht aus Gerede, die Leute erzählen Lügen und denken, sie wissen Bescheid, doch in Wirklichkeit haben sie keinen verdammten Schimmer.« Er wischte sich mit dem Handrücken über die Nase. »Ich habe einen Ruf zu verlieren. Die Menschen hier brauchen mich. Sie brauchen jemanden, der alles im Griff hat. Ich habe es für die Menschen hier getan.«

»Sie Wahnsinniger«, sagte Jeffrey.

Hoss riss den Kopf hoch. »Du hast kein Recht –«

»Was hat sie getan?«, fragte Jeffrey. »Sie haben sie weggeschickt, um das Baby zu kriegen, aber sie ist zurückgekommen. Haben Sie gedacht, sie kommt nicht zurück?«

Hoss winkte ab. Er ging zum Fenster und kehrte Jeffrey den Rücken zu.

»Sie glauben, Sie sind unberührbar. Sie glauben, Sie können sich hinter Ihrer Marke verstecken.«

Hoss antwortete nicht.

»Sie ist zurückgekommen, und dann? Was wollte sie, Hoss? Geld?«

Hoss legte die Hand auf die Flagge seines Bruders. »Sie dachte, ich würde sie heiraten. Schön blöd, was? Ich sie heiraten.« Er lachte. »So eine Scheiße.«

»Und da haben Sie sie umgebracht.«

»So war es nicht.« Zum ersten Mal wirkte Hoss beunruhigt, doch Jeffrey wusste, es lag daran, dass er erwischt worden war, nicht weil er seine Tat bereute. »Es war ein Unfall.«

»Na klar. Dauernd werden Menschen aus Versehen erwürgt.«

Hoss' Stimme überschlug sich. »Sie hat gedroht auszupacken«, rief er. »Sie kam nach der Geburt wie die verdammte Jungfrau Maria zurück. Sie hat gesagt, sie wollte, dass ich eine ehrbare Frau aus ihr mache. Ist das zu fassen? Ich sie heiraten! Sie war wie ein Stück Kuchen, das jeder Mann aus dieser verdammten Stadt angebissen hatte. Ich wäre zum Gespött der Leute geworden, wenn ich die Nutte geheiratet hätte.«

»Nennen Sie sie nicht so«, warnte Jeffrey. »Dazu haben Sie kein Recht.«

»Und ob ich das Recht habe«, schoss Hoss zurück. »Sie hat doch nichts als Ärger gemacht. Sie hat behauptet, du hättest sie vergewaltigt. Wie hat dir das gefallen?«

»Ach so ist das«, sagte Jeffrey, »dann haben Sie sie für mich getötet?«

»Und für Robert«, sagte er.

Jeffrey hatte Mühe, sich zu beherrschen. Aber er musste ihn reden lassen. »Was ist passiert?«

»Sie kam aufs Revier.« Er zeigte auf das Büro, selbst die bloße Erinnerung schien ihn noch zu empören. »Hierher, in mein Büro.«

»Und?«

Hoss drehte sich wieder zu der Flagge und fuhr die Gravierung auf der Holzkiste mit dem Finger nach. »Es war spät, vielleicht so wie jetzt. Es war kaum jemand da.« Er schwieg. »Sie war heiß, wie immer, und dann hat sie plötzlich damit aufgehört. Das Biest wollte einen immer nur scharfmachen.«

Jeffrey wartete.

»Also«, fuhr Hoss fort, »darüber haben wir uns unterhalten.«

»Haben Sie sie vergewaltigt?«

»Sie wollte es so«, sagte Hoss. »Sie wollte immer.«

Jeffrey war schlecht. »Und was dann?«

»Sie hat gesagt, sie will, dass ich sie heirate. Sie wollte nicht, dass ihre Mutter Eric großzieht.«

Jeffreys Blick schweifte über die Kiste mit der Flagge. Er hatte die Messingplakette schon tausendmal gesehen, doch er hatte nie eine Verbindung gezogen. John Eric Hollister. Julia hatte Hoss gedrängt, und ohne es zu wissen, war sie zu weit gegangen.

»Sie haben sich gestritten?«, fragte Jeffrey.

»Ja«, Hoss nickte. »Ich habe ihr Geld angeboten. Sie hat es mir vor die Füße geworfen. Sie hat gesagt, wenn wir verheiratet wären, würde sie sowieso alles kriegen.« Er lachte bitter. »Nicht zu fassen, wie dumm sie war. Zu glauben, das würde ich tun. Zu glauben, dass sie zu mehr gut war als zum Blasen und Ficken.«

Jeffreys Kiefer taten weh, so fest biss er die Zähne aufeinander. Jedes Mal, wenn Hoss den Mund aufmachte, musste er sich beherrschen, ihm nicht an die Gurgel zu gehen.

»Sie hat nicht aufgehört. Hat mir gedroht. Aber mir droht keiner.«

»Also haben Sie sie umgebracht.«

»Quatsch«, sagte Hoss. »Ich hab versucht, mit ihr zu reden. Hab versucht, sie zur Vernunft zu bringen.« Hoss drehte sich um, er hatte ein seltsames Lächeln auf den Lippen, als erwartete er Jeffreys Bestätigung. »Ich hab versucht, sie aus dem Büro zu kriegen. Hab sie ein bisschen zur Tür geschubst. Das Nächste, was ich mitkriege, ist, dass sie mir plötzlich auf den Buckel springt. Wie findest du das? Springt mir auf den Buckel, schreit und tritt und kratzt. Früher oder später hätte es jemand gehört, wäre reingekommen und hätte gefragt, was zum Teufel hier los ist.«

Jeffrey nickte düster.

»Im nächsten Moment hatte ich die Hände um ihren Hals«, sagte Hoss und hielt die Hände in die Luft. Robert hatte das Gleiche getan, als er gestand, Julia umgebracht zu haben. Aber

Hoss spielte die Szene mit der Leidenschaft eines Menschen nach, der dabei gewesen war. Hoss kämpfte mit den Dämonen der Vergangenheit, versuchte die Erinnerung zu erwürgen. Aus seiner Nase tropfte jetzt ein stetiges Rinnsal Blut, doch er achtete nicht mehr darauf.

Hoss sagte: »Ich wollte, dass sie endlich den Mund hält. Ich wollte ihr nicht wehtun, ich wollte nur, dass sie zu schreien aufhört. Und dann hörte sie auf.« Er fixierte eine Stelle hinter Jeffrey. »Ich hab noch versucht, ihr zu helfen. Mund-zu-Mund-Beatmung. Herzmassage. Aber sie war weg. Ihr Kopf ... hing so runter ... Ich glaube, ich habe ihr das Genick gebrochen.«

Jeffrey ließ die Worte einige Sekunden im Raum stehen. Er versuchte zu verstehen, was tatsächlich passiert war. Vor ein paar Jahren hätte er Hoss' Worte ohne zu zögern geglaubt. Vielleicht hätte er ihm sogar geholfen, die Spuren zu verwischen. Aber jetzt nahm er die Worte als das, was sie waren: eine Lüge, mit der Hoss sich die Wahrheit so zurechtbiegen wollte, dass er nachts schlafen konnte.

Jeffrey kam auf ihn zu. »Sie haben sie erwürgt.«

»Ich hab es nicht gewollt.«

»Wie lange hat es gedauert?«, fragte Jeffrey und kam noch einen Schritt näher. Er wusste von einem Fall im letzten Jahr, dass einen Menschen zu erwürgen nicht so leicht war, wie man sich das vorstellte. Vor allem wenn das Opfer sich mit Händen und Füßen wehrt, wie Julia es getan haben musste. »Wie lange hat es gedauert, bis sie das Bewusstsein verlor?«

»Ich weiß nicht. Nicht lange.«

»Warum haben Sie sie in die Höhle gebracht?«

»Ich habe nicht darüber nachgedacht«, rechtfertigte Hoss sich, doch Jeffrey sah das Schuldgefühl in seinen Augen.

»Jeder wusste, dass es unsere Höhle war«, sagte Jeffrey. »Wenn sie je gefunden worden wäre, hätten alle Leute glauben müssen, dass ich oder Robert es waren. Oder wir beide zusammen.«

»Das habe ich nicht …«

»Sie hatte behauptet, wir hätten sie vergewaltigt«, unterbrach Jeffrey. »Kaum ein Jahr davor. Es hätte alles gepasst, nicht wahr? Wir wollten uns dafür rächen, dass sie gepetzt hatte.«

»Warte«, sagte Hoss. Endlich sah er ihm in die Augen. Es fiel ihm schwer, das war offensichtlich. »Du glaubst, ich wollte, dass der Verdacht auf dich und Robert fällt?«

Ohne zu zögern, antwortete Jeffrey: »Ja.«

Endlich verlor Hoss die Beherrschung. »Ich habe dir doch gesagt, es war ein Unfall!«

»Erzählen Sie das der ganzen Stadt«, gab Jeffrey zurück, und Hoss wurde bleich. »Sagen Sie das Deacon White und Thelma auf der Bank und Reggie Ray, wenn er mit Jessie zurückkommt.«

Panik flackerte in den Augen des alten Mannes auf. »Das würdest du nicht tun.«

»Nein?«, fragte Jeffrey. »Ich weiß nicht, wie Sie das handhaben, aber ich trage meine Marke nicht nur, um im Diner ein kostenloses Frühstück zu bekommen.«

»*Ich* hab dir beigebracht, die Marke zu ehren.«

»Sie haben mir überhaupt nichts beigebracht, Sir.«

Hoss streckte Jeffrey den Finger ins Gesicht. »Wenn ich nicht gewesen wäre, säßest du längst im Knast und würdest mit deinem Daddy Fußböden schrubben, Junge!«

»Wo ist der Unterschied«, gab Jeffrey zurück. »Ich stehe auch hier mit einem Mörder in einem Raum.«

»Jemand musste dich beschützen«, sagte Hoss mit zitternder Stimme. »Das war es, was ich getan habe. Ich hab mich um dich und deinen schwulen Freund gekümmert.«

Jeffrey zuckte bei dem Wort zusammen, und das entging Hoss nicht.

»Genau«, sagte Hoss. »Wie würde es dir gefallen, wenn ich rumerzähle, dass du und Robert mehr wart als Freunde?«

Jeffrey lachte schnaubend.

»Wer weiß«, fuhr Hoss fort, »vielleicht stimmt es.«

»Natürlich.«

»Zwei warme Brüder«, höhnte Hoss, doch er hörte sich verzweifelt an. »Willst du, dass es die ganze Stadt erfährt? Vielleicht sollte man auch deinem Daddy im Knast Bescheid sagen.«

»Sie können es meinem Daddy bald persönlich übermitteln, Sie mieser alter Drecksack.«

»Pass auf, was du sagst.«

»Oder was?«

»Ich hab dich beschützt!«, schrie Hoss. »Glaubst du, dein Vater hätte das für dich getan? Glaubst du, der Bastard hätte dir geholfen?«

Jeffrey schlug mit den Fäusten auf den Tisch. »Ich wollte Ihre Hilfe nicht!«

»Du hattest sie aber bitter nötig!«, schrie Hoss zurück. Blut tropfte aus seiner Nase, doch er schrie, bis sein Gesicht zornrot war. »Ich hab dich großgezogen, Junge! Ich hab dich zu dem Mann gemacht, der du heute bist!«

Jeffrey zeigte mit dem Daumen auf seine Brust. »*Ich* habe mich zu dem Mann gemacht, der ich heute bin. Und Sie haben es nicht verhindern können.« Es widerte ihn an, so nah vor Hoss zu stehen. »Ich habe Sie für einen Gott gehalten. Sie waren genau so, wie ich werden wollte.«

Hoss' Lippen zitterten, er schien Jeffreys Worte als Kompliment auffassen zu wollen.

Jeffrey drückte sich klarer aus: »Sie haben sich an einem Kind vergangen. Sie haben einem Kind die Mutter genommen.«

»Das habe ich ...«

»Sie kotzen mich an«, sagte Jeffrey und ging zur Tür.

Hoss stützte sich mit der Hand auf den Tisch, als hätte er keine Kraft mehr. »Geh nicht so, Slick. Bitte.« Er klang verzweifelt. »Was wirst du sagen? Was wirst du den Leuten sagen?«

»Die Wahrheit«, sagte Jeffrey kühl und spürte, wie seine Ruhe zurückkehrte. Was er hier vor sich hatte, war nicht mehr sein Mentor, sein Ersatzvater, sondern ein Verbrecher, ein verlogener alter Mann, der die Menschen zerstörte, die er hätte schützen sollen.

»Bitte«, flehte Hoss. »Das kannst du nicht machen. Du richtest mich zugrunde. Du weißt, was passiert, wenn du rausgehst und ... bitte, Slick. Tu das nicht.« Er machte einen Schritt auf Jeffrey zu. »Da kannst du mir auch gleich die Pistole an die Schläfe halten.« Er versuchte ein müdes Lächeln. »Komm schon, mein Sohn. Schau mich nicht so an.«

»Sie anschauen?« Jeffrey legte die Hand auf den Türknauf. »Ich ertrage Ihr Gesicht nicht mehr.«

Obwohl er die Tür nicht hinter sich zuknallte, dröhnte es in seinem Kopf. Sara stand mit fragenden Augen auf.

Jeffrey wusste nicht, was er sagen sollte. Es gab keine Worte, die ausdrückten, was er fühlte.

»Alles in Ordnung?«, fragte sie. Ihre Sorge fühlte sich besser als alles an, was sie bisher für ihn getan hatte.

»Er ist zu mir gekommen, als mein Dad verhaftet wurde«, erklärte Jeffrey.

»Hoss?«

»Ich war in Auburn, kurz vor dem Examen. Ich weiß es noch genau ...« Er brach ab, dachte an das bunte Laub der Bäume an jenem wunderschönen Herbsttag. Jeffrey hatte in seinem Zimmer im Wohnheim gesessen und sich den Kopf zerbrochen, wie er das Geld für die Promotion auftreiben würde, wenn er in Auburn angenommen wurde. Er wollte Lehrer werden, ein ehrenhafter Beruf mit einem geregelten Einkommen. Er wollte der Welt etwas zurückgeben.

»Er hat an die Tür geklopft«, erinnerte er sich. »Niemand klopft im Wohnheim an. Die Leute kommen einfach rein. Ich dachte, jemand will mir einen Streich spielen.« Er lehnte sich an die Wand. »Doch er hat geklopft, und schließlich habe ich die Tür aufgemacht, und da stand er mit diesem Blick. Hat mir erzählt, dass mein Vater einen Deal mit der Staatsanwaltschaft gemacht hätte. Dass er seine Freunde verpfiffen hätte, damit er nicht zum Tod verurteilt wird. Weißt du, was er gesagt hat?«

Sara schüttelte den Kopf.

»›Was für ein Feigling.‹ Dann hat er zu mir gesagt, ich müsse jetzt ein Mann sein, mit dem Vergnügen sei es nun vorbei. Als wäre ich zum Vergnügen aufs College gegangen. Er gab mir die Bewerbung. Hatte sie schon ausgefüllt.«

»Für die Polizeiakademie?«

»Ja«, er nickte. »Ich nahm sie und unterschrieb, und das war's dann.« Zum ersten Mal in seinem Leben fragte sich Jeffrey, was aus ihm geworden wäre, wenn er Nein zu Hoss gesagt hätte. Beispielsweise hätte er Sara nicht kennengelernt. Wahrscheinlich wäre er immer noch in Sylacauga und hätte mit den ewigen dummen Sprüchen und Bemerkungen zu kämpfen, die Robert schließlich in die Flucht getrieben hatten.

Er sagte: »Ich weiß nicht, wie ich das hier überstehen soll.«

»Ich bleibe, solange du mich brauchst.«

»Ich kann nicht einmal daran denken«, sagte er, und es war die Wahrheit. Wie sollte er das fertigbringen? Wie konnte er wiederholen, was Hoss eben gesagt hatte?

»Alles wird gut«, sagte sie. Im selben Moment fiel ein Schuss in Hoss' Büro.

Jeffrey war wie versteinert, er konnte sich nicht rühren. Doch irgendwie schaffte er es schließlich, sich umzudrehen. Sara musste die Tür aufgemacht haben, und Jeffrey sah den alten Mann in seinem Sessel, eine Hand auf der Flagge seines Bruders, in der anderen den Revolver. Er hatte sich die

Mündung an den Kopf gehalten und den Abzug gedrückt. Es bestand kein Zweifel, dass er tot war, doch Jeffrey sah Sara fragend an, als sie um den Tisch herumging und nach einem Puls suchte.

»Es tut mir leid«, sagte sie. »Er ist tot.«

FÜNFUNDZWANZIG

15.50 Uhr

»Scheiße«, fluchte Lena, doch sie versuchte, die Hand ruhig zu halten, als Molly die Spritze in die Wunde stach.

»Tut mir leid«, murmelte Molly und beobachtete über Lenas Schulter hinweg Sara und Jeffrey.

Lena sah ebenfalls zu, wie Jeffrey in den Krankenwagen getragen wurde. »Wird er wieder gesund?«

Molly nickte. »Ich hoffe es.«

»Und Marla?«

»Sie wird gerade operiert. Marla ist alt, aber zäh.« Sie richtete den Blick wieder auf Lenas Hand. »Das brennt jetzt ein bisschen.«

»Was du nicht sagst«, stöhnte Lena. Die verdammte Spritze tat mehr weh als das Messer.

»Das lindert die Schmerzen, damit ich nähen kann.«

»Mach schnell«, sagte Lena und biss sich auf die Lippe. Sie schmeckte Blut, und ihr fiel wieder ein, dass ihre Lippe aufgeplatzt war. Molly stach noch einmal zu. »Verdammt, das tut weh.«

»Nur noch ein bisschen.«

»Verdammt«, wiederholte sie und wandte den Blick von der Spritze ab. Sie sah, wie Amanda Wagner und Nick im Hinterzimmer der Reinigung miteinander sprachen, beide blickten in ihre Richtung.

»So«, sagte Molly. »In ein paar Minuten spürst du nichts mehr.«

»Hoffentlich«, knurrte Lena, der Einstich tat immer noch weh, obwohl die Nadel längst draußen war. Durch das Schaufenster sah sie das Chaos auf der Straße. Mindestens fünfzig Agenten des Georgia Bureau of Investigation waren ausgeschwärmt, und keiner von ihnen hatte eine Ahnung, was genau los war. Smith war tot, und Sonny saß in Handschellen auf der Rückbank eines Streifenwagens auf dem Weg nach Macon, wo sie ihn wahrscheinlich krankenhausreif prügeln würden. In der Hölle gab es einen besonderen Ort für Polizistenmörder.

Lena beobachtete, wie Molly das Nähbesteck sortierte, das sie aus dem Krankenwagen geholt hatte. »Wo sind die Mädchen?«

»Bei ihren Eltern«, sagte Molly und legte sich Nadel und Faden bereit. »Was die durchgemacht haben müssen. Die Eltern, meine ich. Mein Gott, wenn ich nur daran denke, wird mir schlecht.«

Lena merkte, wie ihre Hand taub wurde.

»Besser?«, fragte Molly.

»Ja«, gab Lena zu. »Danke, dass du das machst. Ich hasse das Krankenhaus.«

»Das kann ich verstehen«, sagte Molly und reinigte die Wunde. »Du brauchst auch nur drei oder vier Stiche. Sara könnte das viel besser als ich.«

»Sie ist härter im Nehmen, als ich dachte.«

»Ich glaube, das sind wir alle«, entgegnete Molly. »Das hätte ich dir nicht zugetraut, als wir reingegangen sind.«

»Ja«, sagte Lena einfach. Das Kompliment hatte einen schalen Beigeschmack. Lena hatte eine Heidenangst gehabt.

Mit einer langen Pinzette griff Molly nach einer gebogenen Nadel. Sie steckte die Nadel durch Lenas Haut. Lena sah zu, wie ihr Fleisch durchbohrt wurde, ohne dass sie etwas spürte außer einem dumpfen Zerren an der Haut. Es war ein komisches Gefühl.

»Wie lange bist du schon mit Nick zusammen?«

»Nicht lange.« Molly verknotete den Faden. »Erst hat er es bei Sara versucht. Ich bin wohl so was wie der Trostpreis.«

Bei der Vorstellung von Nick und Sara als Paar musste Lena lachen. »Sara ist zwei Meter größer als er.«

»Außerdem liebt sie Jeffrey«, erinnerte sie Molly. »Lieber Gott, ich weiß noch, als ich die beiden das erste Mal zusammen gesehen habe.« Sie setzte zum nächsten Stich an. Lena spürte wieder das dumpfe Zerren, als ihre Haut durchbohrt wurde. »Ich hab Sara noch nie so rumalbern sehen.«

»Sie hat rumgealbert?«, wiederholte Lena. Sie musste sich verhört haben. Sara war der ernsteste Mensch, den Lena kannte.

»Rumgealbert«, bestätigte Molly. »Wie ein Schulmädchen.« Sie machte einen sauberen Knoten in den zweiten Faden. »Einer noch, glaube ich.«

»Ich habe Jeffrey nie mit diesen Augen gesehen.«

»Jeffrey?«, fragte Molly überrascht. »Er ist umwerfend.«

»Wenn du meinst«, Lena zuckte die Schultern. »Mit ihm auszugehen, stelle ich mir vor, wie wenn man mit seinem eigenen Vater ausgeht.«

»Du vielleicht«, sagte Molly vielsagend. Noch einmal steckte sie ihr die Nadel durch die Haut und verknotete den dritten Faden. »Fertig«, sagte sie dann und schnitt den Faden über dem Knoten ab. »Alles in Ordnung.«

»Danke.«

»Es sollte keine größere Narbe geben.«

»Mir egal«, sagte Lena und streckte die Hand aus. Sie konnte die Finger bewegen, aber sie spürte nichts.

»Nimm eine Schmerztablette, wenn die Narkose nachlässt. Ich sag Sara, dass sie dir welche geben soll, wenn du möchtest.«

»Schon gut«, wehrte Lena ab. »Sie hat im Moment andere Sorgen.«

»Es macht ihr nichts aus«, widersprach Molly.

»Nein«, versicherte Lena. »Danke.«

»Na gut«, sagte Molly und suchte das Besteck zusammen. Sie ächzte, als sie aufstand. »So, jetzt gehe ich nach Hause zu meinen Kindern und trinke ein großes Glas Wein.«

»Das klingt gut«, sagte Lena.

»Meine Mutter hat dafür gesorgt, dass sie keine Nachrichten sehen. Ich weiß gar nicht, was ich ihnen erzählen soll.«

»Dir fällt schon was ein.«

Molly lächelte. »Pass auf dich auf.«

»Danke«, sagte Lena noch einmal und rutschte vom Tisch.

Nick kam ihr entgegen, als sie nach hinten ging. »Wir brauchen morgen deine Aussage«, sagte er.

»Du weißt, wo du mich findest.«

Amanda Wagner lehnte am Kundentresen, das Telefon ans Ohr gepresst. Als sie Lena sah, sagte sie ins Telefon: »Einen Moment.« Dann wandte sie sich an Lena: »Gute Arbeit, Detective.«

»Danke«, sagte Lena.

»Wenn Sie mal mit den großen Hunden auf die Jagd wollen, rufen Sie mich an.«

Lena sah hinaus auf die Straße, wo die Agenten des GBI herumstolzierten, als hätten sie gerade die Menschheit gerettet. Sie dachte an Jeffrey und wie er ihr eine zweite Chance gegeben hatte. Genau genommen wohl eher die fünfte oder die sechste Chance.

Sie lächelte Wagner an. »Nein, danke. Ich glaube, ich bleibe, wo ich bin.«

Wagner zuckte die Achseln, als ging es sie nichts an. Dann setzte sie das Telefongespräch fort. »Wir müssen ihn uns natürlich noch heute Abend vornehmen. Ich will nicht, dass er zuerst mit den anderen Häftlingen plaudert und kapiert, dass er einen Anwalt braucht.«

Mit der gesunden Hand drückte Lena die Tür auf und

nickte einigen der Männer auf der Straße zu. Hier gehörte sie her. Sie gehörte zu ihnen. Sie war wieder Franks Partnerin. Sie war ein Cop. Verdammt, vielleicht war sie sogar mehr als das.

Sie lief in Richtung Campus. Jetzt, da die Belagerung beendet war, stand der Typ vom Sicherheitsdienst wieder bei seinem Wagen Wache. Er tippte an seine Mütze, als sie vorbeiging, und Lena nickte ihm großmütig zu.

Eine willkommene Brise war aufgekommen, als sie die Auffahrt zu den Wohnheimen hinauflief. Lena berührte ihren Bauch. Sie fragte sich, was darin war, was sie für eine Mutter wäre. Nach dem Tag heute hatte sie das Gefühl, dass es irgendwie nicht völlig unmöglich wäre.

Der Campus war wie ausgestorben, die meisten Studenten saßen wahrscheinlich vor den Fernsehern oder lagen im Bett, dankbar für einen Tag ohne Lehrveranstaltungen. Die Innenstadt war noch abgesperrt, doch Lena schätzte, in ein paar Stunden würden alle aus den Löchern kriechen und sich am Schauplatz der dramatischen Ereignisse den Hals verrenken. Und der Dekan müsste die Anrufe wütender Eltern entgegennehmen. Als hätte man irgendetwas verhindern können!

Als Lena Ethan kennenlernte, hatte er in einem extrem wilden Wohnheim gewohnt. Aber Nächte durchzufeiern und ganze Wochenenden zu versaufen, war nicht sein Ding. Es war ihm gelungen, sich mit dem Dozenten anzufreunden, der die Zimmer verteilte, und er war in einem ruhigen Wohnheim gelandet.

Sie stieg die drei Stufen zu der gemauerten Terrasse hoch. Ein paar Studenten, die das Gebäude verließen, kamen ihr entgegen. Ethans Zimmer war einmal ein bloßer Abstellraum gewesen, und obwohl die Verwaltung ansonsten keine Bedenken hatte, Studenten wie Büchsensardinen zusammenzustecken, war Ethan in seinem Kämmerchen von einem Mitbewohner verschont geblieben. Er hatte das Zimmer einmal in Lenas Anwesenheit ausgemessen, und sie hatten überrascht festgestellt, dass es zwei fünfzig mal drei fünfzig maß, mehr, als sie erwartet hatten.

Lena klopfte, dann öffnete sie die Tür. Ethan saß mit einem Buch auf dem Bett. In dem kleinen Fernseher im Regal liefen Nachrichten, doch der Ton war abgestellt.

Er fragte: »Was machst du hier?«

»Du wolltest, dass ich nach der Arbeit vorbeikomme.«

»Wollte«, sagte er. »Vergangenheit. Jetzt nicht mehr.«

Lena lehnte sich an die Tür. »Weißt du, was ich für einen Tag hatte?«

»Weißt du, was *ich* für einen Tag hatte?«, gab er zurück und schlug das Buch zu.

»Ethan ...«

»Ich kümmer mich drum«, unterbrach er sie. »Das hast du doch gesagt. ›Ich kümmer mich drum.‹«

»Ich meinte nicht ...«

»Bist du schwanger?«

Sie starrte ihn an, ein Schmerz regte sich in ihrem Bauch. Zum ersten Mal, seit sie ihn kannte, wollte Lena nicht allein sein, selbst wenn das hieß, dass sie sich auf seine Bedingungen einlassen musste.

»Also?«

Schließlich sagte sie: »Nein.«

»Du lügst.«

»Ich bin nicht schwanger«, beharrte sie. Da sie schon einmal dabei war, machte sie so weiter: »Ich habe meine Tage bekommen, nachdem wir telefoniert haben. Wahrscheinlich der Stress.«

»Du hast gesagt, du würdest dich drum kümmern, wenn du schwanger wärst.«

»Aber das bin ich nicht.«

Er stand vom Bett auf und kam zu ihr. Sie war erleichtert, bis sie die Faust sah. Er holte aus und schlug ihr in den Magen. Lena krümmte sich vor Schmerz, und er drückte ihr die Hand auf den Rücken, sodass sie sich nicht aufrichten konnte. Ethan beugte sich herunter und flüsterte: »Wenn du dich je um irgendwas *kümmerst*, was mir gehört, bring ich dich um.«

Lena wimmerte und versuchte, Luft zu bekommen.

»Hau ab«, sagte er dann und stieß sie hinaus auf den Flur. Er knallte die Tür mit solcher Wucht zu, dass die Pinnwand, die außen hing, zu Boden fiel.

Lena streckte die Hand nach der Wand aus und versuchte sich aufzurichten. Schmerzen schossen ihr durch die Eingeweide, und sie spürte, wie ihr die Tränen kamen.

Zwei Studenten standen am Eingang des Flurs, und Lena versuchte, so aufrecht wie möglich an ihnen vorbeizugehen. Sie schaffte es, Haltung zu bewahren, bis sie hinter dem Wohnheim war, im Wald, wo sie keiner sehen konnte.

Hier lehnte sie sich an einen Baum und sank zu Boden. Die Erde war matschig, aber es war ihr egal.

Sie schaltete ihr Handy ein, wartete, bis sie ein Signal bekam, dann wählte sie eine Nummer. Tränen liefen ihr über das Gesicht, als sie das monotone Tuten hörte.

»Hallo?«

Lena machte den Mund auf, doch sie konnte nur weinen.

»Hallo?«, fragte Hank, und dann – da nicht viele Menschen infrage kamen, die ihn mitten am Nachmittag heulend anriefen – »Lee? Liebes, bist du das?«

Lena schluckte. »Hank«, brachte sie schließlich heraus. »Ich brauche dich.«

EPILOG

Sara saß auf der Motorhaube und blickte auf den Friedhof. Trotz der Tatsache, dass Deacon Whites Bestattungsinstitut von einem Konzern aufgekauft worden war, hatte sich hier in den letzten Jahren nichts verändert. Die geschwungenen grünen Hügel und die weißen Grabsteine, die wie abgebrochene Zähne dastanden, sahen noch genau wie damals aus.

Sara hatte das Gefühl, sie könnte nicht schon wieder ein Grab sehen. In der letzten Woche war sie auf einer Beerdigung nach der anderen gewesen und hatte um die Männer und Frauen getrauert, die Sonny und Eric Kendalls Amoklauf zum Opfer gefallen waren. Marilyn Edwards hatte den Schuss im Waschraum des Reviers überlebt, und es sah so aus, als würde sie durchkommen. Sie war stark, doch sie war eine der Ausnahmen. Die meisten der anderen Opfer waren gestorben.

»Die Stadt sieht anders aus«, sagte Jeffrey, und für ihn stimmte es vielleicht. Er hatte sich verändert, seit er sie das letzte Mal hierhergebracht hatte.

»Willst du dich wirklich nicht bei Possum und Nell melden?«

Er schüttelte den Kopf. »Ich glaube, ich bin noch nicht so weit.« Er schwieg, wahrscheinlich dachte er an seinen Sohn und fragte sich einmal mehr, was er für Jared tun konnte. »Ich frage mich, ob Robert es gewusst hat.«

»Also, ich habe es sofort gesehen.«

»Aber Robert hat nicht mit mir geschlafen«, gab er zurück. »Verdammt, ich frage mich, was er so macht.«

»Du könntest versuchen, es rauszufinden.«

»Wenn er wollte, dass ich es weiß, würde er sich melden«, sagte Jeffrey. »Aber ich hoffe, wo immer er ist, er hat seinen Frieden gefunden.«

Sara versuchte, ihn zu trösten. »Du hast getan, was du konntest.«

»Ich frage mich, ob er Kontakt zu Jessie hat.«

»Sie hat ihre Strafe wahrscheinlich längst abgesessen«, sagte Sara. Wie sie vorausgesagt hatte, musste Jessie für den Mord an einem wehrlosen Mann nur ein paar Jahre absitzen. Ihre Drogen- und Alkoholsucht hatten bei der Urteilsfindung eine Rolle gespielt, aber Nell glaubte, dass vor allem Roberts sexuelle Orientierung die Jury Jessie gegenüber milde gestimmt hatte. Sara konnte nur hoffen, dass es heute anders abgelaufen wäre als damals, aber in solchen Kleinstädten wusste man nie.

»Sie ist wieder in Herd's Gap«, sagte Jeffrey. »Sie hat mir eine Weihnachtskarte in dem Jahr, als sie rauskam, geschickt.«

»Warum hast du mir nichts davon erzählt?«

»Zu der Zeit haben wir nicht miteinander geredet«, erklärte er. Es musste kurz nach ihrer Scheidung gewesen sein. Dann sagte er: »Drei Tage bevor sie mich aufgespürt haben, ist Lane Kendall gestorben.«

»Woher weißt du das?«, fragte Sara. Sonny Kendall hatte sich geweigert, über seine Familie zu sprechen.

»Der Sheriff hat es mir gesagt.«

»Seit wann versorgt Reggie Ray dich freiwillig mit Informationen?«

Jeffrey drehte sich um und lächelte sie schief an. »Hast du nicht von seinem ältesten Sohn Rick gehört?«

»Was?«

»Er leitet die Theatergruppe drüben an der Corner Highschool.«

Sara lachte so laut, dass sie sich die Hand auf den Mund legte. Selbst wenn Rick eine Frau und zwölf Kinder hätte, hätte Reggie die gleichen Vorurteile gegen seinen Beruf, als wäre er ein Transvestit und leitete einen Friseursalon.

»Wie es so geht ...« Jeffrey zuckte die Achseln, was ihm noch immer Schmerzen bereitete. Er wollte sich nicht daran gewöhnen, den Arm in der Schlinge zu tragen, und Sara musste ihn morgens praktisch dazu zwingen.

»Ich frage mich, was mit den Briefen passiert ist, die Eric mir angeblich geschrieben hat.«

»Vielleicht hat Lane sie einfach nicht abgeschickt«, mutmaßte Sara.

»Sähe ihr ähnlich.«

»Nicht mal darüber wollte Sonny reden?«

»Nein«, sagte er. »Das Militär nimmt ihn sich vor, sobald das Zivilgericht mit ihm fertig ist. Seit Lanes Tod galt er als fahnenflüchtig. Wahrscheinlich hätten sie sich nicht weiter darum gekümmert, wenn er nicht ...«

Sara sah zum Friedhof. »Ich hatte sie ganz vergessen«, gestand sie. »Ich war so fertig, als wir endlich wieder in Grant County waren, und danach habe ich all die Jahre nie wieder einen Gedanken an sie verschwendet.«

»Vielleicht hätte ich Lane die Wahrheit sagen sollen«, sagte er. »Gott, sie hat mich wirklich gehasst.«

»Sie hätte dir ohnehin nicht geglaubt«, wandte Sara ein.

Lane Kendalls Leben war von Hass und Misstrauen vergiftet gewesen. Nichts, was Jeffrey gesagt hätte, hätte das geändert. Und doch war es Sara gar nicht recht gewesen, dass Hoss sein Geheimnis mit ins Grab genommen hatte. Zugegeben, Jeffreys Argumente waren überzeugend. Sich mit Reggie Ray zusammenzusetzen und ihn von Hoss' Geständnis zu überzeugen, wäre ein hartes Stück Arbeit gewesen. Ohne konkrete

Beweise hätte niemand Jeffrey geglaubt, erst recht nicht, nachdem Robert von der Bildfläche verschwunden war.

Doch Sara glaubte, der wahre Grund für Jeffreys Schweigen lag darin, dass er keine Beschuldigungen gegen Hoss vorbringen wollte, weil sich der alte Mann nicht mehr verteidigen konnte. Am Ende fiel es ihm leichter, weiterhin die Schuld auf sich zu nehmen, als mit der Wahrheit alles wieder aufzuwühlen. Jeffrey lebte nicht mehr in Sylacauga, er musste diese Schlacht nicht mehr schlagen. Die Menschen, die ihm etwas bedeuteten, wussten, was wirklich passiert war, und die anderen lebten ihr Leben weiter wie zuvor. Reggie Rays Bericht, dass der Sheriff sich beim Reinigen der Waffe selbst erschossen hatte, wurde von keinem angezweifelt. Der Mord an Julia Kendall blieb weiterhin ungeklärt.

Jeffrey zupfte an der Armschlinge. »Verflucht, ich hasse dieses Ding.«

»Du musst es aber tragen«, sagte Sara ernst.

»Es tut nicht mehr weh.«

Sie streichelte ihm den Nacken. »Ich will aber, dass du den Arm benutzen kannst.«

»Wirklich?«, fragte er mit einem Anflug seines alten verschmitzten Lächelns.

Sie wünschte sich so sehr, dass er wieder gesund wurde. »Und die Hand.«

»Du stehst also auf diese Hand?«

»Auf beide«, sagte sie.

»Weißt du noch«, begann er, »wann du mir das erste Mal gesagt hast, dass du mich liebst?«

»Hmmm …« Sie tat, als müsste sie nachdenken.

»Wir waren gerade in Grant County angekommen«, sagte er. »Weißt du noch?«

»Ich hab meine Strandsachen ausgepackt«, sagte sie, »und als ich mich umsah, warst du nicht da.«

»Genau.«

»Und als du zurückkamst und ich dich fragte, wo du warst, hast du gesagt …«

»Dein Mülleimer stinkt, als wäre was darin gestorben.«

»Und ich habe dir gesagt, dass ich dich liebe.«

»Das war wohl das erste Mal, dass jemand für dich den Müll rausgetragen hat.«

»Stimmt«, gab sie zu. »Und seitdem bist du der Einzige, der das für mich tun darf.« Jetzt lächelte er sie ehrlich an, und ihr Herz machte einen Sprung. »Ich will nichts mehr als dich lieben.«

Sein Lächeln ließ nach. »Was hält dich davon ab?«

»Nein, nein«, sie versuchte, sich klarer auszudrücken. »Ich habe mich so lange dagegen gewehrt. Seit ich dich kenne, habe ich dagegen gekämpft, mich in dich zu verlieben. Ich wollte nicht, dass ich dich brauche.«

»Was hat sich geändert?«

Ihre Antwort war einfach. »Du.«

»Du nicht«, sagte er. »Du hast dich nicht verändert, meine ich.«

»Wirklich?« Sie fragte sich, wie er es schaffte, das wie ein Kompliment klingen zu lassen.

»Das musstest du gar nicht«, sagte er. »Du warst schon perfekt.«

Jetzt lachte sie laut. »Sag das meiner Mutter.«

Er wartete, bis sie zu lachen aufhörte. »Danke.«

»Wofür?«

»Dass du gewartet hast, bis ich erwachsen geworden bin.«

Sie berührte seine Wange. »Geduld war immer meine Stärke.«

»Kann ich bestätigen.«

»Außerdem warst du das Warten wert.«

»Sag mir das in zehn Jahren noch mal.«

»Das mache ich«, versprach sie. »Das mache ich.«

Er sah hinunter auf seinen verletzten Arm, und sie wollte ihn schon daran hindern, die Schlinge abzunehmen. Doch stattdessen nahm er ihre Hand und betrachtete seinen Collegering an ihrem Finger. Als auf dem Revier die Hölle losbrach, hatte sie den Ring aus Angst, die Männer würden Jeffrey daran identifizieren, an sich genommen. Im Krankenhaus, als Jeffrey im OP war, hatte sie fast eine Blase am Finger, so stark hatte sie an dem Ring gedreht, wie an einem Talisman, den sie beschwören konnte.

»Willst du ihn wiederhaben?«, fragte sie.

Er versuchte, ein unbeteiligtes Gesicht zu machen. »Willst du ihn mir zurückgeben?«

Sara sah den Ring an und dachte an alles, was dazu geführt hatte, dass sie ihn jetzt trug. So albern es war, sie wusste, dass es Jeffrey etwas bedeutete, wenn sie ihn trug, genau wie jedem anderen Einwohner von Grant County.

Sie sagte: »Ich werde ihn nie wieder abnehmen.«

Er lächelte, und das erste Mal seit ewigen Zeiten hatte Sara wieder das Gefühl, dass alles gut werden würde.

Jeffrey schien das Gleiche zu fühlen. Er versuchte sie aufzuziehen: »Vielleicht solltest du ihn abnehmen, wenn du im Garten umgräbst.«

»Hm«, antwortete sie. »Vielleicht hast du recht.«

Er berührte ihren Daumen. »Oder wenn du deinem Dad zur Hand gehst.«

»Ich könnte Isolierband drumwickeln, damit er besser passt.«

Er lächelte und zog an dem Ring. Es bestand keine Gefahr, ihn zu verlieren. »Du weißt doch, was man über große Hände sagte ...«, begann er. Als sie nicht antwortete, schloss er: »Große Füße.«

»Haha«, sagte sie und nahm sein Gesicht in beide Hände. Bevor sie es selbst wusste, hatte sie ihm die Arme um den Nacken geschlungen und hielt ihn fest, als hinge ihr Leben davon ab. Jedes Mal, wenn sie daran dachte, wie nah sie daran gewesen war, ihn zu verlieren, wallte eine unbändige Verzweiflung in Sara auf.

»Alles ist gut«, sagte er, doch er schien es mehr zu sich selbst zu sagen. Sie wusste, er dachte daran, was sie das erste Mal hierhergeführt hatte.

Sie zwang sich, ihn loszulassen, und fragte: »Bist du bereit?«

Er blickte sich nach dem Friedhof um und drückte die Schultern durch, so gut es ging.

Sara rutschte von der Motorhaube, doch er sagte: »Nein, das hier muss ich allein tun.«

»Sicher?«

Er nickte und ging in Richtung Friedhof.

Sara setzte sich in den Wagen. Sie ließ die Tür offen stehen, um in der Hitze nicht zu ersticken. Sie betrachtete den Ring, drehte ihn, sodass sie den eingravierten Football an der Seite sehen konnte. Wie alle Mannschaftsringe war er riesig und potthässlich, doch in diesem Moment schien er ihr das schönste Schmuckstück, das sie je gesehen hatte.

Sie sah auf und folgte Jeffrey mit Blicken den Hügel hinauf. Er zerrte an der Schlinge, dann streifte er sie ab und stopfte sie sich in die Tasche.

»Jeffrey«, mahnte sie, doch er konnte sie nicht hören. Es war weniger die Schlinge, die ihn so sehr störte, als der Eindruck von Schwäche, den sie erzeugte.

In der hinteren Ecke des Friedhofs blieb er vor einem kleinen Marmorstein stehen. Sie wusste, dass Jeffrey jetzt wahrscheinlich an den Marmor von Sylacauga dachte, an den unterirdischen Fluss und die Baumwollspinnereien. Und sie wusste auch, dass das Ding, das er aus seiner Tasche zog, ein kleines goldenes Medaillon war.

Jeffrey öffnete das Herz und warf einen letzten Blick auf Eric, dann legte er das Medaillon auf Julias Grabstein und lief den Hügel hinunter zurück zu Sara.

DANKSAGUNG

Sylacauga ist ein hübsches kleines Städtchen am Fuß der Cheaha Mountains mitten in Alabama. Es gibt dort einen Sheriff und ein Polizeirevier und eine Bevölkerung von rund 12 000 Menschen, die sich beim Lesen dieses Buches sicherlich fragen werden, ob ich wohl je einen Fuß in ihre Stadt gesetzt habe. Ich versichere Ihnen: Ja, ich war da. Aber weil es sich hier um einen Roman handelt, habe ich mir bei der Verwendung von Straßennamen, Gebäuden und Örtlichkeiten einige Freiheiten genommen. Wie in so vielen kleinen Städten – überall auf der Welt – findet sich auch in Sylacauga ein ganz eigenes Gemisch aus freundlichen, guten Menschen und vereinzelten schwarzen Schafen. Mehr über Sylacauga kann man auf der Homepage Cityofsylacauga.net erfahren. Und wer gerade im Internet ist, kann auch gleich den Namen Billy Jack Gaither eingeben, um einen Blick auf die dunklere Seite des Kleinstadtlebens zu werfen.

Ich habe dieses Buch lange geplant. Schon als ich *Belladonna* schrieb, wusste ich, dass ich irgendwann in Jeffreys und Saras Vergangenheit eintauchen wollte, und so habe ich damals für die aufmerksamen Leser ein paar Hinweise eingestreut. Meinen herzlichen Dank an alle, die von Anfang an dabei waren und es mir ermöglicht haben, das zu sein, was ich am liebsten bin: Schriftstellerin.

Außerdem Dank an meine Agentin Victoria Sanders, die meine Arbeit mit ihrem Enthusiasmus unterstützt; Meaghan Dowling und Kate Elton, die besten Lektorinnen, die man sich wünschen kann; Ron Beard, Richard Cable, Jane Friedman, Brian Grogan, Cathy Hemming, Lisa Gallagher, Gail Rebuck und Susan Sandon sind meine Helden. Den Teams im Vertrieb und Marketing sowie in der Herstellung danke ich für ihre großzügige Unterstützung. Darüber hinaus sind noch so viele Menschen zu erwähnen, angefangen bei den Ladys in Scranton bis zu den Jungs, die die Trucks fahren, aber der Platz ist begrenzt. Seid euch meines innigen Danks gewiss für die großartige Arbeit, die ihr leistet.

Dan Holod hat sich die Waffenpassagen angesehen, aber alle Fehler sind einzig und allein mein Werk – bitte denkt daran, dies ist ein Roman, keine Bedienungsanleitung. Dr. David Harper half mir, Sara wie eine echte Ärztin klingen zu lassen. Steve Asher und seine Freunde von der National Hemophilia Foundation haben mir bei ein paar kniffeligen Problemen geholfen, und ich hoffe, ich habe alles richtig dargestellt. Patricia Hawkins, Amy Place und Debbie Hartsfield (ehemals die Smart Sisters) haben mir interessante Fakten über ihre Heimatstadt geliefert und ich hoffe, ich konnte ein wenig von der Atmosphäre rüberbringen.

Meine Schriftstellerkollegen haben mir geholfen, weiterzumachen. Ich will sie hier nicht nennen, aber die meisten von ihnen tauchen in *Das Armband* auf, einem »Fortsetzungsroman«, an dem ich arbeitete, während ich *Schattenblume* schrieb. Markus Wilhelm gebührt besonderer Dank, genauso Harlan Coben, dem Einzigen, der mich Nummer zwei nennen darf.

In jedem dieser Bücher habe ich Sara übrigens einen BMW fahren lassen, in der stillen Hoffnung, dass die netten Menschen drüben in München es mir mit einem nagelneuen 330a danken würden. Bis jetzt hat sich noch keiner gemeldet, aber ich bleibe dran. Das Gleiche gilt für Tom Jones und Shelby Lynne … *Y'all don't call … Y'all don't write …*